...archipelagi...

Janusz Rudnicki

Śmierć czeskiego psa

W
yda**a**wnic
two b

tak po prostu: Zenkowi Maślonie

TEKSTY PIERWSZE

Śmierć czeskiego psa

Parę lat temu Cyganie okupować zaczęli obóz koncentracyjny w Bergen-Belsen. Walcząc w ten sposób o przyznanie im w Niemczech statusu grupy mniejszościowej. O odszkodowania, za wtedy. Walczyć najlepiej tam, gdzie się wtedy ginęło, dlatego Bergen-Belsen. Dlatego również strajk głodowy w Dachau (!). Żaden jednak ważny chuj na protesty ich, choć tak spektakularne, specjalnej uwagi nie zwracał. To powód, dla którego protestowali tak długo, aż się z tym protestem zżyli, dosłownie. Obóz w Bergen-Belsen stał się, na długi czas, póki nie usunęła ich policja, nowym ich domem.

Dziewiąta rano. Siedzę na łóżku. Głowa zwieszona. Oczy zamknięte. Bo gołębie gruchały, od świtu. Znowu. Jeden gołąb, w zasadzie. Symbol miłości, pokoju i Ducha Świętego. Solista. Jeden gorszy od wielu. Solista irytuje, chór usypia. Więc znowu leżałem na tych swoich plecach, klnąc.

Wstaję, człapię do skrzynki na listy, jedna w niej reklama, „Duży Sklep" ma jubileusz, czterdzieści dziewięć lat na rynku. Idę do „Dużego Sklepu", może coś kupię. Nic nie kupuję, wychodzę, przechodzę obok rożna, kurczaki po cenach jubileuszowych, pół za dwa euro, z bułką. Kupuję, jem, na ławce, słońce i pogoda. Jem rękami, tak lubię.

Przechodzi stary człowiek ze starym psem, pies kuleje i on kuleje, boję się o kurę, ale on ma też kurę i jego pies nie zwraca na mnie uwagi.

Stary człowiek siada na następnej ławce, karmi psa, pies je. Ja też. Telefon mi dzwoni, w kieszeni, nie mogę odebrać, ręce mam tłuste, jem przecież rękami. Jem, a telefon gra, jakaś muzyczka, tak był już ustawiony, za każdym razem chcę ją zmienić na sygnał, ale dzwonią do mnie tak rzadko, że za każdym razem zapominam.

Ławka, słońce, kurczak i ta radośnie zidiociała muzyczka.

Przechodzą dwie kobiety, mówią po polsku, Polki.

Pierwsza: – Popatrz, widzisz, jak taki żebrak ma tu dobrze? Ławka, słońce, kurczak, muzyka, piknik przez całe życie.

Druga: – Skąd wiesz, że to żebrak?

Pierwsza: – Jak skąd, nie widzisz? Chcesz, to się możemy założyć.

Druga: – A jak to sprawdzimy?

Pierwsza: – Pieniądze mu dam.

Druga: – Przestań. Ja myślę, że to Cygan.

Przechodzą, odchodzą, zjadłem, idę do domu. W domu kładę się, śpiący jestem po tym zgruchotanym świcie. Niezbyt udana ta pierwsza połowa dnia. Ale też nie najgorsza. Były gorsze. Ach tam, przedpołudnia albo popołudnia, ile to już dni całych spadło mi ze schodów.

Zobaczę, co przyniesie druga połowa dnia. Jeśli nic, nie będę narzekał, miałem, z drugiej strony, dużo udanych popołudni i wieczorów, człowiek nie powinien wymagać za wiele. Jeśli już jest samotną boją na morzu codzienności, prawda?

Zasypiam, może coś mnie obudzi, jeśli nic, nie będę narzekał, nawet jakbym chciał, bo jak tu narzekać, kiedy się śpi?

Budzi mnie, szczekanie psa, w telefonie. Telefon mnie budzi, a w telefonie szczeka pies. Pies do mnie dzwoni? Za chwilę na pierwszym planie głos mężczyzny. Niewyraźny, miękki. Taki, który chwycić można gołą ręką za dziąsła. Głos starego mężczyzny mówi, pyta, czy to ja przykleiłem na słupie ogłoszenie, że mogę wyprowadzać psa.

Ja mówię, że ja.

On mówi, no to właśnie ja już dzwoniłem do pana dzisiaj w tej sprawie, ale nikt nie odbierał.

Ja mówię, ach, rzeczywiście, ktoś dzwonił, ale jadłem właśnie kurczaka, rękami, bo „Duży Sklep", koło mnie, ma jubileusz, rozumie pan, nie mogłem odebrać.

On mówi, „Duży Sklep"?! Ja... ja też tam byłem, kurczaka kupiłem dla psa i...

Ja mówię, pana pies kuleje, prawda?

On mówi, kuleje! Ja też. A skąd pan...

Ja mówię, pytam, i karmił go pan kurczakiem na ławce?

On mówi, na ławce! Skąd pan... a, to pan? Pan siedział na ławce obok i jadł?

Ja mówię, ja. I pytam, a to pan wtedy do mnie dzwonił?

On mówi, no ja. I pyta, a ta... ta muzyczka to...

Ja mówię, to mój telefon, zamiast sygnału, zapominam zmienić na sygnał, bo, wie pan, rzadko ktoś dzwoni...

On mówi, prawda, jaki ten świat mały. Pan na ławce, ja na ławce... I pyta, to co, może pan przyjść?

Ja mówię, mogę, pytam, kiedy?

On mówi, dzisiaj, teraz, jeśli pan może.

Ja mówię, mogę. Tylko... gdzie?

On mówi, no tak, to starość, ma pan coś do pisania?

Podaje mi adres, nazwisko i mówi. Że nazwisko przy dzwonku na dole napisał ręką, niewyraźnie, ale ja, wie pan, mówi, tak piszę, jak mówię, a mówię tak, jak mówię, bo nie mam już zębów.

Idę, będę wyprowadzał, czemu nie. Miałem już kiedyś psa, miałem, aż mi zdechł. Bokserka, Asta. Chora była, weterynarz powiedział, że przyjdzie ją uśpić, da truciznę. Leżała nieruchoma w kuchni i patrzyła na mnie. Nigdy nie dawałem jej kurczaka, żeby nie zaszkodziły jej kości. Wyszedłem, kupiłem pół z rożna, zjadła na leżąco. Przyszedł weterynarz i podał jej środek nasenny, a ona po nim tę ostatnią wieczerzę zwymiotowała, i zdechła. Mieszkałem wtedy w bloku zaraz przy lesie, poszedłem do lasu, wykopałem dziurę, wróciłem, poczekałem, aż się ściemni, bo po co mi cyrk na osiedlu, położyłem ją na sanki, bo śnieg już spadł, a ona ciężka, i poszedłem. Chodzę z nią tam i z powrotem, bo nie zapamiętałem dobrze miejsca, a ciemno, szukam tej dziury, nie ma. Zostawiłem ją, bo trudno sanki ciągnąć między drzewami, i szukam dalej sam, chodzę i klnę na siebie, aż w końcu jest, znalazłem, kopałem ją dla niej, a sam mało do niej nie wpadłem, nareszcie, idę po nią, idę i idę, nie ma, nie mogę jej znaleźć! Co jest, co jest?! Asta?! Samo mi się z gardła wyrwało, jeszcze trochę, a zacząłbym gwizdać. Znalazłem ją w końcu, prawie na nią wchodząc, i pochowałem, myśląc, że jak człowiek ma dziurę, to nie ma psa, a jak ma psa, to nie ma dziury, nie? No i tak to.

Jestem, dzwonię, wchodzę, idę po schodach, butów pod drzwiami tyle, że nasuwa mi się myśl o Oświęcimiu. Przedstawiam się. On mówi, że źle się czuje, podle, a psa trzeba wyprowadzać dwa razy dziennie, nie daje już rady. Mówi, że kuleje, pies też, czasami trzeba go znosić ze schodów, albo wnosić, już mu za ciężko. A jeszcze tyle butów na klatce, że przejść nie można, Turcy tu mieszkają, dlatego. Mówi, żebym dał mu jeść, miskę mu podał, to się do mnie przyzwyczai.

Haf-haf, szczeka, to znaczy, on szczeka, i mówi, że tak szczeka pies po czesku. W wiosce Medlov Králová go kupił, piękna nazwa, prawda? On się w tej wiosce urodził, dlatego psa stamtąd przywiózł, żeby tu mu, haf-haf, po czesku szczekał, a nie robił jakieś tam wau-wau. To jego czeska kroplówka, ten pies.

Podaję psu miskę, pies je. Pies zjadł. On mówi, że mogę z nim wyjść, do parku, i że jak wrócę, to się rozliczymy.

Ja mówię, żartuję, że nie ma sprawy, że dogadamy się lepiej niż przy Zaolziu.

On się śmieje pierwszy, ja ostatni.

Schodzę z psem po schodach, każdy stopień dla niego to Wielka Pardubicka. Biorę go na ręce, ciężki, schodzimy, szlag by trafił te buty. Idziemy ulicą, trzymam smycz, pies za mną. Powoli. Nagle karetka, jak spod ziemi, musieli przed skrzyżowaniem włączyć sygnał. Przejechała, ciągnę smycz, nic, opór. Odwracam się, pies leży, nie rusza się. Wołam go, ciągnę, pies leży. Podchodzi kobieta w ciąży, pochyla się nad psem, dotyka jego szyi, mówi, że zdechł. Ciężko jej się podnieść, z tym brzuchem, pomagam jej wstać, mówi, że tego jeszcze brakowało, żeby jej teraz wody odeszły, pytam, czy zadzwonić po karetkę, mówi, że nie, że to jeszcze za wcześnie i żebym zajął się psem.

Mówię, że dam sobie radę, że jej brzuch ważniejszy. Biorę psa na ręce, ciężki jak telewizor, i odchodzę. Idę z nim na ławkę, siadam z nim na ławce, siedzimy na ławce. Jego czeski łeb na moich polskich kolanach. Pukam go lekko po łbie. Głaszczę, że niby śpi, nie chcę robić sensacji. Myślę, co dalej. Taksówkarz mi go nie weźmie. Nieść go do domu na rękach? Ciężki, ale nie mam innego wyjścia. Wstaję, chcę go nieść jak dziecko, tak jak trzyma się dziecko, żeby mu się odbiło, z głową na ramieniu, ale on za duży, więc niosę go tak, że wisi mi przez ręce, niosę go tak, jak żołnierz albo strażak niesie dziecko, które ranne albo poparzone. Ludzie się obracają, komentują, pytają, co się stało, mówię, że był uśpiony do operacji i ciężko mu się obudzić, bo stary. Dzieci mnie pytają, jak się nazywa, nie wiem, zapomniałem zapytać, a Czech zapomniał mi powiedzieć, ta jego starość, więc wymyślam, mówię, że Pepik, dzieci idą za mną, krzyczą, Pepik, Pepik, obudź się, coraz więcej tych dzieci.

Tyle ich, że kroczę na czele małego pochodu, robi się korek, bo przystają zaciekawieni kierowcy, drudzy na nich trąbią... ale ma pogrzeb, czeski przesiedleniec ze wsi Medlov Králová.

Piękna nazwa... Medlov Králová.

Nie wiem, co robić, widzę zakład naprawy telewizorów, starczy tego pochodu, wchodzę. Kobieta na widok mój z psem i tłumu za oknem mdleje, wychodzi z zaplecza mężczyzna, widzi mnie, psa i Leżącą, zamiera, jest więc tak, że zakład naprawy telewizorów zamienia się w gabinet figur nieruchomych, w którym jedyny zwiedzający w mojej postaci kładzie psa na ziemi, zamyka drzwi i cuci Leżącą. Leżąca wstaje,

mówię, co się stało, nie słuchają mnie, Leżąca próbuje zwolnić ze „Stój, milcz!" Stojącego, szkoda mi
czasu, rozglądam się, szukam dużego kartonu, widzę
duży karton, wkładam do niego psa, włożony, patrzę
przez okno, czy już pusto, pusto, wychodzę, ciężki
ten karton, trzymam go na ramieniu, myślę, żeby zadzwonić po taksówkę, teraz przecież mogę, stawiam
karton na ziemi, chcę dzwonić po taksówkę, nie mam
numeru, zostawiam karton na ziemi, wracam do zakładu, Stojącemu już lepiej: siedzi, Leżąca nad nim:
stoi, proszę o numer taksówki, dają mi, dzwonię, za-
mawiam taksówkę, wychodzę, kartonu nie ma.

Zniknął.

Patrzę w prawo, w lewo, nie ma.

Gdzie ten karton?!

Ktoś stoi na przystanku, wygląda jak kontroler, chyba kontroler, pytam o karton, przed chwilą go tu położyłem i nie ma. Ten telewizor? Cyganie wzięli, podje-
chali samochodem i wzięli, to pana był? No to ukradli,
złodzieje, ja wszystko widzę, wszystko kradną.

I jak tu przełknąć taki fakt? Kradzieży telewizora
w postaci psa? Ziemia kręci się dzisiaj moim kosz-
tem. Jak dzwon bije mi serce. I biją mi dzwony
w uszach, nic nie słyszę. Pytam Kontrolera, czy słyszy
dzwony, ale on mnie nie słyszy, krzyczy, żebym mówił
głośniej, bo dzwony biją, z kościoła obok. A między
jednym uderzeniem dzwonu a drugim, jakby było
mało, coś trąbi, obracam się, taksówka, taksówkarz
pyta, czy to ja, przez komóreczkę, zamawiałem tak-

sóweczkę, mówię, że ja, i do głowy wpada mi myśl, której wypaść nie daję, bo co? Mam wrócić i co? Powiedzieć Staremu Czechowi? Że pies zdechł? Jaką mu twarz zainscenizować, kiedy powie, dobrze, ale gdzie on? Co powiedzieć, że popełnił samobójstwo, po czym oddalił się, czy że ukradli mi go, żeby oglądać telewizję?

Dlatego pytam Kontrolera, w którą stronę pojechali, z tym kartonem, Kontroler pokazuje w którą, pytam, jakim autem, Kontroler mówi jakim, dziwnym, podobnym do pogrzebowego, wsiadam do taksówki, mówię, co się stało, mówię, że musimy przedsięwziąć coś w rodzaju pościgu, Taksówkarz pyta, tak mimochodem, za jakim samochodem, mówię za jakim, jedziemy.

Tak szybko, że Chrystus ledwo utrzymać się może na krzyżu.

Taksówkarz przejęty pościgiem, ja jeszcze bardziej, a do tego, nagle, jakieś idiotyczne dźwięki w radiu, w radiu? Nie, to mój telefon, nie odbieram, to Stary Czech, na pewno on, skrzyżowanie, w którą stronę teraz? Rezygnuję, to nie ma sensu, chcę wysiadać, Taksówkarz mówi, żebym się nie poddawał i nie wysiadał, i że jakby w głowie sobie połyżeczkować, to myśl tu można zastosować, że nie ma mianowicie takiej koszuli na świecie, której nie można rozprasować. Taksówkarz mówi, że tak mówi jego żona, bo uczona, i że on zna takie miejsce, w którym ich, Cyganów, najwięcej. W którym siedzą oni dniami, i siedzą

nocami, siedzą jak w skansenie, w całym tym Bergen-
-Belsenie, przeczucie go jeszcze nie zawiodło, nigdy,
snajper myli się raz, a taksówkarz przenigdy.

Dziwię się, Bergen-Belsen to obóz koncentracyjny,
no właśnie, mówi Taksówkarz, no właśnie, drogi panie, tam się właśnie rozbili Cyganie. Waham się, trochę daleko od Hamburga, mam się nie martwić, on
wyłączy licznik, będzie inny przelicznik, jedziemy?

Jedziemy. Szybko jedziemy. Prawie tak jak historia
kołem się toczy.

Jesteśmy. Taksówkarz staje pod bramą, pod bramą
auta, wśród aut podobne do pogrzebowego. Taksówkarz poczeka, ma wymówkę, boi się o taksówkę,
wchodzę do obozu sam. Stoję w bramie. W obozie
płonie ognisko, rozsiane tu i tam matki karmią przy-
ssane do nich tu i tam niemowlęta, dzieci bawią się
w chowanego, mężczyźni grają w karty. Stoję w bramie, patrzą na mnie.

Zachód, słońce mam z tyłu, za plecami, z przodu
długi cień.

Matki przestają karmić, dzieci wychodzą z kryjó-
wek, mężczyźni przestają grać. Szukam oczami kartonu, nie widzę. Podnosi się jeden z mężczyzn, chyba
ważny, idzie w moim kierunku. Myślę, co mu powiedzieć, może, że jak mi nie oddadzą mojego kartonu
z psem, to odejdę, ale wrócę nocą i wszystkich ich tu
podpalę?

Otwieram usta, ale Ważny jest szybszy, niemczyzną
połamaną w kilku miejscach mówi, witam pana w na-

szych tragicznych progach, jest pan pierwszym Niemcem, który nas podwiedza. Jest pan człowiekiem, który spieszy się na ratunek honoru narodu niemieckiego. Czy weźmie pan, w tym związku, udział w zaproszeniu na kolację wspólną z nami?

Mówię, chwileczkę, zaraz wrócę, idę do Taksówkarza, mówię, żeby wracał, ja zostaję, tłumaczę mu dlaczego, mówię, że są rzeczy, których odmówić nie można.

Taksówkarz mówi, żebym stąd uciekał, że tu coś się kroi, widział dużo policji, i się trochę boi.

Nie mogę, mówię, nie mogę, mieszkam w tym kraju od dwudziestu lat i wypada, żebym coś dla niego zrobił, a nie mścił się tylko za drugą wojnę światową, chociaż to jedno z moich hobby.

Taksówkarz rozumie, mówi, żebym został z Bogiem, odpowiadam, że nie, żeby lepiej on z nim został, bo w jego zawodzie kierowcy Bóg ważniejszy, taksówkarz dziękuje za oddanie mu Boga, wsiada i odjeżdża, ja wracam.

Czekają już na mnie przy Wielkim Ognisku, dostaję honorowe miejsce i kwiaty, mężczyźni zaczynają grać, kobiety zaczynają tańczyć, dzieci siadają u moich stóp. Roznoszą jedzenie z rożna, dostaję talerz z dymiącym mięsem, głodny jestem, pół kurczaka przez cały dzień to mało, jeść zaczynam, rękami, tak lubię.

Siedzę i jem z tymi, którzy zamieszkali na ziemi swoich dosłownie wygasłych przodków.

Przełykam pierwszy kęs, dziwny smak, pytam, co to za mięso, Ważny mówi, nieważne, ważne, że smakuje, patrzę na rożen, patrzę na mięso i w jednej sekundzie gasnę, wysiada mi kineskop.

Połykam ci ja kroplówkę Starego Czecha?

Słabo mi, zemdlałbym, gdyby nie jakieś idiotyczne dźwięki, telefon mi dzwoni. Nie mogę odebrać, ręce mam tłuste, jem przecież rękami, tak lubię, przez obóz przechodzą dwie Polki, jedna mówi, widzisz, Cygan, mogłam się założyć.

Robaczywy pacierz

Przypadek Adama Kowalskiego miał miejsce w Hamburgu. W Hamburgu wzięli Adama Kowalskiego i zamknęli. Bo się pomylili. Szeroko komentowany w Niemczech skandal, między innymi przez „Spiegla". Cytaty z listów więzionych Polaków również są autentyczne.

Ja to nic, mnie w końcu wypuszczą, to się musi wyjaśnić, ale te ślimaki w moim bagażniku, w tym upale! Biedne winniczki, przecież to się, cholera, podusi, niby i tak na śmierć, do zjedzenia, ale jednak... Kurwa, no nie popierdolone te Niemcy?!

Wziąć i zamknąć człowieka, za nic, jaki znowu list gończy?! Ja i szmugiel papierosów? Przecież ja nawet nie palę! Trzeci tydzień tu siedzę, śni mi się to? No i te ślimaki w bagażniku, one w bagażniku, a ja tu. Ile wyżyje taki ślimak?

Nie popierdoleni ci Czesi? Pretensje mają, że w Polsce żeśmy nasze wyzbierali, to teraz u nich. Myśmy te ślimaki wzięli w swoje ręce, jak sprawę, podjęliśmy inicjatywę, jesteśmy w Unii czy nie? A oni na nas, że my im ślimaki wykradamy. Taki ślimak wie, po jakiej czołga się ziemi? Po morawskiej czy po polskiej? Niech też zbierają u nas, kto im broni? Ale im się nie chce, nie każdemu się chce zbierać to, co się rusza. Nachodzić się trzeba, naschylać. A nam się chce. W Niemczech wyciągamy szpargle z ziemi, z drzew zrywamy jabłka, w Czechach zbieramy ślimaki. Dla Francuzów. Nie popierdoleni ci Francuzi, żeby takie coś jeść?

Było tak, zajeżdżam pod dom, po całym dniu jazdy z Czech, wychodzę z auta, otwieram bagażnik, a tu ich morze. Z koszów powyłaziły. Klnę. I widzę pod moją klatką dwóch facetów. Patrzą na mnie, ja na nich. Nerwowy się robię, przeciągam się, że niby nerwowy się nie robię, oni podchodzą, zamykam bagażnik, oni pytają, czy ja to ja, czy nazywam się tak, jak się nazywam, Adam Kowalski. Nazywam. Urodzony tego i tego dnia tego i tego roku? Urodzony. Ale co, o co chodzi, panowie z policji? Z policji, kryminalnej. Mamy nakaz aresztowania. Kogo, mnie?!

Teraz już jakoś idzie, po prawie trzech tygodniach, podania pomagam naszym pisać, bo gdzie oni po niemiecku, oni nawet po polsku nie, i listy, czytają mi na głos, a ja im poprawiam. Teraz to już lepiej, ale ten początek? Ta biała cela, do której mnie wsadzili? Takiego białego koloru jeszcze nie widziałem, jakby mnie ktoś do butelki z mlekiem wsadził, zamknął ją i przewrócił do góry nogami.

Siedziałem tam i myślałem o Powstaniu Warszawskim. Żeby nie zwariować. Liczyłem w głowie, bo gdzie, co następuje: jeśli przyjąć liczbę ofiar Powstania jako dwieście tysięcy, a każdej z ofiar dać półtora metra wzrostu, bo trzeba uwzględnić dzieci, to wychodzi trzysta tysięcy metrów, czyli kilometrów trzysta. Taką długość miałyby zwłoki zrywu narodowego, który jedyne co, kurwa, osiągnął, to zerwał temu narodowi ścięgna. Do Gdańska wystarczy, w powiewach zdobyliby Powstańcy sopockie molo. A gdyby zrobić z Nich koło? No ile w obwodzie ma taka Warszawa? Na ręce wokół jej szyi starczyłoby z nawiązką. Sprawców tej sinej obwodnicy czci się jak bohaterów, a przecież ten „szczyt" polskiej taktyki wojskowej był błędem tragicznym tak, że zamiast do Ksiąg Pamięci Narodowej trafić powinien do Księgi (w) Rodzaju Guinnessa, co nie? W pizdę i nożem.

Ci Czesi coś tam tłumaczyli, ale nie wiedziałem, o co chodzi. Teraz wiem, jeden tu mi powiedział, tych winniczków nie można zbierać w maju, wiosną, tylko w październiku, jesienią. Bo te z wiosny nie nadają się do jedzenia, niedobre są. Może o to Czechom chodziło, przede wszystkim, a nie o to, że zbieramy...

I pokazują mi legitymacje, przed domem. Pytają o dowód, jeszcze bardziej nerwowy się robię, nie mogę go znaleźć, w portfelu, w kieszeniach, mówią, żeby iść z nimi, że jestem aresztowany za szmugiel papierosów, ja?! Pokazują mi nakaz, z Cottbus, w Cottbus to ja tylko raz byłem, w dzieciństwie! Patrzę, niby ja, nazwisko się zgadza, data urodzenia się zgadza, co jest! Ale miejsce urodzenia się nie zgadza! Krzyczę, żem niewinny, że to pomyłka!

Jeden daje mi tu w celi prośbę do tłumaczenia: *Proszę wysoki sąd o przydzielenie mi na rozprawę tłumacza niemieckiego, bo w ogóle nie znam języka niemieckiego, za co bardzo z góry dziękuję.*
Nie wie, co popierdolił. Idiota.

Wyjaśni się, jak pomyłka, to się wyjaśni, mówią mi po drodze, na posterunku oddaję rzeczy, portfel, *handy*, torbę... Jest dowód, znalazł się! Patrzą pobieżnie na dane i do celi mnie. I po mnie.

A te Morawy to ładne.

W celi rozebrać się mam, do majtek, na suficie kamera, próbuję przykryć ją materacem, do celi wpada ich sześciu czy siedmiu, biją mnie, horror.

Zbierałem te ślimaki i myślałem, ładne te Morawy.

Chodziłem po celi jak zwierz, od ściany do ściany, z kąta w kąt, od drzwi do okna, i myślałem, i myślałem, o popierdolonej policji niemieckiej i jej popierdolonym areszcie, o popierdolonych Francuzach, popierdolonych Czechach i ich ślimakach, które zamienią mój popierdolony bagażnik w popierdolony grób masowy. Jak mnie nie wypuszczą. I chuja, nie wypuścili.

Kobiety. Jeden pokazał mi list od żony: *Kochanie, na początku mego listu wiadomości dobre, a potem złe, bo ich więcej. To znaczy, co do dobrych, to ich w ogóle nie ma.*

Pierwszej nocy nie mogłem zasnąć. Widziałem bagażnik morza ślimaków. Ruchome morze bagażnika ślimaków. Ruchomy bagażnik morza ślimaków. Morski bagażnik ruchomych ślimaków. Nie mogłem zasnąć, liczyłem te ślimaki i liczyłem, aż coraz więcej z nich zaczęło zamieniać się w barany, wtedy zasnąłem.

Bratu miałem odmówić? Powiedział, chodź, pojedziesz do Hamburga przez Morawy, tam pozbieramy, we dwójkę szybciej, we dwójkę więcej, dostaniesz sto euro i pojedziesz do Niemiec. Bratu odmówić? I pojechaliśmy. Pozbieraliśmy.

Ładne te Morawy.

Żegnamy się, ja odjeżdżam, on stoi. Silnik mu nie chce zapalić. To co, na linę i ciągnę go, do warsztatu w... Unicevie? Chyba Unicev. Ale wcześniej przełożyliśmy te ślimaki do mojego bagażnika, bo co, jakby mu jego bagażnik w warsztacie otworzyli? Czekamy, Czesi naprawiają. Czas leci. Po chuj mi były te glisty w skorupach?

Nie wytrzymałem, zacząłem walić do drzwi, rękami, nogami, i krzyczeć, żem niewinny, żeby mnie wypuścili, że co to za tortury, i wypuścili mnie. Do izolatki, kurwa. Skurwysyny. Dziewięć dni sam, tylko w majtkach i jeden koc. Wszystko białe. Piekło jest też na pewno białe. A te robaczywe myśli też. Potem przenieśli mnie do więzienia. Nie chciałem adwokata, na początku nie, bo myślałem, że zaraz się wszystko samo wyjaśni, potem nie, bo myślałem, że jak się samo nie wyjaśniło, to ja to pierdolę, nie będę się bronił, niech mnie trzymają, im dłużej, tym większy będą mieli skandal. Nie krzyczałem już, nie protestowałem. I stałem się więźniem wzorowym. Jak cię aresztują, każdy twój ruch, każdy twój sprzeciw pogarsza twoją sytuację. Nic nie mów. Nie ruszaj się. Zachowuj się tak, jakby zobaczył cię wąż. Albo rekin, widziałem w telewizji reportaż, jak rekiny atakują ludzi, na Florydzie chyba. Nie wolno się ruszać, każdy ruch to o jedno szarpnięcie zębami więcej.

Na początku mego listu, na początku mego listu. Piszą do żon, dają mi do sprawdzenia, czy nie ma błędów, i zaczynają prawie zawsze tak samo: *Na początku mego listu.* Skąd to się wzięło, *na początku mego listu?* Tak nas uczyli, nie wiesz, jak zacząć, zacznij, że zaczynasz. *Na początku mego listu...* a gdzie, kurwa?! Przecież widać, że początek. Barany.

W końcu brat mówi w Czechach, jedź, wiem, że się do niej spieszysz, jedź. Pojechałbym już dawno, mówię, gdyby nie te ślimaki. To wyrzuć je po drodze na jakąś łąkę. I zostawiłem go, pojechałem. Do niej. Na pierwszym parkingu za miastem otwieram bagażnik, wyciągam pierwszy kosz, krzyczy jakiś Czech do innych Czechów, że ja to na pewno jeden z tych polskich łowców ślimaków, kurwa, zamykam bagażnik, odjeżdżam, staję na następnym, to samo, otwieram bagażnik i już mnie z daleka pokazują palcami, pokazują na tablice rejestracyjne, ktoś je tam spisuje, a chuj z wami i waszymi ślimakami! Pierdolę, oddać chcę, a zlinczują mnie za to, że niby biorę, pierdolę, gaz do dechy, w Niemczech je wypuszczę, za karę, żeby użyźniały ziemię byłego wroga.

Wszyscy nasi przed sądem tu wymyślają to samo. Że rodzina w Polsce chora, a ich kobiety w ciąży. *Może wyjdę na zawiasach, ale pamiętaj, mamo, ty jesteś bardzo chora na serce, ojciec jest ślepy, a ja mam dziecko.* Księgi

Narodu i Pielgrzymstwa Polskiego. W pizdę i nożem. I chujem po oczach, kurwa.

Za granicą nie wypuściłem. Naprzód zapomniałem, bo o niej myślałem. A potem, za Berlinem, jak sobie przypomniałem, to do Hamburga było już blisko, pomyślałem, wypuszczę je w Hamburgu, w parku, z ziemi morawskiej do niemieckiej, tacy będą z nich emigranci.

Czemu ona mnie nie szuka? Na policję nie zgłosi, że mnie nie ma, że zaginąłem? Wielka mi miłość, polsko-niemiecka. Przyjechała ze Wschodnich, z Rostoku, studiować tu, slawistykę, pomagałem jej w rosyjskim, pomagałem znaleźć pierwsze mieszkanie, pomagałem się urządzić, pomagałem, pomagałem, pomagałem, aż doszło do pierwszego szczytu, polsko-niemieckiego, ona w dole, ja w górze, patrzyła na mnie jak na myśliwego... Pod koniec tego bilateralnego stosunku przekrzywiła głowę i jej oczy pokryły się mgiełką, jak sarenka, sarna... Przejechana przez trabanta, bo co, genów się nie ukryje, koniec, na rurę niech idzie zarabiać! Przyjdę kiedyś na jej strip, jak wyjdę, usiądę przy ostatnim stoliku i krzyknę do niej przez całą salę, tańcz, kurwo, bo rura rdzewieje!

Kurwa, zapomniałem o matce! Poprawiam cudze listy, a do niej nie piszę nic. Ale co jej napisać, że co? Że siedzę, bo się komuś coś pojebało? A jak nie napiszę, to ona oczy sobie wypłacze. Matka, matka, co to niby jest? To jeszcze gorzej niż jakaś obca kobita. Obca kobita mnie nie obchodzi, a taka to mnie krępuje. Bo mnie urodziła. A jeszcze bądź tu do niej podobny, przecież to, kurwa, chore jest! Ojciec gdzieś żyje w Polsce, jakieś widokówki na święta gryzmoli, nie wiem, o co chodzi. A ja z matką tu, w Hamburgu, jak jakiś... nie wiem, guzik z pętelką. Matka kuleje, inwalidką jest. A ja informatykiem.

Tego też nieźle pojebało, z tym rowerem: *Kochana mamusiu, kochany tatusiu! Na początku mego listu wrzućcie mi do listu 60 euro, bo jak dostanę deport, to wyrzucą mnie na granicy i jak mam wrócić do Suwałk? A jak wrócę, to nawet nie wejdę do domu, tylko od razu wsiądę na rower i pojadę szukać pracy i wszystko wam oddam.*

Napisałem matce, że w pierwszych słowach mego listu naprzód wiadomość zła, jestem w więzieniu. A w drugich dobra, to pomyłka, chodzi o jakiś przemyt papierosów. A w trzecich słowach, że na pewno zaraz wyjdę, być może jeszcze zanim ten list do mamy dotrze. Dotarł, nie wyszedłem.

Synku, szukałam Cię wszędzie, byłam na policji, powiedzieli mi, gdzie jesteś. Już byłam u adwokata, jak przyszedł Twój list. Wkrótce wszystko się wyjaśni. PS A może to kara boska za to, że jako matka tak jestem Ci obojętna?

Dnia pobytu dwudziestego pierwszego klawisz kazał mi się pakować. Adwokat wyjaśnił wszystko w ciągu paru minut. Porównał miejsca urodzenia i zadzwonił na policję w Cottbus. Poszukiwany był Adam Kowalewski. Nie ja, Adam Kowalski. Urzędnik przejęzyczył się na klawiaturze. Przypadek, ja i jakiś Kowalewski urodzeni w tym samym czasie. Ale, kurwa, gdzie indziej. Oddali mi rzeczy i wyszedłem.

Matka stoi za bramą, idzie do mnie, kuśtyka, wyciąga ręce. O, ja pierdolę.

Aresztują cię, kurwa, w biały dzień, pod twoim domem. Dowiadujesz się, że jesteś poszukiwany listem gończym. Zamykają cię. Każdy twój ruch jak w bagnie, im bardziej się chcesz unieść, tym bardziej się zapadasz...

Jak człowiek przychodzi na świat, to tak z niczego wpada w coś. To tak jakby jakiś areszt, nie? Obojętne co, kurwa, zrobisz, bliżej jesteś jebanej w dupę śmierci. Pierdolę, nic nie będę robił. Wiem, gdzieś czytałem, człowiek jest z natury dobry, bo bardziej pamięta to, co dobre, a zapomina o tym, co złe, ale ja pierdolę, ja będę pamiętał tylko to, co złe. Skończyłem informatykę, chciałem szukać pracy, pierdolę, nie będę szukał pracy. Skończyłem kurs żeglarski, chciałem żeglować, pierdolę, nie będę żeglował. Nie ma żaglówek. Są motorówki. Białe. Wszystko jest białe. Nie ma morza, są ślimaki, białe. Po których jeżdżą wściekłe motorówki. Zakochałem się, chciałem się żenić, pierdolę, nie będę się żenił. Jeszcze, idiota, ślub kościelny chciałem brać. Bóg też jest biały, pierdolę tę całą Trójcę i każdego z nich z osobna. W nic nie będę wierzył. Będę pojebaną literówką pojebanego urzędnika z pojebanego miasta Cottbus, które tak samo jest pojebane jak każde inne miasto na świecie. Będę do zasranej białej śmierci siedział w gnijącej skorupie mojego gnijącego ciała i to będzie cała moja zasrana, robaczywa egzystencja. W całym tym zasranym robaczywym bagażniku, jakim jest życie. Jebcie się w kolano, wszyscy.

W kosmosie

Już pięć lat po tym ślubie, a ona w każdą rocznicę obrażona, znaczy, wiesz, obrażona, obrażona, ale kołdrę odchyli, nie? ale wtedy, po tym weselu zaraz, to kłaść się z nią było strasznie, i wstawać strasznie, no więc ten ślub, to wesele, znaczy, aleś się wymodził, powiedziała, wymodził, kurwa, sześć stów za garnitur, dwie za buty, to co? drugi ślub, nie? i ostatni, nie? pięćdziesiąt pięć mi stuknęło, dałbyś? a ona też, suknia, na głowie kapelusik, jak gwiazda jaka, wynajęliśmy knajpę „Kosmos", wiesz którą, tę koło parku, gwiazda w kosmosie, dobre, nie? wynajęliśmy, i co? i wesele, nie? moja rodzina to tam chuj, ojciec umarł, matka umarła, ale jej, jej to jak Cyganie, sześciu braci, każdy żonę i dzieci, no to z każdym po secie, z pierwszym pierwsza seta, jeb! z drugim druga, jeb! z trzecim trzecia, jeb! moja mówi, nie pij tyle, bo se wykolędujesz, ale gdzie tam! z czwartym czwarta, jeb! z piątym piąta, jeb! z szóstym szósta, jeb! i dętka, wykolędowałem sobie, dopiero kolacja, a ja jak czołg, coś tam jeszcze wypiłem i łeb w dół, na stół, idź na dwór, mówi, przewietrz się, może ci pomoże, nawet nie wiem, jak wyszedłem, obudziłem się, to jasno się robiło, pod drzewem, na trawie w parku, co ja tu, kurwa, robię, myślę, podnoszę się pijany jeszcze i do kumpla, Henia, często pijemy w parku, to może z nim, idę, mieszka niedaleko, pukam, otwiera mi jego matka, zaspana, pytam, gdzie Heniuś, a ona mówi, Heniuś przecie na twoim weselu, zgubił się?

Kurwa! no, wyobrażasz sobie?! za głowę się łapię, ciemno mi w oczach, a ona, co się stało?! gdzie mój syn?! gdzie Heniuś! jaki syn, kobieto? ledwo nowe życie zacząłem i już przejebane, a pani mi tu o synu! ja?! to pan do mnie przylazł, nie ja do pana, gdzie mój syn?! i łapie mnie za marynarkę, i nie puszcza, puści, jak jej powiem, co z Heniusiem, a chuj z Heniusiem, ty stara wiedźmo! puść mnie, może tam jeszcze siedzą! i wyrwałem się, lecę do „Kosmosu", ale nie wchodzę, patrzę przez okno, moja siedzi przy stole i płacze, koło niej ktoś tam z rodziny, Heniu śpi na stole, wejść, nie wejść? wchodzę, nogi mi się trzęsą ze strachu, na pierwszym stole przy wejściu widzę flachę, iść do niej czy nie? co to da? nie poszedłem, wziąłem wódkę i spierdoliłem, co by to dało, jakbym poszedł, spierdoliłem do parku, położyłem się w krzakach, jak dzik, żeby mnie nikt nie znalazł, i co, i wypiłem, całą, i zasnąłem, śpię, śpię, coś mnie budzi, coś mnie jakby szczypie, boli, otwieram oczy, a to dzieci! dzieci, kur-

wa, jakimiś patykami i kamieniami we mnie rzucają, a ja jeszcze półprzytomny, to mówię, dzieci, dajcie jeszcze z dziesięć minut, co?

Jednoblatówka

Widać mnie, tyłem, nieruchomego. Siedzę w pustym pokoju, na kartonie. Trochę zmęczony, bo się sam, jako człowiek pojedynczy, goniłem.

Wprowadziłem się, dopiero co. W kartonie trochę bielizny, przybory toaletowe, parę numerków z urzędu, które pobrałem tylko tak, na dowód, że jestem, i dwa rekwizyty, peruka i ciemne okulary. Trochę się ruszam, jedną ręką, drugą, nogą, głową, mogę się gdzieś podrapać, coś nawet zanucić, mogę rozwiązać sobie sznurówkę, a potem zawiązać, ale poza tym nic. Samotność to obecność ciała w (danym) pomieszczeniu, przeczytałem gdzieś.

Lekki deszcz, lekki deszcz bębnić zaczyna o parapet, nie mam parasola, mam co robić, mam po co wyjść, kupię parasol.

Wychodzę, padać przestaje, nie kupuję parasola. Ludzie idą w jedną stronę, ludzie idą w drugą stronę, potrącają mnie, stoję pośrodku chodnika jak Jezus przybity do Chrystusa, co robić? Wracać i siedzieć czy zostać i stać? Czaszka pęka w imadle takiego wyboru. Muszę coś kupić, żeby nie zwariować. Artykuły spożywcze nie liczą się, żaden chleb, żaden owoc, żadne mięso, i tak dalej, nie załatwią sprawy, przeciwnie, jako elementarne pogorszą sytuację, pomijając już fakt, że mam je w lodówce. Wchodzę do sklepu z jakimiś artykułami innymi, wyprzedaż mikroskopów. Mikroskopów?! Fakt wyprzedaży czegoś takiego zaskakuje nawet mnie, w związku z czym zastanawiam się przez chwilę, czy nie kupić dwu, żeby się zemścić na sobie za to, że dałem się zaskoczyć, kupuję jednak jeden, dwa skarykaturowałyby moją desperację i zrujnowały mnie finansowo.

Widać mnie, tyłem, nieruchomo siedzącego. Obok na ziemi rozpakowany mikroskop. Nie robię nic, nie drapię się, nie nucę, nie ruszam żadną z kończyn. Wstaję, pakuję mikroskop, wychodzę, wchodzę do sklepu, chcę oddać mikroskop, sprzedawca pyta, czy stwierdziłem jakąś wadę, nie stwierdziłem, stwierdziłem, że nie mam nic do powiększenia, sprzedawca myśli, że to żart, patrzy na mnie chwilę, widzi, że nie, bierze mikroskop i oddaje mi pieniądze.

Stoję przybity pośrodku chodnika. Żeby nie zwariować, czepiam się ukrytej kamery, udając, że ta mnie filmuje. Udaję, że nie udaję, że nie widzę, że mnie filmuje. Nakładam twarz lekko postrzelonego amanta. Mrużąc lekko oczy, wyglądam jak coś głaskanego po grzbiecie. Przymilnie się uśmiechając, jak coś pękniętego w okolicy głowy. Przyśpieszam kroku, jakbym coś sobie przypomniał, zwalniam, jakbym nad czymś usilnie myślał. Patrzę ni stąd, ni zowąd na niebo, jakby tam Bóg wie co przelatywało. Albo na ziemię, jakby tam nie wiem co leżało. Na czerwonym świetle wiercę się tak, jakby po drugiej stronie coś rozdawali i to coś się kończyło. Drzwi do klatki otworzyć próbuję nie tym kluczem, klucze do siebie podobne jeszcze bardziej niż ludzie, kręcę poirytowaną głową, w końcu znajduję właściwy, wchodzę, nie widać mnie.

Widać mnie. Wyglądam jak naga, porzucona, siedząca odłogiem kość bytu. Noc na duszy i czarno przed oczyma (Seneka). Ratuje mnie głód, siła jego potęgi. Rozleciałbym się, gdybym nie musiał jeść. Jestem w kuchni. W kuchni jest lodówka, w której to, co wyżej, a nad nią to, co jeszcze wyżej, czyli tytuł. Tytuł jest stary, tytuł jest brudny. Dziury ma. Trzeba go wymienić na nowy.

Ściągam stary blat, odstawiam go i mierzę dziurę po nim, żeby podać długość przy zakupie nowego. Zamiast zmierzyć po prostu długość starego, idiota. Męczę się, mierzę, metr zwijany, nie składany, wzrok słaby, ręce krótkie. Jest tak, czasami, że przydałby się ktoś po drugiej stronie. Przytrzymałby drugi koniec, powiedział, wychodzi metr czterdzieści. I poszedł.

Metr czterdzieści, tyle mi wyszło. Niedużo. Może będzie jakaś resztówka, za blaty do metra pięćdziesiąt płaci się mniej, o wiele.

„Baumarkt". Las blatów, wszystkie wysokie jak drzewa. Znajduję jeden, tylko dwa metry, pytam przycinającego blaty, czy nie mógłby skrócić mi go o sześćdziesiąt centymetrów, bo potrzebuję tylko metr czterdzieści, i nakleić kartkę z napisem „resztówka", żebym przy kasie mniej zapłacił...

Nie mógłby.

Ach, nie? Odchodzę, wracam, pytam, dlaczego w zasadzie nie mógłby, pyta, dlaczego ja w zasadzie nie mógłbym kupić dwóch metrów, odkroi mi po zakupie sześćdziesiąt centymetrów i będę miał swoją długość.

Ach, tak? Odchodzę, wracam, pytam, nie robi na panu wrażenia fakt, że jestem najwybitniejszym żyjącym jeszcze pisarzem polskim? Oraz to, że jestem głodny, ponieważ nie mam na czym przygotować sobie jedzenia?

Nie robi.

Wracam za godzinę, jako ktoś inny. W peruce, ciemnych okularach i w innym języku. Po angielsku proszę Przycinającego, żeby uciął mi pięćdziesiąt centymetrów z tego dwumetrowego, Przycinający upewnia się, zdziwiony, czy tylko tyle, potwierdzam, ucina, odchodzę, skręcam z blatem-kikutem w regały, odkładam go między coś tam, wychodzę ze sklepu, wracam za godzinę jako ja, niedbale przechadzam się wzdłuż i wszerz regałów, podchodzę do wiadomego miejsca i mówię z udawanym zdziwieniem, o, to mam szczęście, z nieba mi spadł ten półtorametrowy blat, jako resztówka! Proszę skrócić mi go o dziesięć centymetrów. Przycinający przycina, bardzo powoli, i słychać, jeszcze bardziej niż dźwięk piły, że do szczelnie zamkniętych drzwi jego mózgu puka uparcie pewna myśl. Odchodzę, on patrzy na mnie tak, jakbym mu zabił matkę i postrzelił ojca, płacę przy kasie mniej niż za mikroskop, wychodzę, deszcz. Na taksówkę trochę za blisko, na piechotę trochę za daleko, ale trudno, idę.

Z blatem na głowie.

Raz dziwnie pochylając się do przodu, bo ciężki, raz dziwnie pochylając się do tyłu, bo ciężki. Raz ziemię widząc w związku z tym, raz niebo.

Ziemia jest szara, krople deszczu, które na nią spadają, widzę z góry.

Niebo jest szare, krople deszczu, które z niego spadają, widzę z dołu.

Obracam się, kręcę się z blatem wokół siebie jak latarnia morska, którą zalewają fale parasoli. Ludzie coś mówią, odsuwają się ode mnie, ktoś za mną krzyczy, coś roztrzaskuję, być może głowę, która nie zdążyła się odsunąć. Odwracam się, znowu krzyk za mną, znowu się odwracam, znowu krzyk za mną.

Pode mną krew bez żył, nade mną żyły bez krwi, uciekam z nim na ulicę, pisk opon, huk blachy o blachę, deszczu o blat, ciemno się robi.

Widać mnie, idę powoli jak koń z niewoli, za którym wściekłe stado mechanicznych. Ich klaksony za mną, ich klaksony przede mną, nade mną księżyc, pod nim ja. Pochylając się w przód, pochylając się w tył, zwijam dywan tego tekstu.

Na wyciągu

Przeklęty, kto wymyślił wyciąg krzesełkowy jedno-osobowy.

Siadam na krzesełku, zamykam barierkę, wyciąg rusza do góry i na górze staje. Ale nie w miejscu docelowym, a wcześniej. W miejscu, w którym pod stopami swoimi cień własny sylwetki swojej widzę. Dosyć mały, z czego wynika, że wiszę na tym krześle dosyć wysoko. Przede mną nikogo, obracam się, za mną nikogo. Kto normalny siądzie na wyciąg w dzień Zaduszek? Chcę na górę, Zmarłym Wszystkim świecę zapalić. Wziąłem gromnicę z pierwszej mojej komunii, dużą, półmetrową, żeby widać ją było ze szczytu z daleka, aż po czeskiej stronie, żeby widzieli tam, że Polak z martwymi za pan brat, konie może z nimi kraść.

No trudno. Potrwa to trochę i zaraz wyciąg ruszy, zdarza się przecież, że coś im tam nie tego. Zimno, kręcę się, wiercę, nic. Siedzę. Z piętnaście metrów

nad ziemią. Wisząc. I siedząc. Siedzę, wisząc, czy wiszę, siedząc? Zdarzenie przecież jedno, ale z jedno-
czesnością kłopoty. Nieważne, kolejka ważna, zapo-
mnieli o mnie?

Nic się specjalnego nie dzieje. Mój cień: porusza się
lekko. Wiatr: lekko szumi. Drzewa: lekko szumią też.
Powietrze: zimne.

Skrzypi coś, lina nade mną. Wiatr dmuchnął. Coś
się przynajmniej dzieje. Znowu skrzypi, znowu wiatr.
Coraz mocniej, a cień mój pode mną coraz bardziej
się chwieje. I zaraz szarpie mną tak, że trzymam się
tej rury jak człowiek ludzkości. A zimna ona jak klamka do igloo. Ręce sobie odmrożę, jak jej nie puszczę,
a jak puszczę, to spadnę i połamię sobie kości.

No jak szmata latam, doprawdy! Jak można tak?
Z człowiekiem?! Postępować?! Zapominać o nim i tar-
gać go wiatrem! Bóg, jakby istniał i mnie widział, powiedziałby, a co to za półtora nieszczęścia tam wisi
i trzyma się rury? I tchnąłby w kolejkę prąd, bo On to
prąd świata, i pojechałbym szczęśliwy do góry, wolny
jak mucha, pod którą wysechł nieoczekiwanie lep.

Ale Boga nie ma i tkwię tu dalej jak mucha na lepie
spod lady w czasach PRL-u, bo wtedy lepy z klejem
sprzedawano tylko spod lady, a normalnie to suche,
bez kleju.

Ciemno się robi, cień mój opuszcza mnie.

Kości bolą od siedzenia. Może wstać? Wstaję powoli, z trudem, nogi mi się trzęsą ze strachu, ale wsta-

ję. Widzę na dole, w dolinie, łunę bijącą od świe-
czek na cmentarzu, widzę dalekie światła domów,
jakby tam gwiazdy spadły. Ale mnie z dołu nie widzi
nikt. W ogóle mnie nikt nie widzi, chociaż być, to ja
jestem.

Do głowy przychodzi mi nagle, lekkim krokiem,
myśl zbawcza o gromnicy w moim plecaku, znajdu-
jącym się na moich plecach: zapalę ją, może ktoś
mnie zobaczy? A jeśli nie, to przynajmniej ręce sobie
ogrzeję.

Cieplej, faktycznie. Siedzę i świecę, ale żeby mnie
ktoś widział, to nikt. Może za nisko tę świecę trzymam? I zasłaniam ją sobą, bo siedzę tyłem do dołu,
a przodem do góry. Z góry mnie widać, ale tam przecież dawno już nikogo nie ma, ważny jest dół. Myśl
zbawcza następna, postawię gromnicę na głowie. To
jest, nie ją do góry nogami, ale ją na głowie mojej.
Co uczyniwszy, siedzę. Wisząc. I paląc się. Wszystko
jednocześnie. Głupio, że ruszyć się nie mogę, bobym
zgasł, ale tak, to całkiem, całkiem. Jasno nawet trochę, no i cieplej.

Coś chrząka pode mną, rusza się, dziki? Albo wilki,
nie widzę tak dobrze, może dziki i wilki. Mięso ludzkie
poczuły. I czekają, aż spadnę, niedoczekanie wasze!

Ciepło, coraz cieplej, bo na twarz spadają mi krople wosku. Wielkie, ciepłe, można się przyzwyczaić...
Zasypiam...

Budzę się, nie mogę otworzyć oczu. Wosk, wszędzie wosk. Na oczach, uszach, na całej głowie, szyi

i niżej, na klatce piersiowej, na plecach i rękach. Ruszyć się nie mogę. Jak w gipsie cały, z małą dziurą w okolicy ust. Nie widzę, nie słyszę. Jestem sytuacją bez wyjścia. Która głośno oddycha. Osiągam status podmiotu absolutnego, moja egzystencja jest jedyna, bracia moi w rozpaczy.

I nagle szarpnięta jest ta sytuacja, do przodu, do tyłu, i jedzie. Wyciąg ruszył, sunę do góry, jadę, nareszcie! Na górze słyszę łoskot spadającego ciała, zemdlał na mój widok Obsługujący Górę, który miał mi przytrzymać krzesło, sam przecież po omacku nie wyskoczę, zdrętwiały do tego, do krzesła przytwierdzony jak Chrystus do krzyża.

Robię półkole i zjeżdżam, jadę w dół, na każdym przęśle wte i wewte tańcząc, bezwolny jak puszka przywiązana do samochodu nowożeńców, co za los. Aż skomli, żeby ująć go we własne ręce, które muszę jednak najpierw uwolnić. Zaczynam nimi poruszać, ścierpły, boli, ale krok po kroku oswobadzam się z tego białego kaftana bezpieczeństwa, z tej drugiej mojej skóry, sztywnej, tłustej i śliskiej. Ręce ożyły, wędrują w okolice oczu, żeby mi je przetrzeć, coś przecież muszę widzieć, i tam, w okolicach oczu, trafiają na okulary. Wosk poszedł pod szkłami, po samych oczach, dlatego siedzą na mnie sztywno, zahaczone o uszy, sprasowane z nimi. Muszę wyglądać jak mumia, której urwis z wycieczki szkolnej założył okulary. Tak mam się pokazać ludziom na dole?! Próbuję poruszyć okularami w górę i dół, działa, przesuwam je gdzieś na wysokość brwi i palcami robię sobie dwie dziurki na wysokości oczu.

Zaczynam widzieć, świat, o poranku.

Ściągam płaty wosku z pleców i brzucha, jakoś idzie, wyżej gorzej, trudno, oto jedna z masek, która przyrasta do twarzy. Rezygnuję więc i wyglądam, chyba, jak wiceprzewodniczący Ku-Klux-Klanu na chorobowym, kiedy zjeżdżam, opadam, jestem na dole i padam w ramiona Obsługującego Dół. Jest opanowany, widocznie zadzwonił do niego Obsługujący Górę. Trudno mi się wyprostować po całej nocy w pozycji siedzącej, dlatego wiszę nad Obsługującym chwilę jakąś, aż ten bierze mnie na ręce i sadza na ławkę. Siedzę, rozprostowuję nogi, nogi dochodzą do siebie, podnoszę się i idę w stronę dworca, do domu czas, zanim się całkiem wypalę, bo widzę, w oknach wystawowych, że palę się jeszcze, ludzie mnie oglądają, dzieciom jako żywą świeczkę pokazując, dzieci idą za mną, podskakują, chcą mnie zdmuchnąć, ale nie udaje im się, od komunii urosłem sporo.

Myślą wszyscy, że z cmentarza po Zaduszkach wracam, skąd mają wiedzieć, że ja z wyciągu, że ja prosto z Golgoty, że ja Syzyf z wosku, któremu on, nareszcie, schodzi, opada z szyi, uszu i twarzy i czerep mi tylko zostaje, jakbym z martwych wstał i poszedł, ze świecą ku czci mojej zapaloną. Lub jakbym beret z antenką miał, która płonie jeszcze, kiedy pociąg wjeżdża do górskiego tunelu.

Zgaś się sam, jak sam się zapaliłeś. Ślinię palce, unoszę rękę, chwytam knot, syczę przez chwilę i staje się ciemno. Znowu, i znowu mnie nie widać, ale być, to ja jestem.

Tu stacja Kędzierzyn-Koźle!

Ze złamaną nogą tkwię w kanale ulicznym, i do tego z karłem.

Było tak: wysiadam na stacji węzłowej mojego życia i nic. Cicho, żaden śpiew ani rżenie. Czekam, czekam, koni nie ma. Zawsze są, kiedy przyjeżdżam, teraz nie. Zawsze przysyła je po mnie Maślona Zenon, przyjaciel z czasów prepolucyjnych jeszcze, który potem, po prawie, karierę w finansach zrobił taką, że kominy zakładowe Azotów kłaniają mu się w pas, kiedy przejeżdża przez nie swoją ośmiokonną, pozłacaną karocą. I gdzież on teraz, przebrany zawsze za woźnicę, mrugający do mnie okiem i strzelający batem?

Ciemno, zimno, a ja stoję jak odarty ze złudzeń słup ogłoszeniowy. Do toalety udaję się dworcowej, za potrzebą krótką, chcę wyjść, ktoś z dołu szarpie mnie za kurtkę. Karzeł, z ręką wyciągniętą jak semafor stoi i dwa złote chce, nie mam złotówek, mam euro, daję mu jedno, mówi, że chce dwa, o ty bestio chytra! Odpycham go i wychodzę, on za mną. Ja szybciej, on też, ja jeszcze szybciej, on też, przed karłem uciekać? To trochę tak, jakby dyrektor cyrku bieg po zdrowie prowadził...

Najwolniejszy to ja nie jestem, w młodości ścigałem się z autobusami, byłem atrakcją turystyczną miasta, pasażerowie rzucali mi przez okna cukierki, a Zenek je zbierał, tak się dzisiaj mówi, cukierki, ale to były czasy, w których ludzie smarowali chleb pastą do zębów rano. A pastą do butów wieczorem.

Najwolniejszy to ja nie jestem, ale co się odwrócę, to ta menda za mną, co jest?! Przecież karły... Od kiedy to karły jak antylopy? Biegnę, uciekam i nagle jak nie potknę się o coś przy budce telefonicznej! O głowę śpiącego na ziemi człowieka, okazuje się, któremu ta głowa wystaje z ciała, które to ciało wystaje z budki. Lecę parę metrów w powietrzu i wpadam do dziury, do otwartego kanału, tą nogą właśnie. Jak półotwarty scyzoryk, jedna noga w kanale, wisi, druga na ziemi, leży, tak siedzę. Ból straszny, że aż milczę, i w ciszy tej oddech jakiś słyszę, mój? Jak mój, skoro za mną? Odwracam się w jedną stronę, nikogo, odwracam się w drugą, nikogo. A oddech jest, na karku go czuję! Krzyczę, na pomoc! i słyszę głos przy samym uchu moim, żebym się nie darł tak, bo uszy puchną, bo sam nie jestem. Głos karła! Okazuje się, że na plecy mi skoczył, kiedy? Już jakżem z szaletu wychodził?

I tak to się stało, że ze złamaną nogą tkwię w kanale ulicznym, i do tego z karłem. Wyglądając jak kadłub

z garbem. Może byś zlazł ze mnie, diable przeklęty, mówię, a on, że nie może, nie umie, skurczu jakiegoś dostał, ze strachu, jakeśmy padali. Mówię, żeby mnie uszczypnął, bo to mi się śni wszystko chyba, uszczypnąć mnie nie może, bo przecież w skurczu, ale ugryźć mnie może, co też czyni, w szyję zęby mi swoje wbija, oj, oj, jeśli to sen, to ja takie sny pierdolę, boli tak, że o nodze bolącej zapominam. Krzyczę z bólu, bo on zębów swoich ze mnie nie wyciąga, nie może, nie umie, stęka, jęczy, mam dopuścić myśl, że szczęka jego też w skurczu?

Idzie ktoś, na głowie coś trzyma, jakby kosą ścięte sombrero, wołam o pomoc, przyśpiesza kroku i znika, echo tylko swoje słyszę.

Dopuszczam tę myśl, szczęka jego też w skurczu, jego zęby nie opuszczają mojego ciała, boli przy każdym ruchu. Małe toto, jakby się do połowy samo zjadło, a zęby ma normalne, duże, szlag niech to trafi!

Znowu ktoś idzie, na głowie to samo, wołam, znika, jak ten, który zniknął. Co jest? Co oni noszą na głowach?

Drę się, krzyczę, na nic. I żadnych więcej ludzi, gdzie wszyscy? Ten mieszkający w budce przytomnieje, podnosi się, siada na tyłku i trzyma za twarz. Jęczy, jęczę ja i jęczy karzeł.

Sygnał karetki z daleka słychać, nareszcie, i nagle nic, cisza. Idzie ktoś, znowu z czymś na głowie, pytam go, czy ma przypadkiem przy sobie granat, jeśli tak, to żeby mi zostawił, znika, jak ci, co zniknęli.

Wołam o pomoc, ale już zrezygnowany, echo tylko słyszę, echo? Jak echo, jeśli co innego woła? Woła, żebym się drzeć w końcu przestał, bo to nie da nic. Bo nie jestem jedyny, który do kanału wpadł. Właśnie, woła ktoś inny, z innej strony, właśnie! Budzę go tylko ciągle! Z innych stron odzywają się inni, kto jak się nazywa, gdzie mieszka. Jeden woła, że koło niego koń do kanału wpadł i cały zaprzęg dęba stanął, a woźnica wyleciał tak daleko, że wpadł do następnego.

Ten mieszkający w budce tłumaczy mi, że po mieście grasuje banda gulikowców, kradną pokrywy z kanałów ulicznych i sprzedają na złom. Łatwe pieniądze, na ulicy leżą. Kradną ich tyle, że karetki nie mogą dojechać do tych, co wpadli do dziur, jak, kiedy same wpadają. Mówi, że ludzi na mieście tak mało, bo część w kanałach, a ci, co jeszcze nie, boją się po ciemku wychodzić, a on sam tu w budce mieszka, na telefon czeka, od żony, kiedy do domu może wrócić, bo nabroił.

Coś mnie za nogę łapie! Za tę, która wisi. Serce lata mi po ciele jak kulka po fliperze, ktoś wisi na mnie i jęczy, to on? To ty, Zenek?! To on, musiał przeczołgać się kanałami i teraz znalazł wyjście, mnie.

Śnieg, zaczyna padać. Dzwony, zaczynają bić. Wysuwam język, czekam na płatek, pić mi się chce. Spada jeden, biorę do ust, połykam.

I nagle ból piekielny, znowu, karzeł, już ciału memu organiczny, zębami rusza. Coś zaczyna mówić, za każdy jego pojedynczy dźwięk płacę nową krwią na szyi. Nie rozumiem, co on tam z tyłu w mojej krwi bełkocze, coś, że zaraz spa... spa... rzeczywiście, obsuwamy się! Przez niego, Zenka, który po mnie wspinać się zaczyna. Karzeł jęczy, wyje, krew mam na plecach, krew na pośladkach, udach, krew już na łydkach, kapie ze mnie jak z uderzonego z wprawą królika, który nie wie jeszcze, że już go nie ma, i spadamy w czeluście miasta, i ostatnie, co słyszę, to, z dworca przez megafon, tu stacja Kędzierzyn-Koźle, tu stacja Kędzierzyn-Koźle.

Na barykadzie

Polacy wolą oddawać krew Niemcom. W centrum Görlitz niemiecka firma skupuje krew. Połowę dawców stanowią Polacy z okolicy. Zarabiają na wakacje, ciuchy, piwo. (...) W Polsce za oddanie krwi lub osocza można dostać najwyżej sześć tabliczek czekolady. W Niemczech na tym się zarabia. Firma wszystkie placówki ma we wschodniej części Niemiec. Kilka miesięcy temu zainwestowała milion euro w piętnastą stację, w Görlitz, oddzielonym tylko Nysą od Zgorzelca. („Gazeta Wyborcza", 2007)

– Jasna cholera, do stu piorunów, słyszy mnie ktoś?! Halo?! Przyślijcie posiłki! Sam barykady nie utrzymam, za dużo ich!

Przede mną nasi, idą na mnie ze wszystkich stron. Za mną, w budynku w samym sercu miasta, ubrana na biało armia niemieckich żołnierzy, wszyscy ze strzykawkami w rękach!

Jestem agentem specjalnym rządu. Moja specjalność to ogniska zapalne, kiedy płoną niebezpiecznie, tak że trudno je ugasić, gaszę je ja, człowiek do specjalnych poruczeń. Przykłady? Pamiętacie biały szkwał na Mazurach? To ja byłem tym rzekomym jasnowidzem, który znalazł jego ostatnią ofiarę. To dzięki mnie żadne obce wojska nie weszły do Tbilisi, a w Gruzji nie zmieniła się władza. To ja przyczyniłem się do przełomu w poszukiwaniu grobu Mikołaja Kopernika. I gdybym to ja jechał z profesorem Geremkiem, ten nigdy nie zasnąłby za kierownicą. A jak Czesi dalej będą zwlekać z zamontowaniem dwujęzycznych tablic na Zaolziu, to pewnego ranka mocno się zdziwią. I to ja, jeśli nie zginę i jeśli strony nie dogadają się, to ja będę tym, który rozwiąże problem rury bałtyckiej, bo ja mianowicie, nie gaz, wydobędę się z niej po niemieckiej stronie. Wystarczy?

Ogniskiem zapalnym stało się miasto Zgorzelec: stu naszych, tygodniowo, zaczęło przelewać krew po drugiej stronie Nysy. Gdyby sprzedawać można było wyłącznie krew, sprawa rozeszłaby się po kościach, oddawać można ją tylko cztery razy w roku (za dawkę pojedynczą dwadzieścia euro), ale pies pogrzebany w tym cholernym osoczu! Tańsze od krwi (dawka pojedyncza piętnaście euro), ale w roku przelać je można trzydzieści sześć razy! Wychodzi rocznie? Plus krew? No właśnie. Stu naszych tygodniowo to, powtarzam, dane wcześniejsze, teraz sytuacja zaogniła się tak, że nie było innego wyjścia, na arenie zgorzelskich wydarzeń musiałem pojawić się ja.

Widok katastrofalny, kiedy zrzuciłem z głowy spadochron. Ludzie jak pomazańcy wampirów, bladzi, biali, niebiescy, ledwo snujący się po ulicach. Burmistrz miasta, słabym głosem przepraszając, że na przywitanie nie może podnieść się z fotela, składa mi meldunek, że pomścić mam naszą krew, bo ci za rzeką, na których jesteśmy skazani, brali więcej niż po pół litra. A płacili za pół. I że połowa mieszkańców idzie, żeby przelać, a ci, którzy nie idą, nie idą, bo już szli. I że idzie biedota z kontenerów karnych, po wyrokach eksmisyjnych z mieszkań komunalnych, i że idą też z okolicznych wiosek, bo chłopi zawsze przecież przelewali. I że nie wiadomo, kto ile razy przelał pod rząd, bo policja notuje ekstremalny wzrost liczby skradzionych lub sfałszowanych dowodów. Oraz liczby nielegalnych usunięć ciąży, bo, wiadomo, w ciąży...

Burmistrz nie skończył, a ja już na ulicy, i już zaraz blisko granicy, cholera jasna, rzeczywiście, tłumy, im bliżej mostu, tym bardziej nieprzebrane! W sensie: jedni wracają, drudzy idą. Stop! krzyczę z wojskowego jeepa, przez megafon, stać, hołoto! Oszukają was, krew wam spuszczą jak na świniobiciu! I komu to ratujecie przez to życie, dawcy-sprzedawcy?! Polskie bydło męskie! Żeńskie ścierwa krajowe! Im? Im właśnie?! U nas nie ma, do kurwy nędzy, ofiar żyjących na miejscu wypadku, bo skąd krew?!

Nic, nie reaguje pielgrzymstwo polskie, idą przeze mnie, jakbym niewidzialny był! Oto pierwszy skutek zniesienia granicy: oni oddają u nas butelki na kaucję, a my u nich krew.

Postawiłem zasieki na moście, pokrwawieni, ale przeszli.

W centrum Görlitz, na placu, gdzie Instytut, puściłem gaz łzawiący, petardy i świece dymne, trochę pomogło, cofnęli się, ale nie na długo.

– Jasna cholera, do stu piorunów, słyszy mnie ktoś?! Halo?! Powtarzam: przyślijcie posiłki! Sam barykady nie utrzymam, za dużo ich!

Nie słyszą mnie, nie mam połączenia z bazą w tym dymie i huku. Sam nie dam rady. Położę się na progu, przejdą przeze mnie, stratują, i wyglądał będę jak obrus po weselu. Na wsi. Rozerwę koszulę, to samo, zamarznę do tego, kto wytrzyma długo w styczniu z nagim torsem?

Trudno. Rozerwę się. Wysadzę się sam, nie ma innego wyjścia. Wbiegnę do Instytutu i wysadzę. I wezmę ich tam wszystkich ze sobą. Razem z całą tą ich kwaterą główną. Czerwonego diabła. I wszyscy trafią do piekła, a ja do podręczników. A moje organy, jeśli przydatne, do jakichś innych ciał własnych.

Zawał mam

...w kieszeni[*]. Siedzę w szpitalu, na korytarzu. Czekam, aż się Gienius obudzi.

Gienius śpi, słaby jeszcze po operacji, nerkę mu wycięli. Było tak, Gienius wszedł do toalety, białej jak protest pielęgniarek, stanął pod ścianą i sika. I tak patrzy, patrzy i dziwi się, dlaczego ta muszla przed nim taka czerwona? Nagle. Jakby te pielęgniarki krew zalała. I to wszystko, i tak Gienius w szpitalu się znalazł, a ja na korytarzu, czytam, czekam, aż się obudzi, bo słaby jeszcze.

Siedzę na korytarzu szpitala w mieście Hamburg, skąd ja i on w mieście Hamburg? Nieistotne tu, przypadek, przypadek pompuje krew do żył, a żyły jak ścieżki losu.

---

[*] Miron Białoszewski, *Zawał*, Państwowy Instytut Wydawniczy, Warszawa 1977.

My z Gieniusiem to już jak mali byli, to w jednej piaskownicy się, bawili. Ciężarówki radzieckie na sznurkach, ciągnęli. Aż rodzice jego wzięli i zniknęli. Matkę jego zabił wampir z Zagłębia, którego nie złapali, a powiesili innego, po czym ojciec Gieniusia powiesił się. Na huśtawce bez siedzenia, bo rozkręcili, a potem podwórko mówiło, że tu się ojciec Gieniusia huśtał... No a Gieniuś na drugi dzień ten sznurek sobie wziął, do ciężarówki, bo został na ziemi, skąd miał wiedzieć, skąd ten sznurek i dlaczego. No i potem nagle Gieniuś też zniknął, czekam, czekam, nic. Patrzę, ślad po kółkach, z piaskownicy gdzieś dokądś, to idę. Idę i idę. Jedna ulica, druga, inna dzielnica. Pierwszy raz sam, bez ręki mamy w ręce. Idę i nagle brama, a za nią Gieniuś, i inne dzieci. I pani, która klaszcze w ręce i woła, obiad!

Gieniuś idzie, jeszcze potężny, ale już chwiejący się w konarach, i mniej go o trochę w okolicach nerek. Przy boku mały worek z płynem ma, plastikowy. Kiedyś to nam w pierwszych dżinsach młode kartofelki pogodnie sobie dyndały, teraz ten worek. Mówi

– to na mocz.

Idziemy, trzyma się mnie, przechadzamy się po korytarzu, tam i z powrotem, a ten woreczek tak między nami, bimba. A my jak o boję, tak się o niego obijamy. I on coś mówi, Gieniuś, o jakimś wibratorze, co burczy i burczy, i pyta

– ty mnie słuchasz?! W ogóle?

A ja

– no słucham, słucham, burczy. Gdzie?

A on

– w brzuchu, gdzie! W jelitach. Nie z głodu, tylko wibrator.

A ja

– jak?

A on

– ty mnie słuchasz?! W ogóle? Żona przywiozła tu w nocy męża, z wibratorem w jelitach, bo jej wypadł! Wyślizgnął się. Wymsknął. Wypsnął. I nie umiała go wyciągnąć. I przywiozła męża. Takiego brzęczącego. Jak stado much. Gdzie ty... O czym ty...

Gieniuś źle się czuje, prowadzę go do pokoju, kładzie się, ustalamy, że przyjdę znowu, wychodzę, w domu nic specjalnego.

Chociaż... listonosz przyszedł. Dzwoni z dołu, otwieram, wchodzi na górę, z paczką, zdziwiłem się, ucieszyłem, ostatnią dostałem w roku 1981, w „internacie", ze smalcem, pasztetem i Biblią, listonosz mówi, że nie ma sąsiadki z dołu, czy mógłbym za nią odebrać, i pokwitować, odbieram, i kwituję, trochę rozmawiamy w otwartych drzwiach, mówi zdanie, które częściej w Hamburgu pada niż deszcz

– a ja to na przykład nigdy nie byłem w Polsce, chociaż moi rodzice stamtąd.

I zadaje pytanie, które pada w tym mieście jeszcze częściej niż zdanie powyższe

– a z jakich stron w Polsce pan?

I nagle dzwonek na dole, ktoś komuś drzwi otwiera, mówię

– ze Śląska, w zasadzie.

Mówię głośno, bo dzwonek z dołu głośny, irytujący, listonosz pyta, też głośno

– a skąd ze Śląska?

A dzwonek dzwoni, zaciął się, teraz tak wył będzie z godzinę, zanim po elektryka zadzwonię.

– no tak mniej więcej Opole, Oppeln, zna pan?

– Oppeln, Oppeln...

I myśli, czoło mu się marszczy, a dzwonek dzwoni, przeraźliwie, i dopiero teraz go słyszy, że się zaciął, mówi

– zaciął się, po elektryka trzeba zadzwonić

– trzeba

– to pójdę już, do widzenia.

Poszedł, ja stoję, oparty o framugę drzwi, i czekam, może jakoś przestanie, zanim zadzwonię, koty idą. Z dołu, dwa, sąsiadka ma i na korytarz puszcza, żeby pochodziły sobie trochę, idą zawsze do góry, do mnie, a ode mnie na strych. Teraz się zatrzymują, siadają i patrzą się na mnie. Cztery nieruchomo wbite we mnie ślepia, lekko powiększone, jakbym z innej planety tu spadł, z jakąś dziwną w górnej części ciała twarzoczaszką, i stał, nie wiadomo dlaczego i po co, w otwartych drzwiach. Trzymam spojrzenie, raz patrzę na jednego, raz na drugiego, cztery nieruchome lśniące ślepia i ten dzwonek, czuję się jak obcy gatun-

kowo, jak dosłownie wyjebany w kosmos, z którego ściąga mnie na ziemię głos sąsiadki z dołu
– zaciął się, po elektryka trzeba dzwonić!
– no! paczkę…
I w tym momencie, w którym pada słowo „paczkę", dzwonek milknie. Cisza. Bo się poruszyłem. Bo przestałem opierać się o framugę. Bo opierając się o framugę podczas rozmowy z listonoszem, dzwonek przycisnąłem. Koty ruszają do góry, sąsiadka pyta
– co to było?
Nie będę się kompromitował
– nic, zawiesił się i odwiesił się
– tak sam z siebie?
Zmieniam szybko temat
– paczkę mam dla pani.
Idzie do góry
– paczkę? Listonosz był? Dzisiaj przyniósł? Spałam, nic nie słyszałam, musiał krótko dzwonić. Obudziłam się, jak ten dzwonek się zaciął, ale dlaczego? Tak sam z siebie…
Sam z siebie, sam z siebie… Niecierpliwię się, wścibska baba!
– co pani z tym „sam z siebie"? Tak się pani zacięła jak ten dzwonek
– no wie pan? Jakaś przyczyna przecież być musiała! Tak sam z siebie to on jeszcze nigdy
– sam z siebie nie! To ja dzwoniłem, do siebie!
– pan? Do siebie? Z dołu?
– z dołu!

– jak? Przecież pan na górze?

– no, już na górze

– nie rozumiem

– dzwoniłem do siebie z dołu, nie było nikogo, to wszedłem na górę i sam sobie otworzyłem, na dole. Dlatego to tak długo trwało

– wie pan co? Do widzenia.

Poszła na dół, wróciłem do mieszkania. To wszystko. Poza tym nic specjalnego.

W szpitalu, siedzę na korytarzu i czytam, czekam, aż się Gieniuś obudzi. Bo słaby jeszcze, po operacji, płuco mu wycięli. Idzie, wielki jeszcze, ale już dzięcioły na nim, już go opukują, i mniej go jeszcze bardziej, teraz tam, gdzie płuca, mało tułowia, po prostu, między pasem a głową, Gieniuś pyta

– ty tu?

A ja

– ty zawsze musisz pytać o to, co rozumie się samo przez się?

A on

– ja?

Idziemy, przechadzamy się po korytarzu, tam i z powrotem, trudno mu mówić, prowadzę go do pokoju, kładzie się, ustalamy, że przyjdę znowu, wychodzę, w domu nic specjalnego.

Chociaż... usiadłem na sedes i w tym samym momencie wyleciałem do góry. Przestrach mnie wykatapultował. Bo usiadłem na sedes zamknięty. Bo zapomniałem go podnieść. Bo zamiast czeluści zimna powierzchnia nagle pode mną. Siła nastawienia się na coś, co być musi, bo zawsze jest, proporcjonalna jest do lęku, który wybucha, kiedy tego czegoś nie ma. Poza tym... Aha, wypadł mi następny ząbek ze starego grzebienia, jak się czesałem, poza tym nic.

W szpitalu, korytarz, czekam, czytam, śpi, po wycięciu krtani.

A potem my i szkoła, w mundurkach, w ławkach, cała klasa prawie chleb z margaryną i dżemem, albo serem jakimś, jadła. A Gienuś chleb z kotletem schabowym. Masło za drogie było, a on ze schabowym, jadł, a klasę zazdrość, zżerała. I skąd w ogóle? On to miał? Taką kanapkę codziennie? Kto mu coś takiego nieosiągalnego daje? Właśnie jemu? Cierpiałem, aż nie wytrzymałem, któregoś dnia. Któregoś dnia nie wracał z przerwy, śniadanie miał pod ławką, ugryzłem, dużo, chleb chlebem był, a schabowy plackiem ziemniaczanym, starym, nie mogłem przełknąć tej grudy kartofla z chlebem, i wtedy pani wezwała mnie do odpowiedzi, wstałem, stałem i milczałem, i wtedy wszedł do klasy Gienuś, a pani kazała mu iść do kąta, za spóźnienie, i on stał w kącie, tyłem, a ja stałem przy ławce, a pani stała przy tablicy, krzycząc na mnie, że jak nie wiem, to mam powiedzieć, że nie wiem, a nie milczeć, mowę mi odjęło, że gęby nie mogę otworzyć?! Nie mogę, bo połknąć nie mogę, przełknąć, wypluć? Pani się domyśla, dlaczego milczę, widzi, pyta, czy jedzenie w buzi mam, jedzenie w buzi masz?! To co na przerwie robiłeś, pyta, a Gieniuś głowę obraca, patrzy na mnie, domyśla się, że tajemnicę jego ugryzłem, czerwony. Się robi, na twarzy i szyi, a pani krzyczy na niego, że obracać się do klasy nie może, jak w kącie stoi, a ja w tym czasie wypluwam tajemnicę do ręki i chowam do kieszeni, nie rozmawiamy o tym nigdy, i w czasie, w którym w fabrykach udawano smutnych rewolucjonistów, my w szkole udawaliśmy braci z Zakonu Schabowych Rycerzy.

Czekam, czytam, śpi.

A potem pękł nasz lód, jak kry od siebie, coraz dalej. Ja, obijając się o drzwi szkół różnych, Gieniuś prosto w otwarte ramiona bramy więzienia. Bo Gieniuś uderzył w obronie własnej, i zabił. Niemocno uderzył, ale zabił, bo Gieniuś wyrósł jak dąb, taki, że pół miasta w jego cieniu piknikowało w czasie upałów.

A potem my i Brama Brandenburska, i Reichstag. My z góry patrzący na miasto Berlin. Ze szczytu budowy wieżowca Mercedesa na placu Poczdamskim. Jako polscy robotnicy najemni. W dzień zalewał nas pot, w nocy krew, bo majster przestał płacić za nadgodziny. Bo przed barakiem ustawiały się demonstracje niemieckich związków zawodowych, z transparentem „Złodzieje naszej pracy". Oni jeden front, my drugi, naprzeciwko siebie. Z podwiniętymi rękawami i zaciśniętymi pięściami, jak na tym obrazie. Dostałem kamieniem w głowę, Genius wytarł mi krew, czerwoną, swoim podkoszulkiem, białym, i schował go, a potem, w ostatnim dniu, zatknął na samym szczycie, na gwieździe, jako sztandar zdobywcy, no i? Kto powiedział, że historia się nie powtarza, hę? Powtarza? Ona się jąka.

Czekam, czytam, śpi. Przechodząca pielęgniarka coś do mnie mówi, trochę jestem nieobecny, idę do toalety, stoję przy pisuarze, potem zaglądam przez uchylone drzwi do jednej z ubikacji, i nagle charkot
– o czym ty myślisz?!
Genius, stoi w drzwiach, szukał mnie na korytarzu. Stoi już uderzony zimną siekierą nieśmiertelnego drwala, już jakby digitalnie wymazany. Buty, trochę ciała, otwór tracheotomijny na szyi, na górze głowa.
Idziemy, trzyma się mnie, przechadzamy się po korytarzu, tam i z powrotem, i nagle nie, nie z powrotem, tylko tam, wychodzimy. No i idziemy, sobie, ulicami. Geniusiowi mówić trudno, język go boli, no to ja mówię. Że
– chmury same, bez nieba
– u-hm, be-z
– a te twarze tu wokół też same, bez ludzi jakby
– be-z
– buty bez nóg, ubrania bez ciał, nie?
– u-hm

– i liści pełno...

– be-z d...

– no, drzew. I wiatr, taki jakiś bez historii, nie?

I tak sobie idziemy, lekką nogą przez pożary, bez ognia, i potopy, bez wody. Co rusz słysząc śmiech, bez pokoleń.

Już niedaleko, już widać. Dom dziecka, bez domu, i ślady, po których my teraz. Ślady są zawsze bez. I już miejsce, w które go prowadzę, siadamy, pluje na piasek kawałkami języka. Widać nasze cienie, pokazuje na nie ręką, mówi

– be-z...

– wiem, wiem, bez nas, szkoda języka strzępić, nie gadaj tyle.

Czytam po raz drugi, po latach. Kolekcjonera i pasjonata okruchów dnia powszedniego. Martwym znalezionego na klęczkach przy tapczanie.

Trzydzieści pięć lat temu, w roku siedemdziesiątym czwartym, dwudziestego ósmego listopada około godziny jedenastej rano, w Warszawie koło Rotundy PKO szary jak PRL przechodzień, z wyglądu wycinanka z armii przeciętnych jegomości, lat pięćdziesiąt dwa, bez czapki, którą zamierza kupić w domach towarowych, zwalnia kroku. Ból za mostkiem, w samym środku. Już wie, że nie kupi. Pada lekki deszcz. Idzie powoli, coraz wolniej, wlecze się, przysiada na ławce. Wstaje, znowu idzie, znowu przysiada. Siedzi na ławce gdzieś u wylotu Chmielnej. Idzie kawałek dalej. Przysiada na rogu Złotej i pasażu. Może właśnie tam postawić ławkę i jego na niej siedzącego? Jako pisarza, który przysiadł na zawał. A jeśli ta ławka ciągle tam jest, to tym bardziej. Siedzi więc, ktoś z przechodniów dzwoni po pogotowie, karetka przyjeżdża, kładą go na nosze, w palcie. I wiozą do Szpitala Dzieciątka Jezus. Gdzie przebywa miesiąc, a potem, przez cały styczeń, w sanatorium w Inowrocławiu.

W szpitalu w dzień przeważnie przysypia, w nocy dużo pisze, prowadzi dziennik. W partyturze jego tam pobytu partia szczególna to ubikacje.

Ustęp 1: wchodzi, w nim plastikowe urynały na półkach, z nazwiskami na nich i moczem. Fenomenalny zapis: *Obrzydliwy zbiór, nieco patetyczny*. Jak urny z prochami...

Ustęp 2: wchodzi, zalany, muszle zapchane, jeden sedes rusza się *w posadach, jakby był mleczny, do wypadnięcia*.

Ustęp 3: wchodzi, znowu urynały, zagradzają mu drogę do muszli. Pisze: *zbite w kupę, jak grobowcowe skarby, stado urynałów*. Żeby do nich dojść, do muszli, przesuwa je. Ciężkie, pełne, z zawartością. Zlew zatkany, zalany, z kranu leje się woda, w brudnej, ciemnej wodzie dwie szczotki, pisze: *W zalanym zlewie dwie szczo-*

ty, jedna miękka czarna, druga twarda ruda. Kolor. Poczłapał do pokoju, siadł i zapisał ich kolor!

Ustęp 4: boi się wejść do środka, wszystko zalane, *salowe tłuką wiadrami o wiadra, czyszczą muszle tronowe ścierkami, klną.* Wchodzi do środkowej kabiny, trudno stać, trzęsą się ściany, bo sprzątaczki tłuką się w kabinach obok, wychodzi z tego pijanego statku, ucieka.

Tak się miały obroty rzeczy, w których tkwił wybitny polski pisarz w PRL-u połowy lat siedemdziesiątych. W szpitalach notowano braki waty i ligniny, chorych zaopatrywali odwiedzający. Jego też. Święta, choinka, daje na nią *pół waty (...) i pół kłębka ligniny.* Nie byłoby śniegu, gdyby się na niego pacjenci nie zrzucili. No i ten czar PRL-u: o wpół do pierwszej w nocy pielęgniarka budzi z głębokiego snu śpiącego obok, który od tego snu półprzytomny słyszy od niej, że budzi go ona po to, żeby ten wziął proszki nasenne, bo ma je na tę porę przepisane. Obudzony po jej wyjściu klnie: *tak mi się spało, to kurwa...*

W Inowrocławiu. (Przed wyjazdem: *co to jest Inowrocław?*) Do sali telewizyjnej prawie nie chodzi, (leci serial *Arsen Lupin*), słucha czasami radia, w radiu: „z dalszym zacieśnieniem rozwijającej się..." *Czy to dobrze tak tę współpracę tu rozwijać, tam zacieśniać?*

Posiłki – stres. Nie dlatego, że jedzenie takie, a nie inne. Dlatego, że taki, a nie inny stan jego uzębienia. Jeśli zdarzy mu się jeść z innymi, odkrawa od mięsa tylko dwa kawałki, więcej ryzykowne, *bo nie bardzo mam czym gryźć*. Dlatego najczęściej bierze jedzenie ze sobą, do pokoju, i je sam.

Sam przeważnie chodzi też na spacery. Tu, tam, różnie. Raz stoi na wiadukcie, późnym wieczorem. Niedaleko dworca. Słychać parowozy, jak podmuchują, widać światła, jak podrygują, słychać głos, jak przez głośnik dyryguje, co gdzie przetoczyć. Nikogo nie ma, nikogo nie widać. Spod wiaduktu wyjeżdża pojedyncza cysterna, szumi, syczy. Noc, pojedyncze światła, para i on sam na wiadukcie. I jakiś głos pojedynczy, który naraz słychać, skądś pohukuje: *Ludzka mowa. To ja wiem, że ludzka. Znowu mnie łapie zabawa w tych innych*. Wyobraża sobie, że wylądowali z innej planety... Pojawiają się „inni", ktoś na szynach, dwóch na wiadukcie, na rowerze, *czwarty ja. Ale ja jestem z innej planety. Teraz już nie*.

No i jeszcze to, jeszcze ta mała scenka, jak wychodzi ze sklepu z koszykiem, bo bierze go ze sobą przez zapomnienie... I wraca, *zawstydzony, na zapas uśmiechnięty, ale nikt na mnie nie patrzał*.

Siedzę na korytarzu, czekam, przechodząca pielęgniarka coś do mnie mówi, o kantynie szpitalnej i ka-

wie, a ja trochę jestem nieobecny, ale przecież uspra-
wiedliwiony, bo w głowie mi Białoszewski, siedzi, i je,
w rogu ciemnego pokoju, w jakiś ponury dzień stycz-
nia w mieście Inowrocław, sam, krojąc sobie mięso na
małe kawałki, albo kiełbasę, albo cholera wie co, idę
do toalety, zaglądam przez uchylone drzwi do jednej
z ubikacji, a tam on, dynda, na końcu łańcucha, jako
spłuczka, przy monstrualnie dużej muszli, w której
tafla brązowej cieczy. Z jednej kieszeni wystaje mu
szczotka do muszli czarna, z drugiej szczotka do
muszli ruda. W ręku koszyk, a na twarzy uśmiech ma,
ten zakłopotany, ten na zapas.

Cierpienia głupiego Augusta

Moje życie jest ciche, *ciche jak rękawiczka, z której wy-sunęła się dłoń*. Jestem, od niedawna, wcześniej eme-rytowanym nauczycielem języka polskiego. Szko-ły średniej. Mieszkam w mieście średniej wielkości, jestem średniego wzrostu, mam średnią emeryturę, średniej wielkości mieszkanie i jestem w wieku śred-nim. Mocno średnim.

Jestem, od dawna, ojcem, i od niedawna dziadkiem, ale wnuka widuję rzadko. Moja córka wyjechała za granicę, mieszka w dużym mieście i ma duży brzuch, wkrótce znowu urodzi.

Jestem, od lat dziesięciu, wdowcem. Przetłumaczy-łem jej kiedyś wiersz niemieckiego poety, jego na-zwiska nie pamiętam, pamiętam wiersz, tak mniej więcej: *Umrzyj wcześniej ode mnie, trochę wcześniej. Że-byś nie ty musiała iść sama drogą powrotną do domu*. Ja musiałem iść. Pogrzeb był symboliczny, wracała od córki, samolotem, z którego została czarna skrzynka.

Patrzę na każdy przelatujący nade mną, pozdrawia mnie ruchem skrzydeł. Na każdy, od lat dziesięciu.

Dzisiaj byłem na cmentarzu. Siedziałem przy niej, na ławeczce, jak zwykle, i jak zwykle czytałem, Schulza, jak zwykle. Mojego Schulza. Jestem jak jego *Emeryt*, żyję, bo mnie śmierć przegapiła. Jestem nieważki, tak że *podrzucają mnie w górę już same dźwięki katarynki*, a co dopiero wiatr, jestem jak liść *szybujący po żółtych jesiennych przestworzach*. Mógłbym zostać przewodniczącym Koła Schulzologów, gdyby takowe się zawiązało.

Dzisiaj zdecydowałem się opuścić miasto. Po raz pierwszy, po tylu latach.

Mało tego, dzisiaj zdecydowałem się prowadzić dziennik. Po raz pierwszy nielekcyjny. Zdecydowałem się wyjechać, ponieważ... Zdecydowałem się wyjechać, ponieważ... Hm. Zdałem sobie sprawę, że minęła trzydziesta rocznica ślubu. Tak. Dzisiaj. Trzydziesta w sumie, ale w zasadzie dwudziesta. To po pierwsze. Wyjechać, pojechać tam, gdzieśmy pojechali wtedy, po ślubie. Na Sycylię. Do Taorminy. Wahałem się jak moje ciśnienie, ale się zdecydowałem. Z powodu tej rocznicy, ale nie tylko. Z powodu tej pary również, dzisiaj na cmentarzu, to po drugie. W samym kącie cmentarza siedzieli na ławce, myśleli, że nikt ich nie widzi, no cóż, tym nikim byłem ja. Siedzieli obok siebie, bezczelnie młodzi, całując się i dotykając, pobieżnie, szybko, nerwowo, *wężowa gra członków,* jakby rąk mieli więcej niż cztery, byleby szybciej tam, rozchyliła uda, jego ręka wślizgnęła się pod sukienkę jak wąż, jęknęła, drugą ręką rozpiął zamek rozporka i przez jego okno na świat wyjrzał nareszcie zapudłowany w nim hrabia Monte Christo, który musiał onieśmielić ją swoim widokiem, bo zamiast pochylić się nad jego sterczącym teraz donikąd losem, odwróciła głowę, co nie znaczy, że zostawiła go na łasce jego losu, nie, wzięła go, ten los, w swoją rękę i już, parę wertykalnych ruchów i już, bezgłośna eksplozja z wymierzonego w niebo działa. Po kieszeniach szukać czegoś zaczął, jedną ręką, bo ona, rozeźlona, tę drugą mu przytrzymała, i wyciągnął chusteczkę, którą wycierać swoje spodnie zaczął, a ja cofnąłem się po cichu, wychodząc z roli świadka, poszedłem do domu, jak zwykle sam.

I jak zwykle sam usiadłem na balkonie, potem przed telewizorem, potem znowu na balkonie, i jak zwykle zadzwoniłem do dziwki agencyjnej, jak zwykle, kiedy już naprawdę muszę, i ona przyszła, jak zwykle z kondomem, i ja doszedłem, jak zwykle w jej ustach, bo przecież nie tam, tam byłoby mi za intymnie, za blisko, krępująco, a tu jest daleko, funkcjonalnie i z dystansem. A potem jak zwykle z mieszanymi uczuciami wyrzuciłem ten fakt, który wypłynął ze mnie, do kosza i jak zwykle krępował mnie fakt, że ta guma z moim ejakulatem jest w koszu, i poszedłem wyrzucić śmieci. Jak zwykle.

A potem, w łóżku, przypomniały mi się znowu Powązki. Nasz pierwszy wspólny wyjazd z miasta średniej wielkości do stolicy. Miała na sobie krótkie żółte spodnie, ku zgorszeniu mijających nas leciwych dam. Siedzieliśmy na ławce i całowaliśmy się, o tym, co dzisiaj nazwać by można *heavy petting*, nie było mowy, jeśli już, to uprawialiśmy go bez rąk, myślami.

Te Powązki wtedy i ta para na cmentarzu dzisiaj. I ta rocznica trzydziesta, a w zasadzie dwudziesta. I może też to, że od wtedy nigdzie nie wyjeżdżałem. Oto powody, dla których zdecydowałem się wyjechać. Wyjechać. Decyzja ta podnieciła mnie tak, że nie mogłem zasnąć. Zacząłem już myśleć, co ze sobą wziąć, mało tego, wstałem, żeby już parę rzeczy zapisać, żeby nie zapomnieć. Zapisałem: *Aparat fotograficzny, Schulz i ładowarka, nie zapomnij!* I kiedy to zapisałem, dopisałem na górze: *Taormina*, a potem skreśliłem i napisałem: *Wyjazd na Sycylię*, a potem skreśliłem i napisałem: *Jestem, od niedawna, wcześniej emerytowanym nauczycielem języka polskiego*. I tak zacząłem właśnie pisać, ten dziennik.

Jestem. Lotnisko w Mesynie. Leciałem z nią, cały czas. Trzymałem ją za rękę, tak że od poręczy fotela zbielały mi palce (więcej nie będę o niej pisał).

Autobusem godzina jazdy (*wstęgą szos...* śpiewałem pod nosem) i już jest, Taormina, moja miłość. Dwie zatoki, wysepki, plaże, a z nich ciągle do góry, do góry,

uliczki, domy, domki, place, placyki, kościoły, kościół-
ki, zamki, zameczki, aż po grecki amfiteatr, wszystko
to powieszone ręką Boga na stromym zboczu góry
Tauro, wszystko wiszące na niej jak obrus, a nad nim,
do góry, do góry, kosmicznej wielkości kopcąca lam-
pa naftowa, Jej Wysokość Etna.

Hotel wziąłem przedni, arystokratyczna Villa Du-
cale. Z jednej strony piętnaście minut pieszo do hi-
storycznego centrum, z drugiej trzy sekundy do morza, jeśli rzucić się ze skały. Zarezerwowałem na trzy
dni, Junior Suite, taniej, bo koniec września, dwieście pięćdziesiąt euro za dobę, żegnajcie, oszczędności. Suite zapiera dech, łoże w sypialni, antresola
i reszta takie, że pierwszą moją myślą było nałożyć
filcowe kapcie. Widok z balkonu: morze i zatoka, widok z tarasu: Taormina i nad nią Etna. W cenie hotelu jest śniadanie, ale przyjechałem za późno, uciekło
mi, wybrałem werandę, usiadłem i zjadłem kanapki
z papierem, bo przemókł od czasu wyjazdu z Miasta
Średniej Wielkości.

Siedzę w Teatro Greco. Szedłem Corso Umberto,
przez Piazza IX Aprile, koło kościoła San Giuseppe
i baru „Wunderbar", przy którym pełno ludzi czekają-
cych na gwiazdy. Te na ziemi, nie na niebie. (Szedłem
z nią, więcej nie będę o niej pisał.)

Siedzę na górnej ławie, pode mną scena, wokół
mnie mury sprzed naszej ery. Czuję się, jakbym siedział okrakiem na samym wierzchołku historii. Na
scenie dziewczyna? Młoda kobieta? Za daleko, nie

widzę. Gwiazdy ćwiczy, niektóre jej wychodzą, niektóre nie.

Jestem w hotelu. Byłem pod prysznicem, teraz, na balkonie, siedzę pod wrażeniem. Amfiteatru, ponieważ zszedłem na dół, żeby zobaczyć ją z bliska. Ponieważ oniemiałem, kiedy usiadłem i zobaczyłem ją z bliska. Ponieważ wyglądała jak Salma Hayek do góry nogami. Ponieważ stała na rękach, a koszulka zsunęła jej się na brodę i odsłoniła dwie brzoskwinie z małymi ogonkami. Widziała, że patrzę, widziała, że widzę, widocznie widziała, jak patrzę, bo stała dalej, chociaż wiedziała, że ta koszulka zsunęła się i odsłoniła. Na podłodze czarne, spięte włosy, wyżej twarz, na ustach i szyi czarna koszulka, wyżej: patrz wyżej, nad nimi brzuch, ciemny od słońca, drgający, lśniący jej potem, nad nim żółte krótkie spodenki, z nich wystające do góry nogi, ciemne od słońca, lśniące jej potem, jak wyrzeźbione, na samej górze półtrampki. Przechyliłem się tak, że widzieliśmy się z tej samej pozycji. Powiedziała, *ciao, signore*, czym strapiła mnie trochę, poczułem się, jakby otworzyła mi drzwi do domu seniora właśnie. Powiedziałem, *ciao, signorina*, pokiwałem palcami i odszedłem, ale nie wytrzymałem, odwróciłem się, stała już, na nogach, wyglądała tak samo, tylko odwrotnie.

Położę się...

Wstałem, jest pierwsza w nocy, nie mogę zasnąć. Pod powiekami esy-floresy, które uparcie zlewają się, układają w jeden kształt, w nią. A wokół niej mury amfiteatru, a za nimi Morze Jońskie, i Etna.

Oszalałeś? Idź spać! Opamiętaj się! Zobacz się w lustrze i idź spać! Spać, spać, spać!

To nieprawdopodobne! Jak wymyślone, jak w kinie! Zszedłem na śniadanie wcześniej, chociaż tak niewyspany, jako jeden z pierwszych, żeby najeść się raz, a potem przyjść raz jeszcze, przed dwunastą, żeby zjeść raz jeszcze i w ten sposób oszczędzić na obiedzie, a może i kolacji, zszedłem więc i jem, z bufetu specjałów sycylijskich, na tarasie z panoramą, jem, piję, piję, jem i w pewnym momencie widzę ją! Trzyma tacę i uzupełnia owoce morza przy bufecie, w stroju kelnerki! W moim hotelu! Jak rażony piorunem... no właśnie, czego? Poszedłem na górę, do siebie, stanąłem przed lustrem i stuknąłem się w czoło. Potem chodziłem, z balkonu na taras, z tarasu na balkon. Otworzyłem Schulza, żeby uciec od siebie. W opowiadaniu *Pan Karol* tenże nie może wkraść się w łaski własnego mieszkania, dlatego stąpa po nim cicho, żeby nie prowokować jeszcze jednego intruza *w postaci echa jego kroków*.

Zszedłem na dół, na drugie śniadanie, usiadłem tyłem do bufetu, przodem do morza, nie wytrzymałem, usiadłem tyłem do morza, przodem do bufetu, jest! Stoi, przy bufecie, znowu, czyści sztućce, widelce, chucha na nie i wyciera szmatką, obserwuję ją *z mieszaniną strachu i rozkosznego dreszczu*, patrzy na mnie, kiwam głową, unoszę rękę, drugą przewracam na stole szklankę z sokiem, uśmiecha się i wyciera dalej, powoli, z góry na dół i z dołu do góry, szelma, szelma, gdyby tak kuszono świętego Antoniego, nie byłby on świętym. Znowu do pokoju, do lustra, stuknięcie w czoło, na balkon, z balkonu na taras, z tarasu na balkon i znowu na dół, południe, już po śniadaniu, pusto.

Wyszedłem, szedłem znowu Corso Umberto, widziałem bibliotekę miejską, chciałem wejść, wchodziłem już, ale za kołnierz chwyciła mnie niewidzialna ręka... no właśnie, czyja? I wypchnęła na ulicę, i popchnęła w kierunku amfiteatru.

Siedzę na górze, nie ma jej.

Jest, jest, bardzo jest! Jestem w hotelu, działo się tyle, że... od czego by... no dobrze, poszedłem na plażę, z amfiteatru poszedłem na plażę, tymi krętymi uliczkami w dół, na plaży ludzi nie aż tak dużo, w końcu koniec września, nie miałem kąpielówek, nie miałem na czym usiąść, jako jedyny siedziałem ubrany, buty obok, wyglądać musiałem, jakbym się z PRL-u urwał, na delegację, brakowało tylko, żebym sobie chustkę założył na głowę, z czterema rogami. Siedziałem i czekałem, przyszła! Z kaskiem w ręku, w towarzystwie, z całą grupą, jak tocząca się głośna, roześmiana kula, która wpada prosto do wody i rozlatuje się w niej na pojedyncze, ruchome części. Spoliczkowany przez młodość, siarczyście, tak się czułem.

Popłynęła daleko, sama, jej towarzystwo poszło do baru, nie spuszczałem jej z oczu, wychodziła z wody powoli, tak że wyglądała, jakby stała w miejscu, a morze się cofało. Kiedy cofnęło się mniej więcej do wysokości jej kolan, pomachała mi, i w tym momencie potknęła się, o kamień, potknęła się i zaczęła utykać, wstałem, podwinąłem nogawki, zobaczyłem swoje chude, białe łydki i odwinąłem je, i w spodniach do wody wszedłem, po kolana, i rękę jej podałem, którą przyjęła, skwapliwie, że poczułem się tak, jakby mnie po sercu pogłaskała, i szliśmy do brzegu, coraz wolniej i wolniej, kto wymyślił brzegi? Ten szczególnie, w Taorminie? Mógłby się cofać, jak już jest, przynajmniej tyle. Bili mi brawo ludzie na plaży, jak doszliśmy, za szarmanckość moją, skłoniłem się lekko, usiedliśmy i nadeszło najgorsze, rozmowa, trochę po niemiecku, trochę po angielsku, *parole, parole, parole*, chciałem się popisać, zwrócić na siebie uwagę, powiedziałem, że to ciekawe, że w języku angielskim synonimem wzniosłości jest masło, że motyl to latające masło właśnie, a w polskim chleb, że my mówimy, na przykład, nie pochlebiaj mi, a oni *don't butter me up*, zaciekawiło ją to, powiedziała, że dorabia jako kelnerka, a wieczorami występują, z tymi, którzy poszli do baru, coś śpiewają, coś mówią, a ona ma jakiś taki gimnastyczny show, nie zrozumiałem dokładnie, a ja? Jestem dziennikarzem, powiedziałem, reporterem, polskie pismo mnie tu wysłało, żebym napisał o Taorminie, i że mam jeszcze niecałe dwa dni, i wracam. Tylko dwa? Tak zapytała, tylko dwa? Patrząc się na mnie tak, że słowo „tylko" nigdy jeszcze nie znaczyło dla mnie tak „mało", tak „krótko".

Wrócili ci z baru, poznała mnie z nimi, młodzi, rozebrani, a ja nie dość, że mógłbym być ojcem każdego z nich, to jeszcze w ubraniu tym trochę lichym. Jakby przysiadł się do nich wszystkich jegomość dorabiający sobie zbieraniem opłaty od turystów za korzystanie z plaży.

Nie rozumiałem, co mówią, z czego się śmieją, przykleiłem sobie coś na kształt uśmiechu do twarzy, na wszelki wypadek, i tak siedziałem, wyglądając jak plakatowa definicja użytecznego idioty. Wstałem w końcu, żegnać się zacząłem, ona wstała też, zapytała, czy chcę się przejechać, domyśliłem się po kasku, że motorem, coś tam komentowali, coś krzyczeli do niej, kiedy schodziliśmy z plaży, nieważne, nic nieważne, ta jazda ważna, na skuterze, po Taorminie. Po bokach winnice i drzewa cytrusowe, przede mną jej uda spod czarnej sukienki, ja cały *rażony trafnością ich argumentu*, i jej włosy na mojej twarzy. I *vista sul mare*, z każdego miejsca, a nad głową kratery, i portale, i gzymsy, z lawy. Chciałem, żebyśmy zastygli. W środku Taorminy. Na Piazza IX Aprile, na przykład. I tak zostali, na tym skuterze, z lawy odlani. Jako pomnik, ostatniej miłości siedzącego z tyłu pasażera. Z lawy jej włosy, rozwiane. Z lawy jej sukienka, uniesiona wiatrem. Z lawy wiatr, z lawy jego łzy.

Odwiozła mnie do hotelu. Powiedziała, gdzie przyjść wieczorem na ich występ. Idę...

Noc, chodzę po pokoju. Jutro mam wracać. Jutro mam wracać. Jutro mam wracać.

Siedziałem przy stoliku występujących, klaskałem, nie wiedząc, o co chodzi. Jakiś rodzaj wieczoru kuglarzy, coś opowiadali, grali, śpiewali, a ona? A ona weszła na scenę, robiąc te gwiazdy, i przed mikrofonem na rękach stanęła, i na rękach śpiewać zaczęła *Ich bin von Kopf bis Fus...*, czyli „Od głowy do stóp, cała nastawiona jestem na miłość", rodzaj parodii, u nas to, nie wiadomo dlaczego, przetłumaczono na „Ja jestem tylko po to, aby kochać mnie", nie domyśliłby się nikt, o co chodzi. Śpiewać zaczyna, stojąc na rękach, a potem dopiero siada na tę słynną beczkę...

Jutro mam wracać. Jutro mam wracać.

A potem, kiedy siedzieliśmy wszyscy przy stole i pili, powiedziała, żebym został, powiedziałem, że nie mam za co, powiedziała, że mógłbym występować z nimi, od razu się domyśliłem, jako kto. Powiedziała, że będę miał codziennie kolację i trochę euro, zapytałem, a gdzie spać, żartem, myślałem, że ona też żartuje, powiedziała, że tam gdzie ona, gdzie oni, w dużym mieszkaniu, dostaną swój kąt i zostanę, z nimi, z nią, w Taorminie. Powiedziałem, że to pięknie by było, ale muszę wracać, do pracy, powiedziała, pięknie by było, szkoda, i spytała, czy chcę, żeby odprowadziła mnie do hotelu, przejdzie się chętnie, bo za dużo wypiła, kiedy wychodziliśmy, przejechała palcami po włosach jednemu z nich, usiedliśmy na rowerku wodnym, na plaży, sami, miasto nad nami, morze przed, wziąłem jej rękę i całowałem, powiedziała, żebyśmy zsunęli rowerek do wody, lina jest długa i można trochę wypłynąć, wypłynęliśmy, usiadła na mnie, pierwszy raz od lat ponad dziesięciu znalazłem się tam, jakaś kosmiczna ulga po wejściu w bramy wilgotnego raju. Pomału kręciłem pedałami, pomału wznosiła się w górę i pomału opadała w dół, sunęliśmy jak królewski łabędź, prawie niemo, bezszelestnie, przyszły fale, od statku, który przepływał przed nami, i wtedy, na tych falach, morze nas dokołysało. I zaraz zdziwiłem się, statek tak blisko plaży? Powiedziała, żebym się odwrócił, odwróciłem się, plaża była daleko, daleko odpłynęliśmy, nie wiedziałem, siedziałem tyłem, lina puściła, odwiązała się, ciągnęliśmy ją za sobą, byliśmy jak latawiec, wypuszczony z ręki przez ląd.

Jutro mam wracać.

Jestem na lotnisku w Mesynie. Na tarasie. Widziałem, jak startuje, wznosi się i znika. Wywoływali moje nazwisko, parę razy. Za co ja wrócę?

Mam ten swój kąt. Materac na werandzie, w mieszkaniu za mało miejsca, wszędzie ktoś śpi. Ale tak wolę, sam. Śpi w pokoju z koleżanką, zawsze może do mnie przyjść. Ale nie przychodzi. Niebo gwiaździste nade mną, mieszane uczucia we mnie, w związku z tym. I w związku z tym, że była zmieszana, kiedy wróciłem. I usiadłem przy ich stoliku, kiedy śpiewała. Zachwiała się lekko na rękach, myślałem, że z emocji, ale kiedy przyszła, przywitała się ze mną jak speszona uczennica z nauczycielem, który zaskoczył ją niezapowiedzianą wizytą w mieszkaniu.

W dzień, kiedy pracuje w hotelu, jestem na plaży, chodzę po Taorminie lub siedzę w bibliotece miejskiej. Wiem, co Iwaszkiewicz pisał o Taorminie, że wysokie wzgórze, jedwabiste morze, Etna roztapiająca się w blasku słońca jak kryształ i czarodziejska sceneria grecko-rzymskiego teatru, jedyna taka na świecie scenografia. Nie wiedziałem, że pisał o niej też Goethe, że to *najwspanialsze dzieło sztuki i natury*.

Wieczorem występuję. Mój występ polega na tym, że wchodzę na scenę przebrany i umalowany jak klaun, moja twarz wygląda jak echo minionych lat, wchodzę i niosę dla niej tę pękatą, ciężką beczkę, ledwo idę, stawiam ją na środku i chcę wyjść, ale woła mnie (Głupi Auguście! Głupi Auguście!) drugi klaun, mądrzejszy ode mnie, ten, któremu przejechała dłonią po włosach, każe mi podnieść tę beczkę i wrócić z nią tam, skąd wyszedłem, po czym podchodzi do mnie, przewraca ją i pokazuje, że można ją toczyć, i ja tę beczkę, szczęśliwy, że nie muszę nieść, toczę. A na końcu programu wynoszę ją ze sceny tak, jak wnosiłem ją na początku, w rękach.

Czekam na nią w nocy, nie przychodzi, w dzień pracuje w hotelu, dobrze, ale tylko do południa, gości coraz mniej, gdzie znika po południu? Czekam na nią na plaży, czekam w amfiteatrze... Widzę ją tylko wieczorem, jako klaun, potem trochę przy stole. Ciężko mi, jakbym bez przerwy nosił tę beczkę. Napisałem wyżej: *uczucia mieszane*. Dlaczego sam tu przed sobą udaję? Uczucia mieszane? Męczę się. Cierpię.

Czekałem pod hotelem, wyszła, chciałem podejść i rozmyśliłem się, schowałem, myślałem, że pójdę za nią, potajemnie, ale zapomniałem o skuterze, wsiadła i odjechała, w górę, do miasta, pojechałem kolejką linową do centrum, nie mogę już tyle chodzić, skacząc po górach, zobaczyłem jej skuter, pod barem „Wunderbar", siedziała z klaunem, kłócili się o coś, stałem za drzewem, płakała, zerwała się z miejsca, odjechała.

Czekam, leżę na werandzie, gwiazdy nade mną. Czekam mimo wszystko.

Byłem w łazience, słyszałem ją, w pokoju klauna, słyszałem jej szept.

Etna.

Zabija i żywi. Wybuchy niszczą, palą domy, zabijają ludzi, ale z pokładów śmiercionośnej lawy wyrastają sady i gaje. Na żyznej wulkanicznej glebie rodzą się winnice, plantacje drzew.

Miłość to Etna. Jej serce to krater, z którego wydobywa się lawa. To przekleństwo i błogosławieństwo. To wulkan czynny, w najlepszym wypadku drzemiący, nigdy wygasły.

Coraz mniej widzów, coraz mniej turystów. Podejrzanie dużo wyjeżdża, podejrzanie mało przyjeżdża. Chociaż jeszcze ciepło. Na plaży prawie pusto, patrzyłem, jak do hangarów chowają rowerki wodne. Na piasku, obok, widziałem martwego gołębia. Oprócz tego, że jest symbolem pokoju i Ducha Świętego, jest też symbolem miłości, o, ironio losu. A na drugi dzień zobaczyłem go znowu, w gazetach. Jego i mnie! To pierwszy raz, że moje zdjęcie w gazecie! Dobrze się składa. Taka pamiątka. Wziąłem aparat, a nie zrobiłem ani jednego. On, gołąb, na planie pierwszym, ja, pojedynczy turysta z twarzą bez wyrazu, na planie drugim. Pod dużymi literami, i artykułem, który, używając rąk i paru języków, przetłumaczył mi sprzedawca gazet:

Ptasia grypa na Sycylii. Zbadano łabędzie na obecność wirusa H5N1, wynik pozytywny. Minister zdrowia Francesco Storace ostrzega: „Nie dotykajcie martwych ptaków". Mnożą się głosy protestu, ponieważ za długo zwlekano z ogłoszeniem informacji i ostrzeżeń dotyczących epidemii. Powołano sztab kryzysowy w Rzymie. Na obszarach zagrożonych utworzono strefy bezpieczeństwa, w których obowiązują ekstremalnie podwyższone przepisy dotyczące higieny, szczególnie na terenach o wilgotnym klimacie. Problem szczególny to ptactwo domowe, powinno się je albo izolować, albo eliminować...

Sprzedawca gazet dodał jeszcze, że chłopi tu mają po parę kur i indyków, dla siebie, to po co im kurniki? Nikt ich nie ma, to gdzie izolować? I że Sycylijczycy boją się dziś wszystkiego, co lata. I że patrzą na swój drób jak ludność cywilna na Niemców. Dlatego ta panika wśród turystów, wyjeżdżają. A teraz jeszcze ten gołąb, tu u nas, wczoraj...

Pożegnaliśmy się, dogonił mnie i spytał, czy chcę polską gazetę, bo jedną ma. Czytałem jak Latarnik *Pana Tadeusza*. I nagle, po raz drugi tego dnia i po raz drugi w życiu, zobaczyłem mnie! Moje zdjęcie! W rubryce „Zaginieni". Z prośbą o natychmiastowy kontakt z córką. Musiała przyjechać do kraju, o wyjeździe jej nie mówiłem, nikomu nie mówiłem. I nie ma ze mną kontaktu, bo przez reisefieber nie wziąłem komórki, chociaż zapisałem. Ładowarkę wziąłem, komórki nie. Cały ja. Kiedyś na wycieczkę rowerową z klasą zapomniałem roweru, przyszedłem tylko z pompką.

Noc, siedzę w amfiteatrze, przeskoczyłem przez płot. Jestem umalowany, jestem w ubraniu klauna, uciekłem ze sceny. Nie wytrzymałem, kiedy wtoczyłem tę beczkę. Podszedłem do mikrofonu i zapowiedziałem ją, powiedziałem, że wystąpi zaraz kobieta, która jest jak Czarnobyl, a ja jestem jej ofiarą. Weszła na śmiechu i brawach, nie robiła gwiazd, weszła, i nie stała na rękach, usiadła od razu na beczce. Na drugim, końcowym wejściu beczkę wturlałem, zamiast ją przynieść. Zepsułem im pointę, fakt. Ale nie mogłem już udźwignąć tego ciężaru, mądrzejszy klaun wszedł szybko na scenę, niespodziewanie, i zaczął improwizować. Niby improwizować. Mówił do publiczności szybko, i żebym zrozumiał, słowa ilustrował mimiką i pantomimą. Pokazał na nią, na jej brzuch, ruchem ręki zaznaczając, że jest w ciąży. Pokazał na siebie, że z nim, powtórzył to raz jeszcze, pokazał na mnie palcem, wyśmiewając mnie, pokazał, jak noszę tam i z powrotem beczkę, powtarzał, *stupido Polacco*, głupi Polak, a w tym czasie on i ona, za kulisami, falliczne ruchy biodrami, pokazał na nią i na mnie, podszedł do mnie od tyłu i grał na mnie, jakbym był kontrabasem. Byłem instrumentem, narzędziem, chciała wzbudzić w nim zazdrość, grała mną, a on? On jej nie chce, zaprzeczył ruchem ręki, on jej nie chce, nie, nie, ona niech żyje z tym *stupido Polacco, stupido Polacco*, uniosłem tę beczkę przeklętą do góry i rzuciłem, chciałem obok niego, ale ruszył się, akurat w tę stronę, i uderzyła w niego, przewrócił się, podniósł się krzyk, wyleciałem na ulicę, uciekłem, na ulicy dzieci pokazywały mnie sobie palcami, kłaniałem się, prosili mnie o pozowanie do zdjęć, pozowałem. A potem do amfiteatru, przez płot, bo zamknięty, i siedzę...

Śpiący się robię...

Tu się położyć, na ławie?

Połamałem mu kości? Tak czy inaczej szukać mnie będzie policja...

Jeśli złapie mnie policja, to aresztuje. I może wtedy przewiozą mnie do Polski, na zasadzie ekstradycji... Jeśli tak, to w tym szaleństwie moim była jakaś metoda...

Na plaży. To jest... nie do opisania! To jest... Ale od początku, od początku! O świcie w amfiteatrze zbudziły mnie strzały, pojedyncze strzały z broni palnej. Echem niosły się po górach. I coraz więcej ich. Na scenę amfiteatru coś spadło, podszedłem bliżej, ptak. Zabity. Wyszedłem z amfiteatru, strzałów coraz więcej. Nikogo na ulicy. Przeraźliwe gdakanie kur, gęganie gęsi, kwakanie kaczek, i strzały. Indyk na ulicy, oszalały ze strachu, biegający wokół własnej osi. Klatki z papugami, niektóre leżą na dnie, niektóre powtarzają coś po włosku. I raz po raz spadające ptaki. Dotarłem na pustą plażę, nie, nie pustą, pełną zabitych ptaków. Dywan z ptasiej padliny. Pojawił się sprzedawca gazet, szedł brzegiem morza, nad głową miał mały parasol. Przestraszyłem go jako klaun, rano na plaży, nie poznał mnie, zapytałem go o te strzały, skąd ludzie mają tu tyle broni, powiedział, że wynajęto mafię, przyjechali z Palermo, i żebym wracał lepiej do cyrku, tam bezpieczniej, nic na głowę nie spada.

Siedzę na łódce, strzały nie milkną, przeciwnie, nie wiadomo już, co jest strzałem, a co jego echem. Ptaki spadają jak duże krople krwi, niektóre prosto do mo...

Spadł, prosto na moją głowę! Co za szok, zemdlałem na krótko. Twarz we krwi. Leży przede mną, dosyć duży, dosyć ciężki, orzeł? Nie wiem, jaki to ptak, nie odróżniam, wiem, że Sycylia ma około siedemdziesięciu gatunków i że część z nich odlatuje do Afryki. Dobrze, że nie był to łabędź, byłbym wtedy pierwszą ofiarą śmiertelną ptasiej grypy w Taorminie...

Nie wiem dlaczego, ale gdakałem przed chwilą. Chodziłem brzegiem morza, podnosiłem łokcie i gdakałem. I piałem. Może dlatego, żem oszalał, a może dlatego, żeby nie oszaleć.

A-ha. Widzę ich, kątem oka. Policja. Siedzę plecami do morza, przodem do Taorminy. Idą w moim kierunku, z prawej mojej strony.

A-ha. Widzę ich, kątem oka. Pielęgniarze, za nimi karetka. Idą w moim kierunku, z lewej mojej strony. Co jeszcze... Śpiesz się, śpiesz się.

Mimo wszystko, mimo wszystko chciałbym, żeby ona, kiedy umrę, przyszła na mój grób. Stanęła nad nim, rozglądnęła się w prawo, w lewo, weszła na mnie, powoli ściągnęła majtki, uniosła spódniczkę, rozszerzyła nogi i nasikała na mnie, gdzieś tam w okolicach głowy. No, nie głupi człowiek jest? Po czym żeby odeszła, majtki trzymając w ręce i kręcąc nimi jak torebką. Nie głupi? A mężczyźni obok biliby brawo, ramionami krzyży. Jeden mógłby przeciągle gwizdnąć.

O nie, jeden z nich... tylko nie to! Jeden z nich trzyma w rękach kaftan bezpieczeństwa. Nie, nie, tylko nie kaftan, śpiesz się, no nie jest tak, bracia moi w wieku statecznym, że miłość, ta szelma, zawsze nas do wiatru wystawia? Że dopiero w lustrze widać, że na głowie nie kapelusz, jeśli go nosimy, ale czapkę błazna mamy?

Kaftan nie! W kaftanie nie napiszę przecież ani sło...

Na wzgórzu

Wypadek miał miejsce w roku 2007. Na drodze w Bliznem koło Brzozowa policjant, skręcając na chodnik, aby uchronić psa, który wybiegł na ulicę, spowodował śmierć dwojga dzieci i kalectwo dziecka trzeciego. Dozwolona prędkość maksymalna na tym odcinku to 50 km/h, prędkość samochodu policjanta wynosiła 107 km/h. Sprawca zawieszony został w czynnościach służbowych i przeszedł na emeryturę. (Z prasy)

Ten pies, ten pies, który wyleciał temu policjantowi na tę ulicę, przez którego ten policjant przestał być policjantem, bo wjechawszy na ten chodnik, tę rodzinę doszczętnie rozbił, dwóch małych bliźniaków natychmiast z tego na tamten świat przenosząc, a matkę ich i trzecie dziecko ciężko raniąc, ten pies to ja!

Było tak, było, że wyskoczyłem po papierosy, a koło kiosku siedział pies, i pomyślałem, taki pies jeden z drugim to ma dobrze, dobrze ma taki pies, tylko

i wyłącznie w czasie teraźniejszym tu i tam się prze-
mieszcza, i to czterema łapami w dodatku. A suki ja-
kie, jakby było mało, z jednej na drugą, z drugiej na
trzecią, bez zobowiązań, obietnic i konsekwencji.
Poza tym co? Coś muszę robić. Ja, człowiek, który
ADHD ma, jak śpi, a co dopiero, jak się budzi!

To co, to ze swojej skóry wyskoczyłem i w niego, Jak
Duch Święty w Matkę Boską, ciach, i po ptakach, nawet nie wiedział ten pies, tak jak ta prosta kobita,
kiedy. Idę sobie po mieście i rozglądam się za jakąś
suką, bom pies na baby. Może mi się uda pokryć jakąś
na skwerze, a jak nie, to przynajmniej jakieś przypad-
kowe ludzkie kolano na minutkę, dwie posiąść, łydkę
chociaż, bo jako człowiek to jak? Jakoś nie godzi się,
nie wypada, dobre wychowanie wyssałem z mlekiem
matki, i ze spermą ojca. No i proszę, no i proszę, *deus
ex machina* na drugiej stronie ulicy siedzi! Suka, bo
węch mnie nie myli, siedzi i łypie na mnie, to ja jeden
sus przez ulicę, drugi, i już przy niej jestem, a za mną
pisk opon słyszę, i hamulców, nie moja (o)broszka, ja
już na mojej suce, już wjeżdżam w nią, już prąd mi po
grzbiecie idzie, zad pracować zaczyna na napęd elek-
tryczny, a psi chuj mój puka w rytmie cza-cza, kiedy
krzyk nagle człowieczy słyszę! Mordę z wywieszonym
jęzorem obracam i widzę, co następuje: samochód jakiś na chodniku stoi, a wokół niego ludzie łapiący się
za głowę, widocznie na ten chodnik wjechał i coś tam
najechał, zakładam, że istotę ludzką, trudno, zniewo-

lony przymusem ciągu dalszego mokrej roboty, wy-
darzenie ignoruję, ale biesi mi się pode mną ta suka
płochliwa, łapy za pas i w nogi, co za pech! Wolałbym,
żeby nas od siebie, jako sczepionych, kosą odcięli,
drzewa umierają, stojąc, to chuje mogą też, no ale
nic, pies ją jebał, nie będę jej gonił, suk w mieście jak
psich odchodów, lekkim krokiem podchodzę bliżej
do wiadomego miejsca, a tam, na ziemi, czerwona
zupa z podejrzanie małych rąk i nóg, i głów, i teraz
dopiero kojarzę te porozrzucane na chodniku czerwone fakty! Wypadek ten nazwałbym skandalem, ponieważ w samym środku istnienia ukazuje on, jak na
dłoni, absurdalność ludzkich roszczeń. O, pieski mój
żywocie, nic tu po mnie. Pomnika mi tu nie wystawią,
zmywam się z okna tego wydarzenia, inaczej zaśpie-
wają mi: *mówią, płonie stodoła*, i przerobią na polski
jedwab. Nic tu po mnie.

Parę ruchów czterema łapami i byłem już na rogatkach tego nieszczęsnego miasta. Człowiek chce być
psem, normalnym psem, ale nie, nie może. Wilkiem
musi zostać, na tym zatęchłym padole słonych łez.

Biegłem i ani mi przez łeb nie przeleciało, żeby przy-
stanąć i się odwrócić, po co? Żeby mnie, w postaci
soli, takie na przykład dziki albo sarny do szczętu
zlizały?

Biegłem przez pola, był luty. Wleciałem na wzgórze, usiadłem na zadzie i siedziałem, jak na cokole. Wokół mnie, tu i tam, trochę śniegu, reszta brudna i posępna. Jak kałem pomazane prześcieradła z domu ledwo tlących się starców. Sam, w samym środku ohydy tego jedynego ze światów. I tylko mój zziajany, z piekła rodem oddech. I czarne, ruchome plamy z ptaków. I gdzieniegdzie kępy drzew, jak włosy na łonie starej wiedźmy. Zawyłem przeciągle, ale tylko raz, wiedząc, że skarżyć się nie ma do kogo, że na tę smętną petycję odpowie mi tylko wilcze moje echo.

Głód mi zaczął doskwierać, gdzie one są? Gdzie podziały się te małe ścierwa, nastroszone strachem o życie? Które niewarte nawet złamanej kitki.

Zobaczyłem stracha na wróble. Jak Chrystus wystający z jałowej ziemi, zeżreć? Zbiegłem ze wzgórza i koła wokół niego zacząłem robić, coraz mniejsze, jakbym polował na coś, co może mi uciec. Apetyt sobie ostrzyłem, wmówiłem sobie, że oto złożono mi ofiarę z krwi, mięsa i kości, mnie, Wielkiemu Myśliwemu tego świata.

Żarłem go, trzaskało drewno i darły się rozszarpywane szmaty, na deser zostawiłem sobie kapelusz. Oblizałem mordę i wróciłem na wzgórze, i siedziałem, dzień, noc i dzień. Jak pojedynczy kikut pośrodku jednej wielkiej Strefy Gazy.

I zobaczyłem pociąg, jak glista w tym zgniłym pejzażu. Zbiegłem ze wzgórza i biegłem, za nim, a bieg mój nie miał końca, pociąg był szybszy. I ciemności kryć zaczęły ziemię, i zgubiłbym go, gdyby nie światła w jego oknach. I kiedy już biec nie mogłem, stanął przed jakimś semaforem, dzięki czemu dopadłem go, i wskoczyłem do przedziału przez otwarte okno, i zwinąłem się w kłębek, i kiedy już prawie zasypiałem, w drzwiach stanął konduktor, a dialog między nami wywiązał się następujący.

On, rutynowo: – Dzień dobry, proszę o bilet.

Ja, bez emocji: – Nie mam.

On, lekko podniecony: – To proszę o dowód osobisty, w takim razie.

Ja, rozeźlony: – Nie widzisz, żem sierścią pokryty? Jedyne, co ci mogę pokazać, to czarne moje podniebienie.

On, wściekły: – Jak tak, to pociąg zatrzymuję i po policję dzwonię. To są ostatnie słowa, które do Pana mówię!

I były. Rzuciłem mu się do szyi i gardło jego pękło w moich zębach jak pomidor koktajlowy, cały przedział pokrył się prostą czerwienią. Konduktor drgał jeszcze tu i ówdzie, kiedy kłami i pazurami sprawnie ściągałem mu mundur. Żył jeszcze, kiedy żreć go zacząłem od stóp, wyzionął ducha gdzieś w okolicy kolan, doszedłem do głowy, po rozum, i buszowałem po wszystkich kątach, aż nie zostało z niej prawie nic. Prawie, bo zostały przerażone oczy, które zgniotłem łapami i rozmazałem po podłodze, dlaczego nie? Jeśli ściany mogą mieć uszy...

Nie ma ciała, nie ma zbrodni, to raz. A proces poszlakowy ciągnąć się może latami, to dwa. Poza tym, odpowiadać mogę z wolnej łapy.

Stanąłem na tylnych łapach, włożyłem mundur, torbę przewiesiłem przez ramię, czapkę nałożyłem na łeb, i w drogę, do pracy. Myślałem, że zarobię trochę, jak pasażerów bez biletu złapię, jeszcze nie wszedłem do pierwszego przedziału, a mordą już w powietrzu kłapałem, z uciechy, że zaraz kłami bilety będę kasować, ale w pierwszym przedziale nie było nikogo. W drugim też, i trzecim, w całym wagonie nie było nikogo, w następnym też nie, pociąg był pusty. Tylko ja, znowu tylko ja. I lodowaty wiatr, bo wszędzie okna pootwierane. I huk szyn, i przeciąg nieziemski.

Doszedłem do parowozu, żeby maszynistę przynajmniej skasować, ten, kiedy mnie zobaczył, zapytał zdziwiony, co ci się tak twarz wydłużyła? A kiedy podszedłem bliżej, z tym pyskiem kłapiącym i czerwonym od krwi, i kiedy zobaczył, że ja to ja, wyskoczył z pociągu.

Wobec tego, cóż, wobec tego jadę teraz oto sam. Pędzę na drodze do piekła. I obojętne mi, czy ono w kierunku morza, czy gór.

Jeśli dotrę do morza, biegł będę tak długo po falach, aż pójdę na dół, a tam, na samym dole zamienię się w tysiąc meduz. I wrócę do brzegu, i poczekam na lato, na autobus z miejscowości Brzozów, i przyklejał się będę do dzieci, najchętniej bliźniaków, i piekł je będę tak, że płacz ich i ich rodziców słychać będzie aż do samych gór, takie to będzie morze łez.

A jeśli dotrę w góry, to wbiegnę na najwyższy szczyt i skroplę się, będę czarną chmurą i przemieszczę się nad miejscowość Blizne, i padał będę na nią lodowatym deszczem. Zamienię ulice w śliskie węże, niech kierowcy pozabijają się w swoich samochodach na amen, i chodniki zamienią się w kary śmierci dla przechodniów. Zniszczę do końca tę pożal się Boże aglomerację.

Na cmentarzu

Brat i ja idziemy na grób ojca. Grób ojca to sama tylko ziemia, bez kamienia, i metalowy krzyż. Jak mogiła. Grób matki co innego, kamień i tak dalej, i na innym cmentarzu, jak sama chciała. Powiedziała, że z naszym ojcem nie chce mieć nic wspólnego, nawet glist.

No to za parę dni przychodzimy jeszcze raz, na ten grób, z łopatą, grabiami i rękawicami. Samochód pod bramą, narzędzia na plecy i idziemy. Ciemno już, stajemy tam, gdzie grób, grobu nie ma. Pomyliliśmy skrzydła cmentarza? Nie, dobrze, ale grób to sama tylko ziemia, bez krzyża. Stoimy i myślimy, gdzie krzyż? Brat mówi, że może na złomowisku, to znane przypadki, ludzie kradną pokrywy z kanałów ulicznych, to czemu nie krzyże, zawsze to jakiś grosz.

No to jedziemy na złomowisko. Późny wieczór, złomowisko zamknięte. Przeskakujemy przez płot i szukamy. Jest, tylko bez tabliczki. Trudno, i tak wiemy, kto w ziemi leży.

Z powrotem na cmentarz. Krzyż do ziemi, głęboko, raz. Ziemię przekopać, gruntownie, dwa. Powrót do domu, trzy. (A wracaliśmy jak dwuosobowy oddział żołnierzy zwolniony z warty przy Grobie Nieznanego Żołnierza.) Zawsze jakieś kłopoty z tym naszym starym. Ciągle nam gdzieś ucieka. Kiedy byliśmy mali, wyszedł i nie wrócił, nigdy. Nie wiedzieliśmy, gdzie jest. Ale najgorzej nam się nie wiodło, młodszemu bratu było jeszcze wszystko jedno, był w żłobku, a ja, w przedszkolu, miałem się wcale dobrze, dzięki mamie.

W przedszkolu trzeba było pić mleko, każdego ranka. Każdego ranka Pani chodziła między dziećmi i sprawdzała, czy piją mleko. Dzieci nie lubiły mleka, mleko miało kożuchy, kożuchy stawały w poprzek gardła. Pewnego dnia przedszkole przyjęło nową sprzątaczkę, nowa sprzątaczka, z wiadrem, miotłą i szmatą, przechodziła przez jadalnię wtedy, kiedy Pani nie było, i kiedy zobaczyła jednego z chłopców, który udawał, że pije, a nie pił, podeszła do niego, brudną rękę wytarła o jeszcze brudniejszy fartuch, do kubka z mlekiem wsadziła palec, wyciągnęła kożuch, połknęła go i poszła dalej. Następnego dnia to samo, i następnego znowu, dzieci patrzyły na nią jak na wróżkę, jakby z tym wiadrem przelatywała przez salę w powietrzu.

Sąsiad z leżanki obok, na leżakowaniu przymusowym jak mleko, poprosił mnie, żebym ją poprosił, żeby jemu też zjadła kożuch, zgodziłem się za jabłko, przedszkole dawało je nam na deser. Na drugi dzień pokazałem go sprzątaczce palcem, podeszła do niego i wybawiła go od kożucha. Wtedy inne dziecko zapytało, a mi? Mi też pani może? Podeszła i wybawiła je od kożucha, inne zaczęły prosić, a mi? Tego dnia od jabłek rozchorowałem się na brzuch, a potem mama w domu często gotowała kompot. Tak często, że nie mogłem go już pić, jak mleka.

Zawsze więc były jakieś kłopoty ze znikaniem naszego starego. Znalazł się dopiero w kostnicy, po wypadku samochodowym. Pochowaliśmy go i poszli spokojnie do domu, wiedzieliśmy przynajmniej, gdzie jest. I to też niedługo, bo jak przyszła ta wielka powódź, to znowu zniknął. Woda podeszła pod cmentarz, zalała go i trumny wypłynęły. Brat zadzwonił i powiedział, przyjeżdżaj z tego Hamburga, bo stary znowu zniknął, gdzieś po mieście pływa. Przyjechałem, rzeczywiście, miasto wyglądało wtedy jak stare, zamulone akwarium, w którym właściciel przed wyjazdem w podróż dookoła świata zapomniał zmienić wodę.

TEKSTY DRUGIE

Andersen, Andersen

Opieram się tylko, i to wcale nie nachalnie, na filmie: Cudowne podróże Hansa Christiana Andersena, *reż. Piv Bernth, produkcja NDR/Arte 2005. Cytaty za: Hans Christian Andersen, Tagebücher 1825–1875, Insel Verlag, Frankfurt am Main 2003.*

Musi wysiąść wcześniej, na wzgórzu Frederiksberg, w samej Kopenhadze nie może. Tak zwany ślepy pasażer dyliżansu pocztowego. Dostaje najtańszy bilet, pod warunkiem że wysiądzie wcześniej, przed bramami miasta. No i wysiada. Wrzesień, rok tysiąc osiemset dziewiętnasty.

Ma: lat czternaście; widok Kopenhagi ze wzgórza; w niebie Boga; na ziemi nikogo; na plecach worek, w worku wszystko, co ma. Snuje się po ulicach i (chyba) płacze. Pyta o drogę do teatru, idzie do teatru, stoi pod teatrem, krąży wokół teatru i prosi. Tego Jedynego, którego ma w górze, żeby tenże wpuścił go do środka i żeby tam, w tym środku, pozwolił mu zostać aktorem. Tenże nie pozwala. (Ma rację.)

Puka do drzwi. Czeka, aż mu otworzą, i kiedy mu otwierają, tańczy! Od jednych drzwi do drugich, w nadziei, że trafi na kogoś z teatru i ten ktoś, widząc go tańczącego, do teatru dostać mu się pomoże. Nikt nie pomaga. Ci, którzy mają pecha, bo siedzą właśnie w domu i słyszą pukanie, widzą przestraszeni coś na kształt lemura, który nagle, ni stąd, ni zowąd, gorączkowo podskakuje. (Niektórzy, musieli być tacy, otwierali te drzwi, przecierali oczy, zamykali szybko i otwierali znowu.)

Niezrażony, dalsze czyni próby: przed nauczycielem śpiewu śpiewa jeszcze gorzej, niż tańczy, przed nauczycielem baletu tańczy jeszcze gorzej, niż śpiewa. Do teatru, mówią mu, nie nadaje się. Ludzie by uciekli. Wygląda jeszcze gorzej, niż jakby tańczył i śpiewał równocześnie. Więc gdzie mu do teatru. A poza tym do teatru przyjmuje się tylko wykształconych. A on wykształcony nie jest, on nie umie nic.

Tylko pisać umie. Więc pisze jakieś wierszyki, okropne. I znowu puka, do drzwi poety i zbieracza baśni, Justusa Matthiasa Thiele. Ten, nie odrywając wzroku od kartki, mówi „wejść", obraca się, no i ma. Stoi przed nim pałąk o twarzy bliżej nieokreślonego ptaka, z rodzajem dzioba w miejsce nosa. I to coś teatralnym ruchem zdejmuje kapelusz, odrzuca go teatralnym ruchem, teatralnym ruchem rozkłada ramiona i teatralnym tonem rzecze mniej więcej tak:

– Czy mógłbym, w tym właśnie miejscu, prosić o pozwolenie wyrażenia mych uczuć w wierszu, który sam byłem napisałem?

I wyraża, coś tam teatralnie deklamuje, kończy głębokim teatralnym pokłonem i natychmiast, bez przejścia, odgrywa fragmenty jakiejś tam teatralnej sztuki, plącze się w różnych w niej rolach, raz męskich, raz damskich, cały w nich po szyję, kończy, kłania się teatralnie, głęboko, porywa kapelusz i znika, zbiega po schodach, a Thiele, zamiast dalej pisać, siedzi z rozdziawionymi ze zdumienia ustami, zaryzykuję, że do końca życia.

Pisze pierwszą sztukę, okropną. Wysyła ją do Teatru Królewskiego i dostaje odpowiedź, słuszną. Załamuje się, i słusznie. Ale ma szczęście. Ponieważ epoka oświecenia wierzy w „dzieci natury", w duchowy pomiot Jana Jakuba Rousseau. W stany pierwotne. W znajdy, o których zapomniała roztargniona cywilizacja. Ich zdumieni odkrywcy przywracają je światu. Po czym celebrują kąpiel w wannie własnej filantropii. I patrzą, jak opary z niej idą w świat.

Ma szczęście, dyrektor Teatru Królewskiego w Kopenhadze, Jonas Collin, ma ochotę na socjalny eksperyment, zaadoptuje ten nagi instynkt. Adoptuje, duński Kaspar Hauser ma przybraną rodzinę. A Jonas Collin szczęście. Bo gdyby nie ta bezdomna pokraka, ta poczwara, z której nigdy nie wykluł się motyl, dyrektor Teatru Królewskiego w Kopenhadze nie miałby dziś w internecie tylu trafień.

W przybranej rodzinie najbliżej mu do przybranego brata, Edvarda. Bardzo najbliżej. Przeżywa pierwsze emocjonalne tsunami. I pierwsze rozstanie, pryncypał wysyła go do szkoły z internatem, na prowincję. Żeby nauczył się czytać i pisać, porządnie.

W klasie jest najstarszy, o głowę wyższy. Ma siedemnaście lat, inni trzynaście. Inni na pewno chcą go o tę głowę skrócić, jak to dzieci, chętnie okrutne. Łamaga, oferma, tuman. Na lekcji geografii nie umie znaleźć na mapie Kopenhagi. Rektor zabrania mu, chyba słusznie, pisać wiersze, pisze je potajemnie. Prowadzi dziennik. I robi wycinanki z papieru. Wieczorami wycina jakieś figurki, w nocy odkrywa swoje ciało, onanizuje się. Ejakuluje i zapisuje. Skrzętnie stawiając skrzętne znaczki. Próbuje uwieść go żona rektora, ucieka.

Uciec stąd w ogóle.

Dzieciństwo? Koszmar, sam. Młodość? Koszmar, sam. (Papierowe wycinanki się nie obrażą.)

Myśli o samobójstwie. Poniżany, wyśmiewany, częstowany jedynie litością, odebrałby sobie to życie w dolinie łez, gdyby nie... a jednak, gdyby nie wiersze. Pierwszy znaczący – *Umierające dziecko*. Pierwszy napisany z perspektywy dziecka, dziecko umiera i pisze do matki. Żeby nie płakała. (Idę o zakład, płacze, kiedy czyta go sobie na głos.)

Szkołę kończy, kończy pierwszy tomik poezji i pierwszą powieść. Ma dwadzieścia sześć lat i udaje się w swoją pierwszą zagraniczną podróż. Do Niemiec, w góry Hartzu. Wie, że będzie pisał, nie wie co. Lirykę? Dramat? Powieści? Ale wie, że chce tego, o czym marzy każde brzydkie kaczątko, chce być uznany, kochany, podziwiany, ubóstwiany. Słynny, sławny, rozczytywany, rozchwytywany.

Pierwsza podróż z Kopenhagi do Hartzu (dziewięć dni!). Pierwszy raz widzi góry. Pierwszy raz jest tam, gdzie Goethe, Heine odkrywali romantyzm. Pierwszy raz w grocie, grota jak labirynt, labirynt jak ciemna strona duszy. Po łąkach skacze jak konik polny, zbiera kwiatki, wsadza do dziennika. Zapisy w nim, pełne dziecięcego zachwytu, bajeczne przybierają formy.

W podróży pisze list, do Edvarda. To znane *niech-że Pan powie „Ty" do mnie*. Edvard nie powie, Edvard proponuje, żeby na propozycję jego, przekraczającą granicę intymności, spuścić zasłonę milczenia. On cierpi. (Wiele lat później, w *Cieniu*, cień skarżył się będzie na to, że właściciel jego każe mówić mu do siebie „pan".)

Jest tylko jeden powód, przez który cierpiał będzie dłużej, ból zębów. Pierwszy silny właśnie w czasie pierwszej podróży. Pisze: *Okropny ból zębów. Cała symfonia męczarni, którą uciszyć mogę tylko winiakiem*. Polewa nim chusteczkę, kładzie ją na ząb, popija.

Wraca do Kopenhagi, pisze pierwszą sztukę, na premierze siedzi w loży ze swoją przybraną rodziną, dyrektora Collina rozpiera duma, eksperyment się udał, opłacało się, zwierzę oswojone. Zapraszane przez wysoko urodzonych na obiady i kolacje, słuchane i oklaskiwane. Od jednych do drugich, ciągle w drodze, życie w dyliżansie. Pytany o rodziców, podaje się za sierotę. Jego ojciec, szewc, nie żyje, fakt, umiera, kiedy on ma lat jedenaście. Ale matka, o dziesięć lat od ojca starsza, żyje. Ledwo żyje, w przytułku dla biednych, na alkoholizm chora tak ciężko, że nie widzi, ale żyje. Być może dlatego podaje się za sierotę, nie pasuje mu ta matka do jego preparowanego życiorysu. (Kiedyś tam później pisze, że szczęśliwe miał dzieciństwo, ale można to włożyć między jego baśnie, ojciec, mrukliwy jak stara szafa, więcej chyba rozmawia z butami niż z nim, matka, praczka-pijaczka, jak nie pije, to pierze, ale pierze na pewno rzadko.)

Ciotka, jego ciotka, siostra jego mamy, to postać istotna, ale nikt o niej nie wie, nikt oprócz Louise. Louise to siostra Edvarda, ach, co to byłby za ślub, z siostrą Edvarda, gdyby tylko siostra Edvarda ślubu z nim chciała. On jako pełnoprawny członek rodziny Collinów... Ale ona nie chce, choć on jej, tylko i wyłącznie jej, powierza autobiograficzne opowiadanie *Księga życia*. Ciotka to istotna w jego życiu postać. Złorzeczy jego matce, że wrzuciła go jej na plecy, kiedy przyjechał do Kopenhagi. Jakby był dziewczyną, to co innego, ale co jej po nim w burdelu? Bo ciotka pracuje w burdelu i tam właśnie musiał się zatrzymać zaraz po przyjeździe, kiedy pukał do drzwi i tańczył.

Louise nie chce go więc, choć on, ślimak, opuszcza swoją skorupę i zwierza jej się ze wszystkiego.

Znowu opuszcza Danię, na długo, półtora roku, król Fryderyk VI funduje mu całą podróż, za książkę, którą wydaje z dedykacją dla króla Fryderyka.

W podróży list od wściekłego Edvarda: *Odsyłam Panu manuskrypt, myjąc sobie ręce. I Panu radzę uczynić to samo. Pewnego dnia może Pan żałować, że był Pan ojcem chrzestnym takiego dziecka!* Chodzi o szkic *Agnete i wodnik,* on jest nią, ona nim, płciowa żonglerka, miłość i pożądanie, ze zdaniami typu: *Moja kobieca połowa lgnie do Pana.* Zraniony w miłości a) własnej, b) cudzej, postanawia nigdy już do Edvarda nie pisać.

W Rzymie list od Jonasa Collina, nie żyje matka. Teraz jest sam, tak jak chciał. (Tak chciał, że na śmierć zapomina o życiu siostry przyrodniej.)

W Rzymie przyjaciele artyści ciągną go do burdelu, dworują sobie z niego, bo nie chce, chce, żeby go malować, pozuje, w trakcie jednego z seansów widzi piersi modelki, piękne, krągłe, przy małych, szczupłych ramionach, blednie, traci oddech, ucieka, z Rzymu, bo wyśmiewany, do Neapolu, w Neapolu pnie się na Wezuwiusz, notuje w dzienniku (!) jakiś straszny jego wybuch, lawę, która zalewa pobliskie wioski, nic z tych rzeczy, jego samego zalewa fantazja, i krew, napędzany buzującą w nim krwią, krąży po ulicach, zaułkach, gdzie gną się przed nim prostytutki i młodzi chłopcy, ucieka, biegnie prawie do samego domu, siada przy stole i pisze, pisze, że Neapol to miasto bardziej niebezpieczne od Paryża, w Paryżu krew zamarza, a tu się pali, pisze, że strasznie ze sobą walczy, i pyta, czy to jest rzeczywiście grzech, poddać się tej palącej żądzy, bo jeśli nie, jeśli to nie grzech, to się podda. Że jeszcze jest (prawie trzydziestoletni!) niewinny, ale się podda, podda, ale tymczasem znowu bierze swój nabrzmiały problem we własne ręce, po czym stawia w dzienniku znaczek i pisze: *Nie uważam tego rodzaju zaspokojenia za grzech. Jeśli wrócę niewinny do domu, to zostanę nim na zawsze. Doświadczeni ludzie będą się śmiać z tej mojej niewinności, ale to nie niewinność. To niechęć do tych rzeczy, którym tak opiera się moja dusza.*

Wraca, niewinny, do Kopenhagi. W roku tysiąc osiemset trzydziestym piątym wydaje pierwsze baśnie. Tego jeszcze nie było, język ich, nareszcie prosty, nareszcie mówiony, a nie układany mozolnie ze spiżowych klocków. Krytycy próbują marudzić, coś w stylu, że to, co napisane, powinno być na górze, jak ołtarz, a dzieci czytać powinny, klęcząc prawie, a nie siedząc jak równy z równym, ale to tylko niegroźne szczekanie na karawanę, jego baśnie, powoli, ale skutecznie, robią karierę jak z baśni. Wie, że to będzie jego dzieło nieśmiertelne, nie wie jeszcze jednak, że dozna sławy za życia. Które staje się całkiem znośne, jest kimś i wszystko byłoby jak z obrazka, gdyby nie fakt, że w wieku lat trzydziestu jest sam. I gdyby Edvard nie pisał do niego *Mój poczciwy przyjacielu*. Poczciwy, poczciwy, on nie chce być „poczciwy". Jest tygrysem, (lemurem?), którego krew, pisze, wrze mocniej niż krew wszystkich mieszkańców Kopenhagi razem wziętych! Edvard zaręcza się, on cierpi, pisze znowu list, którego nigdy jednak nie wyśle. *Czy Ty rozumiesz moją miłość? W tej chwili nie ma żadnego „Pan", mówię „Ty" i w tym momencie czuję dotyk Twoich ust. Gdybym był bogaty, wyjechalibyśmy do Włoch, przynajmniej na miesiąc, Edvard, mam wielu młodych przyjaciół, ale żadnego nie kocham tak jak ciebie.* Wysyła jednak list, w którym zazdrości narzeczonej Edvarda, że ta może mówić do niego „kocham". Zaproszenia na ślub nie dostaje, pisze *Małą syrenkę*, która rozpływa się na niebie w postaci chmurki, bo nie chce jej książę, mała syrenka to on.

Znowu wyjazd, znowu do Neapolu. Obrażony na Kopenhagę. Na znaną aktorkę, która nie chce grać w jego sztuce (*Ja Panią zniszczę!*), na plotki, dlaczego tak długo jest kawalerem. Na podśmiechujki z jego potencji.

Część drogi po raz pierwszy pociągiem. Doznanie szybkości, jakby jedno miasto leżało zaraz koło drugiego, po raz pierwszy przeświadczenie, że Ziemia się kręci.

W Neapolu znowu w *camera obscena*, obrazy, statuetki z Pompei, rozpusta po grecku. Znaczek w dzienniku.

Z Neapolu do Konstantynopola, byle dalej od Kopenhagi. Wielbłądy, sułtani, tańczący derwisze. Orient jako lustro świata jego fantazji. Balsam na jego schorowaną duszę. Gdyby także jego życie było jak z *Tysiąca i jednej nocy*. Wie teraz, że baśnie to prawdziwe jego powołanie.

Wraca, czuje duńsko-niemieckie powietrze, żałuje, że nie umarł tam.

Przeżycie na statku: pasażerowie śmieją się z człowieka, który wygląda jak jego karykatura, jak jego cień.

W Kopenhadze niespodzianka, król przyznaje mu stałą roczną pensję, mało tego, może mieszkać w najbardziej wytwornym hotelu miasta. Mieszka.

Dostaje list, świat wali mu się znowu na głowę. Pisze jego siostra przyrodnia. A przecież on głosi wszem wobec, że na tym świecie sam. A ona jak świadek koronny jego wstydliwej przeszłości. Dostaje gorączki, nie może spać. Pisze *z pożądania i zwątpienia*. Skąd ono, to pożądanie? Nie wiem, nie wiadomo, co mu napisała, ma jakąś kazirodczą projekcję? Bo wygląda na to, że ona, tak jak jego ciotka, jest prostytutką...

Za parę dni duch z jego dzieciństwa puka do drzwi. Żebrze. Pisze, *była dobrze ubrana i dobrze wyglądała*. Nie wpuszcza jej do środka, daje jej talara. Pisze do Edvarda, boi się, że ona teraz będzie go nachodzić, ale nigdy już się nie zjawia, ulatnia się, ratując legendę o sierotce Marysi.

W wieku lat trzydziestu ośmiu zakochany. W szwedzkiej śpiewaczce operowej. W nieślubnym dziecku, którego matka pozbyła się po urodzeniu, które z samego dołu wspięło się na samą górę. Coraz bardziej, wydaje mu się, zażyłe spotkania, zamierza prosić ją o rękę, ale ona go podziwia, nie kocha, i tak daleko jej z nim do ołtarza jak do łóżka. Znaczek w dzienniku to wszystko, co zostaje z pierwszej i ostatniej jego miłości do kobiety. (I *Słowik*.) Chociaż jeszcze się spotykają, chociaż ma nadzieję jeszcze wtedy, kiedy ona głaszcze go po głowie i nazywa „kochanym bratem", nic z tego, cierpi podwójnie, z jej powodu i zębów.

Dwudziestą piątą rocznicę przybycia do Kopenhagi świętuje z królem, *Dziewczynka z zapałkami* prowadzi triumfalny pochód jego baśni po Europie, świat leży u jego stóp i merda ogonem. Na targach książki w Lipsku dostaje propozycję wydania dzieł zebranych w zamian za majątek. I... życiorys. No i masz ci los. Co tu pisać? I jak? Wpada w depresję, choruje, wysyła fragmenty Edvardowi, do oceny, ten skreśla mu wszystkie miłosne jęki i stęki, nieznośne jego próżniacze pozy, patetyczny dym. I biografia wychodzi. Z *Baśni mojego życia* najbardziej prawdziwy jest tytuł, bo reszta jest zmyśleniem. Dekoruje dom rodzinny, w którym nie było prawie nic, na ścianach zawiesza obrazy, do pokoi wstawia komody, łóżka i piec jak z baśni, w oknach zawiesza śnieżnobiałe firanki. Ani słowa o matce, jej żebraninie, alkoholu i jej żałosnej śmierci, ani słowa o ciotce w burdelu w Kopenhadze, nic o siostrze przyrodniej i jej prostytucji. Nie wie nawet, że kiedy on przemilcza ją w swojej „autobiografii", siostra umiera. Wię-

cej o jego dzieciństwie wywieść można z baśni, na przykład tej o praczce-pijaczce, która do niczego się nie nadawała, lub tej o dziewczynce sprzedającej zapałki.

Osiąga więc wszystko. *Jestem naprawdę sławny.* Na deser zostawia sobie Dickensa, ostatniego z wielkich, którego nie odwiedził. Czyni to latem w roku tysiąc osiemset pięćdziesiątym siódmym. Przyjeżdża jak balon, unosi się prawie w powietrzu, tak próżny. I grymaśny, i bełkoczący coś, co przypominać ma angielski. Kompromitacja, katastrofa, żenada, gospodarze rwą sobie włosy z głowy. Dickens pisze wtedy często cytowane zdanie: *Spał pięć tygodni w tym pokoju. Rodzinie wydawało się to wiecznością.*

Wypadają mu jeden po drugim zęby, ale krew się w nim jeszcze gotuje. Szczególnie wtedy, kiedy siedzi w swojej loży w swoim Teatrze Królewskim i patrzy na fruwających w powietrzu adeptów szkoły baletowej, na jednego szczególnie. Poznają się, widują, codziennie. *Tęsknię za nim każdego dnia.* Policzek smakowi powszechnemu, publicznie trzymają się za ręce. Kocha. Na zdjęciach z tego czasu nie pozuje na pomnik, jest swobodny, nawet frywolny. I nawet nie rozpacza, kiedy jego efeb odchodzi do innego.

Wojnę duńsko-niemiecką (1864) przeżywa jako katastrofę, przegrana Danii dobija go, musi zerwać ze wszystkimi niemieckimi przyjaciółmi.

Choruje, ciało coraz częściej odmawia mu posłuszeństwa.

Ma sześćdziesiąt dwa lata, jego miasto rodzinne, Odense, przyznaje mu tytuł obywatela honorowego, jedzie. Stoi w oknie ratusza, w dole tłumy wiwatują na jego cześć, płoną pochodnie, miasto jak w morzu ognia. Nie może wytrzymać do końca pieśni pochwalnej, męczy się coraz bardziej z każdą zwrotką, liczy je, bo bolą go piekielnie te zęby, które mu jeszcze zostały.

Jeździ pociągiem do Paryża, chodzi do burdelu, płaci i... patrzy. Nie zdobywa się nawet na dotyk, samotny asceta, wie, że już takim zostanie. *Umrę takim, jakim jestem. Ani razu nie podążywszy za zewem własnej krwi.*

Nie podróżuje, nie pisze nic, oprócz dziennika.

Wycina portrety ze zdjęć i nakleja je na ścianę. Panteon, w którego hierarchii on gdzie? Na samej górze?

Mieszka z kuframi pełnymi manuskryptów, dzienników, papierowych wycinanek, zdjęć, listów. Z których jeden pali, ten jedyny od siostry przyrodniej, co za małoduszność.

Edvard Collin (Pan Edvard Collin!) jest jedynym jego spadkobiercą, wszystkich jego rzeczy i całej jego fortuny.

Pisze, że w trumnie wyciąć sobie każe dziurkę, żeby widzieć, kto nie przyszedł, i żeby karać nieobecnych, strasząc ich jako duch, *a duch ze mnie będzie straszny.*

Traci ostatni ząb, nosi sztuczną szczękę, widać to na ostatnim jego zdjęciu.

Na siedemdziesiąte urodziny dostaje od króla order najwyższej klasy, w teatrze grają dwie jego sztuki, ale on ledwo je z loży widzi. Ma raka żołądka i wątroby, bierze morfinę.

Ostatni zapis dyktuje. *Śniło mi się, że leżę martwy, w ulicznym rowie zaraz pod Kopenhagą. Ale w przedziwny sposób martwy, ponieważ z mojego ciała, z wszystkich moich członków wyrastały kwiaty. I do każdego, kto przechodził obok rowu i widział mnie leżącego, mówiłem, halo, ja wcale nie jestem martwy. Na wiosnę zakwitnę znowu!*

No i psyt, zgasł.

Na ambonie

Oto telegraficzny skrót życia i śmierci pewnego zrozpaczonego bezrobotnego, spisany na podstawie zdziwionych przy- i upadkiem tym gazet niemieckich, które były go opisały!

Oto historia człowieka, który życie swe zaczął w drewnianej kołysce, a skończył, w wieku lat pięćdziesięciu ośmiu, na drewnianej ambonie!

Oto historii tej dukt: po szkole Hans-Peter wkłada mundur Bundeswehry, który zdejmuje aż po latach dwunastu, po czym uczy się na pracownika biurowego/handlowca, po czym staje się nim i jako taki żeni się, ojcem córki zostając. Po czym rok dziewięćdziesiąty nastaje, Niemcy jednoczą się, a Hans-Peter swoją szansę wietrzy, do Wschodnich wyrusza i tam targi handlowe zakłada i organizuje. Po czym? Sukces odnosi. Na sukcesie jednak cena jego jak garb siedzi, im więcej Hans-Peter w rozjazdach, tym bardziej rozjechane małżeństwo jego, stop-klatka z nim, żona już nie chce → córce obojętne → rozwód.

Rok 1998, Hans-Peter zaczyna nowe życie, z nową życiową partnerką, w pobliżu Lubeki, w domu wielorodzinnym. Sąsiedzi określają go mianem „wstrzemięźliwy". I „zadbany". Wychodzi w poniedziałek rano, wraca w piątek wieczorem. Jeździ po kraju jako przedstawiciel firmy specjalizującej się w produkcji krzeseł wiszących. Ekstremalnie niezawodny, lojalny, uczciwy, mówią jego byli koledzy. A sam jego szef? „Przy najmniejszym ryzyku, że rano spóźni się na termin, jechał dzień wcześniej". Ale życie takie w rozjazdach nie dla niego. Samotność komiwojażera. Koledzy przy piwie, a on do pokoju swojego, czytać, literaturę wysoką, książki, które kupował w antykwariatach. Albo pisać, dzienniki, listy. Za te ostatnie przez kolegów lubiany szczególnie, za ich ironię subtelną, bo pisanie domeną jego było.

Hans-Peter nie wytrzymuje, tych wiecznych wyjazdów i wietrznych hal targowych, i wybija się na niepodległość. Usamodzielnia się, sam jako firma sterem swoim jest, żeglarzem i okrętem. I tonie. Nie może zapłacić za hotel, podaje fałszywy adres, i sam zgłasza się, skruszony, na policję. Bryła świata chwiać mu się zaczyna w posadach, nowa partnerka staje się byłą, on przebąkuje o samobójstwie, odwiedza psychiatrę, ma zaległości w płaceniu czynszu.

Rok 2005, do mieszkania wchodzą komornicy, wszystko w nim jest, oprócz niego, a on gdzie? Nie wie nikt, sąsiedzi wzruszają ramionami.

Rok 2006, Hans-Peter macha do mnie ręką z miejscowości pod Hanowerem. Do mnie, bo jestem teraz helikopterowym sprawozdawcą, lecę nad ostatnim etapem jego życia. Macha spod dosyć podłego szeregowca, w którym mieszka kątem u przyjaciółki. Nikt nie zwraca na niego uwagi, jedna tylko sąsiadka przypomina sobie siwiejącego pana, często przyjaźnie ją pozdrawiającego. Pomnik sumiennego, przeciętnego mieszczanina, ten nasz bohater. Przeciętny wygląd, przeciętny sposób bycia i do momentu, w którym siądzie na rower, w miarę przeciętny życiorys.

Święta Bożego Narodzenia, Hans-Peter w Hanowerze, sam, w mieszkaniu dwupokojowym. Czynsz płaci regularnie, z góry, umowę o wynajem przedłuża co miesiąc, potem co tydzień, żeby mieć pole manewru, jeśli tylko ten pojedynczy, bezrobotny opiłek człowieka znajdzie jakikolwiek magnes w postaci jakiejkolwiek pracy. Z sąsiadami kontaktu nie utrzymuje, sporadycznie rozmawia z gospodarzem bloku. Opowiada mu, że praca już za progiem, już puka do jego drzwi, bo chcą go znowu byli jego pracodawcy. Kończy mu się zasiłek dla bezrobotnych, może pobierać socjalny, nie chce. Może przejść na wcześniejszą emeryturę, nie chce. Za dumny.

Rok 2007, jesień, Hans-Peter w euforii. Najmodawcy oświadcza, że pracę ma, w Kolonii, przy organizacji i obsłudze targów. Mieszkanie zdaje, w piwnicy zostawia parę kartonów, mówi, że odbierze je później. Żegna się słowami: „To na razie!" I odjeżdża, na rowerze. W siną dal.

Jestem nad Hanowerem! Potwierdzam informację, że Hans-Peter, najstarszy zawodnik wyścigu (lat pięćdziesiąt osiem!) został daleko za peletonem!

Jestem nad Hildesheim, trzydzieści trzy kilometry od Hanoweru! Hans-Peter nie daje za wygraną, godna podziwu samotność tego długodystansowca! Tym bardziej że jedzie pod silny wiatr i wytraca szybkość...

Hans-Peter ma defekt roweru! Cóż za historia! Staje, zsiada, nic tu się chyba nie da zrobić... To niemożliwe, Hans-Peter idzie! Zostawił rower i idzie, proszę państwa, głos łamie mi się ze wzruszenia!

Na mapie, poniżej Hanoweru, znajdziecie Hildesheim, tam dojechał rowerem. Poniżej Getyngę, tam mniej więcej doszedł piechotą, tak stoi w gazetach. Sprawdzam odległość, około osiemdziesięciu kilometrów. Przy pięciu kilometrach na godzinę wychodzi za dużo, musiał gdzieś spać, po drodze. Albo ktoś go podwiózł. Kiedy kupuje ten materac, piankowy, łoże śmierci jego? Ma go od początku... Niedaleko Getyngi, gdzieś w okolicach miejscowości Uslar,

wchodzi do lasu, idzie, trafia na idylliczną łąkę, na łące na myśliwską ambonę. Wchodzi, ostatnie kroki jego, na ziemię już nie wróci.

Leży, ma trochę wody i zeszyt, DIN A5. Pisze dla córki: *Po mojej śmierci zeszyt przekazać córce.* A córki śmierć jego nie będzie obchodzić, jego zeszyt też nie.

Notuje, skrupulatnie, każdy dzień, każdą godzinę, w której zmienia się jego stan. Jak chudnie, jak traci czucie, jak przestaje kojarzyć datę. Raz gwiazdy, raz chmury, raz ciemno, raz jasno. 24 razy, 24 dni. Słownie: dwadzieścia cztery.

Ciało człowieka głodującego najpierw traci komórki tłuszczowe, potem mięśniowe. Wody ubywa. I wagi, około kilograma na dzień. Dochodzi do zakłóceń rytmu serca. Następnie, po zużyciu wszystkich rezerw energii, kiedy organizm nie potrafi już wyrównać silnej utraty białka, robi się puchlina wodna. Zagrożenie dla życia pojawia się od czterdziestoprocentowej utraty wagi. Brak białka uszkadza wątrobę, trakt żołądkowo-jelitowy, nerki i serce, na które w tym przypadku umiera się najczęściej.

Słyszy głos dziecka, dziecko chce wejść do góry, ojciec nie pozwala, idą dalej.

Szóstego grudnia jeszcze kojarzy, notuje, że dzisiaj musi być chyba Mikołaj.

Ostatni zapis nosi datę trzynastego grudnia.

Na krótko przed świętami dwóch myśliwych wymienia zmurszałe części drabiny, na górze znajdują zmumifikowane już zwłoki.

I teraz uwaga! Według protokołu oględzin Hans-Peter, głodomór z ambony, leżał na plecach, z ramionami swobodnie założonymi pod głowę.

W Pradze

Przy dworcu w Pradze mały park, przystań, w której cumują żule wszelkiej maści. Jedni o wyglądzie złamanych strzykawek, inni jak butelki jednorazowego użytku. Dziwki o wyglądzie kurew, z zawodu prostytutki. Słynący z tak zwanej miłości do tak zwanej wolności Cyganie. Jak muchy przy odpadach z ludzi. Dla każdego coś, nawet przejezdni pedofile nie odchodzą stąd z pełnym workiem mosznowym, do środka zapraszają ich nieletnie, w świetle latarni i prawa, odbytnice.

No i ja, pośrodku tej (b)arki przymierza, klnąc na walizkę na kółkach i złorzecząc jej, bo rączka za krótka, piętą ciągle zahaczam i przewraca mi się ona na boki, aż rękę wykręca, co parę metrów, a razem z ręką cierpliwość, kurwicy można dostać przez ten neopatriotyzm, bo kupiłem, bo polskie, bo kupuję produkty polskie, bo polskie to dobre („Teraz Polska": samolot lecący na Pałac Kultury), no i mam, jeżdżę z nią od lat paru i sam nie wiem, czemu nie wyrzucę, teraz znowu nie wytrzymuję i kopię ją ze wszystkich stron, klnąc, a żeby cię, kurwa twoja ojczyźniana mać, ty pizdo znad Wisły, i to właśnie słysząc, podchodzi do mnie jedna z dam, i mówi, laskę ci zrobię za połowę, boś rodak, a rodak na to, myślami zupełnie gdzie indziej, laskę w moim wieku to mi możesz zrobić, ale z drewna.

– Dałeś „stoję jak chuj w rynnie", czy jednak „stoję jak chuj w torcie"?

Pyta Vera Jana. Vera i Jan tłumaczą na czeski, każde po połowie, wybór z książek siedzącego pomiędzy nimi rudnickiego autora polskiego.

Siedzimy w miejscu jak najbardziej publicznym, kawiarni literackiej, Vera i Jan widzą się po raz pierwszy, wcześniej konsultowali się tylko przez e-mail lub telefonicznie. Czy „w rynnie", czy „w torcie", Vera pyta Jana tak, jakby pytała go, czy kawę weźmie, czy herbatę. Jan nie wie, mówi, że też nad tym myślał, ale nie może się zdecydować.

Zastanawiają się, Vera mówi, że w torcie chyba lepiej, bo to tak, jakby ten chuj czekał, aż ktoś go liźnie albo dmuchnie, Jan optuje raczej za rynną – nie dość, że chuj stoi tam, bo nie ma innego wyjścia, to jeszcze na niego z góry pada.

Rynna czy tort? Zazdroszczą nam, nie tylko inwencji wulgarystycznej, na przykład: „No kurwa wasza wysublimowana mać!", ale i tego, co można zrobić z takim jednym pojebanym czasownikiem jak „pierdolić". Lub, wymiennie, z takim popierdolonym czasownikiem jak „jebać". Wyjebać, przejebać, podjebać, zajebać, pojebać, niby ten sam koń, a ledwo go pociągnąć za uzdę (przedrostek), a już semantycznie inny. Oni w przekleństwach są ekstremalnie „ekskrementalni", my raczej seksualni. Oni skatologiczni, podobnie jak Niemcy, my pornograficzni, i jak ten polski kongenialnie tłumaczyć?

Tak sobie przerzucają te uwagi nad moją głową, a ja siedzę między nimi jak... No właśnie, w torcie czy w rynnie?

Václavské náměstí, zdjęcie Jana Palacha. A ja opowiadam im o Siwcu, Siwca nie znają.

Przypadek Ryszarda Siwca, księgowego z miasta Przemyśl, z wykształcenia filozofa, urodzonego w roku 1909 w Dębicy, a zmarłego w wyniku odniesionych poparzeń, zajmujących ponad osiemdziesiąt pięć procent powierzchni ciała, po dokonaniu samospalenia przy użyciu rozpuszczalnika podczas ogólnokrajowych dożynek na Stadionie Dziesięciolecia w Warszawie w roku 1968, na oczach stutysięcznego tłumu i kamer Polskiej Kroniki Filmowej;

samospalenia, przed którym to rozdawał ulotki i rozwinął transparent „Za naszą i waszą wolność", protestując między innymi przeciwko inwazji wojsk

Układu Warszawskiego na Czechosłowację, a potem palił się, krzycząc „Protestuję!", i nie pozwolił gasić płomieni;

przypadek księgowego z Przemyśla, z którego władze PRL-u próbowały zrobić psychicznie chorego, a którym nie był, choć musiał być, między nami mówiąc, hm, co najmniej z lekka nawiedzony, skoro pisał w swym manifeście: *Ludzie, w których może jeszcze tkwi iskierka ludzkości, uczuć ludzkich, opamiętajcie się! Usłyszcie mój krzyk, krzyk szarego, zwyczajnego człowieka, syna narodu, który własną i cudzą wolność ukochał ponad wszystko, ponad własne życie, opamiętajcie się! Jeszcze nie jest za późno!*, a w liście pożegnalnym do żony: *Wybacz, nie można było inaczej. Po to, żeby nie zginęła prawda, człowieczeństwo, wolność, ginę, a to mniejsze zło niż śmierć milionów,* a w testamencie dla rodziny zwracał się do dzieci: *Niech Bóg miłosierny i Królowa Polski, matka Częstochowska, ma Was w opiece i całą naszą ziemską Ojczyznę,* co czyni go, no, umówmy się, człowiekiem spod znaku Bóg, Honor, Mielizna;

bo, między nami mówiąc, lepiej byłoby przecież, gdyby palił się na ołtarzu ojcostwa, a nie osierocał dzieci i zostawiał na kruchym lodzie żonę, tych dzieci matkę, na koszt całej tej Matki Częstochowskiej;

przypadek ten, który wtedy nie odbił się żadnym echem i dopiero po roku wspomniała o nim Wolna Europa, a dopiero w roku 1981 rodzina tragicznie zmarłego wydała o nim broszurę, choć w roku 1990 z inicjatywy „Tygodnika Solidarność" przy wejściu głównym na stadion wmurowano tablicę go upamiętniającą, choć w roku 1991 powstał o nim film dokumentalny *Usłyszcie mój krzyk*, który TV Polonia emitowała w połowie września, a w tym samym roku Rada Miasta Przemyśla nadała nowo wybudowanemu mostowi jego imię, choć w roku 2001 prezydent Václav Havel odznaczył go pośmiertnie najważniejszym czeskim odznaczeniem, orderem Tomasza Masaryka pierwszej klasy, a dwa lata później prezydent Aleksander Kwaśniewski przyznał zmarłemu Krzyż Komandorski Orderu Odrodzenia Polski, którego to orderu żona zmarłego, między nami mówiąc, nawiedzona, nie przyjęła, ponieważ mało, że z rąk komunisty, to jeszcze oskarżyciela narodu polskiego za zbrodnie na Żydach, których tenże naród nie popełnił, choć w roku 2006 z okazji narodowego święta Słowacji jej ambasador w Polsce František Ružička wręczył synowi zmarłego, Witowi, przyznany jego ojcu Order Białego Podwójnego Krzyża, choć w sierpniu 2008 roku, w czterdziestą rocznicę inwazji na Czechosłowację, wspomniano o nim tu i ówdzie w czeskiej prasie, to przecież nie tak, jak o jakimś tam dysydencie rosyjskim, który wtedy w Moskwie czymś tam na znak protestu pokiwał, a którego olbrzymi portret widziałem w Pradze na pierwszych stronach gazet;

przypadek Ryszarda Siwca, pod którego tablicą nie można było w tym roku złożyć kwiatów, ponieważ na czas budowy stadionu przeniesiono ją do magazynu na Torwar, Siwca, o którym przeciętny Czech wie mniej niż zero, a w Polsce bardziej znany jest Czech Jan Palach, który spalił się w Pradze pół roku później;

przypadek ten pokazuje, że nawet jak się już dla kogoś palimy, to robimy to za damski chuj.

Osoba pierwsza
liczby jak najbardziej pojedynczej

Warszawa, Dworzec Centralny, idę do Henryka Berezy. W pociągu czytałem *Pięknych dwudziestoletnich*. Uczucia więcej niż mieszane, ale ta jedna scena z hotelu „Victoria", ta jedna scena!

Marek Hłasko, lat dwadzieścia pięć, kładzie się do łóżka, żeby umrzeć. Łóżko stoi w pokoju, który wcześniej był toaletą, właściciel hotelu przerobił ją na pokój, żeby zarobić więcej, na takim jednym przybłędzie z drugim. Pokój znajduje się w hotelu, który znajduje się w Tel Awiwie.

Wcześniej, przez dni dziesięć, nie je nic, głoduje, ma halucynacje. Na plaży kradnie lornetkę, którą ktoś zostawia, idąc do wody, z lornetką idzie do hotelu i portierowi proponuje, że ją dostanie, i jego buty, jeśli pozwoli mu, ten portier, poleżeć parę dni w łóżku i umrzeć. Portier się godzi, nie ma właściciela, gdzieś wyjechał, więc Hłasko może sobie, na czarno, umrzeć, portier przynosi mu dzban wody i Marek

Hłasko, lat dwadzieścia pięć i metr osiemdziesiąt trzy wzrostu, kładzie się do łóżka i leży.

Pije co jakiś czas wodę i śpi. Nie czuje rozpaczy, nawet niepokoju, wizje ma pogodne i miłe. Od czasu do czasu wchodzi do pokoju portier, unosi mu jedną powiekę do góry i wychodzi. Dalej czeka.

Marek Hłasko umarłby śmiercią głodową, gdyby nie portier, a portier dałby mu śmiercią głodową umrzeć, gdyby nie telefon z ambasady amerykańskiej, że Marek Hłasko ma zgłosić się po należne mu pieniądze. Portier kroi bułkę, smaruje ją masłem, kładzie na nią szynkę, robi kawę, człapie do trupiarni wynajętej przez oddychającego jeszcze pisarza polskiego na obczyźnie, stawia posiłek, powiedzmy, że na podłodze, mówi coś, czego Hłasko nie rozumie, o telefonie z ambasady, i wychodzi, Hłasko je i pije. Portier wraca niebawem, z obiadem, karmi go i raz jeszcze tłumaczy, o co chodzi, tym razem Hłasko rozumie, koniec umierania.

Chce iść do ambasady, żeby pieniądze te podjąć, nie ma w czym, butów nie ma. Dawaj buty, mówi do portiera, a portier ich nie ma. Nie ma, sprzedał, sprzedał, bo przecież Hłasko miał umrzeć, taka była umowa, że umrze, to po co mu buty? Hłasko kłóci się, ale przecież nie umarłem, mówi, na co portier, że to jego sprawa, że nie umarł, portier był pewny, że umrze, za mniej więcej trzy dni, portier się zna na śmierci, dużo takich widział, co tu umarli, chodził tyle razy i powiekę mu podnosił, a Hłasko, nie dość, że nie umarł, to jeszcze pretensje ma o buty, nie mówiąc już o tym, że umierał w łóżku, a mógł przecież na ulicy.

Dobrze więc, Marek Hłasko idzie do ambasady amerykańskiej w Tel Awiwie. Twarz ma wykrzywioną, lecz nie od izraelskiego słońca, a z bólu. Idzie, jakby szedł po rozżarzonych węglach, idzie, jakby był rachitykiem, a idzie tak dlatego, że cisną go buty. Które portier pożyczył mu od jakiegoś misjonarza. I ta scena właśnie, scena, w której pisarz polski, w roku tysiąc dziewięćset pięćdziesiątym dziewiątym, lat dwadzieścia pięć, metr osiemdziesiąt trzy wzrostu i osiemdziesiąt kilo wagi, po niedoszłym samobójstwie w hotelu diabła przebranego za portiera, idzie w za ciasnych, pożyczonych butach misjonarza do ambasady, ściska mi centralny narząd układu krwionośnego.

Ulica Widok, jestem pod jego klatką. Przez domofon, ja na dole, on na górze. Dzwonię.

On: – Yyyy, halo?

Ja: – No. To ja.

On: – Kto?

Ja: – No ja.

On: – Ja? Jak to ja? Przecież ja jestem na górze.

Potem do windy, i jak na szafot, winda stara, z podwójnymi drzwiami, które trzeba samemu zamykać. No i nigdy nie wiem, które piętro, wysiadam zawsze jedno niżej albo jedno wyżej. Tyle już razy u niego i za każdym razem to samo. Dlatego jak trafię na to niższe, to udaję, że piechotą do góry wchodziłem, żeby niby ruszać się trochę. Jak wywiozę się, idiota, na wyższe, to, jakby nigdy nic, schodzę. Wtedy:

On: – Yyyy, jak? Od dołu z góry wchodzisz?

Ja: – Jak od dołu? Z góry schodzę, na dół.

On: – Jak? Przecież z dołu dzwoniłeś.

Ja: – A skąd wiesz? Że z dołu?

On: – To nie my? Rozmawialiśmy?

Ja: – My? Kiedy?

On: – Przez domofon. Na dach przenieśli?

Potem w mieszkaniu. Mieszkanie jak mieszkanie. Na pewno już w życiu wymiotował, ale nigdy pieniędzmi.

Jak jest dobrze, to nic, siedzimy. Jak źle, to otwieramy sobie konserwę i jest dobrze.

Mieszkanie zresztą opisał. Kuchnia: *Za dużo okna w miejscu do stania*.

On przeważnie siedzi, ja się kręcę. Irytuję go, trochę, podchodzę do okna, odchodzę od okna. Łażę po grzbietach jego książek. Których on przeczytał chyba więcej, niż ich Niemcy spalili. Bilet tramwajowy kiedyś czytał, wte i wewte, w tramwaju, jak nie miał co czytać.

Jego literatura to ta wysoka. W której narrator to osoba pierwsza liczby jak najbardziej pojedynczej. I która jest Wolnym Miastem. Tak wolnym, że nawet kompas moralny dostać tu może, i to bezkarnie, pierdolca. Ta niższa, trywialna, ma do niego zakaz wjazdu i parkować może najwyżej na jego rogatkach. Bo czuć jej na odległość z ust, żurnalizmem. I szeleści z daleka gazetą. Bo pisanie to zbijanie gorączki, a nie realizacja życzenia większości krytyków, aby „oddawać rzeczywistość kraju, w którym żyjemy". To nie literatura, to literacka szmata do przecierania okien tym, którzy nie widzą, jak za nimi jest. To literatury uboga krewna, ze wsi zabitej wyrazami, bo słów w niej jak na lekarstwo.

Dwa pierwsze zapisy sprzed lat dziesięciu, z *Oniriady*, trzeci sen przez telefon, niedawno.

Gubi raz but, jeden. Spada mu z nogi. Chodzi, pyta o niego ludzi, ludzie się dziwią. Jakby dziecko zgubił. Nie ma buta. Nie ma też megafonu, przez który mógłby ogłosić wszem wobec fakt zaginięcia. Ogląda, przegląda porzucone i pogubione buty. Stasia go woła, Stasia z bufetu „Czytelnika", że ma, znalazła. Bierze go do ręki, patrzy, nie jego, za mały. Rezygnuje z szukania, ma nadzieję, że but znajdzie się jutro, w końcu po co komu jeden? A jak nie, to kupi, ale nie wie, czy ma pieniądze, czy mu ich starczy.

Idzie albo płynie szosą mszczonowską do Skierniewic. Szosa jak niebieska wstęga, jak rzeka na mapie.

Idzie z psem i pies pyta, a dlaczego my nie wstąpimy w związek małżeński? Odpowiada, że to przecież niemożliwe, a pies na to, jak niemożliwe, w tym kraju da się przecież wszystko załatwić!

Żeby dziąsła „Twórczości" nie straciły zęba mądrości, nie śpiesz się. To jeszcze daleko. Jeszcze dużo czasu, zanim do Skierniewic, w jednym bucie, jako świeżo upieczony Pan Młody psa, niebieską wstęgą dopłyniesz.

Twój

Zbieg z okoliczności

PS Przykład paradny na opętanie Henryka literaturą to ten, w którym dzwonię do niego z Centralnego, że przyjechałem właśnie i zaraz go odwiedzę, ale nie sam, zapytał, z kim, przyjechałem pierwszy raz z Verą, której jeszcze nie widział, nie znał, więc powiedziałem, że z Czeszką, zapytał raz jeszcze, z kim, bo gorzej słyszy, powtórzyłem, że z Czeszką, na co on, co ty pierdolisz, przecież Czeszko dawno nie żyje!

Jeżdżąc

Hamburg–Berlin. Pakuję się, sprzątam, chcę wymyć naczynia, maszyna pokazuje czerwone światełko. Wiem, sól się skończyła. Trzeba wsypać nową. Zachwianie ośrodka decyzyjnego, wsypać? Trzeba otworzyć worek z solą, trzeba wysunąć dolną szufladę maszyny, trzeba przechylić się i wsypywać. Precyzyjnie. Tak, żeby cała ta tej soli strużka sypała się do całego tego otworu, a nie na cały ten bok. Trzeba tak stać pochylonym i czekać. Aż cała ta sól się wysypie. A ona sypie się bez końca. Sypie i sypie. Wsypywać? Ten widok mnie pochylonego z czymś, z czego sypie się coś, co jakby w tym sypaniu się zastygło. A ja razem z tym czymś, na wieczność, jak pomnik człowieka sypiącego sól. Nie sypię, pakuję się, wychodzę, zamykam drzwi.

Berlin, dworzec, wysiadam z pociągu taki trochę zielony na twarzy, taki jakby wessany lekko do własnego środka. Zgięty, pogięty, źle dokręcony. Ponieważ tak, ponieważ w pociągu zapraszali przez głośniki do wagonu restauracyjnego na polską zupę. Pierwszy raz, odkąd jeżdżę niemieckimi liniami, polecali nasze danie. Powiedzieli, polecamy polską zupę grzybową żurek, ale niech tam,

bądźmy

wspaniałomyślni.

I dalej: zaraz po tym bilateralnym komunikacie jakieś podśmiechujki słyszę, dwóch przede mną, bom w przedziale otwartym, wymienia sobie po spojrzeniu, tym porozumiewawczym. Ach tak? No to we mnie alarm przeciwlotniczy, to ja wstaję i idę! Do restauracyjnego, po ten żurek, po dwa, dla nich, dla tych dwóch, którzy tak niby połowicznie dworowali sobie sardonicznie, z zupy, którą ja z matczynej piersi ssałem. Idę, kupię im, niech spróbują. Mądrale. Idę, przepycham się przez cały pociąg prawie, bo ja na początku, a zupa na końcu, proszę o dwie porcje, w podwójnych talerzykach, żeby się nie oparzyć, i wracam, i tak się oblewając, klnąc w związku z tym, bo parzy, idę obarczony tymi talerzami jak On krzyżem, dochodzę w końcu na tę Golgotę, tych dwóch nie ma, musieli tymczasem wysiąść, żeby ich krew. Zalała. Siadam z tą zupą i co? I jem, bo co? Jem, w czynie społecznym. Każdą łyżką coraz bardziej się męcząc, bo żurek niedobry, okropny, jakaś woda z czymś kwaskowatym, czegoś takiego nie jadłem nigdy, ale jem, jem, bo co? I zjadłem, i do toalety zaraz lecę, i wymiotuję, już po drodze prawie, życie polskiego patrioty to polonez na polu minowym.

Wysiadam więc, w Berlinie, bo w Berlinie „film-POLSKA", coroczny festiwal filmów naszych, a na nim *Katyń* jako *highlight*. Mieszkam u przyjaciółki, zaraz obok biuro festiwalowe, wyjechała i zostawiła mi klucze i, na szczęście, pościel na balkonie, do wysuszenia. W dniu, w którym akurat *Katyń*, wychodzę w piżamie i papciach z kawą na balkon, jakiś przeciąg się robi, i chlast! Drzwi balkonu trzasnęły tak mocno, że klamka opadła, od strony, po której byłem, nie od tej, po której jestem. Co teraz? Marznie ludzkość, w samą piżamę tylko odziana. Co robić, szybę wybić? A potem co, szklarza szukać, zamawiać, umawiać się, czekać i drakońską cenę płacić? Czy zsunąć się, po tych prześcieradłach, które wiszą? Z drugiego piętra powinno się udać, wiążę je z sobą, jak umiem, węzły robię, naciągam, sprawdzam, czy mocno trzymają, jakbym się na tym znał. Jakbym Zorro przed kamerą udawał. Wiążę jeden koniec wokół poręczy, zrzucam, drugiemu końcowi trochę do ziemi brakuje, ale co tam, tyle to sobie doskoczę, przechodzę więc przez balustradę, staram się nie patrzeć w dół i spuszczam się, powoli, kawałek po kawałku, powoli i nagle podejrzanie szybciej, ludzkość spada, po prostu, leci na pysk, na mordę i ląduje w krzakach. Na szczęście w krzakach, potłuczonym trochę i kłuje mnie wszędzie, twarz, ręce, ale nic, ważne, żem cały. Przechodnie podbiegają, pytają, czy nic mi się nie stało, mówię, że nie, nie, że tak tylko sobie spad-

łem, z nudów, otrzepuję się, spodnie od piżamy naciągam na brzuch, bo opadają, i
idę
do biura festiwalowego idę
środek miasta, pełno ludzi, a wszyscy się za mną
oglądają
jak za korowodem pogrzebowym,
a przede mną
rozsuwają
jak przed korowodem pogrzebowym,
akurat tu, w Berlinie, gdzie wszystko można, człowiek w piżamie i papciach ich tak dziwi? Coś mi po twarzy płynie, wycieram, ręka czerwona, to krew, krew po mnie płynie, dlatego ta ich reakcja, i strach, pokłułem się i teraz jak krzak gorejący między nimi, tak muszę wyglądać. Idę na „filmPOLSKA", bo gdzie? Pójdę do biura festiwalowego, przeczekam, zadzwonię do właścicielki mieszkania, żeby odebrała. Kino już widzę, pod kinem tłumy, które, kiedy podchodzę, rozsuwają się przede mną jak drzwi na fotokomórkę. Porządkowi mnie zatrzymują, mówią, że tak nie wejdę, że to nie Piżama Party, ale poważna impreza, widzę w szybie, że piżamę mam w paski, zapomniałem, mówię, że wiem, że to poważna impreza, że krew jest sztuczna, i że to nie piżama, ale pasiaki, że reklamuję niniejszym festiwal „filmPOLSKA", że martyrologicznym człowiekiem-kanapką jestem, i żeby mnie wpuścili, bo zimno mi (cholera jasna!).

Wpuścili, wchodzę, wielkie poruszenie, trzymając fason, czyli spodnie, kłaniając się lekko na boki i tłumacząc, że paska nie mam, bo mi się kolega z pryczy obok na nim powiesił, przechodzę przez szpaler z tłumu i wchodzę do biura, nareszcie, ludzkość zmywa krew z twarzy, patrzy sobie w oczy i kiwa głową z dobrodusznym politowaniem.

Berlin–Wrocław. Palę w pociągu, w przejściu, między wagonami, drzwi za mną otwierają się z hukiem, konduktor krzyczy, bo w przejściu hałas, krzyczy wiadomo co, że palenie w pociągu *verboten*, jak ja tak mogę, mam natychmiast wyrzucić papierosa i tak dalej, krzyczy tak głośno, że obracam się do tyłu, bo nie wierzę, że krzyczy tak na mnie, i wtedy, kiedy się obracam, jeszcze bardziej krzyczy, że do mnie krzyczy, na mnie, to czuję się wtedy, jakby mnie z łapanki wziął, i mówię, że lepiej palić papierosy... nie słyszy, to krzyczę prawie, że lepiej palić papierosy niż Żydów! Zatyka go, wyrzucam papierosa i wracam do przedziału, w przedziale definicja jegomościa, który męczy pytaniami o Polskę, bo pierwszy raz jedzie, a gdzie to, gdzie tamto, a jak z tym, jak z tamtym, wchodzę więc rozeźlony, a on dalej, a jak wy, Polacy, nazywacie nas, Niemców, kiedy chcecie nas obrazić? Bo, wie pan, my mówimy *Polacken*, a wy? My nie mamy jakiegoś specjalnego słowa, odpowiadam zniecierpliwiony, my mówimy Niemcy, po prostu Niemcy.

To straszne, mówi po chwili, i milczy, do samego Wrocławia, we Wrocławiu żal mi się go robi, klepię go po ramieniu i mówię, żeby się nie martwił, że przesadziłem, że tak, mamy określenia obraźliwe, Szwaby, na przykład, albo Szkopy, odetchnął, kamień mu z serca spadł, przy pożegnaniu mało mnie nie wycałował. Opowiedziałem mu historyjkę z dworcem we Wrocławiu związaną, ludzie na peronie i zapowiedź przez megafon: pociąg EuroCity z Krakowa do Hamburga wjeżdża na tor piąty przy peronie trzecim. Pijak na ławce budzi się i krzyczy, powtórz, kurwo! Przez megafon: powtarzam, pociąg EuroCity z Krakowa do Hamburga...

Z dworca do Biura Organizacyjnego Festiwalu Piosenki Aktorskiej, w Biurze niewyraźnie swoje nazwisko mamroczę, zawsze tak, krępuje mnie przedstawianie się, wymawianie własnego nazwiska, wychodzi coś jak „sz unicki", proszą, żebym powtórzył, co krępuje mnie jeszcze bardziej.

Mam obawy z poezją śpiewaną związane. A z piosenką poetycką w szczególności. Bo mi za dużo poetyckości w poezji śpiewanej. Nie lubię. Nie przestanę powtarzać, nie lubię. Poetyckości. Tego dymu, snującego się po scenach ze świecami. Poezja to ogień, nie dym. Albo twarz, poezja to twarz, a poetyckość to powłóczysty, muskający ją welon. Poetyckość ma się tak do poezji jak ładne porównanie do wyjebanej w kosmos metafory. Poezja spada na łeb jak donica z balkonu. To moment, sekunda, błysk. Impuls, porażenie. Piorun, bo poezja jest pionowa. A poetyckość jest pozioma, rozlewa się w prawo i w lewo, żeby dłużej się nią zachwycać. Jak pranie na wietrze. A poezja to sznur, na którym to wilgotne, zalotne pranie wisi. Poetyckość to petting, poezja to rżnięcie. Poezja to odejmowanie, redukowanie, to kucie żelaza. A poetyckość to dodawanie, to dmuchanie kolorowego szkła. Poetyckość to choroba, to wysypka poezji, to huba na jej drzewie.

Idę na spektakl teatralny w ramach festiwalu, i ledwo widzę, i łzy w oczach. Katar sienny, przez pyłki, w Niemczech pyłki to *Pollen*, jak my, tylko jedno „l" więcej, ostrzegają czasami w gazetach, *Achtung, die Pollen kommen!*, i piszą, jak się przed nimi bronić.

W kiosku proszę o chusteczki do nosa, tak mówię, do nosa, sam się sobie dziwiąc, po co ten nos, kogo to obchodzi, do czego będę ich sobie używał? A łzy, na przykład, to chuj?

Przed teatrem na placu Grunwaldzkim tłum. Obawy z teatrem związane mam również. Stosunek przerywany do niego mam. Czasami ziewam już w kolejce do kasy. Przeszkadza mi bliskość aktora, człowieka, który koniecznie chce mi coś przekazać. Ostentacyjność tego zamiaru. Ja wolę z dala, z daleka wolę. Wolę ekran, kino. Ja nie chcę być dostrzegalnym adresatem czyjegoś wzmożonego wysiłku. Ja wolę być sam. Otulony bezpiecznym kołnierzem anonimowości.

Ten tłum więc, dużo ludzi bez biletu, szarpie mnie ktoś za łokieć, z dołu, patrzę na ten dół, kobieta na wózku (inwalidzkim, nie dziecięcym), prosi, żebym ją wniósł z kimś po schodach, bo do wejścia trzeba trochę po schodach, a ona na wózku, a ja nie, dobra, niech będzie, wniosę, chociaż kicham i nie widzę, rozglądam się, z kim by ją tu: wnieść. Pomaga mi żul, który zbiera na wino, wnosimy nieszczęsną, schodek po schodku, ciężki ten wózek z nią jak ołów, nie ma biletu, kontrolerzy biletów wpuszczają ją bez, w końcu, jak sama im mówi, miejsce siedzące to ona już ma. Nie wchodzę na salę, bez sensu z tą chustką przy twarzy, siadam w barze, siedzę, piję coś, próbuję czytać, i widzę ją nagle przez szybę, idzie do toalety. Nie jedzie, idzie. Idę za nią, biegnę prawie, wchodzi do środka, czekam pod drzwiami, wychodzi, prosto na mnie, spłoszona, speszona mówi, że mnie przeprasza, że wózek nie jej, od sąsiadki pożyczyła, która inwalidką jest, i dzięki niemu wszędzie jej się udaje wejść, przeprasza mnie raz jeszcze i dziękuje raz jeszcze, szelma jedna, za wniesienie, i odchodzi, spieszy się, mówi, że boi się o wózek, tego by jeszcze brakowało, jakby ktoś go sobie przywłaszczył, prawda? Wtedy musiałaby nosić sąsiadkę na rękach, a taki los nie uśmiecha jej się wcale.

Wrocław–Gdynia. Te napisy w rodzaju, „Nie wychylać się" albo, w toalecie, „Nie wrzucać butelek do WC". Trochę to tak, jakby sprzedawać żyletki z napisem „Nie do żył".

No i te zamknięte przedziały. Człowiek człowiekowi człowiekiem.

To już wolę z dwojga złego być skazany na bluesa niż na bliźnich. Stać obok niego, bliźniego, ujdzie w tłumie, siedzieć obok to granica bólu, siedzieć naprzeciwko: ból. Mógłby usiąść gdzie indziej, co drugi przedział wolny, ale on nie, on jeb, zaraz naprzeciwko mnie. Jak meteoryt. I co teraz? Siedzimy, dotykając się prawie kolanami, jak zaręczeni, jak agrafką spięci. Stosuję wtedy męczącą sztukę omijania go wzrokiem, który i tak, ten mój wzrok, spadnie mi wcześniej czy później na niego.

Bo będzie mi, kurwa, nosem pociągał albo, kurwa, ziewał, lub, kurwa, wzdychał, pokasływał, pogwizdywał, będzie, po prostu, istniał, i to na odlew. W uchu grzebał, w nosie, paznokcie obgryzał, będę miał wrażenie, że do tego ucha wsadza ten palec, który wychodzi mu przez ten nos i te jego zęby obgryzają na nim ten jego paznokieć.

Słuchawki będzie miał, których bzyk doprowadzi mnie prosto do ula rozpaczy. Albo przez komórkę będzie rozmawiał, wtedy gwałcił mnie będzie danymi lokalizacyjnymi, muszę słuchać, gdzie akurat jest, w jakim pociągu i w jakim miejscu trasy, chociaż, kurwa, wiem. Wiem! Lub, co najgorsze, jadł będzie.

Jadł. Gryzł, kurwa, żuł, kurwa, przeżuwał, kurwa, połykał, kurwa, mlaskał, kurwa, ciamkał, kurwa, cmokał. (W autobusie w Niemczech jeszcze gorzej, kebab jedzą, najczęściej kebab z tą pizdą cebulą.) Czuć będzie tym żarciem na przedział i korytarz, ale chuj, bliźniemu to wisi, odgryza po kawałku, gapi się w miejsce, które właśnie był odgryzł, i wpierdala, rusza tą największą, podkowiastą kością szczęki dolnej, tą żuchwą rusza tak, jakby była na baterię. Wstręt, z którym na niego patrzę, jest wprost proporcjonalny do jego coraz bardziej zadowolonej z siebie mordy. Zje, przełknie ostatni kęs, wytrze se brodę i usta i teraz dopiero się zacznie, a nie skończy: będzie próbował mianowicie wydłubać paznokciem rudymenty jedzenia spomiędzy zębów. Co mu, wiem z góry, nie wyjdzie, więc zastosuje metodę wyciągania resztek jedzenia za pomocą ssania próżniowego, będzie, kurwa, cmokał do wewnątrz jamy ustnej, będzie, kurwa, ostrzeliwał mnie regularnymi, pojedynczymi strzałami, pacnięciami, jakbym ryżem z rurki w sam mózg dostawał. *Cykady na Cykladach*, tak to brzmi. A jak mu wyjdzie, jak wyciągnie, wydostanie jakimś cudem, za pomocą paznokcia, jakąś nędzną resztkę z tego cuchnącego mokradła, to sobie ją, na paznokciu, jak myśliwy swoje trofeum, kurwa, przed oczyma wystawi, żeby na zdobycz swoją popatrzeć, oko nacieszyć i wziąć i połknąć, wsadzić toto sobie do, kurwa, do jamy i sam się zeżreć, a ja? A ja, zamiast się przesiąść, to nie, to się nie przesiadam, nie, ja siedzę i napawam się odrazą własną. Napawam, ponieważ im większa moja nienawiść do bliźniego, tym większa moja miłość własna. Z takimi jak ja pokoju nie będzie.

Tym razem torturuje mnie dziadek, który po mlaskającym spożyciu zapamiętale dłubie sobie w zębach, tracę cierpliwość i mówię, żeby już łaskawie przestał, w tych zębach swoich ryć dłutem w postaci własnego palca, na co on, rozbrajając bombę w postaci mnie, mówi, to nie moje zęby, szanowny panie.

Z okna patrzę chciwie na małe scenki, jakaś kobieta, machająca lewą ręką na peronie do mężczyzny, który jej nie widzi, ktoś niebezpiecznie chwiejący się na rowerze, w polu z kosą na ramieniu i w deszczu, śmiech grupy młodzieży jadącej na obóz i podniesiony głos nauczyciela, żeby nie stali tak blisko toru, patrzę na ludzi idących w prawo lub w lewo, siedzących lub jadących, i myślę, jak zawsze, że wszystko to działoby się dokładnie tak samo, gdybym tędy nie przejeżdżał, gdybym został w Hamburgu, gdyby mnie w ogóle nie było. Kobieta machałaby ręką właśnie lewą, taki sam padałby deszcz na człowieka z kosą, nauczyciel powiedziałby to, co powiedział, dokładnie w tym samym momencie, ci, którzy szli w lewo, szliby właśnie w lewo, nie w prawo... Niewidoczne, nic nieznaczące „ja" Janusza Rudnickiego, słodko-kwaśne uczucie własnej nieważkości.

Katar mi przeszedł, za to plecy strzeliły, od tego siedzenia wiecznego, zgięło mnie, wpół, w dół, potem jakoś tak w bok, tak że pępek, ten idiota jeden, powędrował mi w okolicę biodra.

W Biurze Organizacyjnym znowu „sz unicki", dostaję identyfikator, potem filmy, ale nie wszystkie do końca, z *Braci Karamazow*, na przykład, widziałem tylko jednego, tak mnie ten krzyż mój pański napierdalał, że musiałem wyjść.

Zęby z bólu zaciskam, a miałem nimi kąsać, gryźć, szarpać, jestem przecież psem Baskerville'ów, mam dorywać się do gardeł renomowanych twórców i pisać o nich z mordą czerwoną od ich krwi, a ja co? Akredytowany pokurcz jeden, jak przez samochód potrącony kundel.

Co jednak w pysku z festiwalu wynoszę, to wiadro zupy. Zupę jemy namiętnie, w każdym prawie filmie zupa. Wahająca się między rosołem a pomidorową, ze wskazaniem na tę drugą. Zupa i zupa. Rytuał rodzinny, szczękające o talerz namaszczenie dnia powszedniego, jego podniesienie. Żony jak niedzielny rosół, mężowie jak kapuśniak, grzybowe dzieci, grochowe babcie i pomidorowe dziadki. Wszyscy z zupy, cały naród. Życiorysy jak przypalona zupa, pejzaż jak zupa rozlana.

Odwiedzam Wojtka Kuczoka w hotelu, za oknem morze, ale ja mam gdzieś jego wielmożny bezkres, i bałwochwalcze fale. Gadamy o kobietach, opowiadam mu, że żyję z taką, która zapytała mnie rano, kiedy po cichu wstałem i na palcach wychodziłem, żeby deski nie skrzypiały, która zapytała mnie więc, z wyrzutem, kiedy jedna z desek skrzypnęła, musisz chodzić po podłodze? Gadamy, o mordowaniu własnych żon i matek, o pluciu na groby ojców i otruwaniu własnych dzieci, słowa spuszczone z łańcucha przyzwoitości.

W knajpie Kuczok wstaje od stołu, mówi, że idzie do toalety, idzie i nie wraca, ja za nim, a on przy lustrze, z dłońmi przy nosie, pełno ma krwi między palcami, krew leci mu po rękach i garniturze, znowu dostał krwotoku, ma go często, stoi w czerwonej fontannie i klnie, co za scena, witaj, nowe drzewko w rzadkim lesie mojej pamięci! Niezła z nas para na festiwalu, jeden jak tlący się z bólu, niedbale przyduszony palcami pet, drugi postawny, wysoki, za to jak z armatki czerwoną wodą oblany, z okularami włącznie, uczestnik nielegalnej demonstracji.

Kuczok wyjeżdża wcześniej, chce, żebyśmy zamienili się identyfikatorami, na pamiątkę, zamieniamy się, na drugi dzień idę do biura festiwalowego, żeby odebrać zaproszenia na końcową galę i bankiet, ustawiam się w kolejce i czekam, stojący przede mną podają głośno nazwisko, pokazując identyfikator, reflektuję się, na mnie dynda przecież Kuczok, zapomniałem, co teraz robić, nie mam wyjścia, mówię „Kuczok", ale po cichu, bo nie chcę, żeby ktoś usłyszał, ktoś, kto go zna, mówię półgębkiem, niewyraźnie, tak jakbym wymawiał swoje nazwisko, tak jak Poeta w *Rejsie*, mówię tak, że „...czok" mi wychodzi, dlatego proszony jestem, głośno, o powtórzenie nazwiska, czerwony na twarzy mówię „Kuczok", ktoś z tyłu dziwi się, że ja to on, biorę te zaproszenia i z głową pod pachą znikam.

A potem, na gali, siedzę w jednym z pierwszych rzędów, z głównymi twórcami i odtwórcami, dlatego twarz moja co chwila na wizji, i mama z Kędzierzyna dzwoni, i ze łzami w gardle mówi, że wiedziała, że jej

pierworodny tak daleko zajdzie, nawet z tym wysu-
niętym dyskiem.

Gdynia–Kolonia. W Kolonii czytanie, własnoręcznie
napisanych tekstów, rodzaj żmudnego dorabiania.
Mam jeszcze czas, idę pod katedrę, siadam na ławce, zimno, zaczyna lekko padać, wokół mnie pusto-
szeje. Siedzę mniej więcej tak, jak siedziałem tu po
raz pierwszy, dwadzieścia parę lat temu. Co za koło.
Jakbym sam do siebie wpadł, na samo dno studni
własnego, niemieckiego życiorysu. Siedziałem wtedy pierwszy raz pod katedrą i nie wiedziałem, co dalej, ze mną, co mam robić. W Polsce robiłem teatr,
ostatni spektakl o Katyniu przed stanem wojennym,
wkurwiony byłem na komunistów jak dziki pies dingo na obrożę. Finał, który nie miał końca, polegał na
tym, że klęczeliśmy do widowni plecami. Z kaptura-
mi na głowach i związanymi na plecach rękami, tak
jak wtedy oni, sznur między rękami i szyją. I z taśmy
leciał śpiew ptaków, tak jak wtedy, no i padał coraz
ten strzał, ostry, suchy, głośny. I nic, nic więcej. Bez
ruchu, zamarli. Publiczność też, bo to był Katyń po
raz pierwszy. Trudno im było wytrzymać te ptaki i te
strzały, i nas bez ruchu klęczących, z miejsc zaczęli podnosić się pierwsi, i wychodzić, za nimi inni,
ale w holu domu kultury rozstawione były kolumny
i z kolumn tych to samo, ptaki i strzały, tak samo głośno. Wychodzili na zewnątrz, z ulgą, a tam też, z kolumny przez okno, ptaki i strzał, ptaki i strzał.

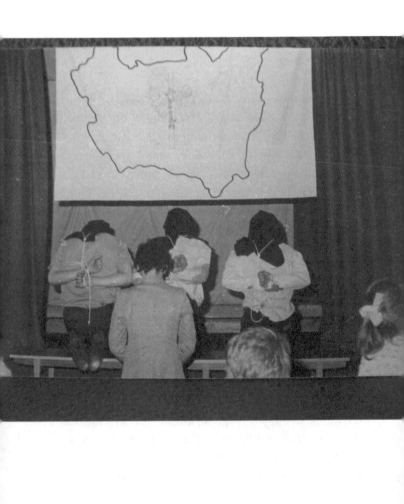

Siedziałem więc wtedy pod katedrą i nie wiedziałem, co dalej. Zimno się zrobiło, zaczęło lekko padać, ludzie poznikali, siedziałem sam. I wtedy usiedli obok na ławce oni. Ona i ich dwóch. Ona: jak sztuczny kwiatek ze strzelnicy, oni: jak tę strzelnicę obsługujący. Wyciągnęli chleb i konserwę, szproty, w małej kasie pancernej z blachy, nie mieli czym otworzyć, ona powiedziała:

– Nie będę jadła postnego chleba! Jeszcze suchego, do tego! Ile to już, trzy dni, jak wyjechaliśmy.

Jeden z nich wyciągnął słownik polsko-niemiecki, zajrzał i powiedział, że nóż to *Messer*, wstali w dwójkę i pytać zaczęli przechodniów, *hast du Messer? Hast du Messer?* Ci cofali się przestraszeni, omijali ich szerokim łukiem, więc zrezygnowani wrócili na ławkę. Ona zaczęła kląć:

– Z głodu tu zdechnę z wami! Po chuj żeśmy w ogóle tu przyjechali, do tych pierdolonych Niemiec! Jakby innych krajów nie było.

Rozpłakała się. To byli pierwsi nieliczni turyści połowy lat osiemdziesiątych, w kraju wtedy chujoza kompletna, a oni tu, koło mnie, ambasadorzy tej szarej wtedy bidy i beznadziei.

Płakała, deszcz padał coraz mocniej, wstała i powiedziała:

– Pierdolę was, idę do katedry, bo przemoknę tu i zachoruję.

Jeden z nich:

– Pójdziemy w tym czasie na dworzec, może ktoś nam otworzy.

Drugi:

– A jak nie, to położymy tą puszkę, kurwa, na szyny, żeby rozjechał ją pociąg. Pozbieramy, co zostanie, i wrócimy.

Ona:

– Sami się na te szyny połóżcie!

Odeszli, ona też, do katedry, do której nigdy by nie weszła, gdyby nie ten deszcz. Z nieba mi wtedy spadli, moja Trójca Przenajświętsza, dzięki której Rudnicki już wiedział, co ma robić. Istotna część debiutanckiej książki *Można żyć* dzieje się w katedrze w Kolonii. Wszystkie puszki w tym mieście bym im wtedy otworzył. Gdybym miał czym.

W Berlinie trzy nasze małe a duże filmy, a w każdym z nich w jednej z ról głównych, jeśli w ogóle nie głównej, chłopiec. W jednym wieku, o jasnych włosach. Oglądałem je prawie w ciągu, jeden po drugim i miałem wrażenie, jakby chłopiec ten z Częstochowy (*Wszystko będzie dobrze*) wbiegł na plan filmowy na warszawskiej Pradze (*Rezerwat*), pogonił się tam i zaprzyjaźnił z fotografem, po czym pognał na plan do Wałbrzycha (*Sztuczki*), żeby tam pobiegać trochę między siostrą a matką. Chłopiec o tym samym pochodzeniu, jakby było mało, robotniczym mianowicie. Skąd on tu, nagle, taki trójpostaciowy? To przypadek, myślę, ale nader interesujący. Z filmu do filmu ten chłopiec, jak Jaś Wędrowniczek, a ja za nim... A wcześniej, wcześniej był? Grzebię w pamięci, *Wśród nocnej ciszy*? Ten miał więcej lat, około piętnastu, ale w tym samym wieku był w *Zmorach*! i w *Dreszczach*! Mniej więcej w tym samym wieku. Z tą jednak różnicą, że pochodzenie miał inteligenckie. To jakiś znak czasu? Wtedy scenariusze opierały się „na podstawie", podstawą były książki, kultura była systemem naczyń połączonych, grą szklanych paciorków, dzisiaj reżyserzy są jednocześnie autorami scenariuszy bez „podstawy", książki wychodzą na światło dzienne, kłaniają się sobie nawzajem i nikną w mroku.

Na festiwalu w Gdyni nie widziałem w tym roku za to, na szczęście, filmu polskiego charakterystycznego. Takiego mianowicie, w którym bohater, z grubsza rzecz biorąc, najpierw jest zły, a potem się zmienia, dobrym się stając. W związku z czym filmy te niezłe są, do połowy. Do połowy niezły był *Komornik*, kiedy brudził, potem fatalny, kiedy sprzątał. Podobnie, na przykład, *Z odzysku*. Do połowy chodzi o winę, od połowy o pokutę. Gustaw zamienia się w Konrada, Kmicic w Babinicza, stąd ciągnie się u nas ta przemiana diabła w anioła, ten dydaktyczny ogon? Dlaczego gdzie indziej bohater potrafi zamienić się w robaka i nim pozostać, a u nas ten syndrom, jeśli na początku bies, intrygująca mnie, widza, świnia, to potem harcerz w pogoni za moralnymi odznakami? Och, te nasze infantylne ekspiacje.

Alma

Jednym tylko łokciem opieram się na filmie o Almie Mahler-Werfel Big Alma, *emitowanym przez Arte w roku 2008. Skaczę po tym dokumencie filmowym jak na trampolinie, odbijam się od faktów, merdam się trochę w powietrzu, opadam. Korzystam też, rzecz jasna, z internetu, ale nie za wiele, tu i tam parę rzeczy, gdzieniegdzie cytaty z jej dzienników. No i to wszystko, chyba.*

Rok 1947, na wiedeńskim lotnisku wysiada z samolotu starsza pani. (Której trumna, za parę lat, ważyć będzie trzysta czterdzieści kilo.) Witają ją przedstawiciele austriackiego Ministerstwa Spraw Zagranicznych i miasta Wiedeń. Uśmiecha się do kamery. Grzecznie, miło, układnie. I zalotnie. I tu stop, tu się zatrzymamy, na tej nałożonej z wdziękiem i gracją masce. Przyleciała z Nowego Jorku, trochę jej tęskno za ojczyzną, z lotniska uda się do urzędu miasta, będzie chciała dowiedzieć się o swoje dobra, o swoją willę, ale sędzia, z którym będzie rozmawiać, zapyta, jak to możliwe, że pani, z takiego dobrego, chrześcijańskiego, patrycjuszowskiego domu mogła wyjść za mąż kolejno za dwóch Żydów? Wtedy Alma wstanie, wyjdzie z pokoju, z budynku i z miasta, do którego już nigdy nie wróci.

Z miasta, w którym urodziła się w roku 1879, z matki Anny, śpiewaczki operowej z Hamburga, i ojca Jakuba Emila Schindlera, malarza pejzażysty. Do szkoły nie idzie, kształcona jest w domu, ojciec robi wielką karierę, jeżdżą po całej Europie, jego wystawę w Wiedniu odwiedza Franz Josef i kupuje jeden z obrazów. Kiedy ojciec umiera, ona ma lat trzynaście, ojczyma nie zaakceptuje nigdy, ojca gloryfikuje, do matki stosunek ma co najmniej niechętny, między innymi za jej stosunki z pewnym malarzem, jeszcze za życia ojca, stąd jej młodsza siostra to nie cała siostra, tylko jej pół. No i pół siostry nowej, córki matki i ojczyma, tego samego zresztą malarza, który zrobił był już wcześniej półsiostrę pierwszą, czyli dwie półsiostry w sumie. Ma. No, to nic dziwnego, że z matką. Żyje. Odepchnięta się czuje, niepotrzebna.

Mądra, inteligentna, zdolna. Gra na fortepianie (Wagnera!), chodzi na wystawy, mnóstwo czyta. Zna *Tako rzecze Zaratustra* (*Więc nauczał Zaratustra* podoba mi się bardziej), chodzi na samotne, długie spacery i uczy się na pamięć *Fausta*. Sama komponuje, sama sobie szyje, przerabia sobie suknie ze starych, kombinuje je tak, żeby wyglądać oryginalnie, ekscentrycznie.

Uwielbia operę *Tristan*, płacze przy niej, notuje to w dzienniku, i to, że przekleństwem jest być dziewczyną, bo trudno wykroczyć poza własne granice. I to, jak jest samotna, bo w tym samym czasie jej siostra siedzi obok w pokoju i przepisuje z gazety do zeszytu przepisy kulinarne.

Śmietanka artystów wiedeńskich spotyka się i wystawia swoje prace w budynku o nazwie „Secession", ich rozmowom przysłuchuje się intensywnie siedemnastoletnia dziewczyna, której z kolei intensywnie przypatruje się dwadzieścia lat starszy prezes stowarzyszenia, GUSTAV KLIMT. Postrach Wiednia. Ekscesy, alkohol, modelki, modelki, alkohol, ekscesy. Alma z rodzicami do Włoch, on za nią. Chociaż nie powinien, chociażby dlatego, że ma syfilis. Alma się waha: *Można zakochać się w takim człowieku bez charakteru? Można, artysta rzadko ma charakter.* Klimt łazi za nią jak wyposzczony pies, ale udaje mu się tylko pocałunek, Almy pierwszy, wtedy to jakby dziś pójść do łóżka. Seks ją, jeszcze, mierzi: *Obserwowałam psy, kiedy to robią, zawsze oburzałam się, widząc te ich zamachowe ruchy. No cóż, to jest właściwe psom, pieskie, a teraz Louise mówi mi, że ludzie robią to tak samo. Klimt nazywa to, to obskakiwanie, wchodzeniem w siebie. Jestem oburzona i zniesmaczona. Nie, nie ma człowieka, z którym bym to zniosła. Czy ludzie też robią przy tym takie głupie miny jak psy? Łe-ee.*

Uczy ją, poprawia jej kompozycje ALEXANDER VON ZEMLINSKY, kompozytor znany dzisiaj mniej z tego, że komponował, a bardziej z tego, że ją uczył. I z tego, że zakochał się w niej, i ona w nim też, choć on brzydki był tak, że pożal się Boże. I z tego, że byli razem na *Tristanie* i w loży między nauczycielem i uczennicą doszło do tego, co dzisiaj nazywa się *heavy petting*. Akurat wtedy, kiedy na scenie dyrygował GUSTAV MAHLER...

...którego poznaje wkrótce w jednej z galerii, traf, bo Mahler nie cierpi spotkań towarzyskich, a jego z kolei, jako dyrektora wiedeńskiej opery, bo jego kompozycje nie są jeszcze znane, nie cierpią pracownicy. Surowy, kostyczny, wzbudzający strach. I nagle piszący wiersz miłosny! Dzień po pierwszym spotkaniu Mahler oświadcza się jej w domu w obecności rodziny! Alma się waha, będzie jej pomagał, tak jak Alex, w twórczości kompozytorskiej, czy nie będzie? Będzie kochał, tak jak Alex, to, co ona komponuje, czy nie? Ten czy ten? Ten, który dyrygował, kiedy ona w loży z tym hm... no nie jak te psy, ale jednak, czy ten, z którym ona w loży, kiedy tamten dyrygował?

Następny list Mahlera ma stron dziesięć. Napisany w stylu wyznawcy poglądów Schopenhauera. Tychże: *Już sam widok postaci żeńskiej pokazuje, że nie jest ona przeznaczona ani do wielkich prac duchowych, ani fizycznych.* Ten „protoplasta feminizmu" uważał, że powinna być ona oddana i poddana mężczyźnie, i że ma być mu cierpliwą i pogodną towarzyszką. Mahler podobnie, w liście pyta Almę, jak ona wyobraża sobie małżeństwo dwóch kompozytorów? Jako co, jako stosunek pomiędzy dwoma rywalami? I sam odpowiada, że to przecież śmieszne. Bo jak on w nastroju do tworzenia będzie, to kto mu w tym czasie dom będzie prowadził? Troszczył się o rzeczy małe i powszednie? Alma musi być taką, jakiej on jej potrzebuje, żoną musi być, nie rywalem, partnerem. Musi oddana mu być, bezwarunkowo, na własność. I teraz to zdanie-bombonierka: *Masz od teraz jeden tylko zawód, uczynić mnie szczęśliwym!* (...) *Musisz ułożyć sobie Twoje przyszłe życie tak, żeby we wszystkich szczegółach zależne ono było od mych potrzeb. I za to nie powinnaś życzyć sobie niczego poza moją miłością.*

Alma nie wie, co robić, ma rzeczywiście zrezygnować z komponowania, z treści swojego życia? Radzi się matki, matka jej dylematu nie rozumie, w ogóle się nie rozumieją, Alma nie wie, co robić. Tym bardziej że ten przymały (168 cm), dwadzieścia lat od niej starszy Mahler jakiś demoniczny, *to chodzi szybko, to przystaje, to znowu rusza. Krąży po pokoju jak dziki. Można się oparzyć, jak się do niego zbliży.* Zbliża się jednak, ślub w roku 1902, podróż poślubna do Petersburga, Mahler ma tam zobowiązanie, dyryguje, a Alma choruje, cały czas. Wracają do domu i komponują, on swoje symfonie, ona jego dom. Gospodarzy, zarządza, wyciąga Mahlera z długów, bo Mahler zadłużony. Choć wzór pracowitości i planowania z niego. I dyscypliny. Rano do opery, tam do 11.45. O 11.45 do domu, zupa musi stać na stole punktualnie o godzinie 12.00. W czasie obiadu nie życzy sobie żadnych rozmów, po obiedzie do opery i tam do nocy. A w nocy puka do jej drzwi, w zamiarach jednoznacznych. A jej tak się akurat wtedy nie chce, jak jemu chce. (Już po jego śmierci zwierzała się jednemu z przyjaciół, że ich dzieci urodziła jako „dziewica". Mahler był złym, fatalnym kochankiem.)

Kupują willę nad Wörthersee. Rodzi się ich pierwsza córka. Mahler jeździ na rowerze, pływa codziennie w jeziorze, robi długie wycieczki górskie, i komponuje. Każdego lata jedna symfonia. W absolutnym spokoju, dlatego urządza sobie kilkaset metrów od willi domek, Domek Kompozytora. Kucharka, która nosi mu tam śniadanie, musi chodzić inną drogą, naokoło, żeby go, broń Boże, przypadkiem nie spotkać, on sobie, w porze rannej, nie życzy widzieć nikogo. Ani, w porze obiadowej, rozmów. Jakichkolwiek. Przeżywała to mocno, jako dziecko, Anna, ich druga córka. Zakazem rozmów przy stole była tak zdenerwowana, że nie mogła jeść. Wtedy Mahler mówił do niej, teraz wyjdziesz z pokoju i wrócisz, ale nie jako Anna, tylko jako inna dziewczynka. Anna wychodziła, wracała i jadła. I tak za każdym prawie razem, horror.

Alma zajmuje się domem i dziećmi. Pisze: *Całkiem ciche moje życie. Dzieci, Gustav, Gustav, dzieci.* No, aż tak ciche to ono nie jest, Alma poznaje Mahlera z Hauptmannem, z Schönbergiem, coś tam z tego jej ukochanego życia towarzyskiego ma. No i też nie jest tak, że miałaby wielce cierpieć z powodu niekomponowania, gdzieś tam chyba czuła, że mało by z tego wyszło. Czasami pomaga mu w detalach przy jego kompozycjach. Pisze: *Nie jestem z jego muzyką całkiem pogodzona,* Szósta i Siódma *dotykają mnie, ale jak słucha się wszystkich symfonii naraz, to działa mi to wieczne telefonowanie do Boga na nerwy.*

Dzwoniący do Boga dyryguje i dyrektoruje Operą Dworską, oprócz tego jeździ za granicę, coraz częściej, na coraz dłużej, jego symfonie stają się coraz bardziej znane. Alma zostaje z dziećmi, on zaniedbuje ją, zapomina o jej urodzinach. Pierwsza ich córka umiera na szkarlatynę, Alma mdleje przy trumnie, lekarz, który ją bada, stwierdza u niej wadę komory sercowej, każe jej się oszczędzać, Mahler, w związku z tym, składa dymisję jako dyrygent opery i „oszczędza" ją, w ten sposób, że przyjmuje lukratywną posadę dyrygenta w Metropolitan Opera, wyjeżdżają do Nowego Jorku. Mahler cały dzień na próbach, Alma między Stanami a Europą, choruje, leczy się, czuje się wypalona wewnętrznie, nie ma przyjaciół, wpada w depresję, jedzie na kurację, w góry, jest rok 1910. Nie odpowiada na jego listy z Ameryki, Mahler, zaniepokojony, wsiada w samolot i przylatuje, kuracja jej pomaga, kuracja robi jej dobrze, jej działanie nazywa się młody, mało jeszcze znany architekt WALTER

GROPIUS. Gropius ma to, czego brakowało jej najbardziej, temperament narowistego kochanka. Portret Mahlera, który stawiała zawsze przy łóżku, musiała często odwracać do ściany. Jeden z miłosnych listów Gropiusa wpada w ręce Mahlera, Mahler wpada w rozpacz, załamuje się, odwiedza Freuda, który prowadzi z nim rozmowę terapeutyczną, zwątpienie czuć w nutach, którymi zaczyna się *X Symfonia*. Alma zrywa z Gropiusem, decyduje się zostać z Gustavem, zdaje sobie sprawę z tego, że to jeden z genialnych ludzi epoki. Rywal nim potrząsnął, obudził go, Mahler, jakby mu gips zdjęli, czuły wobec niej, opiekuńczy nad wyraz, troskliwy. Po raz pierwszy zajmuje się jej wcześniejszymi kompozycjami, niektóre każe drukować. Alma też zaczyna go kochać... czy raczej uwielbiać, za jego geniusz muzyczny, bo kocha się dalej z Gropiusem, potajemnie, choć sporadycznie, przestaje, kiedy Mahler bierze ją i dziecko do Nowego Jorku, opiekuje się nimi, chodzą na przyjęcia, są rodziną, jest dobrze. Póki Mahler nie dostaje grypy. Tak myślą na początku, ale grypa okazuje się infekcją bakteryjną, która atakuje jego słabe serce. Lekarz Mahlera każe im wracać do Wiednia, wracają, w nadziei, że uratują go wiedeńscy specjaliści. Wiedeń przyjmuje go, wcześniej kontrowersyjnego i nielubianego, jak króla. Jego śmierć staje się wydarzeniem medialnym, Alma zostaje wdową, po raz pierwszy. I wkrótce puka do jej drzwi lekarz, prosto z Nowego Jorku, i grozi, że jak za niego nie wyjdzie, to zastrzeli się na grobie Mahlera, Alma go ignoruje, co ma robić z człowiekiem, który jest lekarzem, a nie wielkim artystą?

Mieszka w Wiedniu, z córką, w niewielkim mieszkaniu. Na jednym z przyjęć w domu matki i ojczyma pojawia się malarz, sam, a w zasadzie nie, bo z fatalną o sobie opinią. Zarozumiały, bezczelny, napuszony, trudny. Malujący obrazy uważane za katastrofalne. Alma podoba się OSKAROWI bardzo, Oskar bardzo podoba się Almie. Która niebawem dostaje od niego liścik: *Muszę Cię wkrótce mieć za żonę!!* Podpisano: KOKOSCHKA.

Alma wynajmuje mieszkanie o feudalnych rozmiarach, artyści tam wchodzą i stamtąd wychodzą, Kokoschka przechodzi pod jej domem i trafia go szlag, chce „płakać ze złości". Bo ona siedzi tam, w luksusie, z jakimiś artystami-satelitami, a on, Kokoschka, wracać musi do swoich brudnych kątów! Kokoschka jest zawistny, Kokoschka jest wściekły, Kokoschka pisze: *I jakbym ich miał nożem z twojego mózgu wyskrobać, tobym to zrobił, bo nie uznaję obcych bogów koło mnie, poza mną!*

Zazdrosna o wszystko bestia. Osacza ją. Chce posiąść ją całą, ścisnąć, zgnieść w paczkę, wyryć jej na plecach własny swój adres, iść na pocztę, wysłać, poczekać trochę, po podłodze i suficie chodząc nerwowo, przyjąć od listonosza wezwanie, biec na pocztę i już tam otworzyć, i zjeść, ze sznurkiem, z papierem, z kopytami. Alma jest w ciąży i boi się, usuwa, nie pytając go o zdanie, pisze: *Kokoschka jest złym duchem w moim życiu. Och, ta zła fascynacja. Moje nerwy zrujnowane.* Osacza ją, chce się żenić, Alma zaczyna mu uciekać, w myślach nazywa go mordercą i w pewnym sensie, jak się okaże, ma rację. Wyjeżdża w góry, wszczyna korespondencję z Gropiusem, Gropius widzi na wystawie w Berlinie obraz Kokoschki *Narzeczona wiatru*, wie, że na obrazie Alma i jego autor, cierpi, Kokoschka jeszcze bardziej, ze strachu, że go Alma opuści. Zaklina się, zarzeka, że się zmieni, nie zmienia się, ich trzy wspólne lata to jedna wielka wojna miłosna, kalejdoskop wściekle zmieniających się uczuć, Alma nigdy nie przeżywała ani nie przeżyje *tylu spazmów, tak dużo piekła, tak dużo raju*. Nie wychodzi za niego, nie chce też zajść z nim w ciążę, kończy się monarchia austriacka, kończy się powoli ich związek, w Sarajewie kończy się życie księcia Ferdynanda, zaczyna się pierwsza wojna światowa. Kokoschce ani się śni na nią iść, ale Alma, wyzywając od tchórzy, zmusza go, żeby zameldował się na ochotnika, chce się go pozbyć, Kokoschka melduje się więc, chce do dragonów, musi mieć jednak konia, którego nie ma, ale ma *Narzeczoną wiatru*, sprzedaje i ma teraz konia, którego nie miał, i jedzie na wojnę, ale już nie z Almą, w maju 1915 roku Alma kończy z nim ostatecznie i koniec ten po trzech miesiącach przypieczętowuje ślubem. Z Gropiusem. Bo Gropius zaskoczył ją, rozbroił, zniewolił, bo kiedy ona żegnała go, wyjeżdżającego też na front, na peronie, to on wciągnął ją do pociągu, tak jak stała. Ślub wzięli w Berlinie, podróż poślubną spędzili osobno, Alma z powrotem do Wiednia, Gropius z powrotem na front. Tam gdzie Kokoschka, ale wątpliwe jest, żeby to jeden z nich rzucił granatem, od którego ranny został Apollinaire.

Alma rodzi trzecie dziecko, bez krwi żydowskiej, wszyscy jej kochankowie i mężowie byli Żydami, Gropius nie. Ponoć właśnie dlatego tak chciała z nim tego dziecka.

Status żony żołnierza podoba jej się: *Najbardziej niezwyczajne małżeństwo: tak zamężna, tak wolna i tak związana*, pisze o związku z Gropiusem. Przyjeżdża, jest i odjeżdża, i już wkrótce coraz częściej odjeżdża, a coraz rzadziej jest. Bo Alma zaczyna się nim nudzić, a wtedy wysyła go na front, tak jak wysłała Kokoschkę. Alma coraz częściej wysyłała go na front. Z powodu niskiego, grubawego mężczyzny, o krzywych nogach. Który tym więcej zyskuje, im bardziej się go poznaje. FRANZ WERFEL, młody jeszcze pisarz, ma poza tym głos, miękki tenor, którym to głosem, i żarliwą miłością do niej, doprowadza do tego, że Alma znowu zaczyna grać, i to prawie codziennie. Sielanka, a Gropius na wojnie, i Kokoschka.

Duża, postawna, jak kamienica z wynajętymi dla jej mężczyzn mieszkaniami.

Jest rok 1918. A na wojnie, jak to na niej, Gropius zostaje ranny, i w lazarecie jest, a Alma, lat już trzydzieści dziewięć, w ciąży, zaawansowanej, Gropius o Werflu nic nie wie, Alma, po zbliżeniu z Werflem, namiętnym, ostrym, ma intensywne krwawienie, przerażony Werfel leci w nocy po lekarza, gubi się, we mgle, w lesie, bo są w jakiejś tam kolejnej letniej jej rezydencji, Werfel więc lata wokół siebie we mgle, a Anna, czternastoletnia już córka Almy, alarmuje Gropiusa, który w tym lazarecie niedaleko, wymyślił tak, żeby być w pobliżu, koło niej, Gropius, ranny, jedzie więc do niej, w tym czasie pierdołowaty Werfel lata tam i nazad po lesie, Gropius przyjeżdża, wpada do domu, Alma krwawi, Anna trzęsie się ze strachu, Werfel lata, Gropius jakoś transportuje ją do stacji kolejowej i stamtąd muza fin de siècle'u, królowa artystów, ich natchnienie, jedzie do szpitala w bydlęcym wagonie, bo nie ma innego wyjścia, jedzie, bez przerwy krwawiąc, i tam, w szpitalu, ratują ją i dziecko, które, dowiaduje się zaraz Gropius, jest synem Werfla, i co? I Gropius stawia Almie ultimatum, pisarz albo architekt, Almie jednak w głowie ani on, ani Werfel, bo syn choruje tak, że na nic wszelkie modły, umiera.

Kończy się wojna. Alma z Werflem, Gropius w Berlinie. Chce, ma nadzieję, że Alma do niego wróci. A Kokoschka w Dreźnie. Chce, ma nadzieję, że Alma do niego wróci. Opętany, cierpiący, ze słupkiem rtęci na wysokości takiej, że Alma ma znowu tejże wysokości lęk. Kokoschka pisze znowu listy, które znowu jej uczucia i ją całą szarpią jak lwy antylopę. Zły duch, diabeł, fatalna miłość, Alma nie wie, czy bardziej go kocha, czy bardziej nienawidzi, no to jak, kurwa, nie wie, to chuj z nią, nie, Kokoschka? To my sobie Almę na obraz i podobieństwo jej zrobimy! Tak więc: Kokoschka maluje ją w skali 1:1 i zawiesza sobie na ścianie. Mało, za mało mu jej, nie mówiąc już o tym, że trudno na ścianę wejść, zwija więc ją i wysyła, do znanej projektantki, czeka i doczekuje się, Alma przyjeżdża do niego, pocztą. Kokoschka hm... Kokoschka jest rozczarowany, Alma po raz pierwszy nie spełnia jego erotycznych fantazji. Trudno, po raz pierwszy musi żyć z tą, którą ma, jak już nie ma tej, którą lubi. I żyje. Z relacji jednego z przyjaciół: *W pokoju Kokoschki, na sofie przy okrągłym stole, siedziała naturalnych rozmiarów, połyskująca bielą, ukoronowana kasztanowo-brązowymi włosami, w niebieskim płaszczu na ramionach, lalka. Fetysz, sztuczna kobieta, idealna kochanka, idealny model.*

Ubiera ją w najlepsze ubrania, sadza do stołu, kładzie się z nią do łóżka, zabiera ją ze sobą w podróż, pociągiem! Pasażer wsiadający do pociągu z naturalnej wielkości lalką jest mającym już profesurę malarzem, a stanie się bardziej sławny niż pierwowzór lalki, którą taszczy pod pachą.

Kiedy państwo Kokoschka zasiadają do stołu, obsługuje ich Reserl. Reserl jest jego służącą, i to ona właśnie klęczy na jego obrazie obok ubranej na niebiesko Almy-lalki na sofie. Do obowiązków Reserl należy, tak chce pan, obsługiwanie Almy i usługiwanie Almie. Nie tylko przy stole, także w „małżeńskim" łożu, bo na pewno musiała stać przy nim gotowa do usług, kiedy zdjęła mu już buty i ubranie, i kiedy on, „rotmistrz", jak go nazywała, w pijanym widzie ujeżdżał tę niesforną klacz. I nie tylko przy stole i łóżku, także przy codziennych prawie wyjazdach samochodem, do opery, gdzie siedział z nią w loży, i na bankiety, które organizował na cześć Almy-lalki.

Reserl kocha go bardziej niż siebie samą, mało, jej samej nie ma, jest tylko on i jej miłość do niego, niewolnicza, poddańcza, przypieczętowana nożem, którym wyryła sobie jego inicjały na piersi. Kokoschki ta jej ofiara z krwi nie obchodzi, Kokoschka miota się z lalką i udaje mu się: *Nareszcie, po tym jak malowałem ją i rysowałem po stokroć, postanowiłem ją zniszczyć. Lalka zupełnie wygnała ze mnie namiętność, urządziłem więc wielkie przyjęcie z szampanem i muzyką kameralną, na które moja pokojówka ubrała ją po raz ostatni w najpiękniejszą suknię. Kiedy zaczęło świtać – byłem już, jak wszyscy, bardzo pijany – odrąbałem jej w ogrodzie głowę i rozbiłem na niej butelkę czerwonego wina. Następnego dnia policjanci, którzy przypadkiem przechodzili przez ogród, zobaczyli nagie, zakrwawione, myśleli, ciało kobiety i z podejrzeniem morderstwa na tle miłosnym wpadli do mojego domu. W gruncie rzeczy mieli rację, ponieważ tej nocy rzeczywiście Almę zamordowałem.*

W Austrii następuje proklamacja republiki, Werfel włóczy się po kawiarniach i komunizuje, Alma ani komunizmu, ani Werfla, który komunizuje, nie cierpi,

Werfel próbuje ją agitować, wyśmiewa go, ma rację, akurat on, Werfel poczciwina, biedny, słaby, miękki, miałby przekonać ją, bogatą, silną i twardą...

Gropius ją martwi, chce zatrzymać przy sobie ich córkę, chce mieć prawa do niej, kłócą się o to przez dwa lata, w końcu Gropius ustępuje, rezygnuje z praw do dziecka, a przed sądem bierze na siebie winę za rozpad małżeństwa.

Alma zajmuje się Werflem, staje się jego menedżerką, podobnie jak to było z Mahlerem, tak samo zręcznie i kompetentnie. Muza i menedżerka. Ma nieprawdopodobny instynkt, czuje od razu, czy w mężczyźnie jest coś z geniusza, jeśli tak, zarzuca na niego sieć, wyławia go jak karpia ze stawu i przyrządza do sukcesu. Na Werfla klnie jak na psa, ale inspiruje go tym, zapędza do pisania. I on ją, tak nim pomiatającą, kocha, powtarza, że nie ma takiej drugiej, która byłaby tak magiczna.

Dużo podróżują, najchętniej do Włoch, latem w roku 1922 Alma kupuje w Wenecji małe *palazzo*, Werfel, jako komunista, czuje się w nim dziwnie dobrze. Pisze, dużo, produktywny jest jak stachanowiec. Z liryka awansuje na autora bestsellerów, w roku 1926 staje się najbardziej lubianym pisarzem współczesnym, wyprzedza Hauptmanna, Zweiga i Rilkego.

Córka Almy wychodzi za mąż, w wieku lat szesnastu, po raz pierwszy, z pięciu. Rozwód bierze już po paru miesiącach. Mówi później, staruszka już, że zrobiła to po to, żeby wyfrunąć z klatki, nie mogła wytrzymać z matką, była dla niej obciążeniem. Jak matka Almy dla Almy samej.

W Wenecji Alma poznaje kochankę Mussoliniego, Żydówkę Margheritę Sarfatti. Są tego samego zdania, jedyny błąd faszyzmu to chęć wyłączenia Żydów, Alma się Hitlerowi dziwi, dlaczego? Przecież Żydzi są tak sprytni, i o tak wielkim duchu. Dwie durnowate politycznie kobity.

Alma widząca w faszyzmie dobre strony i komunizujący Werfel, jako tacy, biorą ślub w roku 1927. Na początku lat trzydziestych kupują reprezentacyjną willę „Ast" w najlepszej dzielnicy Wiednia, w której zbiera się wszystko, co ma rangę i nazwisko. Za każdym razem ta sama procedura, Alma prowadzi gości do swojego gabinetu, w którym nie mają innego wyjścia, jak tylko podziwiać, podziwiać, podziwiać. Jej portret, na przykład, oczywiście Kokoschki, wyznania miłosne obok zapisu nutowego, oczywiście Mahlera, i jeszcze, i jeszcze, a potem jeszcze specjalnie przywoływaną piękną córkę jej i Gropiusa. Więc wszyscy podziwiają i podziwiają, acz niektórych ten natrętny, snobistyczny spektakl jednej aktorki musiał na pewno irytować. Canettiego, na przykład, kiedy mówiła mu, *a to jestem ja jako Lucrezia Borgia, namalowana przez Kokoschkę.* Canetti jest więcej niż rozczarowany, spodziewa się zobaczyć legendarną piękność, a widzi słodko uśmiechającą się na prawo i lewo, postawną i zaokrągloną wszędzie lampucerę, która wygląda na wiele więcej lat, niż ma.

Piszę o tej ich Almie, a co raz wkracza, właśnie wkracza, mi na plan Nałkowska. Nasza lepsza. Mądrzejsza, twórcza, to jasne. Ale jest coś, co mi ją w Almie przypomina. Nie aż taka, ale jednak, kokieteria. Nie aż taki, ale jednak, snobizm. I ten podobny rodzaj matronowatości, ta dostojność, wykwintność. I te górnolotne rozmowy o górnolotnej sztuce. I te podobne do siebie, utkane z tych samych pozorów, kostiumy. Oczywiście, upraszczam trochę, na niekorzyść Nałkowskiej, ale obie te *famous girls*, a potem damy, dokładały wszelkich starań, aby przez życie sunąć na falach podziwu. I sunęły. Dwie łabędzice.

W willi „Ast" Alma ma swój ostatni romans, ostatnią aferę. Z teologiem i kapłanem, JOHANNESEM HOLLENSTEINEREM. Ona ostatni, on pierwszy, wcześniej kobiety nie miał, zakochany nigdy nie był. Jego miłością był Bóg oraz Hitler. Wysoko postawiony w Wiedniu teolog i kapłan, korzystając z dobrodziejstw jej obfitego ciała, przekonuje ją namiętnie do dobrodziejstw faszyzmu, rozkoszne, nie? Alma wpuszcza do siebie mężczyznę, którego członek sterczy równolegle do jego prawego ramienia. Mając za męża tego, którego twórczość idole jej kochanka wkrótce wrzucić każą do ognia. I bądź tu mądry, Rudnicki. I pisz o kobiecie wiersze.

Jest rok 1933, Werfel do tego ognia idzie, Almę uspokoić musiał fakt doborowego towarzystwa, żaden poniżej jej godności, każdy prawie pisarz to sława, mało, Werfel tam to jeden z pomniejszych. I taki jej, przewrotnej diablicy, zapis: *Teraz jest małym, zawszonym Żydem z przeciętnym talentem. Tym bardziej będę z nim trzymać.*

No i trzyma. Wyjeżdżają coraz częściej, najchętniej do Wenecji, w Austrii wieje już mocno żelaznym wiatrem. W Wenecji, w ich *palazzo*, jej i Gropiusa śliczna córka, ambasador jej matczynej dumy, zaczyna chorować na paraliż dziecięcy, miesiącami nie opuszcza wózka i w wieku lat siedemnastu umiera, Alma traci trzecie już dziecko. Sprzedaje weneckie *palazzo*, w którym za dużo zmarłej, i z Werflem przygotowują się do wielkiej ucieczki. Dużo kosztowności i dzieł sztuki zostawia u matki, służącej każe zaszyć w suknie część swoich pieniędzy i wywieźć do Francji, do której uciekają dość późno, bo w roku 1938. A ona, o święta naiwności, skarży się jeszcze po drodze współemigrantom, *dlaczego muszę wyjeżdżać z Austrii, przecież Hitler mi nic złego nie robi?*

I zaczyna się, wielki ich *exodus*. Przez Pragę jadą do Londynu, z Londynu do Paryża, w Paryżu Werfel dostaje ataku serca, dlatego, ze względu na jego zdrowie, jakoś udaje im się przedostać na południe, na Lazurowe Wybrzeże, do miejscowości Sanary-sur-Mer. W której już nie kto inny, jak Thomas i Heinrich Mannowie, na przykład, lub Walter Benjamin. Wspólnota losu.

Biorą jakieś dwa niewielkie pokoje, Alma daje Werflowi lepszy, żeby lepiej mu się pisało, kłócą się ze sobą zażarcie, wściekle, o wszystko, ale on pisze.

Niemcy wchodzą do Polski, zmienia się stosunek do niemieckich uciekinierów we Francji, powstają nawet dla nich obozy, chociaż to paradoks, wiadomo przecież, przed kim i dlaczego uciekli. Werflowi się jakoś udaje, bo jako urodzony w Pradze, melduje się we Francji jako Czech, ale mimo wszystko status ich wielce jest podejrzany, poddawani są przesłuchaniom. Alma nosi ze sobą wszędzie „Paris Match", w którym na stronie tytułowej stoi jak wół, że Werfel to największy współczesny pisarz, nosi gazetę jak glejt i wymachuje nią przed nosem legitymującym ich żandarmom.

Niemcy wchodzą do Francji i zaczyna się ich Wielka Pardubicka, na drogach absolutny chaos, za bajońską sumę wynajmują taksówkę, którą robią setki kilometrów w poszukiwaniu bagażu, bagatela, dwanaście kufrów, partytury Mahlera, *Trzecia* Brucknera, suknie i biżuteria, ale to nie tak ważne dla Almy, jak to pierwsze. Trafiają do Lourdes, i tu Alma, w tej zawierusze, idzie do księgarni i przynosi mu książkę, dzięki której potem staną się prawie krezusami, co za instynkt, przynosi mu książkę o Bernadetcie i namawia go, inspiruje, żeby o niej napisał! Obiecuje, że napisze, napisze w podzięce, jeśli uda im się ujść z życiem.

Z Lourdes do Marsylii, w porcie tyle niemieckiej inteligencji, co marynarzy, z Marsylii dostają się pod granicę hiszpańską, żeby stamtąd przedrzeć się do Hiszpanii, a z Hiszpanii do Portugalii, na statek w Lizbonie, są więc pod tą granicą hiszpańską i teraz następuje przeprawa! Przez Pireneje! Pieszo! Heinrich Mann, jego o wiele młodsza, prostacka, postrzelona i kapryśna Nelly, Dama z Werflem i jedyny, który nadaje się na tę drogę, syn Thomasa Manna Golo.

Wyruszają, w strachu przed hiszpańskimi celnikami i niebezpieczną trasą. Nelly szaleje, chce zawracać, bo nagle uzmysławia sobie, że to piątek i trzynasty, kłóci się, szarpie z Heinrichem, w końcu nadąsana idzie. Przedzierają się, Heinrich lat siedemdziesiąt, Werfel pięćdziesiąt, ale chory na serce, rozhisteryzowana Nelly i ona, lat sześćdziesiąt jeden, która tak pasuje do tego górskiego maratonu jak Nałkowska do ćwiczeń na drążku. I udaje im się, z Portugalii, statkiem, wpaść w ramiona Statuy Wolności.

Nie wszystkim się udało, Walter Benjamin, na przykład, przechwycony już na terenie Hiszpanii, z walizką, w której miał tylko najnowszy manuskrypt, noc spędził pod aresztem, czekając na deportację do Francji. Ostatnią swoją noc, ponieważ ponoć popełnić miał samobójstwo. Sprawa niejasna, oględziny zwłok wykazały śmierć naturalną, a manuskrypt nigdy się nie odnalazł.

Werfel jest w Ameryce znany, jego książki sprzedają się wyśmienicie, jedyne, co im w Nowym Jorku nie odpowiada, to klimat, przenoszą się do Kalifornii, ze względów zdrowotnych, ze względu na niego, a w Kalifornii? *Natura pusta i monotonna.* Jakże inaczej, kie-

dy, pisze Alma, naturę ludzie robią. A ci ludzie tu dopiero lat dwieście, więc jak? No i wszystko, co udało
im się tu zrobić, im, Amerykanom, to zniszczyć kultu-
rę Indian, i postawić stacje benzynowe, i studia pięk-
ności. Fakt, ale z kulturą Indian trochę przesadza, no,
nie łudźmy się, te parę ognisk i fajek z marihuaną?
Ale zostają, zostają. Werfel dużo pisze, klimat mu
służy. Nakład *Pieśni o Bernadetcie* bajeczny, światowy
bestseller, którego nie byłoby, gdyby nie Alma. Jedyny deszcz, jaki mają w Kalifornii, to ten zielonkawy,
z dolarów, Hollywood ekranizuje powieść, film staje
się szlagierem, pomagają krajanom w potrzebie, kupują willę w nobliwej części Hollywoodu, prowadzą
salon, odwiedzają ich bracia Mann, słońce napierda-
la, fale szumią, świat rozchyla przed nimi uda, można żyć. Podczas gdy mniej więcej wtedy, Zofia, nasza, moja, w Warszawie, w której piździ tak, że palić
musi książkami, bo czym, sprzedaje tytoń, w sklepie,
w którym ladę robi sobie z własnego biurka.

Za gorące to słońce w Los Angeles. Werfel dostaje znowu ataku serca, przenoszą się do Santa Barba-
ra, klimat Pacyfiku chłodniejszy, nie pomaga, Werfel
ma kolejne ataki, kładzie się obok biurka i nie wstaje,
jest rok 1945, koniec wojny, koniec Werfla, Alma zostaje po raz kolejny wdową.

Przyjeżdża do niej jej córka, z Londynu, bo w Londynie bieda, razem z córką, z jej wnuczką, która zwra-
cać się do niej musi „Mammi", przecież nie „Gross-

mutter", to ona przecież, big Alma, kobieta-choinka z najlepszymi bombkami-nazwiskami świata kultury. Los Angeles ją nudzi, kupuje córce dom i przenosi się do Nowego Jorku, gdzie tęskni za Wiedniem, Austrią, Europą, ojczyzną. Wsiądzie w samolot, wysiądzie w Wiedniu i będzie uśmiechała się do kamery, tym nałożonym, grzecznym i kokieteryjnym uśmiechem. Dokąd pójdzie i po co, wiadomo, co powie sędzia, też, że wstanie, wyjdzie i nie wróci, również.

Z powrotem w Nowym Jorku zrobi ostatnie okrążenie w wyścigu zbrojeń, towarzyskich. Nosić będzie olbrzymie kapelusze ze strusimi piórami, wyglądając w nich, jak napisze jedna z jej rywalek, jak *koń pogrzebowy, który zerwał się z zaprzęgu*. Wypudrowana, wyszminkowana, wyperfumowana i wiecznie podpita, pijana, niemogąca żyć bez szampana lub likieru bénédictine. Jedno z przyjęć ktoś nakręci kamerą, zdjęcia kolorowe. Gra na pianinie, spreparowana tak, że wygląda jak honorowa przewodnicząca balu manekinów.

Na pytanie któregoś z gości, czy byłaby gotowa na związek partnerski z Bruno Walterem, znanym dyrygentem, mieszkającym obok niej, podskoczy niemalże, wykrzykując, ja?! Z artystą reprodukującym?! W ostatnim wywiadzie radiowym opowie, co u niej na ścianach. Ona, mianowicie, wiadomo, ona na obrazach Kokoschki, ona w peanach miłosnych na partyturach Mahlera itd., co jej tam jakiś dyrygent?

Dni, tak samo trudne do odróżnienia jak krople, będą jej kapać na głowę, spływać po niej i schnąć na niej, aż znikną. Prawie każdy z nich polegał będzie na ubieraniu się rano, jedzeniu truskawki i na rozbieraniu się do snu wieczorem.

Bez końca to trwa, kiedy się ubiera. Codziennie nakłada na siebie wszystkie swoje diamenty, brylanty, kolczyki, kolie, jakby przed drzwiami czekała delegacja elity duchowej świata, żeby oddać należną jej cześć. Tragikomiczny spektakl na jednego aktora w garderobie i dla nieobecnej publiczności na scenie. Jeśli już nikt nie tankuje jej paliwem w postaci podziwu, to trudno, to ona sama siebie podziwia, ktoś przecież musi, inaczej zapomniałaby, że ta w lustrze to ona właśnie. Następnie przystępuje do rytuału jedzenia truskawki, jednej, przez około godzinę. Fakt, truskawka amerykańska duża, ale godzinę? Moczy ją namiętnie w cukrze i odgryza mały kawałeczek, powoli, z celebracją. Kończy truskawkę razem z torebką cukru. Wieczorem ściąga z siebie rzecz po rzeczy, łącznie z dużym puklem sztucznych włosów. Demontuje się. Ze starej choinki z ozdobami zostaje stara choinka bez ozdób. (Ponoć umiała płakać łzami tak olbrzymimi, że pusty na stole talerz z miejsca się napełniał.)

Rok 1964, umiera ciężko. Wpada w śpiączkę, córka Anna i wnuczka myślą, że już się nie obudzi. Anna siedzi przy łóżku i ona budzi się nagle, z okropnym krzykiem, i krzycząc, łapie ją za ramię, wczepia się w nie i nie puszcza, i umiera, ale Anna nie może się ruszyć, nie może się z tego uchwytu uwolnić. Portret matki i córki: pierwsza trzyma drugą za rękę, nie żyje, druga, zrezygnowana, siedzi, jakby usiadła przy pierwszej na zawsze, jakby siedzieć tak miała na wieczność.

W trumnie nie do poznania, na korzyść. Skromnie uczesana, ładna, spokojna twarz. Naturalna, bez blichtru. Szelma, jakby wiedziała, że tylko w takiej odsłonie, a nie w kapeluszu z piórami, ściągnie na siebie uwagę Sądu Ostatecznego. I dostanie brawa za odegranie *Tristana*, bo do trumny kazała zapakować sobie nuty. Nie tylko zresztą nuty, jeśli trumna jej ważyła trzysta czterdzieści kilogramów! Ile mogą ważyć nuty, co ona ze sobą wzięła, że poszła do ziemi jak egipska królowa? Szukam na wszystkich możliwych stronach i nie mogę się doszukać, co, skrzynki z szampanem wzięła? Żadna hiena cmentarna się do niej nie dostanie, trumna na cmentarzu wiedeńskim jest zaspawana, szkoda, tam muszą być rzeczy dla każdego muzeum drogocenne. Poza tym, no co, jej już w tej trumnie nie ma, ona się kłania na brawach kapituły Sądu Ostatecznego. Po koncercie, który grała z orkiestrą dyrygowaną przez Mahlera. W czasie którego Mahler rzeczywiście rozmawiał z Bogiem, nie odkładając słuchawki. A Gropius i Kokoschka, obydwaj w tych samych mundurach, bili się o nią zaciekle. A Klimt stał nad nią i całował ją po szyi. A Werfel, pod fortepianem, klęczał między jej nogami.

Kłania się więc i kłania, uśmiechy śląc promienne i łzy jednocześnie roniąc, łzy duże jak bańki mydlane, a w każdej z nich ona, ona w czepku i w trumnie, a pomiędzy ona na kolanach babci, ona jako dziewczynka, dziewczyna, kobieta, żona, matka i wdowa. I pach, pryska.

Księga skarg i zażaleń

Kartkuję dla Was wte i wewte książkę Bettel- und Brandbriefe berühmter Schriftsteller, *który to tytuł skróciłbym do* Płomienne listy żebracze sławnych pisarzy *(Brigit Vanderbeke, Autorenhaus Verlag, Berlin 2006). Za dużo w niej niemieckich autorów, nie sądzę więc, żeby kiedykolwiek u nas wyszła. Sporadycznie korzystam też z leksykonu* Was geschah mit Schillers Schädel? Alles, was Sie über Literatur nicht wissen, *czyli* Co się stało z czaszką Schillera? Wszystko, czego nie wiecie o literaturze *(Rainer Schmitz, Eichborn, Berlin 2006). Cytaty z Joyce'a pochodzą z dwutomowego wydania jego listów (Wydawnictwo Literackie, Kraków 1986), które spadły mi niedawno na głowę, kiedy odsuwałem regał w poszukiwaniu straconego czasu. Tu i tam korzystam z własnych notatek. No to jadę, z tym koksem.*

O forsę chodzi. O jej brak. Chroniczny, jasne, każdy z nich przecież geniusz, wyjątkowo o wyjątkowości swej przekonany. Dlatego bida. Taka, że *żrę już* końcówki własnych palców jak główki szparagów (Else Lasker-Schüler).

Doświadczeni przez los, dlatego upokorzeni. Szantażujący swoim fatalnym położeniem. Raz dziady po kolędzie, raz kunsztowni kombinatorzy, ich księgi skarg i zażaleń godne podziwu za zręczną taktykę, nawet w listach do matki. Jak ten Jeana-Paula, który absolutnie nie chce tego, czego bardzo chce:

Nie chcę od Was pieniędzy na dług u kucharza (24 talary cesarskie) lub na dług u gospodarza (10 talarów cesarskich), lub na inne długi, które wynoszą około 6 talarów cesarskich, na wszystkie te pozycje nie chcę od Was żadnych pieniędzy (...), lecz na rzeczy następujące nie możecie odmówić mi pomocy...

I tu następuje lista z praczką, szewcem itp., z prośbą o określoną sumę i, na końcu, a jakże, dobitne przypomnienie faktu synostwa.

Niektórzy mieli fanów, jak Rilke. Pomagali mu anonimowymi datkami, pomagał mu też Wittgenstein. Joseph Roth, który zrujnował się finansowo przez koszty leczenia psychicznie chorej żony, też miał swojego anioła, skrzydła roztaczał nad nim Arnold Zweig, dzięki niemu na absynt i koniak jakoś starczało, do samego tragicznego końca. Roth, na początku korespondencji, trzymał jeszcze fason:

Mógłby mi Pan jeszcze trochę pożyczyć? Ma Pan? To niezdarnie, prostacko powiedziane. Ale co mam robić? Brak środków czyni człowieka prostackim. I ja nie umiem ubrać tej brzydkiej materii w stylistyczne niuanse.

A potem szedł już na całego, jak pijany żubr, listami i telegrafami bombardował go jak alianci Drezno, stawiał pod ścianą i kazał oglądać siebie w roli duchowego striptizera, wykonując przed nim wszelkie możliwe akrobacje na nagiej rurze swojego zafajdanego bytu. Był *tonącym, który chwyta się kurczowo ratującego go*. Był *człowiekiem ze stryczkiem na szyi*, a Zweig tym, *który między szyją a liną trzyma swój miłosierny palec*. Leżał na łożu śmierci, był *bliski samobójstwa, po raz pierwszy w życiu*. Miał drgawki, błagał, zaklinał go o pieniądze, żeby mógł pisać, bo do pisania potrzebuje *tylko na piwo i wino, a już nie sznaps*. I Zweig pomagał, wiedząc, że jego pomoc trafia mu do rąk po to, aby zaraz, niezwłocznie, spłynąć prosto do ust.

HEINE mecenasa miał również, w postaci francuskiego Ministerstwa Spraw Zagranicznych. Ten Heine, ten Heine. Mistrz ceremonii żebrania o datki dla biednego wygnańca, z jednej strony, z drugiej na samej górze tajnej listy wypłat ministerstwa. Jego roczne apanaże, które kasował ochoczo, równe miały być tym dobrze zarabiającego profesora. Za co dostawał te pieniądze, niejasne, ponoć nie za to, co pisał, a za to, czego nie pisał. Kiedy francuska prasa wydrukowała listę nazwisk, Heine z pieniędzy tych tłumaczył się mętnie, ale cóż, no nic, pal licho, wyłupmy sobie elegancką łyżeczką to trzecie inkwizytorskie oko, zastosujmy grubą kreskę, nie cenzurujmy go, tym bardziej że on sam z cenzurą boje toczył zawzięte. Do wydawcy, Juliusa Campego, pisał: *Drukuje Pan teraz piętnastą rzecz jakiegoś pana Börne, podczas gdy moje okaleczane są przez cenzurę w sposób okrutny (...), dlatego proszę Boga o renowację Pańskiej odwagi.* Im mniej wydrukowane, tym mniej zapłacone, im mniej zapłacone, tym więcej trzeba pisać, im więcej trzeba pisać, tym bardziej trzeba się poniżać: *Żebrać to rzecz nieprzyjemna, ale żebrać i nic nie dostać nieprzyjemne jest jeszcze bardziej.* I kiedy zachorował w Paryżu: *Życie w Paryżu jest już wystarczająco drogie, ale śmierć w Paryżu jest nieskończenie droższa.*

W wieku lat trzydziestu pięciu Heinrich Heine kładzie się do łóżka, gdzieś tak na lat około siedem. Po czym w nim umiera. Na co, niejasne, opinie są rozbieżne, powikłania związane z syfilisem? Gruźlica rdzenia kręgowego? Zatrucie ołowiem? A jeśli zatrucie, to kto miałby w ołowiu tym maczać palce? Mathilda? Bo nie przyszła na pogrzeb? Bo doprowadzali siebie nawzajem do kurwicy serca? Ona, żona, prosta jak budowa cepa, paryska dziołcha z cycami i *majestatycznym tyłkiem* (Heine), nie rozumiała, nie mogła pojąć, że jej *Heinrich napisał ponoć piękne książki.* Swoimi histerycznymi napadami wściekłości, wybuchami płaczu i chorobliwą rozrzutnością wpieniała go tak, że dochodziło do rękoczynów, poeta Heine tłukł ją jak burą sukę, przeciwko czemu, zresztą, nie protestowała specjalnie, a ponoć wręcz przeciwnie.

Siedem lat przykuty do własnego bólu, którego by nie wytrzymał, gdyby nie jej wysokość morfina. Żad-

nych dziwek więcej, burdeli, koniec, jego fioletowo-
-niebieska prezerwatywa z jedwabiu, którą na miarę
dał sobie uszyć u krawcowej z Getyngi, też zaczęła
leżeć odłogiem.

Heine w pościeli radzi sobie wcale nieźle, listy żebracze wylatują z niej jak gołębie. Heine jest sprytny,
przebiegły, pomysłowy. Jego taktyczny kunszt kwit-
nie wszystkimi liśćmi w liście do barona Rothschilda,
początek, otwarcie, prolog to coś w rodzaju kołysan-
ki przymierza w postaci zapowiedzi tragedii przez
aktora:

*Starzy Żydzi wierzyli, że w obecności dziecka nie wolno
jeść niczego dobrego, jeśli się dziecku temu nie odda kęsa,
inaczej dziecko straci przez to kroplę krwi.*

Parę zdań dalej rozwinięcie, paradoks, odsłonięcie
pomnika jego nędzy:

*...teraz, kiedy wychodzi Pan z rewolucyjnych burz jesz-
cze bardziej „milionerski", pozwalam sobie donieść Panu,
że jeszcze nie umarłem, chociaż stan, w jakim się znajduję, nie zasługuje na to, żeby nazwać go życiem.*

I finał, *exodus*, pieśń wyjściowa chóru, prośba o kęs,
powyższe „dziecko" byłoby wdzięczne, gdyby baron
*w sposób, który godny byłby i mnie, i Pana, zainteresował
się mną.*

Cofam się w czasie, wyciągam go z łóżka, Heine pisze do stryja. Heine ma stryja, bankiera, w Hamburgu, a stryj w Hamburgu ma Heinego w dupie. I ma
rację. Bo Heine to krętacz. Bo wpierw stryj to zero:

Najlepsze, co w Panu, polega na tym, że nosi Pan moje nazwisko. Ale potem nie zero, wręcz przeciwnie, *kochany stryjek* zechce mu wybaczyć, to były tylko słowa, i to w czasie, w którym chorował na żółtaczkę i stracił prawie zmysły. Kaja się, skomle, przywiązany do płotu własnego, nieszczęsnego losu, łzami prosi o przebaczenie, piszczy, jęczy, zawodzi w sosie podgrzewanym na fałszywym ogniu i tak zawiesistym, że mdli. I grozi, jakby było mało: do zrozumienia daje, że cała prawda, na którą ma patent, w jego dziennikach zapisana, dla potomności, dla świata, i sugeruje, że dzienniki te mógłby opublikować, podły, nie?

I butny, i wyniosły, ale przecież nie bez powodów. Sparaliżowany, niewidomy prawie, a unoszący się nad światem na swym łożu jak na latającym dywanie, utkanym z własnego geniuszu. *Ja w mojej krypcie z materaca*, pisał. Niech mu będzie, jeśli składać umiał takie chociażby zdania jak te w epilogu listu do wuja:

Jedyne, dzięki czemu jeszcze się trzymam, to duma z duchowej nadwładzy, która jest mi przyrodzona, oraz świadomość, że żaden człowiek na świecie nie jest w stanie, mniejszą liczbą pociągnięć pióra, zemścić się bardziej niż ja za wszystkie jawne i ukryte nieszczęścia, które na mnie sprowadzono.

Niechże mi Pan powie, jaki jest ostateczny powód tego przekleństwa, które ciąży na wszystkich mężczyznach o wielkim geniuszu: dlaczego piorun nieszczęścia uderza najczęściej w dachy wysokie, w wieże ludzkości, pod-

czas gdy tak czule oszczędza dachy niskie, pokryte słomą
z głów ich mieszkańców?

W roku 1913 ROBERT WALSER odwiedza w Szwajcarii siostrę, która jako nauczycielka pracuje w zakładzie dla psychicznie chorych. Te zakłady psychiatryczne jak drugi dom rodziny Walserów, matka, leczona na depresję, umiera mu pierwsza, potem ojciec, po nim jeden jego brat po chorobie psychicznej, drugi zaś popełnia samobójstwo.

Do takiego zakładu Walser wejdzie w roku 1929, w wieku lat pięćdziesięciu jeden, gdzieś tak na lat dwadzieścia siedem. Po czym w nim umrze, na spacerze, na serce, znajdą go w śniegu leżącego tak, jak postać w pierwszej jego książce, *Rodzeństwo Tanner*, napisanej przed pięćdziesięciu laty. Będzie leżał na plecach, z rozrzuconymi ramionami, *jak ukrzyżowany w śniegu*, czytam w tekście pod zdjęciem w Googlach.

W zakładzie u siostry więc Walser poznaje panią Mermet, praczkę, która stanie się na całe lata jego Zweigiem i Ministerstwem Spraw Zagranicznych w jednym. Z zachowaniem proporcji, rzecz jasna, chodzić będzie o rzeczy przyziemne jak piorunochron. O przysyłane skarpetki, nowe lub stare, zacerowane, o podkolanówki, przypinane kołnierze, o słodycze, chleb, cukier, ser, masło. Walser dziękował jej w listach z poczty polowej, z frontu, w postaci takiego na przykład meldunku:

Kochana Pani Mermet. Co się dotyczy spożycia, to przyznaję, że kawałek sera właśnie był zniknął. Także ze słoniny, która przednio smakuje, odcięte i zjedzone zostały dosyć duże kawałki.

Obgryzał te przysyłane sery jak myszka. Dostał masło, cieszył się jak dziecko. Chleb smarował sobie nim skrzętnie, i pisał:

Kochana Pani Mermet. Pani list obok paru kawałków sera i masło otrzymałem, za co składam Pani najlepsze dzięki. Człowiek jest innym człowiekiem, jeśli wcześnie rano może chleb posmarować sobie masłem...

Chleb w dzień powszedni, od święta w paczce ciasto: *Pisarze chętnie wsadzają sobie do ust kawałki ciasta z białej mąki.* No i skarpetki i podkolanówki, nowe lub stare, do cerowania:

Kochana Pani Mermet. Czy mogę pozwolić sobie, szlachetna i po matczynemu zatroskana o mnie przyjaciółko, na przysłanie Pani następnej partii rozdartych skarpetek do ich dobrotliwej ogólnej reperacji?

Podkolanówki naciągał sobie za kolana, *wtedy grzeją jak piec.* Ciągle o nich, czy dobrze leżą, czy drapią, czy grzeją. Do nóżek jej za nie padał, dosłownie:

Nosi Pani teraz też, kochana Pani Mermet, ciepłe jak należy podkolanówki na Pani kochanych, delikatnych stopach? Jak piękne byłoby dla mnie, gdybym mógł uklęknąć przed Panią i troskliwie ubrać Panią w podkolanówki, i założyć buciki? Chyba trochę przesadzam, nieprawdaż?

Jak nasz Schulz, nie? Poszukiwacz zakazanych przygód, cichy kot polujący na myszy w postaci damskich nóżek, stóp i bucików, potajemny wyznawca przyprawiającego o dreszcz na grzbiecie poniżenia. Przy czym, Walser raczej pies, piesek, pieseczek. *Najlepsze podziękowania od Pani pieska*, za co, wiadomo, ser i tak dalej. *Jestem coraz bardziej i bardziej pod Pani pantofelkiem.* Pantofelek mało, nie wystarczy:

Czy zrobiłoby Pani przyjemność, kochana Pani Mermet, posiąść mnie na własność, od stóp do głów? Tak mniej więcej jak właściciel posiada psa? (...) Wie Pani, kochana Pani Mermet, czego bym sobie życzył? Otóż żeby Pani była wytworną, piękną damą, a ja Pani służącą, obsługującą Panią w dziewczęcym fartuszku, i gdyby Pani nie była z czegoś zadowolona, gdybym wywołał czymś Pani niechęć, dałaby mi Pani klapsa...

Jak wiotka łodyga, a tu nagle zdrowy humor zdrowego samca:

Proszę nie przysyłać mi mięsa, nie lubię zimnego mięsa. Ze wszystkich jego rodzajów najbardziej lubię mięso kobiece niegotowane.

I tak sobie czytam te jego listy, raz z uśmiechem, raz ze współczuciem, bo widzę, jak siedzi gdzieś w okopie i smaruje sobie chleb, tym jej masłem, lub kroi ten jej ser, albo później już robi to samo w jakimś nędznym pokoju w Bernie, kroi tak skrzętnie, że serce się kroi, a potem pisze *Kochana Pani Mermet*, i wyszczególnia, co zjadł, a czego jeszcze nie, i jak mu wybornie smakowało, aż tu nagle jeb!

Pisarz Walser proponuje jej, aby nowej jego książki nie kupowała w księgarni, ani nie zamawiała u wydawcy, tylko wysłała mu 20 franków, a on, *uniżony sługa*, niezwłocznie przyśle jej egzemplarz z dedykacją.

No kurwa jego mać.

I *kochana Pani Mermet*, zarabiająca przecież grosze praczka, zamiast napisać mu, żeby sobie tę dedykację w dupę wsadził, wysyła mu te pieniądze.

Po dziesięciu latach matkowania mu, gotowania, smażenia, pieczenia, cerowania i szycia skarpet, i prania mu garnituru, i wysyłania tego wszystkiego w paczkach, Walser kasuje od niej dwadzieścia franków za egzemplarz autorski. Który ma za darmo.

No kurwa jego mać.

I jakby było mało, prosi ją zaraz, żeby sprzedała dwie *Róże*, które jej dośle, swoim dwóm koleżankom, które wyraziły nią zainteresowanie. Po piętnaście franków, i żeby zrobiła to dyskretnie, bo sprzedaż egzemplarzy autorskich nie uchodzi, ale on zrobi wyjątek, jako że miasteczko jej i kobiety w nim ceni nad wyraz.

Wesz, żyjąca na jej łonie. Nie chce mi się dalej go czytać.

Puszczam starą kasetę z nagranym o nim filmem. Patrzę na tę małą miejscowość koło Berna, na szpital, w którym go zamknęli, bo miał stany lękowe, halucynacje i *słyszał głosy*, widzę góry, w które chodził na wielogodzinne spacery, i widzę teraz lepiej to zdjęcie, na którym leży w śniegu: ukrzyżowany?! Do połowy? Prawą rękę ma przecież na piersiach! Och, ta radosna twórczość piszących za wszelką cenę!

W pewnym momencie spiker cytuje parę jego zdań, bez informacji skąd. Słucham, zatrzymuję taśmę, cofam, puszczam zdanie po zdaniu i niniejszym zapisuję:

Właściwie powinienem być na świecie całkiem sam. Żadnego żyjącego stworzenia. Żadnego słońca, żadnej kultury. Nagi, na wysokim kamieniu. Żadnej wody, żadnego wiatru, żadnych ulic, żadnych banków, żadnych pieniędzy. Żadnego czasu, żadnego oddechu. Żadnego strachu więcej, i żadnych pytań.

JAMES JOYCE jest głodny:

Droga mamo, Twój przekaz z wtorku na trzy szylingi i cztery pensy bardzo mi się przydał, bo nie jadłem od czterdziestu dwóch godzin. Teraz nie miałem nic w ustach od godzin dwudziestu. (...) Po obudzeniu zaglądam natychmiast pod drzwi, czy nie ma tam listu od wydawców; widząc zaś za każdym razem tylko deski podłogi, odwracam się z westchnieniem, by snem zagłuszyć choć częściowo głód.

Za dwa tygodnie:

Następny posiłek zjem zatem jutro (poniedziałek) o jedenastej rano, ostatni jadłem wczoraj (sobota) o siódmej wieczorem. Odbywam więc kolejny, czterdziestogodzinny post – choć właściwie nie mogę go nazwać postem, zjadłem bowiem odrobinę suchego chleba. Przedostatni posiłek spożyłem dwadzieścia godzin przed ostatnim. 20 plus 40 = 60 – dwa posiłki na 60 godzin to chyba nieźle. Dieta ta dosyć mnie osłabiła, pójdę więc teraz na górę do pokoju i będę tam siedział, póki nie nadejdzie pora snu.

Jeść, jeść, całymi stronicami jeść. Co zjadł, co by zjadł, najadł się, czy jest głodny. Raz do matki, raz do brata:

Wyznam Ci w tajemnicy, że bardzo chętnie zjadłbym kawał gotowanego udźca baraniego z rzepą i marchewką. Przydałaby się też porcja wołowiny w kapuście, spory befsztyk z rusztu...

Dla oszczędności nie jadłem dziś nic oprócz zupy...

W rocznicę ślubu z Norą absolutny *highlight*, uczta Gargantui i Pantagruela, pełna jej specyfikacja w liście do brata:

Oto pełna i dokładna lista naszych wczorajszych posiłków:

10.30 rano – Szynka, chleb z masłem, kawa

1.30 po poł. – Zupa, pieczeń barania z kartoflami, chleb i wino

4.00 po poł. – Gulasz wołowy, chleb i wino

6.00 po poł. – Pieczeń cielęca, chleb, ser gorgonzola i wino

8.30 wiecz. – Pieczeń cielęca, chleb, winogrona, wermut

9.30 wiecz. – Kotlety cielęce, chleb, sałata, winogrona, wino.

To pierwsza część listu o jedzeniu. Taki dzień się zdarza raz. Druga część listu będzie o czymś innym, o wydatkach. Na jedzenie. Co, ile, za ile:

Drobiazgi, które przynoszą tu na talerzu, nie wystarczają nam. Cena kolacji, 2,05 c, może wyda Ci się wysoka, ale obejmuje ona litr wina, 80 c, a także zupę Giorgia 15 c (syna – JR) *i chleb 15 c = 1 L – 10: na mięso z jarzynami dla mnie i dla Nory zostaje więc 95 c, czyli niecałe 4 ½ na każde z nas. Zjadam kanapkę o 7, po wyjściu z pracy, bo jestem zbyt głodny, by czekać na kolację...*

Jedzenie i ubranie, ubieranie się. Co mu się przetarło, w czym chodzi, co kupi lub kupił. Do matki:

Temu ograniczeniu wydatków towarzyszy brak czystej bielizny (od trzech tygodni używam tej samej chustki do nosa), mam jednak szary krawat, niemal na milę długi – owijam się nim cały, tak że trudno jest komukolwiek dostrzec stan mojej koszuli. Jeden z butów zaczyna się rozłazić...

Do przyjaciela:

Skoro nie możesz dać mi gotówki, zrób dla mnie coś innego. Zapakuj mi – 1 szczotkę do zębów plus proszek, 1 szczotkę do paznokci, 1 parę czarnych butów oraz jakąś marynarkę z kamizelką, której nie używasz.

Do brata:

Suknia (Nora) – 9 lirów, bluzka (Nora) – 8 lirów, grzebienie – 2,0, koszula (dla mnie) – 3,50, kapelusz (dla mnie) – 5,0, chustki i kołnierzyki – 2,0

Dalej do brata:

Najnowsza wiadomość: spodnie przetarły mi się na siedzeniu...

I jeszcze do brata:

Na siedzeniu spodni mam dwie ogromne łaty, nie mogę więc zdejmować w biurze marynarki i siedzę godzinami, gotując się z gorąca...

Dalej:

Jeżeli idzie o spodnie, to pamiętaj, że siedzę 9 i ½ godziny dziennie na twardym, plecionym krześle, a materiał od początku był cienki...

Ma lat trzydzieści osiem, od sześciu lat pracuje nad *Ulissesem*. Pomaga mu Ezra Pound. Podziwu godne, wysyła mu pieniądze, chociaż nikt go jeszcze nie zna. Do Ezry Pounda więc:

Ja chodzę w butach mojego syna (o dwa numery za dużych) i w jego znoszonym ubraniu, które jest za wąskie w ramionach, pozostałe szczegóły mego stroju/ubioru należą lub należały do mojego brata i szwagra.

Joyce był królem żebraków. Geniuszem pompowania pieniędzy. Czytam w leksykonie, że listami „zarobił" około 750 tysięcy euro. Jedną wędką wyciągnął 750 tysięcy euro współczucia!

Wątpię, czy rzeczywiście chodził w za dużych butach syna. Może patrzył tylko na nie i przymierzał je z myślą o tym, że niezły byłby to nowy motyw brania na litość. Wątpię w wielogodzinne gotowanie się z gorąca w marynarce, to chyba projekcja, i wątpię w wielogodzinne posty, które tak skrupulatnie wyliczał matce.

W żadnym liście ani wzmianki o alkoholu, jeśli już, to przy Norze:

Właściwy powód tego, że tak szybko znikają nam pieniądze, to fakt, że ogromnie dużo jemy. Nora zaczyna wyglądać o wiele zdrowiej. Oto jej zwykły obiad: dwa plastry pieczeni wołowej, 2 polpetti, pomidor faszerowany ryżem, trochę sałatki i pół litra wina.

Na alkohol, który skutecznie wykończył mu żołądek (rak), sumy musiały iść niezłe. Joyce był atrakcją knajp, na przykład wtedy, kiedy, jako zawołany fetyszysta bielizny damskiej, nakładał na palce majtki lalki i „spacerował" w nich po ladzie. A potem przypadkowi ludzie z ulicy taszczyli go do domu jak worek z kartoflami i stawiali Norze pod drzwiami jak kiedyś butelkę na mleko.

Nora. Jedzenie, ubranie, więc i Nora. Jego list do niej, z grudnia 1909 roku, sprzedany anonimowemu kupcowi w domu aukcyjnym Sotheby's w Londynie w roku 2004 za 361 tysięcy euro, jest najdroższym listem literata dwudziestego wieku. Joyce opisuje tam, jak zaspokaja się, marząc o niej, o *kurwie o dzikich oczach*:

Już przy rzeczach najmniejszych dostaję wzwodu – kurewski ruch ustami, mała brązowa plamka z tyłu na Twoich białych majtkach...

Potem się usprawiedliwia:

Jesteś obrażona, skarbie, że mówiłem tak o Twoich majtkach? To nonsens, kochanie. Wiem, że są tak czyste jak Twoje serce.

Kiedy dowiaduje się, że go zdradziła (z jego przyjacielem), przeżywa załamanie nerwowe, wpada w depresję i wyrzuca manuskrypt *Portretu artysty z czasów młodości* do ognia, wyciąga go stamtąd jego siostra. Potem, kiedy jest mu wierna jak Penelopa, wmawia sobie, że go zdradza, biczuje się wyimaginowanymi szczegółami. Żeby móc cierpieć, pocierpieć, czuć rozkosz bólu cierpienia, dręczyć się, zadręczać.

Wielki szyderca jako autor, jego śmiech w *Ulissesie* jest jadowity, wściekły, żelazny, a on sam? Hau, hau, jako mąż, mały piesek. Piszczy, kiedy jej nie ma, bo nie ma kogo lizać swoim różowym języczkiem, nie ma go kto tarmosić za uszko ani szeptać mu do niego sprośności.

Płacze, skomli, szlocha. Sentymentalne jajko na miękko, wystarczy, że jego pańcia wyjedzie na parę dni, skowyczy:

...Najpierw zostawiasz mnie przez pięć dni bez wiadomości, a potem bazgrzesz swoje imię na pocztówce, obok podpisów kilku innych osób. (...) Od kiedy wyjechałaś, żyję w stanie tępego gniewu. Uważam całą tę sprawę za bezsens i niesprawiedliwość. Nie mogę ani spać, ani myśleć. Nadal boli mnie bok. Ubiegłej nocy bałem się położyć. Myślałem, że mogę umrzeć we śnie. Trzy razy budziłem Giorgia z lęku przed samotnością...

Z tym trzykrotnym budzeniem syna przesadza, wymyśla, z bólem w boku chyba też, ale cel uświęca przecież środki, a cel to Nora, dla której tonie w oparach grafomanii:

Nuciłem przed godziną Twoją pieśń Dziewczę z Aughrim. Za każdym razem, kiedy śpiewam tę uroczą melodię, łzy napływają mi do oczu i głos mój drży ze wzruszenia. (...)

Chcę, żebyś powiedziała sobie: wraca Jim, biedny chłopiec, którego kocham. Jest słabym, biednym, impulsywnym człowiekiem i błaga mnie, bym go chroniła i uczyniła go silnym. (...)

Moja święta miłości, moja droga Noro, och, czyż to możliwe, że mamy wstąpić w niebiosa naszego życia? (...)

Nawet teraz, kiedy to piszę, łzy nabiegają mi do oczu, a gardłem wstrząsa szloch. Noro, mamy na swą miłość tylko jedno krótkie życie. (...)

Jeśli mnie porzucisz, będzie mi wiekuiście towarzyszyła pamięć o Tobie, świętsza dla mnie niż Bóg. Będę się modlił do Twego imienia. (...)

Mój Boże, mam oczy pełne łez! Dlaczego płaczę? Płaczę, ponieważ takim smutkiem napawa mnie myśl, że chodziła po tej sali (odwiedza hotel w Dublinie, w którym pracowała jako pokojówka – JR) *szczupła, skromnie ubrana, prosta i uważna, nosząc w głębi swego serca ów drobny płomień, który rozpala ciała i dusze mężczyzn. Płaczę z żalu nad nią, że wybrała taką marną, podłą miłość jak moja – i z żalu nad sobą, że nie zasługuję na to, by mnie kochała. (...) Gdy pisałem dziś w nocy te zdania, szloch dwukrotnie wezbrał w mojej piersi i wydarł się z mych ust. (...)*

Mógłbym uklęknąć przy tym łóżeczku (pokój, w którym mieszkała – JR) *i zapamiętać się w powodzi łez. Gdy stałem wpatrzony w nie, łzy cisnęły mi się do oczu. Mógłbym tam uklęknąć i modlić się, jak modlili się Trzej Królowie ze Wschodu przed żłobem, w którym leżał Jezus. (...)*

Najwyraźniej nie potrafię opisać Ci rozpaczy, w jaką wpadłem od Twego wyjazdu. Wczoraj zemdlałem w sklepie.

Chorobliwie tkliwy. Obcałowywał się sam? Możliwe. Biedny Jim.

I przesądny. Chciał, żeby książki jego ukazywały się w dniu jego urodzin, drugiego lutego, i tak też było.

Wariował, kiedy zbliżał się termin ukazania. Zwracał uwagę na przykład na to, żeby noże na stole nie leżały na krzyż, bo to znaczy, że złe siły biorą nad kimś władzę. Na końcu *Ulissesa* Molly złości się na córkę, Milly, bo ta *położyła na stół noże na krzyż*. Bał się psów, wpadał w histerię, kiedy zbliżała się burza, nosił jakiś amulet, który miał go chronić od nieszczęścia.

Cierpiał na jaskrę, gehenna, przeszedł około dwudziestu pięciu operacji. Żeby odcyfrować własne, drobne pismo, musiał używać dużej lupy, dlatego pod koniec pisał ołówkiem węglowym, na kartonie, wielkimi literami, aby móc się odczytać. Tak powstawał *Finnegan's Wake*, którego nie mógł dyktować ze względu na istotny układ graficzny. Nosił jakieś horrendalnie grube szkła i mimo to na ulicy czuł się bardzo niepewnie, trzeba było go prowadzić. Potem, już pod sam koniec, nosił na oku opaskę.

Jego syn, Giorgio, bez wykształcenia, bo go zaniedbał, czepiał się jakichś urzędniczych posad. Chorował często na gardło, przeszedł ciężką operację tarczycy, po której miesiącami leżeć musiał w łóżku.

Jego córka, Lucia, padła ofiarą, jak pisał sam: *jednej z najbardziej nieuchwytnych chorób znanych człowiekowi, a nieznanych medycynie*. Lucia była schizofreniczką, możliwe, że przyczyną jej choroby był jego alkoholizm.

Wizyta u państwa Joyce. Jakiś jeden duży pokój, w Dublinie, Zurychu lub Paryżu, po podłodze walają się mapy Dublina, kartki z *Odysei* i słowniki. Nora budzi się pierwsza, myje się, podmywa. Budzi się Lucia, wchodzi na stół, chwyta się lampy i zaczyna się na niej huśtać. Budzi się Giorgio, nie wstaje z łóżka, prosi Norę o nocnik, Nora podaje mu nocnik. Budzi się Joyce, Nora mówi, z tą opaską na oku wyglądasz jak jakiś jebnięty w mózg pirat. Joyce nie reaguje, nagi, owija się długim krawatem i wkłada sztuczną szczękę, która grzechocze mu w ustach. Szuka rękami czegoś na ziemi, znajduje, to szkło powiększające. Przytyka je do oka, szuka za jego pomocą dalej i znajduje: ołówek kopiowy i arkusz papieru. Ze szkłem przy oku kreślić zaczyna wielkie litery. Nora myje podłogę, nuci, śpiewa jakąś irlandzką ludową piosenkę, jej kuper trzęsie się i podryguje jak studzienina na wybojach. Kartkę Joyce'a raz po raz pokrywa cień huśtającej się Lucii, Joyce mówi do Nory, powiedz jej, żeby przestała się huśtać, Nora mówi do Lucii, przestań się huśtać, Lucia nie przestaje. Giorgio, z łóżka, puszcza bańki mydlane. Lucia piszczy z uciechy, bo unoszą się aż po sufit. Joyce zatrzymuje je ręką, bo padają mu na stronę. W końcu, zirytowany, przestaje stawiać litery, podchodzi do Nory, klęka za nią, podnosi jej sukienkę, przykłada lupę i patrzy, aż do dna samego (od)bytu.

Spis rzeczy

Redaktor serii: Dariusz Sośnicki
Redakcja: Dariusz Sośnicki
Korekta: Marianna Sokołowska, Beata Wójcik

Projekt okładki i stron tytułowych: Mariusz Filipowicz,
www.360stopni.com.pl
Fotografia autora: © Michał Płaczek

W książce wykorzystano zdjęcia z archiwum autora
(s. 14, 36, 52, 102, 140, 156)
Pozostałe zdjęcia:
s. 118 © AP,
s. 126 © picture alliance/dpa/Hubert Jelinek,
s. 180 © Bettmann/CORBIS,
s. 196 © KEYSTONE/ROBERT WALSER-STRIFTUNG/Str

Wydawnictwo W.A.B.
02-386 Warszawa, ul. Usypiskowa 5
tel./fax (22) 646 01 74, 646 01 75, 646 05 10, 646 05 11
wab@wab.com.pl
www.wab.com.pl

Skład i łamanie: Komputerowe Usługi Poligraficzne
Piaseczno, Żółkiewskiego 7
Druk i oprawa: Drukarnia Wydawnicza
im. W.L. Anczyca S.A., Kraków

ISBN 978-83-7414-639-5

Aboriginal Myths, Legends and Fables

A.W. Reed

Reed New Holland

Published in Australia in 1999 by
Reed New Holland
an imprint of New Holland Publishers (Australia) Pty Ltd
Sydney • Auckland • London • Cape Town

14 Aquatic Drive Frenchs Forest NSW 2086 Australia
218 Lake Road Northcote Auckland New Zealand
86 Edgware Road London W2 2EA United Kingdom
80 McKenzie Street Cape Town 8001 South Africa

First published by Reed Books in 1982
Reprinted in 1993, 1994, 1995, 1996
Reprinted by Reed New Holland in 1999 (twice), 2000 and 2001

20 19 18 17 16 15 14 13 12

National Library of Australia Cataloguing-in-Publication Data:

Reed, A.W. (Alexander Wyclif), 1908–1979
Aboriginal myths, legends and fables.

ISBN 1 87633 429 0

1. Aborigines, Australian—Legends. I. Reed, A.W. (Alexander Wyclif), 1908–1979.
II. Title: Aboriginal fables and legendary tales. III. Aboriginal legends.
IV. Title: Aboriginal myths.

398.2049915

Printed and bound in Australia by **McPherson's Printing Group**

CONTENTS

Introduction

This book presents a wide variety of myths, legends and fables. In part one, emphasis has been placed on myths that attempt to explain the origins of natural phenomena while part two provides a small selection of Aboriginal legends dealing with animals and men, from the vast range of such stories and part three presents some of the shorter fables.

An attempt has been made to convey some idea of the mystical bond that existed between man, his environment, and the spirit life of the Dreamtime. Even the homelier tales are imbued with that 'oneness' that links all living creatures in a spiritual relationship.

Both men and animals were part of the endless Dreamtime that began with the deeds of totemic ancestors. Their deeds are part of life, and men are part of animals, as animals are of men, therefore both are usually capitalised in the text. This is not the place to discuss the complex subject of totemism, but it is necessary to refer to it to understand that in these Dreamtime tales, men and animals may change from one to the other, or share the form and nature of both. It is difficult for we who are within Western culture to understand a concept that is inherent in Aboriginal man. The clue to understanding lies in the Dreamtime. In that Dream world, man dreamed splendid dreams of kinship with everything that surrounded him and invented glorious tales, as well as horrific ones, to provide a satisfying account of the origin of natural life with which he was so familiar, investing what most of us accept as commonplace with the supernatural.

Every writer who ventures to retell Aboriginal myths, legends or fables must adopt his own style and presentation. For my part, I have rewritten a variety of these with sincere admiration for the men of old who gave pleasure and inspiration to their fellow tribesmen. There is poetry in their stories—poetry that is difficult to capture in another language. It is a problem I have faced for half a lifetime in retelling legends, not only of Aboriginals, but of Polynesians and those of other races and cultures. A literal account would frequently provide a text which would have little impact on a reader of European ancestry or listener—though it must be admitted that the legends of the Aranda tribe have been lovingly converted to English by Professor T. G. H. Strehlow, preserving the beauty of words and forms of speech of those who live close to nature in the ever-present Dreamtime.

In striking contrast to this treatment, Roland Robinson, a poet of distinction, has taken legends related to him by learned, semi-literate Aboriginals and presented them exactly as spoken. These were men who preserved the lore of their fathers in the soul-destroying environment of European contact, retaining something of the pristine freshness of the dawn of man in a totally different environment to those of the Central and Northern tribes.

The method I have adopted is rather different. I have had neither opportunity nor ability to collect the legends of the original Australians at first-hand; but I have profited from the personal contacts and research of dedicated field-workers and have retold the stories they have gathered, as they appeal to me, with as little distortion as possible. Admittedly they are a product of the 1970s, written by one whose skin is a different colour, and whose environment is completely foreign to that of the Aboriginals who devised them. If by chance they give enjoyment to others and some small insight into the treasury of Aboriginal lore, something will have been gained.

But can the essential spirit of these tales of antiquity be conveyed to others by a Western storyteller of the twentieth century? It is doubtful, for modern phraseology is not suited to the relation of events of what is a world apart from life today, and a Biblical style of narration, resorted to by some writers, even less so. Further, is one justified in attempting to introduce modern storytelling devices into a tale that has been transmitted through generations of Aboriginal tellers of tales, using the media of song and dance as well as the spoken word, or to embroider a narrative that makes no pretence of a plot,

11

but is rather a re-living of the experiences of a daytime or a lifetime? These are questions for which the reader must find an answer, and provide his own judgment.

I am deeply indebted to the writings of T.G.H. Strethlow, R. M. and C. H. Berndt, Roland Robinson, Aldo Massola, Mildred Norledge and others, together with those of missionaries, field-workers, and enthusiasts of earlier generations, for recording many tales of the Dreamtime and helping to preserve part of the diverse cultures of the Aboriginal people of Australia.

It should be mentioned that two or three stories that appear in *Myths and Legends of Australia* (A. W. Reed, Reed, Sydney, 1965) have been retold in part one and that all the stories in part three have previously appeared in print but have been retold for this collection. The fables which have been retold in this book appeared originally in the titles following. Where there are several different versions of a fable in various books, the accounts have been compared. In a few cases the story may therefore be of a composite character and not confined to a single tribe. The fables have been told by many different tribes over a wide area and in the majority of cases cannot be allocated to a single source.

Attenborough, David. *Quest Under Capricorn*. Lutterworth Press. 1963.

Barrett, Charles. *The Bunyip*. Reed and Harris. 1946.

Bell, Enid. *Legends of the Coochin Valley*. Bunyip Press. N.D.

Guirand, Felix. *Larousse Encyclopaedia of Mythology*. Paul Hamlyn. 1962.

Gunn, Mrs Aeneas. *The Little Black Princess*. Robertson and Mullens Ltd and Angus and Robertson Ltd.

Harney, W. E. (Bill). *Tales from the Aborigines*. Robert Hale. 1959.

McConnel, Ursula. *Myths of the Munkan*. Melbourne University Press. 1957.

McKeown, Keith C. *Insect Wonders of Australia*. Angus and Robertson Ltd. 1944.

The Land of Byamee. Angus and Robertson Ltd. 1938.

Marshall, Alan. *People of the Dream Time*. Cheshire. 1952.

Mathews, R. H. *Folklore of the Australian Aborigines.* Hennessey Harper and Co. Ltd. 1899.

Parker, Mrs K. Langloh. *Australian Legendary Tales.* (Selected by H. Drake-Brockman.) Angus and Robertson Ltd.

Paxton, Peter. *Bush and Billabong.* Alliance Press Ltd. 1950.

Smith, W. Ramsay. *Myths and Legends of the Australian Aboriginals.* G. G. Harrap & Co. Ltd. 1930.

Thomas, W. E. *Some Myths and Legends of the Australian Aborigines.* Whitcombe and Tombs Ltd. 1923.

Tindale, Norman and Lindsay, H. A. *Aboriginal Australians.* Jacaranda Press. 1963.

Wells, Ann E. *Rain in Arnhem Land.* Angus and Robertson Ltd. 1961.

PART ONE—MYTHS

CHAPTER ONE

THE GREAT FATHER

Separated by some two thousand kilometres of ocean, and with different racial characteristics, some interesting comparisons can be made between the Aboriginals of Australia and the Maoris of New Zealand. In New Zealand the famous field-worker Elsdon Best once stated that the Maori people (one of the several branches of the Polynesians) had taken the first step towards monotheism in their belief that Io was the Divine Father of Mankind, the uncreated, the creator, omnipotent and omniscient. The Io cult was an esoteric belief known only to the highest grade of Tohunga (priest), and possibly only to those of certain tribes. Those who had not been trained in the whare wananga, the school of sacred lore, were unaware even of the name of the highest and holiest of gods, being content with a pantheon of departmental gods who controlled the forces of nature, and groups of lesser deities.

In order to form even an approximate comparison between Maoris and Australian Aboriginals, it is necessary to consider the environment of the two ethnic groups. Nature was kind to the Maoris. It provided them with an equable climate in a land where birds and fish were in abundant supply. Bracken root, unpalatable though it might be, was a staple form of diet, available at all seasons; while in northern districts the kumara or sweet potato, brought from tropical islands of the Pacific, could be cultivated in specially prepared plantations. The availability of food from forest, lake, river, and sea therefore encouraged settlement. With permanent buildings in which to sleep, meet, and hold special 'schools' for candidates for the priesthood, and with a common language, it was not surprising that over the centuries they developed a distinctive culture, which is today summed up in the word maoritanga.

In striking contrast, the forebears of the Aboriginals had come to a land that varied immensely in its physical features and climate, from the harsh environment of the Centre, to dense steamy jungle, and the more temperate regions of the south-east. Over a large area, life was an unending struggle against a seemingly hostile environment. The outstanding feature of this so-called primitive race of people is their adaptation to these conditions.

The environment that white Australians regard as barren and hostile and incapable of sustaining human life, was home to the Aboriginal, at least that part of it that belonged to his totemic ancestor. Away from that familiar territory he was indeed virtually lost and defenceless. Within it he was part of it, attuned to its every mood, relaxed, under the most gruelling experiences, confident in his oneness with the spirit and presence of the ancestor, living a full life in the region created for him and all who preceded and succeeded him.

The concept of a Father Spirit, which was held by some of the larger tribes, a deity who was before and beyond even the ancestors, was therefore an astounding leap of the human mind and spirit from the material to the divine.

It may be objected that this is a romanticised view of the Aboriginal mind, far removed from the harsh conditions, and cruel practices such as those of the initiation ceremonies. It is inescapable that man is to some extent the product of his environment, and that when his survival is at stake, finer feelings and humane practices must be subordinated to the need to exist and to continue the life of the clan, moiety, social group, or tribe to which he belongs. It is equally true that the realities of life in his particular environment will enter into the stories he composes and the beliefs he inherits.

Although worship in its more refined forms was unknown to the Aboriginal, he shared his existence with the supernatural powers to which he owed his life—and is this not a form of worship that might set an example to many in our present civilisation who have abandoned religion for materialism?

The 'environmental impact', varying from one part of the continent to another, resulted in separation and a considerable degree of isolation of the various tribes, leading in turn to the evolution of distinct dialects and languages, thereby inhibiting communication and intensifying the isolation of individual communities. As each tribe had its own ancestor who journeyed through a particular territory, forming its physical features in the Dreamtime and entrusting them to his descendants, so each had his own name and characteristics, and so, also, had the Great Father Spirit who is a sovereign god known by different names. The concept is not universal, but was widely spread in the south-east of the continent.

Aldo Massola in *Bunjil's Cave** has listed several of the Great Spirits known to the tribes. He points out that each sent a son to earth to carry out his designs for mankind and care for them, and to punish evil-doers. To the criticism that this concept has arisen as a result of missionary teaching, he points out that the sacred knowledge relating to the Father Spirit has come from the 'old men' and that it is unlikely that this theory is soundly based. The names of the Great Spirits he refers to are:

Baiame (there are several variations in spelling—Baiame, Byamee, and others), known to the Ya-itma-thang of the High Plains (and widely through the south-eastern regions); and his son Daramulun (or Gayandi).

Nooralie of the Murray River region and his son Gnawdenoorte.

Mungan Ngour of the Kurnai of Queensland and his son Tundun.

Bunjil (there are several spellings of the name) of the Kulin and of the Wotjobaluk and his son Bimbeal, or Gargomitch.

Pern-mehial of the Mara of the Western Desert and his son Wirtin-wirtin-jaawan.

To these could be added others such as Karora and his many sons, Nurunderi, Goin, and Biral. Of the many individual tribal myths of the Great Father, three have been selected—those of Baiame, Punjel or Bunjil, and Nurunderi.

Baiame

ONE of the many significant features of Baiame is that he is the incarnation of kindness and care for others, and that he has the distinction of having elevated Birrahgnooloo, one of his wives, to a position which may be described as Mother-of-All, to live

---

* Lansdowne Press.

with him in the sky for all time. As Mrs Langloh Parker has said, 'She, like him, had a totem for each part of her body; no one totem can claim her, but all do.'

Having made a world in which man and the animal could live, Baiame looked at it and, in the majestic words of the first chapter of Genesis, 'he saw everything he had made, and, behold, it was very good'.

Baiame and the First Man and Woman

AND again like the Lord God, Baiame walked on the earth he had made, among the plants and animals, and created man and woman to rule over them. He fashioned them from the dust of the ridges, and said,

'These are the plants you shall eat—these and these, but not the animals I have created.'

Having set them in a good place, the All-Father departed.

To the first man and woman, children were born and to them in turn children who enjoyed the work of the hands of Baiame. His world had begun to be populated, and men and women praised Baiame for providing for all their needs. Sun and rain brought life to the plants that provided their sustenance.

All was well in the world they had received from the bountiful provider, until a year when the rain ceased to fall. There was little water. The flowers failed to fruit, leaves fell from the dry, withered stems, and there was hunger in the land—a new and terrifying experience for men, women, and little children who had never lacked for food and drink.

In desperation a man killed some of the forbidden animals, and shared the kangaroo-rats he had caught with his wife. They offered some of the flesh to one of their friends but, remembering Baiame's prohibition, he refused it. The man was ill with hunger. They did their best to persuade him to eat, but he remained steadfast in his refusal. At length, wearying of their importunity, he staggered to his feet, turning his back on the tempting food, and walked away.

Shrugging their shoulders, the husband and wife went on with their meal. Once they were satisfied, they thought again of their friend and wondered whether they could persuade him to eat. Taking the remains of the meal with them, they followed his trail. It led across a broad plain and disappeared at the edge of a river. They wondered how he had crossed it and, more importantly, how they themselves could cross. In spite of the fact that it had dwindled in size, owing to the prolonged drought, it was running too swiftly for them to wade or swim.

They could see him, some little distance away on the farther side, lying at the foot of a tall gum tree. They were on the point of turning back when they saw a coal-black figure, half man half beast, dropping from the branches of the tree and stooping over the man who was lying there. They shouted a warning, but were too far away for him to hear, even if he were awake. The black monster picked up the inert body, carried it up into the branches and disappeared. They could only think that the tree trunk was hollow and that the monster had retreated to its home with his lifeless burden.

One event succeeded another with bewildering rapidity. A puff of smoke billowed from the tree. The two frightened observers heard a rending sound as the tree lifted itself from the ground, its roots snapping one by one, and soared across the river, rising as it took a course to the south. As it passed by they had a momentary glimpse of two large, glaring eyes within its shadow, and two white cockatoos with frantically flapping wings, trying to catch up with the flying tree, straining to reach the shelter of its branches.

Within minutes the tree, the cockatoos, and the glaring eyes had dwindled to a speck, far to the south, far above their heads.

For the first time since creation, death had come to one of the men whom Baiame had created, for the monster within the tree trunk was Yowee, the Spirit of Death.

In the desolation of a drought-stricken world, all living things mourned because a man who was alive was now as dead as the kangaroo-rats that had been killed for food. Baiame's intention for the men and animals he loved had been thwarted. 'The swamp oak trees sighed incessantly, the gum trees shed tears of blood, which crystallised as red gum,' wrote Roland Robinson, in relating this legend of the Kamilroi tribe in his book *Wandjina.** 'To this day,' he continued, 'to the tribes of

---

* Lansdowne Press.

that part is the Southern Cross known as "Yaraandoo"—the place of the White Gum tree—and the Pointers as "Mouyi", the white cockatoos.'

It was a sad conclusion to the hopes of a world in the making, but the bright cross of the Southern Cross is a sign to men that there is a place for them in the limitless regions of space, the home of the All-Father himself, and that beyond death lies a new creation.

Baiame and the Bullroarer

ONE of Baiame's many accomplishments was the fashioning of the first bullroarer. To those who know it only as a child's toy, the statement will no doubt be surprising; but to those who realise something of its significance in sacred ceremonies and the care taken to hide it from prying eyes, the legend that ascribes its invention to the All-Father will add to the respect that must be shown to it. It is the voice of Baiame. No woman was allowed to see it and in speaking of it, women were not permitted to use the same word as men. In one district men called it gayandi (a name that has great significance), the women gurraymi. Both words are said to mean 'bora spirit'. Bora is a term used originally in New South Wales, but now applied generally throughout eastern Australia to the secret ground or ring in which initiation ceremonies (again forbidden to women) were performed. Professor Elkin believed that the smaller bora represented the sky world, and was therefore linked with the dwelling place of Baiame.

One of the functions of smaller bullroarers was to attract women, as portrayed so vividly in Dame Mary Gilmore's poem 'The Song of the Woman-Drawer':

> I am the woman-drawer;
>   Pass me not by;
> I am the secret voice:
>   Hear ye me cry;
> I am that power which might
>   Looses abroad;
> I am the root of life;
>   I am the chord.

More important than their ability as 'woman-drawers' was the fact that the sound of these sacred artifacts was the utterance of Baiame. Speaking in the voice of the Dreamtime, they warned the uninitiated from the bora ground. Because they symbolised the one who had created them and, in the initiation, was drawing them to himself, they were the means by which initiated men were linked together in a spiritual unity. Young men undergoing the painful ordeal of initiation heard the wailing of the bullroarers in the distance as they left the camp where women had been confined. The bullroarers spoke in unuttered words that only the wisest men could interpret, telling of acceptance or rejection in the ritual of death and rebirth in the sacred life of grown men.

In manufacturing the prototype, the skill of Baiame was put to the test. He wished to provide an instrument that was his own, yet one that men could use. It was to be his voice, yet it must have material form, with sufficient substance to knock out the front teeth of young men who were preparing to be accepted into the ranks of men.

Baiame's first attempt was not successful. In adapting his creation to the needs of man, he was too ambitious. He made a stone image in the form of a man, and placed it in the first bora. The figure, which represented his son, was therefore called Gayandi or, among some tribes, Darramulun. As the representation of a son of the Sky-Father it was endued with life, while still retaining the composition of stone.

Gayandi was soon found to be far too strong and vigorous to preside over the bora ground. He was successful in knocking out front teeth, but when he began to eat the faces of the initiates, Baiame realised that his enthusiasm must be restrained. He therefore changed the stone figure into a living animal, somewhat like an echidna, with hair on its back instead of spines. In doing so, he went to the opposite extreme, for this peculiar animal refused to remain in the bora circle. It trotted into the bush and has never since been seen. Nevertheless its spirit remains, a devil that lives to injure mankind. It lurks near bora grounds, always remaining in hiding. If it touches a man or boy (or even a shadow), that person will be affected with a rash from which no one has ever recovered.

Baiame's next attempt was to fashion a stone bullroarer to

simulate his voice. It was smaller than the image of Gayandi, but was sufficient to crack a man's skull if he approached too close. Unfortunately it proved too heavy for men to wield.*

After these unsuccessful experiments Baiame abandoned his quest, perhaps waiting for further inspiration. The answer came unexpectedly, just as men often find their problems solved in unexpected ways.

Baiame was chopping firewood in the Sky-land, for even there the nights can be cold. When men see the myriads of sparks of the sky-fires they are aware that the spirits of the sky have lit many fires to warm themselves. Baiame was felling a coolabah tree with such energy that chips flew in every direction. Occasionally one would spin through the air, emitting a humming sound that varied only with the speed or the size of the splinter.

'Oh! Here is the answer to my problem,' Baiame thought. He gathered a handful of the chips that had produced this peculiar sound and examined them closely, sorting them into several shapes, some long, straight, and narrow, others broader and oval. Selecting a straight piece he trimmed it to shape and smoothed it back and front, pierced a hole at one end, and threaded it on a stout cord. Another he fashioned to a different profile and from another kind of wood. When they were finished he hung them from the branches of the coolabah tree and went to his camp to see whether his evening meal was ready.

During the night the wind rose. His wives sat up, staring into the darkness and huddling together. They had heard a new voice in the sky and were afraid. They woke Baiame.

'Help us!' they said. 'A strange spirit has come to the coolabah tree you cut down today. What shall we do?'

'Listen to it,' Baiame said. 'What does it sound like?'

'Like a voice speaking, but we can't hear the words.'

'Whose voice do you think it sounds like?' Baiame asked.

They looked at each other and said nothing until the youngest wife, who was bolder than the others, said reluctantly,

'I cannot tell. It sounded like your voice—but that is ridiculous.'

---

* Small stone bullroarers have been seen but were rare. Wooden ones ranged in length from 12 centimetres to a metre in length and 2 to 10 centimetres in width. They seldom exceeded 6 millimetres in thickness.

24

'Not as ridiculous as you think,' Baiame said, and laughed until the booming sound echoed from the farthest bounds of the sky.

'Now run away and hide. What you have heard is indeed my voice. That is all you need to know.'

The women hurried away, while Baiame went to the coolabah tree where he had hung the two bullroarers. They were vibrating, spinning round the axis of the cord by which they were attached to the tree, and emitting the strange noise that had been heard for the first time in the realm of heaven.

'You are my Gayandi, and Gayandi is my voice,' he said as he untied them and carried them down to earth, where he gave them to the first men of the first bora ring. He warned them to treat them with reverence, to hide them when not in use, and showed them how to swing them in circles when they wished to receive a message from him.

'These are my Gayandi,' he said solemnly. 'You must protect them with your lives. No stranger, no woman, may ever see them. I will teach your wirinun, your clever-men, how to bring them alive to speak to you. They are the finest gifts I have ever made. You must treasure them.'

And so, for thousands of years, Baiame has spoken to his people, not with his own voice, but through the voice of the sacred bullroarer.

Baiame and Man

LIGHT was brought into the dark world by Yhi, the goddess of the sun. As few living things can grow without light, there was a close association between the two great spirits, Yhi and Baiame. Light and warmth were necessary for the preservation and growth of the animate world of Baiame's creation, and these were provided by Yhi. Yet light and warmth alone were insufficient for the making of mankind. Another dimension was needed, something more than the instinct that directed the actions of animals. That indefinable element could be supplied only by the All-Father who, in the beginning of the Dreamtime, could be described as thought, intelligence, even life itself.

Baiame had no corporeal body, nor did he need one until the time came to show himself to the beings he had formed. He was part of his creation, part of every single animal, and yet he was Baiame, indivisible and complete.

He confided his intentions to Yhi.

'I must clothe myself in flesh that is recognisably that of both man and god,' he said. 'My whole mind must be put into something that has life and is worthy of the gift. It must be a new creation.'

> From the processes of thought, the joining together of atoms and microscopic grains of dust, the forming of blood and sinews, cartilege and flesh, and the convolutions of the substance of the brain, he formed an animal that walked erect on two legs. It had hands that could fashion tools and weapons and the wit to use them; above all, it had a brain that could obey the impulses of the spirit; and so Man, greatest of the animals, was fashioned as a vessel for the mind-power of the Great Spirit.
>
> No other eye saw the making of Man, and the minutes of eternity went by in the last and greatest act of creation. The world became dark and sorrowful. Floods ravaged the land, animals took refuge in a cave high up in the mountains. From time to time one of them went to the entrance to see if the floods had subsided. There was nothing to be seen except the emptiness of the land and the endless swirling of the waters under a sunless sky.*

Yhi had turned her face from the birthpangs of spirit in man. As sunlight faded from the earth and the cave of refuge became black as night, the animals were bewildered. One after the other they went to the mouth of the cave, peering through the gloom, straining their eyes looking for something—a light—or a shape—that would explain the change that had come to the world.

Goanna was the first to report something that brought even more confusion to their rudimentary minds.

'A round, shining light,' he said. 'Like the moon. Perhaps it is the moon and the darkness is only an untimely night.'

---

* A. W. Reed, *Myths and Legends of Australia* (A. H. & A. W. Reed).

'Where is this light?' asked Eagle-hawk.

'Here, outside the cave, floating in the air, but close to the ground.'

'The moon is far up in the sky where the Great Father lives,' Eagle-hawk objected.

'I said "Like the moon",' Goanna retorted. 'It is like a light. Come and see for yourself.'

The animals were surprised when he came back and said, 'It's nothing like a light. You must be dreaming, Goanna.'

'What is it like?' came a voice from the back of the cave.

'It's a kangaroo.'

The laughter of the animals boomed in the confines of the cave.

'What's unusual about a kangaroo?'

'There's something very unusual about this kangaroo,' Eagle-hawk said, taking no notice of the laughter. 'Its eyes are as bright as stars. Their light pierced right through me.'

There was a rush to the mouth of the cave. They returned, arguing, quarrelling, shouting, contradicting each other. A strange presence had made a different impression on each undeveloped mind.

Baiame was disappointed. These were his creatures, yet none of them could recognise him. To each he appeared in a different guise. They were still quarrelling among themselves. The little portion of Baiame that was in each of his creation had failed to recognise him in all his fullness.

The quarrel had been even more serious than he had realised. Words had led to acts of violence. Claw and tooth had rent and torn. Dead animals lay on the floor of the cave.

Saddened by the consequences of his revelation, Baiame left them. The animals came out of the cave and, in a last supreme effort, he revealed himself in the form of a man. And in man, animals recognised the wisdom and majesty of the spirit of Baiame. Yhi flooded the world again with light.

The spirit of the All-Father returned to his home in the sky, leaving behind him the crown of his creation, man, who walked on two legs instead of four, who carried his head high, and inherited Baiame's capacity for thought and action.

Man was the master. He possessed tools and weapons that

27

other animals lacked—yet he was dissatisfied. Something was missing in his life. He observed the animals mating and knew that this was the missing element. The affinity he shared with Baiame, and which was present in birds, animals and even insects, had no human outlet. In this one respect he felt he was less than the animals.

One night he had a vivid dream. He had lain down at the foot of a yacca tree. As he looked at it in the last moments of consciousness, it must have impressed itself on his mind, for in his dream the tree was still there. The elongated flower spike rose far above his head, looking somewhat like a kangaroo's tail. From the old leaves at the base of the trunk came an aromatic perfume so strong that he was almost intoxicated.

The tree was moving, changing shape. He felt that if he took his eyes off it for a moment it would vanish. The flower spike was growing smaller, the trunk divided into two separate limbs, two more branches sprouted from beneath the flower. The bark grew soft and smooth as the flower separated into head and trunk. The transformation was complete. Another man had been created from a flowering tree and was stepping out of the grassy clump with arms outstretched to greet him.

But was it a man? This figure, more graceful than the grass-tree from which it came, was like man and yet unlike. More gently formed and rounded. With a flash of insight imparted by Baiame, man realised that this creature was woman, equal to man, and complementary both in nature and in form. The same divine spark illuminated her face and her thought as in man himself. He knew instinctively that in her was the otherness that separated and yet linked male and female in all life, and that they were both linked to the everlasting otherness that was part of Baiame himself.

They came together and embraced. Their feet scarcely touched the ground in the primal dance with which they celebrated their union. It was no longer a dream but reality. The dance was ended. With heaving breasts and arms round each other's bodies, they stood still to survey the world they now knew had been created for them, and which they shared with the All-Father.

'Not yours alone,' a distant voice proclaimed. 'Yours and mine. We are linked together for all time, you and your children and the reborn babies of the spirit world, and those I shall send after me. Look around you.'

They looked, and to their surprise saw that the plain was covered with plants and animals, standing motionless, listening to the words that proclaimed the ordering of Baiame's universe.

The voice continued. 'These are all my creatures, great and small, plant and animal, on land and in sea and sky. My creatures, made for your use and for you to care for. They will supply all your needs. They share in small measure the life that is in me, and now in full measure in you who are man and woman. This day is a beginning, for you and for me.'

The voice died away. There seemed to be a new kindliness in the sunlight of Yhi. From the plain about them came a vast and soft sighing. The spell that had held the animals motionless was broken. They scampered away and were lost to sight. Only the trees and grass and flowers remained in their places, equally aware of the coming of mankind.

The loneliness, the incompleteness was ended. The duties and obligations of man had begun. As the days and years went by, their shared existence took shape. He was the hunter, the maker of shelter. She was food-gatherer, home-maker, bearer of children. They worked, and danced, and played, and loved together and in them Baiame found fulfilment.

'In them I am content at last to show myself to the universe I have created,' he mused.

Baiame and Marmoo

IN the earliest Dreamtime, all was not well in the world that Baiame had made. Hills and valleys, stark mountain ranges, crystal-clear streams and rivers, and bare plains that slipped over distant horizons paid tribute to the patient hands of the master architect. Flowers of a thousand colours and shapes had been planted ready for the coming of man, while butterflies fluttered over the shaggy carpet of trees and reeds and grass. Wind played with clouds, sending vagrant patterns of light and shade across the land, where animals romped and sought their food. By day the goddess Yhi smiled as plants lifted their heads and young grasses reached towards her from the dark earth; by night Bahloo, the Moon god, sailed serenely across the darkened sky.

The wishes that had been transformed to thought and the thought to action should have brought pleasure to the heart of the Great Spirit, but when dark clouds were torn by lightning and the wind blew chill and fierce down the mountain gorges, sweeping like a scythe through the riotous vegetation, Baiame was aware of the dark thoughts of Marmoo, the Spirit of Evil, the antithesis of all that was good.

And with good reason. Marmoo was talking to his wife, the flame of jealousy hot within him.

'Pride,' he said fiercely. 'Baiame sits there, remote in the sky world, preening himself on his cleverness, because he has created a world full of living things. It's rough and unkempt and no credit to him. I could have made such a world in half the time and to much better effect.'

'Then why didn't you?' the spirit woman asked. There was little love between her and her husband. 'If you are so clever, why don't you make a world? Then I shall believe that you are as powerful as Baiame.'

'It is easy to build something out of nothing,' Marmoo said, 'but more difficult to destroy, once it is there. That is my task.'

Seeing the look on his wife's face, he said harshly, 'Keep watch. I shall begin from this moment,' and strode away without another word.

Working in secret, he fashioned the tribe of insects, ugly as himself in their nature. Some were beautiful to look at, but with poisonous stings, others harmless but capable of walking, crawling, burrowing, or flying. There are some who say that it was Yhi who brought life to the animal and insect creation of Baiame; but there are others who believe that after Marmoo had used his evil imagination to create insects, he breathed life into them and sent them out of the cave where he had hidden them, out of sight of Baiame and Yhi, in vast swarms. The sky was dark with flying insects, the ground a heaving mass of crawling and burrowing grubs, worms, and beetles.

The grass was eaten down to the bare earth. Flowers collapsed, their petals falling like raindrops. Fruit tumbled from the trees and was devoured by the hungry hordes. The

30

music of streams and waterfalls was drowned by the buzzing of wings, the hiss of fighting insects, the clicking of mandibles, as the army flowed on, leaving a trail of desolation.

Looking down on the world, Baiame was dismayed to see the steadily advancing tide of destruction, aware that his enemy had taken this method of challenging his authority. Confident in his own power, he sent one of his winds roaring across the land, hoping to sweep the insects into the sea. It was too late. The hordes of Marmoo were well fed and prepared for anything that Baiame might do. Some burrowed under the earth. Others took refuge in caves or under stones, while the winged destroyers clung to the bark of the trees they had killed. There they waited patiently for the wind to die away, as every wind must some time do, before resuming their march of devastation.

There was only one thing left to do. Baiame came to earth to enlist the aid of good spirits he had left on earth to guide its inhabitants. He travelled quickly to Nungeena, the pleasing spirit who lived in a waterfall in a secluded valley. Even here, Baiame was dismayed to observe, the pleasant dells were dry and bare, every vestige of plant life devoured, the stream choked with the dead bodies of insects that had gorged themselves and lost their footing. The army had passed on, but the smell of death lay heavy in the valley.

'Come with me,' the All-Father said. 'You can see what the insects have done to your pleasant home. The evil tide sent by Marmoo rolls on. Soon there will be no living creature left and the world will be bare and desolate.'

Nungeena called to her attendant spirits, who came from far and near at her bidding.

'What have you seen?' she asked.

They had a sad story to tell of the ravages of Marmoo's brood. Not one part of their domain had been spared, and still the tide rolled on. When they had finished Nungeena, the Mother Spirit, smiled.

'We shall overcome!' she said confidently. 'Look, Father Baiame. The flowers are not all lost. Some I have kept in the shelter of the fall as it cascades over the cliff. None of Marmoo's little people dared come too close to me, and so I was able to preserve them.'

31

While she was speaking her fingers were at work, deftly weaving the long stalks into a pleasing pattern.

'There!' she said at last with a sigh of satisfaction, setting the beautiful flower arrangement gently on the ground.

Baiame exclaimed with delight.

'The most beautiful of all birds!' he said, and breathed life into a lyre-bird, which spread his plumage and strutted proudly before him. Then the Great Spirit's brow clouded. 'But it doesn't solve the problem of saving our world,' he said gently.

'But that is why I made it,' Nungeena said wonderingly. 'Look.'

As she spoke the bird began scratching among the dry leaves and twigs and rubbish left behind by the insect plague, searching for any that might have been left behind.

'I see,' Baiame said thoughtfully. 'We must make more of them, many more,' and with the deftness of one who had created so many of the wonders of nature, he fashioned birds that flew from his hands as they were completed, and sped in pursuit of the now distant army of insects.

Nungeena followed his example. The attendant spirits, who were much younger, tried to imitate them. They lacked the skill of the older god and goddess, producing butcher-birds and magpies which had little of the grace of other birds, but were equally effective as insect destroyers. The spirits who came from the watery regions made birds that could swim or wade in swamps and rivers. The spirits of coastal lands made gulls who delayed satisfying their appetites with fish while they gorged themselves on insects. The night spirits, whose task was to close the flowers as daylight faded, made mopokes and nightjars. There were birds swift in flight, fantails, and swallows and fly-catchers. The sound of snapping beaks and beating wings rose above the hum of insects as they were caught in flight.

'They are so beautiful they should have voices to match,' Baiame said, and gave them the gift of song. But their sweet music was drowned by the harsh cry of the crows and the raucous laughter of the kookaburras.

The few survivors of the army of Marmoo had been routed. Still singing, the birds circled round Baiame and the guardian spirits, and then flew away in search of other predators that might denude the earth of its vegetation.

Never since then have they been so well fed, but they still hope that Marmoo will some day send them another bounteous feast.

Baiame and the Bora Ceremony

As the tribes assembled at Googoorewon, the Place of Trees, Baiame had chosen to disguise himself as a wirinun or medicine-man. It was the first gathering of the men who had sprung from the loins of the first man in honour of the All-Father. Wahn, Du-mer, Biamul, Madhi and many another tribe had gathered from far and near.

Baiame, unrecognised in his disguise, said little. There was much to sadden him, for many of the people were arrogant and others quarrelsome; and much to gladden him, for it was at his command that they had gathered together to celebrate the first initiation ceremony ever held. The young men were undergoing tests before the final combined ceremony in the bora ring that was now being constructed.

For months the young men had been required to support themselves by hunting and eating alone, culminating in a hunt lasting several days, during which no food could be eaten, and then to watch the cooking of the meal they had provided but were not allowed to partake. Severe pain had been inflicted on them, pain they forced themselves to endure without fear. The ordeals imposed alone and in silence had come to an end.

In contrast to what was happening in the bush, there was a constant buzz of activity coming from the ground chosen for the bora circle, sacred designs being painted with clay, with feathers sprinkled over them. tjurunga and other objects had been arranged in their proper places. Baiame watched from a distance with a smile of approval on his face, for the circle was a symbol or representation of the Sky-world from which he came.

The smile was succeeded by a frown. Men of the Madhi tribe were making too much noise, shouting and laughing, taunting the workers, while their women were edging too close to the sacred enclosure. A wirinun ordered them to be quiet and

33

respect the preparations being made for this important ceremony.

'The Great Spirit will be watching you,' he warned them, little knowing that the Great Spirit was standing beside him. The Madhi laughed contemptuously, and behaved more insultingly than before.

The time for punishment had come, Baiame decided, determined that his people should be protected, and the initiates taken safely through their final ordeal. He stepped forward and spoke softly—yet his voice drowned the shouts of the Madhi, seeming to penetrate every corner of the encampment. The men and women were drawn inexorably towards him. Some tried to resist, digging their heels in the ground or holding on to trees, but their efforts were in vain. Feet were dragged through the ground leaving channels in the dust, hands relentlessly torn from trees and rocks. Presently Baiame was surrounded by a silent ring of men and women. Even the Madhi had quietened down, waiting to hear what the strange wirinun had to say.

'I am grieved at your behaviour,' Baiame said. 'My people are happy only because they obey the laws I have laid down from the foundations of the world. Their sacredness must not be violated nor must any of my creation be taken lightly—as it has been by the Madhi during this gathering of the tribes. I have walked in your midst and your behaviour has pleased me. Except for you, the Madhi,' he added sternly, looking at them with eyes that seemed to pierce through their skulls.

The legs of the strongest men trembled at the words of power, as realisation swept through the circle that it was the greatest of all wirinuns who was speaking—the Great Spirit himself. He addressed himself directly to the Madhi.

'You are the ones who have desecrated the bora ground with your shouting and laughter. I can see that this is your nature and nothing will change you. You are not fit to be men. Though it grieves me, I will suffer you, but not as men. In a changed form you may shout and snarl as much as you wish.'

He stretched out his arms. The Madhi fell on all fours before him, as though in supplication. Their legs and arms grew thin, their bodies became covered with coarse hair. No longer could they shout or laugh. The words they tried to utter were distorted in a medley of barks and yelps and snarls. The tails that had sprouted from their bodies curled under them, and they fled from the circle. The men and women of the Madhi tribe would no longer be admitted to the sacred circle, but kept at a distance by stones and sticks. As dingoes they still snarl at the men and women from whom they are descended.

Men still talk in whispers of the first and greatest bora ceremony that was attended by the All-Father in the form of a man. He is with them as a living presence wherever the initiation rites are performed; but only this once, at the first and greatest ceremony of all, did he show himself to them.

Through the nights of spring the singing, the telling, the whispering, the ghostly voices of the tjurunga went on, day and night. While the women waited and wondered, the young men endured the torture of their initiation. The wirinuns moved among them, knocking out their front teeth with stones, wielding knives to cut their flesh. Youth was flowering in the grim ceremony, for where boys had lain down, there arose a new race of men with eyes gleaming and heads held high to face the world in the pride of manhood.

The words of the All-Father rang in their ears: 'You are to be strong, to father sons, to care for your women. You have overcome appetite and pain and fear. You have learned the flight of the honey bee to its store, the water that is hidden in the earth, the trail of the kangaroo-rat over stony ground. Your arms have become strong. The flight of boomerang and the spear that goes from your woomera is swift and true. Your legs will not tire in the chase. Now you must learn the wisdom that has been given to your people, the lore of the stars that turn and circle in my home in the heavens, of winds that blow, and the mystery of air and water. These are the gifts of Baiame that time can never take from you.'

The sound of the tjurungas died away.

'Now you are men,' Baiame said. 'The women have begun the long journey to your tribal hunting grounds. You must follow them as I return to my camping ground, where none of you may venture.'

And so the Great Spirit who had appeared to his people as a wirinun vanished from their sight. Behind the mask of that calm mortal face there was sadness, for the Father Spirit knew that sorrow and pain as well as joy had been born into his world at the first bora.

But Baiame is wise with wisdom beyond that of men. He knew that good can come from evil, that knowledge is born of suffering, and understanding is the child of experience.

Baiame and the Flying Grinding Stones

AT the first corroboree there were lighter moments. In the form of a wirinun the All-Father had wandered through the great encampment, savouring the moments of peace and the little problems and difficulties that men and women strove so valiantly to overcome. If such a thing can be said of one who was the source of all things, Baiame had enough of mankind in him to relish the humour that underlies the efforts of struggling men and women.

One morning, while strolling through the encampment, he came across a group of women who were looking puzzled and downcast.

'What is your trouble?' he asked. 'Why are you not at work?'

'Oh sir,' one of them replied, her companions being too overcome to speak to the all-powerful wirinun, 'do not think we are idle. We gathered here, where we had left the stones last night, so we could grind a supply of grass seed ready for a meal tonight. But we can't find them. They have left us.'

Hiding a smile, Baiame said, 'That is surely a strange thing. I have heard of women leaving their grinding stones, but never before has anyone told me that it is the grinding stone that has gone away. What do you think has happened? Have your stones sprouted wings with which to fly?'

The woman defended herself.

'We did not leave them,' she maintained. 'We hid them in a safe place where no one could find them. When we came to get them they were gone.'

'Certainly they are not here,' Baiame admitted, 'but it may be your hiding place was not as secure as you thought. Or perhaps you have forgotten that you lent them to someone. Who is camped next to you?'

36

'The Du-mers,' she said.

'Then you had better ask them if they've seen them.'

The women were quite sure that the Du-mers had not taken them but, remembering the fate of the Madhi, it seemed unwise to argue with Baiame. Some went to the Du-mer, others scattered in various directions, asking tribe after tribe whether they had seen any grinding stones. The reply was always the same: 'No. The ones we have here belong to us.'

While the women were engaged in their search, Baiame heard an unusual drumming sound. He looked up and saw a Wunda, a spirit that is invisible to human eyes, flying at tree-top level towards the camping place of the Du-mer.

He stroked his beard and said to himself, 'Oh, I may have done those women an injustice!'

Lifting his voice, he called them to him and said, 'Follow me. I'll show you something you have never seen before.'

He led them to the edge of the bush where they could see across a bare plain. To their astonishment, there were the grinding stones, each one flying a few metres above the ground, apparently without support of any kind.

'You were quite right,' Baiame said to the woman who had dared to speak to him. 'They really are leaving you. Don't look so surprised. They are being carried away by the Wunda spirits. I know you can't see them, but each of them is carrying one of your grinding stones. Watch what happens next.'

As he was speaking, the women of the Du-mer tribe came running out of the bush, racing swiftly after the flying grinding stones. The leading woman had nearly touched the last of the stones when Baiame stretched out his arms. In a flash all the Du-mer women were turned into Brown Pigeons. Flapping their wings, they soared into the air and continued the chase.

'See if you can catch them!' Baiame shouted. The women who had lost their stones chased the Du-mers, and the Du-mers chased the Wundas. Baiame sauntered after them, laughing to himself at the sight of the fleeing stones, the Brown Pigeons, and the throng of women following them.

The Wundas began to tire. As their pursuers caught up with them, they dropped their burdens and flew away. The Du-mers gave up the chase and winged their way back to their encampment. Only the women were left, looking at a mountain that had suddenly reared itself above the level plain—a mountain composed entirely of grinding stones.

It was given the name Dirangiburra, and to this day, tribes that want the best grinding stones go to the mountain to secure them.

The Wives of Baiame

BAIAME spent a long period of time in the world he had created, much of it on the summit of Mount Oobi-oobi, a peak in Bullima. While there, he took two wives, Birra-nulu and Kunnan-beili, who proved something of a trial to him. The wisdom of the Great Spirit must surely have been asleep when he chose women who were so young and addle-brained. Much of his time was spent in keeping them in order and seeing they did not get into mischief.

One day he told them of his intention to go hunting, and gave strict instructions on what to do while he was away.

'I want you to dig some yams and find as many frogs as you can. Don't forget to take your digging sticks with you. When you have gathered as many as you need for a meal, take them to the spring at Coorigil and wait for me there.

'Now listen carefully. No matter how hot or tired you may be, you must not bathe in the spring. That's an order. I have filled the pool with water for drinking. No one must ever bathe in it.'

This he said, not because of the pretended prohibition against bathing, but because of the dangers he knew lurked in the pool.

Before he was out of sight the young women took their digging sticks and went to a spot where they knew there were plenty of yams. Then they went on to the ponds and, long before midday, their dilly-bags were filled with yams and frogs. It was a long trek to the spring at Coorigil where they were to camp that night. They threw their burdens on the ground, found a mossy patch on which to lie, and were soon sound asleep.

The sun was still high above their heads when they woke.

'I'm hot,' Kunnan-beili said. 'I expect old Baiame's found a shady tree, leaving us to swelter in the sun.'

Birra-nulu agreed.

'I don't see why he couldn't have let us go to a cool, shady place while we're waiting. The water looks very refreshing, doesn't it?'

Kunnan-beili agreed.

'If he had told us it was good for swimming but that we mustn't drink the water, I'd have understood. He didn't say that, did he?'

'No. He said we could drink it but we mustn't bathe in it. Sounds silly, doesn't it? I wonder what he's getting at?'

'I know,' Kunnan-beili said. 'He doesn't like swimming. He knows we do, so he's just being selfish. Nothing could happen to us if we took one little dip, could it?'

There was no need for an answer to that question. Unhampered by clothes, they jumped straight into the pool, splashing each other and shrieking with delight. The fact that it had been forbidden by their husband added to their enjoyment.

Their frolics lasted a very short while. Hidden in the depths of the pool two huge crocodiles, the Kurria guardians, felt the unusual turbulence of the water. Opening their eyes, they saw bubbles and wavelets far above them. Swimming silently upwards, they opened their jaws to their fullest extent, and swallowed the girls whole.

The song of birds ceased abruptly, the breeze died away, animals gazed in horror at the eddies on the surface of the water and the grim shapes that vanished in the depths of the pool.

The Kurrias eyed each other apprehensively. Their bellies were full, but in their sluggish minds was the uneasy thought that the women they had swallowed were the wives of Baiame, of Baiame who had made them and who, at a word or even a thought, could unmake them. In their greed they had forfeited their role as guardians of the pool. When Baiame learned what they had done, it would be difficult to escape his vengeance. The same thought slowly percolated through their minds. The pool that had been their home was no longer a safe place. Fortunately they knew of a hidden escape route. Near the bottom were two apertures large enough to take even their swollen bodies. One brought water to the pool. It was of no use now, for the stream came from the hills, springing from a tiny rivulet far up on a stony hillside. The other, larger channel led to the Narran River. The crocodiles squeezed through the opening and struggled along the underground stream. Normally they would never have essayed such a dangerous journey. Now it was doubly trying, for their distended bellies scraped against rocks. Bends in the channel had to be negotiated carefully. Twisting their bodies, they eased themselves round the many obstructions. Speed was necessary lest Baiame should surprise them when they were unable to use their tails.

They had not emerged from the tunnel when Baiame arrived at the spring. Seeing no sign of his wives, he thought at first that they might not have arrived at the rendezvous. Throwing down the wallaby he had caught, he lay down to rest. His head had barely touched the ground when he noticed two digging sticks leaning against a rock. On top of them were two dilly-bags that squirmed and wriggled, threatening to crash to the ground below. He sat up. These were the yamsticks and the bags that belonged to his wives, the bags doubtless filled with live frogs.

'The Kurrias!' he exclaimed, realising that his wives must have disobeyed his order, and been carried away by the Kurrias. Fearing for their lives, he peered into the pool. All he could see was disturbed water—no wives, no Kurria guardians. Bending his head until it was under water, he could discern the black cavities in the walls of the pool. Realising that there could only be one reason for them to desert their post, he knew that they would be moving slowly, dragged down by the weight of Birra-nulu and Kunnan-beili.

Hurrying across country, he scuffed the land into the ridges that lead towards the Narran River. His footsteps took him to a part of the river where it spread out into a shallow lake. There he sat and waited for the Kurrias to appear. As soon as their snouts poked through the channel exit he sprang to his feet, fitted a spear to his woomera and pierced one of them through the head, pinning it to the lake bed. The second one, emerging more cautiously, he stunned with his nulla-nulla.

He drew the crocodiles out of the water, laid them on the bank and, drawing his knife from his girdle, slit their bellies longitudinally.

The bodies of Birra-nulu and Kunnan-beili rolled out and lay still. Baiame bent over them and examined them closely. They were still breathing, though the rise and fall of their breasts was almost imperceptible. From head to foot they were clothed in slime from the bellies of the Kurrias. Leaving them where they lay, their husband searched until he found a nest of red ants which he sprinkled over their bodies. The insects ran across their bodies, through their hair, and into every fold and crevice, licking the slime until it had completely disappeared and their skins shone in the sunlight. Roused by the tickling of many feet and by painful bites in the more tender parts of their anatomy, the young women sat up and climbed shakily to their feet.

'What has happened? Where are we?' they asked, for the last they remembered was sunshine and cool water on their skins before being engulfed in the womb-like darkness and heat of the crocodile stomachs.

Baiame talked to them gently, as one would talk to little children, and they were ashamed of their disobedience.

'Never again will we disobey you,' they said, hanging their heads; and Baiame, so wise yet so foolish in his dealings with young women, smiled at them, and believed they were speaking the truth.

And who shall blame him—for have not the wisest of men been deceived by women, and forgiven them, only to find that their words were like a ripple on the water that dies away as quickly as it comes?

Baiame the Benefactor

THOUGH far removed from the world in his mountain eyrie or the even more remote Sky-land, Baiame had a perpetual interest in everything that happened here. In extreme cases he interfered in the hope that he might avert the evils that plagued mankind. This was exemplified in the story of Bullai-bullai, Weedah, and Beereeun.

Bullai-bullai was the idol of the clan, desired by the young men, but most of all by Weedah, the most skilled of the hunters. He was the fortunate one, for Bullai-bullai returned his love and looked forward to the day when she would be given to him in marriage.

But alas! Giving and taking in marriage is not the prerogative of young people.

'You are to be the wife of Beereeun,' the young woman was told.

Her heart sank. This was a fate she had feared ever since she had reached puberty. Beereeun was old and ugly, noted for his uncertain temper, and feared even by the old men. For Beereeun was a medicine-man, replete with knowledge gained over many years, crafty and powerful. No secrets were hidden from him, no task beyond his power, no limit to the evil he was able to bring on those who dared confront him.

The marriage day was fast approaching. Concealed in the dense bush that ringed their encampment, Weedah and Bullai-bullai clung to each other, excited yet appalled at the daring plan they had devised. Weedah was to set out on the hunt the next day. It was his usual practice and would not attract attention. Bullai-bullai would go with the other girls to search for yams and witchety grubs. As unobtrusively as possible, she would drift away from the crowd; once out of sight, she was to hurry to a pre-arranged meeting place where Weedah was waiting, and together they would make their way to some far distant region. Where it would be and what it would be like there they could not know but, for good or ill, they would be with each other.

The plan had its drawbacks. Weedah would not be missed until nightfall but it seemed likely that Bullai-bullai's absence would be noted during the afternoon when the women returned to prepare the evening meal. The lovers hoped that she would not be missed until the daylight was too far advanced to permit a search to be made, for the younger and more vigorous men would probably not return to the encampment until night fell.

The best that could happen was for the pursuit to be delayed until the following morning; the worst, that news of Bullai-bullai's disappearance might come to the ears of Beereeun, who would devise a spell to bring a sudden end to their elopement.

On the fateful day, all went well. Bullai-bullai and Weedah met and put a great distance between them and the camp, travelling all day and night until forced to stop for sheer exhaustion. Their departure was not noticed until late in the day, giving the fugitives a clear run.

The hunt was to begin at first light on the following day. No matter how much the young warriors might sympathise with Bullai-bullai, no one dared defy Beereeun by refusing to join in the chase.

The real danger lay not with the warriors, but with the revengeful Beereeun. While remaining in the camp, he recited incantations that put many obstacles in the path of Weedah and Bullai-bullai. During the days that followed, they overcame them one by one, though with increasing difficulty.

When their strength was nearly exhausted they came to a deep, wide, swiftly-flowing river, with no means of crossing it. They were too tired to risk swimming to the far bank, and were in despair, when they saw a small bark canoe being paddled towards them by an old man. Goolay-yali was a peculiar person, with a jaw that was half as big as his canoe. At first he refused to convey them across the river, but soon changed his mind when he saw the look on Weedah's face.

'Yes, I will take you over,' he said, 'but you can see for yourselves that my canoe is too frail to carry three people. It would sink under us and we'd be swept away in the current. Let the man come first and I will return for the woman.'

It was their only hope of putting the river between them and their fellow-tribesmen, who by this time could not be far behind.

With Weedah safely on the far bank Goolay-yali the ferryman returned to where Bullai-bullai was waiting. As she was about to step into the canoe, Goolay-yali pushed her back.

'Stay where you are,' he said roughly. 'I've been without a woman for many years. Do you think I'd let such a fine-looking young woman leave me, now I've got her? Get a fire going while I catch some fish for our meal.'

Bullai-bullai looked despairingly at her lover, who had seen what was happening and was waving frantically to her. There was nothing he could do to save the woman he loved.

With tears streaming down her face Bullai-bullai gathered wood, regarding Goolay-yali with loathing. By the time the fire had died down to glowing embers and ash, the old man gave her fish to cook. In desperation she bent down, scooped up a double handful of white ash, and threw it in his face. Goolay-yali staggered back, howling with pain and rage, rubbing his

43

eyes, and hopping from one foot to another. Bullai-bullai turned to run—and found Beereeun blocking her way with a grim smile on his face.

'So you thought to escape me!' he said, seizing her arm in a painful grip. 'You and your precious Weedah have sadly underestimated my powers. Now you will pay for running away from your promised husband.'

Still holding her in a painful grip, he looked across the river to where the frantic hunter was fitting a spear to his woomera in the vain hope of killing the wirinun. Extending his right arm Beereeun chanted secret words in a high-pitched, unnatural voice. A bolt of lightning seemed to flash from his extended fingers, linking him with Weedah. It lasted only as long as the blinking of an eye, and then there was no sign of Weedah save for his weapons that lay in an untidy heap on the river bank.

'Where is he? What have you done to him?' Bullai-bullai cried in anguish.

'I have done you a great favour,' the wirinun replied. 'If you had both escaped, the years would have passed quickly and he would have died. Now you will be able to see him every night.'

He pointed to a certain spot in the sky.

'That is where you will find him—a bright new star I have given to you and to our children in the years to come.'

'What shall I do?' she moaned as the tears ran down her face. 'Turn me into a star, too, that I may be with him.'

Beereeun grinned.

'No. I have other plans. You are my woman now, to work and comfort me in my old age and bear me many children. You have been promised to me by your parents and by the old men. All I am doing is to take what is mine.'

He turned her towards him—and at that very moment Baiame, who sees everything, intervened. For a second time there was a flash of lightning, blinding in its intensity—so bright that Bullai-bullai covered her face with her hands. Beereeun and Goolay-yali stumbled into the shelter of nearby rocks and crouched down.

Thunder rolled across hills and plains, shaking the earth; and in the thunder the cowering men and the grief-stricken girl heard the voice of the Great Spirit.

'I can see you, Beereeun,' it said. 'It is fitting that you should crawl in the crevices of the rocks.'

Bullai-bullai peeped through spread fingers. Beereeun was no longer there. In his place was an ugly little lizard whose colour blended with the rocks as he scuttled further into the shelter of the boulders.

Again the voice thundered and re-echoed from the hills.

'Goolay-yali, you who desired a woman who craved mercy from you, the ashes with which you are covered will be the sign of your shame, now and for ever.'

Where he had been standing there was now a white pelican, covered in white feathers, with thin legs and a huge pouch under his beak that resembled the scuttle-like mouth of the man who had been Goolay-yali.

Then the All-Father's voice softened and spoke words of comfort to the young woman who stood alone by the river bank.

'I cannot give you back to Weedah,' he said gently. 'I can create but I cannot turn time backwards. He is happy where he is, looking down at you in wonder, for new beauty has come to you this day, and at night you will be able to look up at him with the eyes of love and see the glory that Beereeun gave him so unwittingly. Now look at yourself, my chosen one, for I have given you robes that will delight your loved one in the heavens, and all men who see you.'

Bullai-bullai looked down and saw that she was indeed clothed in garments brighter and more colourful than any that she had ever seen—a soft and shining array of green and red and white—and was comforted.

So, on that day, the All-Father who loves his children and sees that justice is done, created Bullai-bullai the Parrot, Weedah the star,* Beereeun the Lizard, and Goolay-yali the Pelican.

---

* Weedah is the star we know as Canopus.

The Making of Mankind

How the world began and was populated with animal life is the substance of countless myths in every part of the world. Man has groped his way towards truth in fear of gods and spirits, and pictures it in many anthropomorphic forms. The Australian Aboriginal had a more lofty concept than many other primitive peoples. Tribal versions of the many separate acts of creation varied enormously. This, too, is indicative of their fertility of imagination, for in the Dreamtime few things remained constant. The journey and the dreaming of one totemic ancestor would differ in nearly every respect from that of other ancestors.

In the Centre the primal cause of creation was believed to be the goddess of the sun. Not the sun itself, but the spirit of the sun, the Great Spirit, the Mother, richly endowed and fecund, but yet spirit, whose power was manifested in thought and, through other agencies, in action. According to the wisest men, the agency through which she worked before her departure was one known variously as Baiame, Spirit Father, or All-Father.

Baiame, the male counterpart of the female Yhi, the Sun goddess, was not only her representative, but her alter ego, created by her, partaking of her divinity.* To him she had entrusted the task of forming and caring for animal life in its infinite variety. One thing only was lacking—the form and intelligence of man. This task, too, was entrusted to the Father Spirit. He felt the responsibility keenly and determined to proceed cautiously by injecting the superior element into his charges.

The first experiments were unsuccessful. The characteristics of men and women of the future resulted only in dissatisfaction. Kangaroos grew ashamed of their tails, not realising that without them they would lose speed and mobility. Fish became

---

* The myth of the creation of animals and subsequently of mankind is related in W. Ramsay Smith, *Myths and Legends of the Australian Aboriginals* (George G. Harrap & Co.). Although the present retelling is based on Ramsay Smith's account, one cannot avoid the impression that it is, to say the least, coloured by western thought.

impatient of their confinement to water, birds craved the loss of wings in return for the agility of kangaroos, insects demanded an increase in size. It was a time of change and turmoil, but Baiame remained calm, knowing that his decision had been approved by the goddess.

'It is part of the birth pangs of creation,' Yhi assured him. 'Until the form of man can be decided, we can only experiment with these creations, observing the changes and the effect on their habits.'

When at last the experiments were complete, Baiame gathered birds, animals, and insects together in a huge cave. Baiame and Yhi acted in concert, plucking what may be described as the incubated fragments of the spirit of man from their animal hosts, amalgamating them into one cohesive whole. The animal creation looked on in astonishment. The longings and aspirations that belong to man alone were lost to them for ever. Content with their true nature, they streamed out of the cave. As they went, man, newly fashioned and imbued with longings, desires, pride, endurance and a portion of the Great Spirit that had fashioned him from the animals, watched them as they ran and flew towards their natural environment. He alone of all creation was master of the inheritance bestowed on him by the All-Father.

Baiame, Punjel, and Kookaburra

ALTHOUGH the Great Spirit is known by several names amongst tribal groups, in a legend that tells how Baiame and Punjel inhabited the Milky Way, Punjel is regarded as a Father Spirit, yet subordinate to Baiame.

At the time the story begins Baiame had not yet decided on the final form and size of animals. Darkness still covered the earth. His first experiments resulted in the creation of monstrous birds and animals. In the dim light of the stars, the huge, half-formed creatures roamed over the world like moving mountains, in the hopeless search for sufficient food to sustain their misshapen bodies. In consequence there was ceaseless fighting and quarrelling over the meagre supply of food.

47

The noise of battle between birds and animals gave little peace to the gods of the Milky Way, who themselves were dissatisfied with their conditions. It was bitterly cold in the immense expanse of the heavens. Much of their time was spent in gathering firewood in the expectation of kindling a fire to keep themselves warm. Punjel did most of the work. As the heap of firewood grew, he begged Baiame to provide the much needed fire.

'Fire must first come from the earth,' the Supreme Spirit informed him. 'Not yet does it exist.'

'Then why don't you hurry and make it?' Punjel asked peevishly.

'The work of creation must not be hurried,' Baiame replied solemnly. 'Do you not see that if I were to finalise my work too soon, the birds and animals I am working on would remain as they are now, a menace to a world that must be well ordered if it is to be worthy of us. There are natural processes at work there. In due time you will find all your problems solved, Punjel—and that time is not far distant.'

Time went by. The pile of firewood grew to an enormous size, and still Baiame and Punjel were cold. There was no sign of the promised fire. Punjel grew impatient. He peered down, straining his eyes in the hope of seeing a flicker of light that would indicate that fire had come into the world. With eyes accustomed to the gloom, all he could see was the turbulence of gigantic bodies fighting over the supply of food. He saw Kangaroo and Wombat striking each other with their paws, and Eagle-hawk and Emu fighting over the carcase of a dead animal. His attention was attracted to the two birds.

Emu snatched the body away from Eagle-hawk and, with legs like tree trunks, raced across a vast plain. Eagle-hawk went in hot pursuit, pulling feathers from the tail of the larger bird. Emu continued her flight, still holding the carcase in her beak, leading Eagle-hawk away from her nest, where Punjel could see several eggs glimmering in the faint light.

Eagle-hawk gave up the chase. He wandered back and stumbled over the nest. Punjel expected he would break the eggs and eat them, but the inchoate monster had not yet learnt to recognise eggs as a source of food. He picked up one of the eggs, transferred it to his claw, and hurled it up to the sky.

The egg smashed against Punjel's wood pile, where it burst into flame. The sky and the world were lit by the brilliant white and gold of Emu's egg. The timber that Punjel had gathered so laboriously caught fire and burned with a steady flame. The black night fled, the stars vanished, heat flamed on the faces and bodies of the gods, and the cold of the empty sky was swallowed up in the comforting warmth of that primal fire.

Once their limbs were warm, the gods looked down at the world Baiame had made. Punjel was astonished. Never had he dreamed that such beauty could exist. Where before he had seen nothing but dark, amorphous mountains and moving forms, now there were snow-capped peaks, hills that had thrust themselves above flowering plains, rivers winding their way through valleys and plains until they reached the encircling seas. Gone were the lumbering bodies of the dinosaurian monsters, dwindled to such an extent that the smaller ones were invisible even to the eyes of the gods.

Punjel was overcome.

'I did not know that you were working in the darkness,' he confessed. 'Now we can enjoy it for ever.'

'Not for us alone,' Baiame reminded him. 'The animals have found their true nature, in shape and in size, but there are even smaller scraps left over that must be transformed into insects and fish. Last of all, we must make men and women, to enjoy what has been made.'

'The fire is dying,' Punjel said. 'Look, shadows are creeping back. All this beauty will vanish when the blackness returns and we shall be as cold as we have ever been.'

'No, cold and darkness there will be, to remind the world of times that were, but even they will be a benison—cold to refresh bodies that are burned in the heat of the day, darkness to provide a setting for the myriad stars of our own Sky-land. We shall divide time into night when all is dark, and day in which it is light.'

'Where will the light come from when the fire is out?' Punjel asked. 'This night of which you speak is with us once more. Even the embers are dying and the cold is creeping back. I can feel it.'

Baiame smiled. 'You will gather more wood each night, Punjel. That is your task, a noble task for a god.'

'But who will light the fire?'

'Fire is with us now. Each morning I shall touch the wood you have gathered, and light and heat will return—and men will call it Yhi, the goddess of the sun.'

'What will the birds and animals and reptiles and insects and fish you have created do when the darkness comes?'

'They will sleep through the hours of darkness.'

'What is sleep?'

'Sleep is a kind of not-living. A time when they lie still with eyes closed, to repair the ravages of the day and let life run through tired bodies in preparation for a new day.'

Punjel was still puzzled.

'I can understand this state of being not-alive, not-dead,' he said, 'but how will they come to full life again when their eyes are closed and they are only half alive?'

'I shall hang a bright star in the sky, to tell them it is time to wake.'

'But their eyes will be closed.'

'Then there must be a noise to waken them so they may know it is time to open their eyes,' Baiame said impatiently.

'Who will make the noise that wakens men and animals?'

'That I leave to you, Punjel. You must find a way to make a noise that will waken the sleeping world each new morning.'

As Punjel gathered fresh wood through the night that had closed in on him again, he thought of the problem Baiame had set, but could find no solution. When the wood pile was set alight he descended to the world and wandered through the bush beside a murmuring stream. He listened for sounds he hoped might wake the sleeping animals—the creaking of branches in the wind, the voice of flowing water, and a distant growl of thunder, but not one of these was sufficient for his purpose.

Suddenly the animals opened their eyes and jumped to their feet. The startled birds flapped their wings and flew out of the trees. Punjel froze where he stood. The air was rent by raucous laughter. Looking up, he saw Kookaburra, the only one of all creation who had been woken by the kindling of the fire. He was perched on a branch, clattering his bill. He had laughed at the sight of the sleeping animals, and was now enjoying the joke of seeing them woken by the noise he had made.

'Kookaburra!' Punjel exclaimed. 'You have solved my problem! Can you laugh louder still?'

Kookaburra clattered his beak again and released such a peal of laughter that Punjel was forced to block his ears with his hands.

'Enough!' he cried. 'Tell me, Kookaburra, are you prepared to be the sentinel of the morning for Baiame and myself? Before the Great Spirit lights the fire I prepare each morning, he will hang a star in the eastern sky as a warning to men and animals that dawn has come, but he fears they will not wake to see it. Will you watch for it and when the fire is lit, wake the world with your laughter?'

Kookaburra had no words with which to reply but again chattered and laughed, and Punjel knew he had the answer he sought.

'Have you performed the task I gave you?' Baiame asked when Punjel returned to the Sky-land.

Punjel smiled and said, 'Wait until tomorrow!'

When tomorrow came, Baiame was startled by the ringing peal of laughter that could be heard even among the paling stars. It was the voice of Kookaburra, the voice that greets every new morning with laughter.

Bunjil

ANOTHER Great Spirit, or the same Great Spirit with the name Bunjil, was the creative entity in the myths of the Kulin people of central Victoria. Aldo Massola, who collected the myths and legends of this and other tribes in his book *Bunjil's Cave*, records that Bunjil was 'headman' of the Kulin, and that he possessed two wives and a son named Binbeal. Binbeal was the Rainbow, his wife being the fainter bow that sometimes appears at the same time.

Bunjil performed his creative function while on earth. He was assisted by six wirinuns, all of whom were young and vigorous. They were Djurt-djurt the Kestrel, Thara the Quail Hawk, Yukope the Parrakeet, Dantum the Parrot, Tadjeri the Brush-tail Possum, and Turnung the Glider Possum.

The following tales have been selected to demonstrate the creature activities of Bunjil while he remained in the world of men, and the reason for his final departure to the Sky-land.

Bunjil the Creator

BUNJIL, like Baiame, was not satisfied until he had created sentient human beings. It was a harder task than any he had attempted. The making of other forms of animal life had been comparatively simple. The making of a man was a challenge to the Great Spirit, for within the framework of flesh there was need for powers of thought, reasoning, and other human characteristics that would separate man from the animal creation.

He pondered long before attempting the supreme masterpiece. When at last he was ready he prepared two sheets of bark, cutting them to the shape he envisaged as suited to such a noble purpose. Mobility and dexterity were important, and these he incorporated into his design. Next he took soft clay, moulding it to the shape of the bark, smoothing it with his hands.

When the work was finished he danced round the two inert figures, implanting seeds of knowledge and the capacity to reason and learn.

The time had come for his skill to be put to the test. He gave them names—Berrook-boorn and Kookin-berrook. This was the first and most important step, for without names they would have lacked personality and spirit. Bunjil was well aware that if these beings were to fulfil their purpose, they must share his spirit as well as the characteristics of animals.

Although without breath they were now named and ready for the infilling of the life force. Again Bunjil danced round them and then lay on their bodies, one after the other, breathing breath and life into their mouths, nostrils, and navels.

For the third time Bunjil danced round them. As his feet wove intricate patterns in the dust, Berrook-boorn and Kookin-berrook rose slowly to their feet. They linked hands with Bunjil and with each other, joining the All-Father in the dance of life, singing with him the first song that ever came from the lips of man.

In another myth the creation of woman was less romantic than that of men.

Balayang* the Bat was enjoying himself paddling in the shallow water at the edge of the Goulburn River, scooping it up with his hands, and splashing it in the air. The mud at the river bottom was stirred up until he could no longer see through it. Tiring of this, he stripped the leaves from a fallen branch and poked it into the mud. Presently he felt something soft and yielding, yet heavier and more solid than the mud in which it was resting.

Curious to know what it could be, he poked it with the stick and felt it roll over but, try as he might, he was unable to bring it to the surface. Withdrawing the stick, he bent it into a hook and succeeded in catching the mysterious object.

When it emerged he saw two hands, a head, a body, and two feet. It was the body of a woman. As he was dragging it on to the bank, two more hands appeared. A second body had broken loose and was floating to the surface.

Wondering what he had discovered, for never before had Balayang seen a woman, he took the bodies to Bunjil and laid them at his feet.

'These are women,' the Great Spirit said. 'They are made to be companions and helpers of men. This is Kunnawarra, the Black Swan, and this one Kururuk, the Native Companion.'

As he spoke, men gathered round him, anxious to see the first women. Bunjil held his hands over them and gave them life. The women stood up, looking at the men who encircled them and then at the Great Spirit.

'You are to live with the men,' he said. 'Man is not complete without you, nor will you be complete without him.'

He gave each a digging stick, symbolic of their destiny as gatherers of vegetable food, and to the men spears and spear-throwers, as a sign that they were to be hunters of animals and protectors of their womenfolk.

---

* Also spelt Pally-yan.

The emergence of mankind, male and female, was the crowning achievement of the All-Father, but his work was not confined to this, nor to the creation of animal life. There is a homely tale of how the Great Spirit went hunting with his six trusty wirinuns and a number of other men at what is now Port Phillip in Victoria, which was then a wide plain. While they were away, and their wives engaged in collecting food for the evening meal, only a few old women and children remained in the camp.

The women were so immersed in camp gossip that they failed to notice what the children were doing. An argument had arisen and the boys had taken sides. Blows were exchanged and, in the midst of the excitement, a dish of water was upset. If it had been an ordinary coolamon, no harm would have been done but, as it happened, it was the one that belonged to Bunjil and of course possessed magic properties.

When it was knocked over, the contents were spilt, but that was only the beginning. A never-ending torrent poured out of the dish, flooding the encampment and spreading across the plain. At first the water was shallow, but as the stream continued to gush over the side of the dish, it rose, inundating the hills and threatening a much wider area.

Bunjil had been mildly surprised when he first noticed the tide of water at his feet. As it grew deeper, and his men found themselves waist-deep in the water, he realised that he must act quickly if he were to save the newly-made world from destruction.

Plucking two huge rocks from a nearby hill, he threw them on to the ground. They fell on the edge of the creeping waters, not far from each other. He ordered the stream to flow between them and lose itself in the ocean. He was just in time. The waters remained where they were, ebbing and flowing between the rocks that guard the entrance to Port Phillip.

Bunjil's work was nearing an end. The land was fair, adorned with vegetation ranging from moss and tiny blades of grass to the tall trees that stood stiff and unyielding in the still air. Animal life was abundant and infinite in variety, flying, scurrying across the ground, and burrowing through the soil. Only the trees and plants remained motionless, as though Bunjil had forgotten to give them life.

'There must be movement, for life is a pulsating state of ceaseless activity,' he murmured. 'There must be moving air to carry the clouds on its back, strong winds to bend the trees, and fitful breezes to enable birds to fight against them and make them strong.'

He looked round him. Bellin-bellin the Crow was behind him, with an airtight bag suspended from his neck.

'Have you kept the winds I gave you to mind safe in your bag?' he asked.

'Yes, Great Father Bunjil, they are all there. Not one has escaped.'

'Good! Now you may open it and release some of the winds.'

Bellin-bellin cautiously opened one corner of the bag. A gentle breeze sped across the western lands, another to the east, another to the south, and a fiercer, colder wind to the north.

The trees waved their branches, the birds lifted their voices as they felt the fresh air caressing their bodies, and even the insects and lizards joined in praise of Bunjil, the Great Provider.

'That is good,' Bunjil told him. 'One last wind, please, a stronger one, a colder one, that will challenge my children to be brave and stand up to raging storms, and prepare them for the evil years that may lie ahead.'

Bellin-bellin opened the neck of the bag wider still, and out roared a screaming wind with snow and the chill of high mountain pools, cold and bracing.

'Enough! Enough!' cried Bunjil. 'No one can withstand the power of the south wind.'

So strong was that wind that it bent the tall trees double and denuded them of their leaves, while he and his family were blown right out of the world, together with all their possessions. It did not stop blowing until Bunjil and all his relatives and followers were blown back to their permanent home in the sky.

Bunjil and his People

BUNJIL'S six young wirinuns had caught a kangaroo and were preparing it for a meal when Berrimun came up to them and screwed up his face as though in pain.

'What's the matter with you?' the wirinuns asked.

'My teeth are sore,' Berrimun said, pretending the pain was excruciating.

'What a pity,' they said. 'We were about to offer you some of our meat, but if your teeth are sore, it won't be of any use to you.'

'No, that is so,' Berrimun said, 'but if you let me suck a little of its blood before you put it on the fire, it might do me good.'

'Very well,' they said.

Berrimun sank his teeth into the flesh and sucked so hard that he drained it of every drop of blood, leaving the meat dry and tasteless.

Bunjil had been watching the performance, and was well aware of the trick Berrimun had played on his young men.

'He must pay for this,' he said, and gave them permission to punish him. They clubbed him with their nulla-nullas, knocking out his teeth, which stuck to his chin, and there they remain as spines on the chins of the Berrimun, the Bloodsucker Lizards.

Besides punishing those who deserved it, Bunjil was ready to help those who were in need. These traits in his character were exemplified in his treatment of Karwine the Crane.

Karwine's wife came to the Great Spirit one day with a complaint that she was being ill-treated by her husband.

'Tell me what he does to you,' Bunjil asked.

'He beats me when I have done no wrong. I have been a good wife to him, but he has no love for me. This very day he brought back some possums. I cooked them for him. He ate them, but wouldn't give me any.'

When Bunjil was sure the woman was telling the truth, he sought out the vicious Crane and threw his spear at it. Karwine saw it coming and flew away. The spear struck his knees, preventing him from drawing up his legs; and that is why cranes fly with their legs stretched out instead of being drawn up to their bodies.

In spite of the care that Bunjil showed for his people, it was important not to offend him—a lesson that Balayang learned to his cost. Bunjil had chosen to live close to the Yarra River, a region for which he had much affection; Balayang the Bat was equally fond of the home he had made for himself in a dark cave on a mountain side. It was festooned with plants, damp and cool inside, and well protected from predators. Bunjil felt sorry that Balayang was forced to remain in what he regarded as dank, gloomy, and unpleasant surroundings and invited him to join him on the pleasant meadows by the riverside.

Balayang knew very well that Bunjil's pleasant meadows were no place for him, and imagined that the Great Spirit was slighting him on account of his choice of a home. Without thinking of the consequences, he sent a reply that said simply: 'I have chosen my home because it is the best. I invite you to come and live with me.'

Bunjil was annoyed by this curt reception of his invitation. Calling Djurt-djurt and Thara to him, he told them to set fire to the country of which Balayang had taken possession. The wirinuns did as they were commanded, but had much difficulty in setting the damp mountainside bush alight. The only damage suffered by the Bat was from the smoke that poured into the cave, covering him with soot and ash, turning his skin black.

Nurunderi

ANOTHER name for the Great Spirit was Nepelle who, in South Australian myth, is almost overshadowed by his messenger Nurunderi, who suffered the tribulations that lesser men so often have with their wives.

His activities, which included the formation of the Murray River, were not confined to South Australia. His home in the world of Nepelle's making was between Lakes Albert and Alexandrina. His initial reception was disappointing, for many of the tribesmen were so frightened of him that they hid in the scrub. When they refused to respond to his demands, he felt they were unworthy of Nepelle's trust and changed them into birds.

When, therefore, he was received cordially by the Narrinyeri tribe, he was delighted and made his home amongst them. But, in spite of his wisdom, Nurunderi was too easily beguiled by women. On a hunting expedition as he passed two grass-trees, he heard melancholy voices calling for help.

'Where are you?' he called. 'Can I help you?'

The messenger of the god was always ready to offer assistance to anyone in trouble, for he had spent a long life in the service of the men and women with whom he had been living.

'We are here, shut up in the grass-trees where you are standing,' came the reply.

'What have you done to be punished in this way?' Nurunderi asked.

'We have done nothing wrong,' the female voices said in concert. 'Wicked men have shut us up in the grass-trees. We have to remain here until a good man consents to set us free.'

Nurunderi responded quickly to the plea. The fresh young voices sounded appealingly in his ears. He was old and tired, and it may be that he craved companionship, for in all the years he had spent in the service of Nepelle, he had never experienced the ministrations of women, nor entered into marriage. If only he had made inquiry and checked their story, he would have learnt that the young women of the grass-trees had created so much dissension amongst the tribespeople that they had been kept out of mischief by being confined to a vegetable existence.

Making up his mind on the spur of the moment, he said, 'By the power of the Great Spirit invested in me, I command you to come out and show yourselves as women.'

He was delighted when two nubile girls stood in front of him, their eyes modestly downcast; even more so when they offered thanks and volunteered to hunt for grubs and roots, and to prepare his meals.

'Come with me,' he said, and led them to his wurley.

That evening he enjoyed his meal as never before. When the moon rose he raised himself on his elbow and looked at the women who lay on either side of him. Contentment filled him with an unusual sense of well-being. Feelings he had never experienced, and which he recognised as the first stirrings of love, rose in an overwhelming flood. It was something he had been looking for all his life, but which had been denied to him in his dedication to the task that Nepelle had entrusted to him. 'Ah well,' he thought, 'my work is over. I pray that the All-Father will grant me a time of relaxation and comfort such as I have never known, before he calls me to him.'

Weeks passed in this idyllic manner. There was nothing to be done except a little fishing and hunting, no message for the people who, he was surprised to discover, left him alone with the young women he had rescued. If only the tribespeople had warned him—but none dared give advice to one so powerful as the messenger of Nepelle. During the long nights the little glade where his camp was located rang with laughter. At last he had company, company he had lacked during the years of his mission, and could touch with his hand, warm, living flesh. He even dared to imagine that this was a reward from Nepelle.

As time went by his affection for the girls increased, though there were occasions when he was taken aback by their flightiness. Pondering over this, he came to the conclusion that they needed to be kept occupied.

'You can help me when I'm out hunting as well as in camp,' he told them. 'Take the small hand-net and try to catch the fish that swim close to the bank.'

He waded up to his waist in order to spear the larger fish, while the young women did their best to handle the unaccustomed hand-net.

'See what I've caught,' one of them whispered. 'Three tukkeri!'

'But they're only for the old men. We're not allowed to eat them.'

'Why shouldn't we? The old men will never know. I don't see why men should keep the best food for themselves.'

'All right. We'll put them in our bags and cover them with rushes in case our old man sees them.'

They called to their husband, 'We're going back to the camp. There are no fish here. We'll dig some yams and have them ready for you when you bring your catch home.'

He waved his spear to show he had heard, and went on with his fishing, while his wives ran home to build a fire and bake the fish they had caught.

'No wonder men try to stop us eating these fish,' one of them said, as they sank their teeth into the succulent flesh. 'This is better than wallaby meat or the big, coarse fish that Nurunderi brings back to camp.'

59

The smell of the cooked food was wafted on the breeze across the water. Old man Nurunderi straightened himself and sniffed suspiciously.

'Tukkeri!' he exclaimed aloud. 'Surely my wives are not cooking the forbidden fish!'

He waded ashore and ran to the camp. A strong smell of cooking and tukkeri oil hung over the encampment, but there was no sign of his wives. They had seen him coming, and had fled to the lakeside by another path. Pulling an old, disused raft from the reeds, they paddled towards the far side of the lake, where they hoped to remain hidden until Nurunderi's anger died down.

It was this episode that caused the messenger of Nepelle to realise that young women could not respond to the love of an old man. It was obvious that they had been using him for their own purposes; and that once he had freed them from imprisonment in the grass-trees, they would remain his property only so long as he protected them from those who knew them to be trouble-makers.

Shading his eyes, he looked across the lake and descried, far out on the water, the black dot that was all that could be seen of the raft bearing the fugitives to the farther shore. Pausing only to gather up his weapons, he ran to his canoe and set off in pursuit.

It was late afternoon when he reached the shore. In the fading light he could make out the faint marks of their feet. Satisfied that he would be able to follow the trail in the morning, he lit a fire, cooked some of the fish he had caught, and examined his weapons. Among them was a plongge, a short club with a knob at the end, used to inflict bruises on those who broke tribal laws. With a grim smile on his face, he fingered it lovingly before lying down with the club cradled in his arms.

The trail was easy to follow in daylight as it led across the soft ground near the edge of the lake, but presently he came to stony ground and lost it. He made several casts, but without success. Feeling dispirited and, he confessed to himself, lonely without the company and lively chatter of the two young women, he made a camp fire and prepared himself for another night of solitude. While he was half asleep, Puckowie, the Grandmother Spirit, came to him and warned him that danger threatened. He remained awake and on guard during the night. In the first light of morning he looked round to see whatever it was that was threatening him.

All he could see was a harmless wombat. In spite of the powers with which he had been invested by Nepelle, he failed to recognise in it the Evil One who had taken this shape to deceive him.

Nurunderi was hungry. He stalked the wombat and killed it. When he withdrew his spear from its body, blood poured on the ground. He carried the animal back to the fire, which had burnt down to a few embers, adding leaves and twigs to coax it back to life, preparatory to cooking the meat in the ashes. As he did so he remembered he had left his spear behind. He went back to retrieve it, and saw a strange sight. The wombat's blood had congealed and was stirring in the sand. Nurunderi watched it gather itself together, increasing in size, and taking the form of a man lying prone on the ground. The face was fully formed, while its limbs and body were in the posture of a sleeping man.

Nurunderi sat lost in thought, endeavouring to read its mind. Eventually he came to the conclusion that no harm could come from it.

'Perhaps he has been given to me by Father Nepelle to help in my search for those wicked women,' he thought; but some instinct prompted him to go into the bush to procure another spear. His own spear, he had noticed, was firmly clutched in the hand of the sleeping man.

When he returned, both the man and the spear had disappeared. Nurunderi could see the shallow depression where the body had been lying, but no footprints to indicate where he had gone.

'Friends always leave footprints,' his thoughts ran. 'It is only an enemy who destroys his trail.'

It was an uncomfortable thought; and at the back of his mind was the even more disturbing suspicion that there was no way by which a human being could wipe out the tell-tale signs of footprints in the sand. Even if the man of blood had swept the trail with the leafy branch of a tree, he would have seen signs of his presence. The recollection of Puckowie's warning came back with redoubled force.

Standing there, he heard a sound which seemed to come from behind a sandhill. Cautiously sidling round it, he came face to face with the Evil One, who had taken human form.

61

'Are you the man who came from the blood of the wombat?'
Nurunderi asked.

'I may be, and again I may not.'

Nurunderi regarded him carefully.

'Yes, you are,' he said. 'You're that man. I can tell, for that is
my spear you are holding.'

'Then you may have it,' said the Evil One, and swung it back
ready to hurl it at Nurunderi.

'Wait!' cried the messenger. 'I let you have that spear in case
you needed it. It was an act of friendship, and because I need
your help.'

'What help?' the Evil One said, with the spear still poised.

'I'm looking for my wives. They deceived me and then ran
away. I want to find them.'

'Why?'

'To punish them as they deserve.'

'Then you will get no help from me, Nurunderi. I know who
you are. You are the messenger of Nepelle, the Teacher he sent
out into the world to lead men into the ways of the gods. By
foolishly taking these women to yourself you have offended
against his laws. I, who am the Evil One, have been sent to
punish you.'

Nurunderi's heart sank. He did not believe what the Evil One
had said, but he knew that he had done wrong in yielding to the
two irresponsible young women, and that his influence had
been undermined by his foolishness. It was indeed possible that
Nepelle had sent the Evil One to punish him.

'This, too, is a weakness,' Nurunderi reasoned with himself. 'I
am being tested. Nepelle may punish me, even reject me, but he
would never enlist the services of the Evil One.'

'You can't be the Evil One,' he said firmly. 'Nepelle would
never have sent you; nor would the Evil One enter the body of a
wombat.'

'I can take any form I wish,' the Evil One boasted. 'In this case
I admit I was imprisoned in the wombat. I tried to kill you many
times, but the good spirits thwarted me and eventually shut me
in the body of the wombat. It was your own fault that I was
released, Nurunderi. You forgot the teaching of Nepelle when
you fell under the spell of those two foolish girls. When you
killed the wombat, it was you who released me.'

62

'If that is so, you should regard me as your friend.'

'No, you are not my friend, and you have forfeited the protection of Nepelle. You are now just a lonely old man who is about to die!'

Without further warning the Evil One hurled his spear at Nurunderi, who leaped aside. By so doing he saved his life, but the spear pierced his leg. He stopped and drew it out.

'Now you are at my mercy,' he cried, and threw it back with all the strength of his arm, straight into the heart of the Evil One.

Offering a prayer of gratitude to Nepelle, the old man resumed his journey, though he was not sure of the direction he should take. He walked for many hours, until he realised he was making no progress. He recognised the same sandhills, the same trees and, when he turned, the same body of the Evil One lying on the ground. He crouched down and looked at it closely. Birds and insects that approached it, or ran over it, were unable to escape but seemed, in some miraculous fashion, to be drawn into its body.

He realised that it was useless trying to kill its body. Until it was completely destroyed it would continue to be a menace, not only to him, but to every living thing. Perhaps this was a task that Nepelle had set his unfaithful messenger.

He gathered scrub and dry sticks and built a funeral pyre. When it was well alight he dragged the body on to it and waited until it was completely consumed. When he was on the point of leaving he noticed that once again the blood had soaked into the ground. He raked the embers across it. The blood dried and blackened in the heat, and a myriad insects and birds were released, filling the air with their shrill chirping and song.

At last he felt free, as though a burden had been lifted from his body.

Many kilometres and many hours later he came to the bank of the Murray River. Two sets of footprints showed that the runaway wives had come this way. The tracks stopped at the water's edge, indicating that they had found some means of crossing the river. Calling to Nepelle with renewed faith, the messenger was relieved to find that his prayer was answered. The earth trembled, heaped itself like a wave of the sea and formed a tongue of sand and rock that reached across the river, forming a bridge which he crossed at a run. Looking back, he saw that it had disappeared, and knew that his spirit and that of Nepelle were at one.

Some time later he reached the sea. The ashes of a camp fire lay on the sand. Shells and the remains of a meal showed that the young women were still eating forbidden food. Nurunderi sat down and wept. His tears ran together, soaking into the ground, forming a pool that overflowed and trickled into the sea. The pool is still there, but is no longer salt. It is clear and fresh, and sustains the spirits of the departed when they seek the land of eternal life.

The following morning, as soon as it was light, Nurunderi saw a peninsula at a little distance from the shore. The isthmus that connected it with the mainland was guarded by Garagah, the Blue Crane, and there, at last, the messenger saw his wives, talking to the guardian. Far away though they were, Nurunderi saw they were using their artful devices to induce Blue Crane to let them pass to the higher ground at the end of the peninsula.

Nurunderi shouted, telling them to come back. They took no notice. To his disgust one of them put her arms round Garagah's neck and then, as Blue Crane stepped back, both women ran along the isthmus towards the peak of the peninsula.

Puckowie's voice came to Nurunderi as he looked on helplessly.

'This is your opportunity,' the Grandmother Spirit said.

'Help me, Nepelle,' cried Nurunderi. 'In your wisdom you know what I should do to the women I loved so well and so foolishly. They are young. Remember this and forgive my wrong-doing, that has been so much greater than theirs.'

'They're entering the spirit land,' Puckowie whispered urgently. 'Nepelle wishes you to chant the song of the winds. Quickly!'

Nurunderi sang. A puff of wind caught the words and blew them towards the peninsula. The waves leaped to hear them. The wind caught their crests and blew them to a fine spray that drenched the racing girls. The sea lifted itself from its bed and surged across the isthmus, sweeping the young women into its embrace. The waves broke over their heads and they were lost to sight.

64

The wind soon died away. The isthmus had sunk beneath the waves. The sun shone on a calm sea and on the little island that had become the Island of the Spirit Land. Beyond it two rounded rocks rose above the water.

'They are your wives,' Puckowie said. 'Nepelle has turned them to stone. They will never be permitted to enter the Spirit Land.'

'They do not deserve that,' he said brokenly. He threw himself into the water. His body was seized in the grip of a current that swept him down to the bed of the sea, where he met the spirits of his young wives. As they clung together, they were lifted up into the clear air, through thick folds of clouds, until they reached the heavens, where Nepelle set them as stars to show he had forgiven them.

It was due solely to Nurunderi's great love that forgiveness came—but the petrified bodies of the two young women remain as islets in the ocean as a warning to women never to eat forbidden food.*

---

* The islands are those now known as The Pages, in the Backstairs Passage between Kangaroo Island and the mainland, while the peninsula is the body of Nurunderi.

CHAPTER TWO

TOTEMIC ANCESTORS

THERE are two stages or orders of creation—the activities of the Great Father Spirit who is eternal, omnipresent, and omnipotent; and the totemic ancestors who are equally eternal, recreating themselves in spirit form in the bodies of animals and human beings who retain the mystical animal qualities inherent in the ancestors. Any attempt to reduce Aboriginal concepts to the more prosaic thought-forms of people of European descent is almost sure to fail. The deeper elements of culture can seldom be transferred from one ethnic group to another without distortion. This is particularly true of totemism, which must be felt and experienced as part of one's life, rather than documented and analysed.

What can be transmitted, however imperfect they may be, are the myths of the Ancient Ones. It is these that provide insight into the religion and life of a people who, because of these beliefs, have survived for thousands of years in an apparently hostile environment that has been transformed through acceptance and absorption into the Dreamtime and Dream World of the ageless and protective ancestors.

The three main sections of the present book deal with aspects of that wonderful era known as the Dreamtime. The first part concentrates on the activities of the Great Spirit, who was known mainly to the tribes of south-east Australia. As we might expect, he was responsible for some of the more imposing works of creation. The present section is another or an alternative aspect of the formative era of the Dreamtime. It will be apparent to the reader that the activities of both the Great Spirit and the totemic ancestors were also concerned with the origins of living beings and the landscape of which they were a part.

It is important to remember that although the Dreamtime was that period in which the ancestral heroes, the Old People lived, it was the time of the birth of the world when man, animal and spirit worked in harmony. It was not time forgotten or half-remembered. It is the recurring mystery that men have always experienced, summed up in the feeling of déjà vu. To the Aboriginal, however, it was not a mystery. It was simply the Dreamtime, the sacred objects of which were symbols of the ever-living presence that explained his totemic affiliation which he entered into whenever he took part in increase and initiation ceremonies. The manhood rites were symbolic of death and entrance into this dream world, just as death itself ushered him into rebirth of the Dreamtime.

'When the myths about the drama of the Dream Time are studied with care,' wrote Dr W. E. H. Stanner in *Aboriginal Man in Australia*,* 'it becomes clear that the Aborigines had taken, indeed, had gone far beyond, the longest and most difficult step toward the formation of a truly religious outlook. They had found in the world about them what they took to be signs of intent toward men, and they had transformed those signs in *assurances* of life under mystical nurture.'

The creation myths that follow should therefore be viewed as far more than examples of primitive man's attempts to explain the origins of natural phenomena. Rather they should be read as evidence of advanced thinking, albeit still of a primitive culture, about the purpose and meaning of life and the harmony that underlies the foundation of the universe.

Of the ancestors themselves some were in animal and some in human form. 'They travelled about the country,' wrote Ronald B. Dixon in Volume IX of *The Mythology of All Races*,† 'usually leaving offspring here and there by unions with women of the people (of whose origin nothing is said) whom they either met or made; and ultimately journeyed away beyond the confines of the territory known to the particular tribe, or went down into the ground again, or became transformed into a rock, tree, or some other natural feature of the landscape. These spots then became centres from which spirit individuals, representing these ancestors, issued to be reincarnated in human beings.'

* Angus and Robertson Ltd.
† Marshall Jones Co.

Formation of Landscapes

No matter how varied may be the theories that have been devised to account for physical features, it was a universal belief that before the ancestors or the Great Spirit sculpted the earth, it lay featureless and void beneath an empty sky. As Professor T. G. H. Strehlow has pointed out in *Aranda Traditions,** there is an essential disunity amongst all Central Australian tribes. That is, a disunity not only between one tribe and another, which is to be anticipated, but between the smaller groups and sub-groups of the same tribe, a disunity that extends to customs, ceremonies, and religious ideas. He writes: 'There is no common system of religion which is embraced by the [Aranda] tribe as a whole; all legends—and hence all ceremonies, since the latter are always dramatizations of portions of the legends—are tied down to definite local centres in each group.'

It will serve our present purpose, however, to take a single Northern Aranda example as typical of an infinite variety of myths relating to the formation of the features of the landscape. Although myths may differ in content, they have much in common. In considering this particular myth, however, the importance of the tnatantja pole, which was the great symbol of masculine fertility, should be noted. As Strehlow says, in this area the tnatantja was the greatest single instrument in shaping the northern landscape into its present contours, the blows of the pole having left their marks in valleys and chasms and gorges in every portion of the MacDonnell Ranges and elsewhere.

The Tnatantja Pole

A CERTAIN tnatantja, held in the greatest esteem, might be spoken of as the father of all tnatantjas. It existed long before men and women were created. It was so tall that it touched the sky, a striking object decorated with bands of down that were

* Melbourne University Press.

constantly dispersed by the wind and eventually became living men. In a later age men slept at its foot until they were invited to accompany another group on a war expedition to neighbouring territory. The guardians of the tnatantja then decorated the pole with red down, and placed it under the protection of their aunt, who was a Termite woman. Under such protection it is not surprising that in a high wind the pole snapped at the base. The life force it possessed enabled it to erect itself again of its own volition. The wind came from another direction and laid it low a second time, and again from other directions, each time with the same result. Wherever it fell it caused tremors that caused ridges and troughs to appear in the ground.

When the south wind blew, the red down on the pole was scattered abroad and was seen by another ancestor, who tried to find where it was coming from. While doing so he looked up and was just in time to leap aside before the tnatantja crashed down again, missing him by a hair's breadth. It would appear that this was a deliberate act of the tnatantja, for it rose at once to its former position. The ancestor rushed up to it and seized it at the base, attempting to uproot it. Failing to move it, he shook it so violently that it snapped in the middle.

Holding the broken portion between his toes, the ancestor dragged it away, doubtless forming another deep groove in the ground. Still imbued with life, the fragment grew longer until it was too heavy to be moved. The ancestor then broke it into two halves, one of which he planted in the ground, where it grew and turned into a sacred bloodwood tree.

Two further tales from the same region will serve to indicate how in their journeys ancestors formed the landscape and, in some instances, were created by the accident of environment.

A Crayfish ancestor was surprised by an unexpected torrent of water that inundated the plain where he was walking. As it spread he walked beside it until it came to a gap in the hills. Seeing that the water raced through the narrow gap, he hastily cut a heap of grass and used it to stem the current. The artificial lake thus created grew deeper, providing a habitat for a large number of fish.

Taking a spear with several barbless prongs, the Crayfish ancestor took up a position on the bank and caught a number of fish, throwing them farther up the bank. When he had secured a sufficient number, he lit a fire and roasted them. As soon as they were ready to eat, he placed them on platters of gum leaves, and treated himself to an unusual meal.

Meanwhile the flood water banked up, increasing the pressure in the makeshift stopbank. A section collapsed, leaving a gap through which the water rushed. The ancestor frantically threw more grass into the stream, but his efforts were unsuccessful. There was nothing for it but for the ancestor to follow the water along its course, which formed a deep channel southward, and became part of the 'journey' of the Crayfish ancestor.

The second illustration comes from the Central MacDonnell Range where the mountain known as Iloata had not yet emerged from the womb of the world. Far below the surface it was being shaped and hardened in blood. In the course of time it rose into the light of day, first the peak and then, slowly and majestically, the huge bulk that dominated the land.

At first it was smooth, unlined by rivulets, without any excrescence of bush, grass, boulder, or tree. Deep within there were stirrings of something that eventually came to the surface of the peak in the form of hummocks. They have been described as termite hills; and indeed the description is apt, for from these mounds came the Termite women. As the mounds developed, there developed also an affinity between them and the mountain that gave them birth. At times they were overwhelmed with passion. Then the mountain was shaken to its foundations. In the words of the myth:

> The deep-fissured, steep-faced peak is quivering
>> in every fibre;
> The deep-fissured, steep-faced peak is shaken
>> to its very depths.

These fragments of much longer myths already related provide a prelude to other ancestral 'journeys', most of which are considerably longer and more detailed in their original versions. One aspect, however, must be kept in mind. Each group or sub-group possesses part of rather than the whole 'journey' which, if it were possible to collect it, would cover hundreds of kilometres and would represent the sum of many individual group legends.

The legend of Karora is yet another of the myths narrated to Professor Strehlow by members of the Aranda tribe.

Karora the Bandicoot Ancestor

ON the Burt Plain there is a famous soak called Ilbalintja, which was once the home of the Bandicoot ancestor Karora.

Before time had a beginning, when the whole world was in darkness, Karora lay at the bottom of the deep hole that would some day be filled with water. The plain was covered with flowers, but no living being was there to see them in the darkness, nor any animals to browse on the grass.

Above the dry waterhole there towered a gigantic tnatantja that reached up to the unseen clouds. It was no ordinary pole or tree. It was alive, with skin like a man's. It had grown out of the head of Karora, sharing the thoughts that had circled round the bandicoot ancestor's head since the beginning of time. Now, after endless aeons of darkness and quiet, the time had come for the beginning of life. From the belly and the armpits of the ancestor there tumbled an endless stream of bandicoots. They scrambled out of the hole and ran here and there across the plain in search of water, food, and light.

And the light appeared, first as a pale suffusion of the eastern sky. The pole that grew out of Karora's head was bathed in light, bright and golden in the first flush of dawn. The sunlight crept quickly down the pole until the red flowers that carpeted the plain glowed like flame. With the light came heat, penetrating deep into the hole where Karora was lying. He woke from his long sleep, turning his head restlessly from side to side, breaking the roots of the living pole that had grown from his head. He opened his eyes, slowly at first, until they adjusted to the unaccustomed flood of light.

He stood up, climbed out of the hole, and for a while watched the gambolling bandicoots who were his own children. He was aware of hunger and knew instinctively how to satisfy the pangs

72

that gnawed at his stomach. The bandicoots had clustered thickly round him. Seizing two of them he carried them to a spot where the sand had become white-hot in the burning rays of the sun, and cooked and ate them.

All day long Karora watched the bandicoots at play, scurrying about in their search for insects. The sun climbed the arch of the sky and began its descent to the west. As it sank from sight Karora descended to the shelter of the hole and fell asleep. Darkness settled once more over the silent plain—but now mysterious life forces were at work. A long pointed form took shape in the armpit of the sleeping ancestor. A bullroarer emerged from his armpit, long and slender. Its outline blurred, twisted and turned, changing shape, writhing, dividing, forming protuberances that gradually took the form of a full-grown man. This was a true son of Karora, for he had taken the image of his father, the first mortal man to be born at Ilbalintja; motherless, owing life to the creative energy of the father of all bandicoots.

When the sun rose once more, Karora looked with surprise at the living image of himself, lying motionless at his side. As he watched, the young man's eyes opened and he sat up stiffly, placing his hands on his father's breast. The blood coursed through his veins. They were of one flesh, father and son, animated by the spirit that had sustained Karora through the countless seasons that awaited this moment.

'You are my son,' Karora said simply. 'The time has come for us to share a meal. The bandicoots have woken and are at play. Climb up to the plain and kill two of them and cook them where the sun has heated the sand. Then we two shall eat together.'

His son obeyed. They ate the flesh of the bandicoots and were satisfied. That night two more sons were born to Karora. The following night four more appeared. And so it happened night after night until there were as many men at Ilbalintja as bandicoots. The bandicoots grew fewer in number as they were killed for food by the growing family of Karora. As they proved more difficult to catch, the hunters were forced to roam far afield on the plains. One day there were no more bandicoots to be caught and killed.

'You must go farther afield,' Karora told his many sons. 'To the east and to the west, to the north and the south, to Ininta and Ekallakuna. You have taken all who came from my body, my sons.'

The Bandicoot sons spread out in every direction, scouring the plains in search of animals, fossicking amongst the mulga trees, but without success. Tired and hungry, the Bandicoot men were making their way back to Ilbalintja when they heard the sound of a bullroarer somewhere in the distance.

'Another man!' they exclaimed, and rushed towards the sound. No one was there. As they came close to the place where the sound seemed to come from, an animal rushed out of the bushes.

At first sight they thought it must be a large bandicoot. It was only later that they knew it was another creature, which they called a wallaby. But at that moment it was important to kill it. They threw spears at it. Its leg was broken but it was still able to hop faster than the men could run. As it disappeared in the darkness they heard it singing mournfully:

> 'You have lamed me with a spear.
> The night is dark, my heart is filled with fear.
> You could not know that I'm a man
> As you were men when the world began.'

The Bandicoot sons returned to their father, and slept with empty bellies in the deep hole where they were born. But not for long. Out of the east came a great flood of honey from the honeysuckle. It swept them out of the soak and to a mulga thicket some distance away. There they lived with the Wallaby man whose broken leg soon healed. He became their leader, and is regarded by many as their totemic ancestor. The stones that surround the soak at Ilbalintja are pointed out as the petrified bodies of these men.

Karora, larger and heavier than his sons, remained in the waterhole. He sleeps peacefully below the water, but at any time he could rouse himself and rise to the surface, therefore his spirit must be appeased by gifts of branches and leaves by all who come to the soak to draw water.

The Bandicoot sons had been away for three days, searching everywhere for food. On the second day Karora heard the whirring of bullroarers in the distance. He came out of the pit, hoping it was a sign that his sons were returning from the hunt. As they came closer he detected a sound he had not heard before. They were not the bullroarers that belonged to his sons. They had been made by other hands, and they sang a different song. They came from another ancestor and belonged to another tribe, the sons of Ultangkara.

Karora was determined not to let them invade his territory. He could see them advancing towards the waterhole at Ilbalintja and rushed towards them.

'Who are you? What are you doing here?' he shouted as he drew near the crowd of men.

'I am Ultangkara,' their leader said proudly. 'Who are you?'

'I am Karora.'

'Where do you live? Is this your land?' asked Ultangkara.

Karora feared that the newcomers would take advantage of him while his own sons were far away, and tried to head them off.

'I am from Mallal Intinaka,' he said. 'That is my land. You are welcome to rest there. This is no place for you. As you can see, there are no animals here, no food, no place for your sons and mine to live. Go on your way. Go to Mallal Intinaka. I shall follow.'

'Why not come with us and show us the way?' Ultangkara asked suspiciously.

'There is a thorn in my foot,' Karora replied. 'At Malla Intinaka you will find food and water. I shall meet you there.'

Satisfied with the explanation, Ultangkara went with his men in the direction that Karora had indicated and was soon lost to sight.

Karora chuckled to himself. He returned to the hole he had protected from invasion and decorated himself with many designs in clay, awaiting the return of his sons.*

---

* Professor Strehlow has commented: 'This action of deliberate treachery on the part of Karora is extolled as something praiseworthy by the Ilbalintja men. Karora, they say, showed his superior power to the dreaded tjilpa men and protected the sacred soak against roving strangers. Had the myth been recorded from narrators belonging to the *tjilpa* totem, however, the low deceitfulness of the gurra (bandicoot) ancestor would have been condemned in the most scathing and uncompromising terms.'

Three Brothers

UNLIKE the majority of ancestors, who were products of the land they occupied, Yahberri, Mahmoon, and Birrum came from a distant land. The three brothers, together with their grandmother, arrived in a canoe made from the bark of the hoop pine tree, goondool.

They found rivers and coastal waters teeming with fish, flocks of birds flying overhead, and animals browsing among trees, grass, and herbs. There were few people in the newly-found land at that time.

Landing at the mouth of a river, they set up camp and lived with their grandmother for some years. Eventually the brothers felt an urge to visit other parts of this favoured land. Leaving their grandmother behind, they set out in the canoe they had preserved, heading up the east coast until they sighted a cluster of black rocks on the shore. They had exhausted their supply of water, and hoped they might find some in basins and hollows in the rocks. They landed, but in spite of searching diligently, could find no water. One of the brothers drove his spear into the sand at the foot of the rocks, and a spring of clear, cold water welled up.

Quenching their thirst and filling all the vessels in the canoe with fresh water, they continued on their way, and arrived at a tall headland. They disembarked and, leaving the canoe there, separated and went inland. Each of the brothers visited a different part of the continent for the purpose of populating the land. How they accomplished this notable feat is not known, but it may well be that they did so by the exercise of supernatural powers, either by impregnating the few women they found, or by the institution of fertility rites. The second possibility is the more likely. For in due course they made bora rings for the exercising of initiation ceremonies, as well as providing tribal laws.

The blue haze that comes to distant mountains, especially in the spring, is a living reminder of their sojourn. Swathed in a blue mist, the daughters of Yahberri, Mahmoon, and Birrum revisit the earth every year, to promote new life and growth.

That, in brief, is the saga of the three brothers who came from the sea that there might be people on the earth.

The Ancestor with Six Sons

TOTEMIC ancestors were active in peopling the earth as well as adapting the land for their benefit. A myth related by Albert Namatjira and recorded by Roland Robinson concerns an unnamed ancestor who concentrated on the former task.

He was equipped with a large number of the usual hunting weapons, a tjurunga, a sacred stone, a symbolic representation of supernatural life, strength, and fertility, together with six miniature replicas, termed namatoonas, which he kept in his dilly-bag.

Whenever he needed food, he took the namatoonas from the bag, and anointed them with goanna fat. When this was done they took the form of men, as six skilful hunters who were his sons.

The first time he performed this feat he instructed them in the use of spear and woomera and sent them out to hunt for the animals that abounded in that part of the country.

While they were away their father lit a fire, piling on green leaves and grass, and sending a billowing column of smoke high in the air. He knew that it would attract attention and, sure enough, before long six women came from various directions to see who had lit such a large fire and what he wanted in this part of the country.

'Come and sit here with me,' he said, patting the ground. 'I have much to tell you.'

The women came forward hesitantly and sat beside him.

'What are you doing here?' one of the women asked. 'You are old. You have no food. What are you going to eat?'

He laughed and said, 'No need to worry about that.'

His hand swept in a circle as though embracing them all. 'Stay here with me. There will be plenty to eat when night falls.'

They looked at him with disbelief, but something in his face, or maybe an aura that emanated from him, stilled their protests.

Quickly the afternoon hours passed as he told them strange tales of other regions, of mysteries and wonders of land and sky in words that echoed in their brains, drawing them to him and in turn repelling them, until they were barely conscious of their surroundings or the passing of time.

They were clutched by the first chill fingers of night. They woke from their trance as the old man, the wirinun as they thought him to be, threw dry sticks on the fire. It blazed up fiercely as six tall young men, laden with meat, strode into the circle of firelight and threw down their burdens.

'These are your husbands,' the mysterious stranger said. 'First we will cook the meat and eat it to celebrate the marriage that will be consummated this night. These are my sons. A noble man, each one. They will choose their brides from among you. Before the sun rises you will achieve the destiny for which you have waited, unwittingly, until now.'

The food was cooked and eaten. There had been dances and song and the sleep of fulfilment and exhaustion. The stars that had shone with steady light on the encampment were paling in the light of dawn. Quietly the old man went from one sleeping couple to another, stooping, taking the namatoonas from the hair of the young men. When the last stone had been placed in the dilly-bag, the ancestor gathered the spears and woomera and strode off into the light of morning.

The six women woke and looked at each other in bewilderment. The old man had gone and of their husbands of a night there was no sign except the faint impression in the sand where they had lain in their arms. A trail of footprints led from the encampment, dwindling and vanishing in the distance—a single track, as though one man had left, not the trail of seven men. Only the dead ashes of the fire and a heap of charred bones remained to show that it was not a dream.

At noon, in a place in the distant valley, the ancestor again rubbed the namatoonas, again his sons went hunting, again the smoke rose from the fire, again curiosity brought six women to his encampment, and again, that night, the six women were given to the men who had emerged from the sacred stones.

And so, day after day, and night after night, the same procedure was followed resulting, many moons later, in the birth of babies who would some day populate the land. Until one fateful morning, when one of the women woke early and saw, with startled eyes, the ancestor withdrawing a namatoona from the hair of one of his sons, and the subsequent disappearance of the young man. As she opened her mouth to scream, the ancestor whirled round and transfixed her to the ground with his spear.

He sighed with relief. The journey had been long and he was old and weary. Hundreds of babies were waiting to be born from end to end of his journeying. The last namatoona was gathered and placed in his dilly-bag. Leaving five sleeping and one dead woman behind, the ancestor trudged away on the last stage of his long journey.

Turning his face to the east, he placed the dilly-bag by his side and lay down to rest. When morning came the sun shone on his face. He smiled in his sleep as he felt the warmth, and breathed his last breath before being turned to stone.

Knowing that their father was dead, the namatoonas struggled to escape from the dilly-bag. It burst open, scattering its contents in a circle round the petrified ancestor, and in turn the tjurunga, the spears and woomeras, and the namatoonas who were his offspring, were all turned to stone.

The Rainbow Snake

IN Northern Australia the cult of the Rainbow Snake is widespread. Although differing from the concept of totemic beings in other parts of the continent, the Serpent was certainly an 'ancestor'. The term pulwaiya, which is derived from a word meaning 'father's father', provides a clue to its place in the supernatural world. Being closely associated with water, which is essential to life, it is symbolic of fertility and an important element in fertility rites.

The cult is not confined to the northern regions. It was also established in New South Wales. As Roland Robinson has said in *Aboriginal Myths and Legends*,* 'Its sacred significance is that of both the phallus and the womb. It is the great father, and

---

* Sun Books.

mother, of all forms of life. It is always associated with water, the source of life.'

In *An Illustrated Encyclopedia of Aboriginal Life* by A. W. Reed, the following account provides a brief summary of its characteristics and functions.

Belief in the Rainbow Serpent, which goes under many different names, was spread over a wide area. There are myths which show the snake's attraction to blood, and others in which it is the spirit of water, rain, and flood. At certain periods women were required to keep close to a fire, and this applied to mothers immediately after childbirth. As the essential spirit of water, the Rainbow Serpent would not go near the fire. An important function of this great spirit creature was to excavate the beds of rivers as he travelled about.

The extent to which the Rainbow Serpent entered into fertility rites is indicated by the frequency of his appearance in sacred designs and drawings. Water was the life-giving element; similarly the serpent which brought rain was the life-giving force in religious rites. This vast serpent reached down from the sky to the waterholes and pools, bringing water to the earth. Medicine men whom he killed and brought to life again were able to conjure up the rain clouds by appealing to him when performing the necessary rites.

Elkin observes that the Rainbow Serpent was associated with the Arnhem Land concept of the Fertility Mother, and the Wondjina rain ritual of the northern Kimberleys. It did not exist as a separate cult. The snake was sometimes regarded as male and sometimes as female. Kunapipi, the aged woman who made a long journey across country in the Dreamtime, was preceded by the Rainbow Serpent, who cleared the way for her by up-rooting trees and causing rivers to flow towards the sea. In this myth the serpent symbolised the floods and storms that caused the rivers to rise. By the name of Wonambi it lived in pools and lagoons and had an important function in the training of medicine men, while in Arnhem Land it protected sacred lore by sending floods to drown people who offended against it. In this area, so rich in art forms, it was called Julunggul or Yurlunggul. In the Kimberleys it was associated with the birth of spirit children.

Everywhere it was symbolic of rain water, the products of rain, and the fertility of growing things. In Arnhem Land where the Fertility Mother cult was observed, it occupied an important place in the annual rites that took place before the wet season. A whistling sound was heard preceding its coming. It was the noise of the storm whistling through its horns. As the dances and songs began, the Rainbow Serpent was seen to arch its body upwards to the sky.

In the beliefs of many Aboriginal tribes, the rains would dry up, the earth would become parched, and life would cease to exist if it were not for the Rainbow Serpent.

In referring to the pulwaiya who chose for their final resting place some locality which they impregnated with their spirit, powers of reproduction, and endowed with human characteristics, in *Myths of the Munkan** Ursula McConnel writes that some of the myths, 'such as the moon and tides, or Taipan, the rainbow-serpent, to whom are attributed thunder and lightning, floods and cyclonic disturbances, reach an even higher place in the hierarchy of the *pulwaiya* and derive their complex character from a variety of motifs'.

Taipan

THE myth of Taipan, the Brown Snake, exemplifies many of the characteristics already mentioned. In the beginning, as a medicine-man, he possessed supernatural powers. He could give relief to anyone who had inadvertently swallowed a bone by sucking it out of his body. He commanded thunder and lightning by sympathetic magic with a sharpened flint attached to a string. By throwing it against a tree or stone, a sheet of flame flared out and the noise of the concussion would echo

* By permission, Melbourne University Press.

through the hills. By means of his pointing bone he could kill, and with equal facility he could cure men and women of their ailments. He had the power to cause rain to fall and floods to devastate the countryside. The fear he engendered in his fellow tribesmen was apparent in the readiness with which they gave their daughters to him. He had three wives, Uka the White Sand-snake, Mantya the Death-adder, and Tuknampa the Water-snake.

His only son, who was also named Taipan, grew to manhood, and embarked on a journey down-river from the swamp where he lived with his parents. Presently he came to a camp site on the bank of the river, where he met Tintauwa, the black Water-snake, who was the wife of Wala, the Blue-tongued Lizard. Tintauwa had been sleeping in the shade of a tree while Wala was hunting. The sound of Taipan's paddle woke her, but she lay still, peeping from under half-closed eyelids, pretending to be asleep.

Taipan tied his canoe to a root and stole silently to the tree where the woman was lying. She opened her eyes and looked up at him as he bent over her. No words were needed to express the love that engulfed them as they looked deep into each other's eyes. Taipan held out his hand. She grasped it to pull herself up. With a sweeping gesture of her free hand she indicated that the world was theirs and that where Taipan went, she too would go. Hand in hand, they left the river, striking inland, running lest Wala should catch up with them. They rested at night and ran on the next day, until they felt there was little chance of being found by the Blue-tongued Lizard man.

Day after day Taipan hunted game while Tintauwa searched for grubs and vegetable food. At night they cooked their meal and slept together with their feet towards the fire. It seemed as though they had the world to themselves. But they had reckoned without the cold rage of Wala, whose wife had been taken from him so suddenly. Unsuspected by the runaway wife and her lover, he was never far behind them. Late one afternoon he could smell smoke as they lit a fire in preparation for the evening meal of emu flesh. As he came closer he saw Taipan's head above the bushes. Hooking his spear to the notch on his woomera, he raised his arm and hurled the weapon at Taipan.

But Wala was neither a hunter nor a warrior. He had never been instructed in the art of selecting suitable wood for his spear, nor in fining and honing, rubbing it with fat and polishing it as a trained fighting man would have done. It has been said that it was made of milkwood and hibiscus. The result was that it snapped in half before it even reached its target.

Taipan and Tintauwa sprang to their feet.

'He's come! He's come!' the woman wailed.

Taipan pushed her down into the shelter of the scrub, saying in a fierce whisper, 'Lie there! Perhaps he won't see you.'

'He knows I'm here,' she whispered back. 'That's why he has come. Your spear is sure to break. You can't fight him.'

Taipan jumped into the open space by the fire, levelled his own frail, wooden-headed spear, and hurled it at Wala. It hit the Lizard man on the forehead raising a lump that has remained on all lizards from that day onwards.

Taipan's spear was broken. Wala hit him with his woomera but that, too, was shattered. Both men were defenceless. They wrestled, but neither could overcome the other. They fell back, panting.

The aggrieved husband was the first to speak.

'In combat you cannot prevail,' he said in short gasps. 'Nor can I. But don't think you can escape my vengeance. I am an honourable man. You've tried to destroy my honour. Now you must pay for it. But I shall not take advantage of you. I'll lie down. You can bite me on my neck. If you kill me you can take my wife. If you fail, then you must lie down and I'll bite your neck.'

Seeing that Wala had given him the first chance, Taipan agreed.

Wala lay down at his feet, rolled over, and put his head back. Taipan fastened his teeth in his throat, twisting and turning, but was unable to tear the thick skin. When he reeled back, exhausted, Wala threw him to the ground, turned him on his back with a contemptuous thrust of his foot, and sank his teeth deep into his jugular vein. Not satisfied with this he tore open his breast and took out the heart and blood of Taipan.

Then, with Tintauwa crying piteously behind him, he made his way upriver to the camp of Taipan the father. Coming into the presence of the great pulwaiya, he threw heart and blood on to a pandanus leaf and said in a loud voice that all could hear, 'There is your son Taipan.'

The older man gazed at it in horror.

'The blood and the heart you may keep, Taipan,' Wala continued. 'The body of your son lies far from here, where scavenger birds are already devouring his flesh.'

Taking the hand of his wife in his, he ran off—and was not heard of again.

The anguished father called his other sons to him—Flying-fox, Swamp-fish, one by one they came to him and on each he smeared the blood of their older brother. The blood remained with them, and flows in the veins of their descendants. They went to their totem sites, where they remained. Their two sisters carried it to their permanent home on the rainbow. The heart of the slain son Taipan he kept for himself.

The rainbow is the totem site of his daughters, where the blood of their brother provides the red course in that shining bow, just as the blue course is that of Taipan, the Rainbow Serpent.

The rain fell from a dark cloud. Taipan threw a blood-red knife into the cloud, which was split by a vivid flash of lightning. Thunder rolled round the hills and, in the dazzling blaze of light that came from the sky, men hid their faces. Taipan sank into the ground, where he lives on, under a milkwood tree that stands close by the lake that was formed on that day of rain and blood. If anyone dares to disturb the blood-red body of the pulwaiya, thunder roars and lightning flashes from the sky.

As for his daughters, they returned to their totem centre under the water where they remain during the dry season. When the rains come they climb up the rainbow once more, bearing aloft their colours to mingle with those of their brother.

Amongst other things, the myth explains how Taipan controls the blood supply. In the words of Ursula McConnel, it gives him 'power over the physiological processes of men and women—the blood-flow, the heart, and menstruation'.

The Rainbow Snake and the Orphan

A MYTH from North Goulburn Island ends with the death of the Rainbow Snake, an unusual fate for an all-powerful spirit being.

At Arunawanbain, a place that means 'Something ate us', there lived a small boy whose mother and father were dead. His maternal grandmother had taken charge of him and looked after him well. But it was not the same as having a father to teach him how to throw a spear or trail small animals. Worst of all, his playmates taunted him because he had no father.

One day he went to his grandmother, crying bitterly.

'What is your trouble, little one?' she asked.

'They wouldn't give me any of their waterlily roots,' he sobbed.

'Who wouldn't?'

'The other boys and girls.'

'Never mind,' she said. 'Those who are greedy now will have empty bellies some day. Here are some grass-seed cakes and honey I've saved for you.'

The child continued to weep and refused to touch the food. All night he kept on crying. His wailing disturbed the Rainbow Snake. It unfolded its coils and slithered round the camp site.

The enormous head completely filled the humpy where the child was crying. Rainbow Snake opened his mouth and swallowed the child and his grandmother. With the remains of the humpy draped over his head, he swayed backwards and forwards, picking up the panicking tribespeople as they ran aimlessly from one refuge to another.

Soon the camp was deserted. Rainbow Snake dragged his huge length slowly and painfully across the island, his belly weighted down by the people he had swallowed. He crossed the strait to the mainland. He had not gone far when he came across another camp site. His hunger not yet satisfied, he engulfed several men and women in his gaping jaws and swallowed them whole.

This time, however, he met with resistance. The men battered his head with their nulla-nullas. His body was infested with a hundred spears which protruded like thorns from his huge bulk. Moving with difficulty, his energy sapped by the weight of his distended belly, he collapsed on the ground and expired. The warriors cut the body open and released the imprisoned tribesmen and women.

It happened so long ago that the tale has passed through countless generations. The groove the snake made in its overland journey is a reminder to all men that even so powerful and relentless an ancestor as a Rainbow Snake was once put to death at the hands of men.

Julunggul

THE Wawalag sisters, who are now stars, were travelling northwards somewhere in the vicinity of the Roper River. Many tales are told of their adventures on this journey, which came to an end at a sacred waterhole. Here the elder sister gave birth to a baby. Her blood attracted the attention of Julunggul, the gigantic python who lived there.

The sisters prepared to remain by the waterhole that night. They built a shelter, brought out the provisions they had gathered, and kindled a fire to cook the animals their dogs had caught earlier in the day.

While they were preparing the meal, everything they had brought with them, together with snails, roots and other objects in the vicinity, were drawn by some mysterious force into the waterhole.

Then the rain came down, not as it usually does, but in a torrential flood that filled the waterhole and inundated the land. Through the veil of water the younger sister caught a glimpse of a gigantic snake. She realised it was none other than Julunggul, the Rainbow Snake.

The women danced round the waterhole to protect themselves against the python. Towards morning they crawled into the shelter and fell into an exhausted sleep.

The all-seeing eyes of Julunggul detected them lying there. His great body looped into a circle that embraced the waterhole and the flimsy shelter, in order to prevent the women escaping.

He opened his mouth and swallowed everything that lay within his coils—the baby, the two sisters, and the shelter disappeared into the vast maw.

He lay down to sleep, but was bitten by an ant and stung to wakefulness. He disgorged the contents of his stomach, but the women were no longer alive. The two sisters were swallowed a second time and devoured at his leisure.

In relating and comparing several of the Rainbow Serpent myths, R. M. and C. H. Berndt* comment on the amount of symbolism contained in them. 'For example, the python, usually called Julunggul in this setting, is a phallic symbol ... the python is ... the male principle in nature. This is linked with the fluctuation of the seasons, such as the monsoonal rains and floods, and with the increase of human beings and other creatures, and of plants. As in other myths of this area, there is an emphasis on the significance of blood, which has a sacred quality.'

The Pursuit of Purra

AMONG the myths of the Wotjobaluk tribe, living on or near the Avoca, Richardson, and Wimmera rivers in Victoria, is a long and somewhat involved account of the journeys of a number of ancestors. There is little 'plot' in the European sense, but a considerable degree of characterisation and much information about the events that occurred in the Dreamtime and their effect on the habitat of their descendants.

The myth was recorded by Aldo Massola in *Bunjil's Cave*, and throws light on the proper form of local Aboriginal place names and their meaning, as well as the events that were supposed to have occurred there.

Wembulin, the Triantelope Spider, was a bloodthirsty fellow, always on the lookout for unwary animals to supplement the food he preserved for himself and his two daughters. With his instinct for detecting animals at a distance,

---

* *The World of the First Australians* (Angus and Robertson and Ure Smith).

he became aware that Doan the Flying Squirrel was pursuing Purra the Kangaroo. Purra covered the ground swiftly with his long legs, but Doan, with his ability to glide from one tree to another, was gradually overtaking the fugitive.

Purra would have provided a bigger meal, but Wembulin was too far away to reach him. Doan provided an easier prey. Flying Squirrel alighted on a bough close to the home of Spider, ready to glide to the next tree. Wembulin lunged forward, his jaws coming together like a steel trap. He missed the Flying Squirrel by a hair's breadth, his teeth closing on the trunk of a tree, biting through it so that the topmost branches crashed to the ground.

Unaware of what was happening behind him, Purra fled on, across a sandy waste where his track eventually formed the bed of the Wimmera River. By this time he was aware that he had outrun his pursuer. Coming to a place where grass grew in plenty, he browsed for a while, causing a depression which, long afterwards, filled with water and was known to the white men who succeeded the original inhabitants as Lake Hindmarsh.

Where the grass was closely cropped, Purra proceeded in leisurely fashion, forming the channel that drains the lake, until he came to a grove of quandongs which provided him with a change of diet. It was the site of Lake Albacutya. After this he continued his journey in a northerly direction. With the passing of time his tracks became obliterated. His final resting place has never been discovered.

Meanwhile Wembulin was hot on the trail of Doan, pursuing him from one tree top to another. Whenever he drew near, his jaws clashed together, always missing his intended victim, denuding the trees of their topmost branches as the sinister jaws severed the tree trunks where Doan had rested a moment before. The line of pursuit could be seen long afterwards by the row of truncated trees. At last pursuer and pursued reached the end of the bush. Doan floated down from the last, outermost tree, and was immediately at a disadvantage. Wembulin lowered himself on a thread and pounced on his helpless victim.

It was all over in minutes and little remained to show that Doan had been killed and eaten at the forest edge. Wembulin returned to his lair, collected his two daughters, and went to the sandy plain where he believed no one would be able to locate them. It was a wise move, for Doan's relatives had become concerned when he failed to return from his pursuit of Purra. His two uncles on his mother's side of the family, who were both called Bram-bram-bult, set out to see what had happened to him. They were shocked when they met Mara the Sugar-ant and saw he was carrying a hair from their nephew's head in his mouth; and even more perturbed when they came across his relatives, all of whom were carrying hairs, together with pieces of bone and flesh they recognised as parts of Doan's body.

When they reached the edge of the bush and saw the pathetic remains of their nephew lying on the sand, together with the tracks of Wembulin and his daughters, they determined to avenge their nephew's death. Wembulin's trail led northwards. The two uncles found the ashes of his first camp fire, long since dead, at Guru* and again at Ngelbakutya† where Wembulin and his daughters had feasted on quandongs. As the ashes of the fire were still warm, they quickened their pace and caught up with the three Spiders at Wonga.

Feeling themselves quite safe at this remote spot, Wembulin's daughters were busily employed pounding honeysuckle seeds in preparation for the evening meal. The Bram-bram-bult uncles heard the sound long before they came in sight of the camp and prepared to make a surprise attack.

The younger of Doan's uncles circled to windward so that his scent would blow across the encampment while the older one stole stealthily through the brush and took up a position at the side of the shelter Wembulin had built, out of sight of the daughters.

When Triantelope Spider caught the scent of the younger Bram-bram-bult brother, he rushed out of the brushwood shelter, baring his teeth and grinning at the prospect of another meal—only to have his sinister fangs knocked down his throat by the elder brother's waddy. In the time it takes to draw breath, Wembulin lay dead, and in a few more breaths his head was severed from his body and rolled to and fro like a ball.

'Now we'll kill the Spider girls,' the younger brother said, but the older one had different ideas.

---

* Lake Hindmarsh.
† Lake Albacutya.

'They're handsome in their own way. It would be stupid to kill them when we can enjoy them. They can save us a lot of hard work by digging yams and grubs, to say nothing of preparing food.'

Leaving the campsite at Lake Wonga, which had been formed when Wembulin's head had been rolled on the ground, and taking the two girls with them, they went across country until they came to Wirrenge,* where they discovered the tracks of several kangaroos.

'Remain here,' they said to the Spider Women. 'Prepare hot stones in an earth oven, ready for the kangaroos we'll bring back with us.'

Hardly were they out of sight than they heard trees crashing to the ground.

'Spider Women!' they exclaimed together. The thought that the girls might have inherited the tree-biting propensities of their father had never occurred to them. Abandoning the chase, they hurried back to Wirrenge and killed the women before they could do any further mischief. To make sure they were dead they beat them with their waddies; the scattered teeth and bones of the women account for the limestones nodules that are to be found by the lakeside.

At Yarak† they found Jinijinitch, the Great White Owl, and his two sons. As hunting had been poor in that district, they were surprised when Owl offered them meat. Father and sons were evasive in their replies, but by repeated questioning the Spider brothers forced an admission that the flesh was that of Owl's wife. The Bram-bram-bult brothers were horrified to think that anyone would eat the flesh of wife or mother. In their disgust they summoned a storm by the ingenious method of filling their mouths with water and spitting it to the distant horizon where it evaporated, forming storm clouds that drifted over the encampment and inundated the camp in a heavy fall of rain.

Great White Owl took shelter in his humpy and fell asleep, only to be burnt to death when the Bram-bram-bult brothers set fire to the shelter. The charred bones are said to be mixed with

---

* Lake Wirrengreen.
† Lake Coorong.

the sandstone at Bori Jinijinitch* where Great Owl had his encampment. The Owls were an unpleasant family. Feeling sorry for the two sons, the brothers spared their lives, but when they found them fighting and biting each other, they dispatched them both and went on their way.

They came to an arid land, where stream beds were dry and animals were dying of thirst. The only one who was thriving was Gertuk the Mopoke who was perched in a tree, looking superciliously at his friends who were suffering torments. He had a pet dog that seemed as contented as his master. Rumour had it that Owl kept a supply of water in the hollow tree he had selected as his home.

The brothers decided to punish the selfish Mopoke. Chanting spells, they caused the fork by his perch to close up, imprisoning him within the hollow tree.

Presently Binbin the Tree-creeper and his relatives came to search for insects in the bark. As they ran up and down the trunk they heard a pitiful voice from inside, begging to be released. Tree-creepers are obliging little birds. They knocked on the trunk, pecking at it with their beaks, trying to find the hollow place where Mopoke was confined. They drilled a hole where they thought he might be, only to raise a shout of protest because they had pecked his head. They attacked the bark a little lower but, misjudging the position of Gertuk, his breast was pierced by the beaks of the Tree-creepers. He was released, his breast streaming with blood which coagulated, leaving a dark stain that his descendants have inherited, and a mass of rubbish that fell on his head.

By the time he had recovered, the brothers were far away, but Gertuk harboured resentment against them. He experimented with a little magic, rolling up all the winds he could find in a kangaroo-skin and letting them out with a rush. When he found that he could generate sufficient pressure to blow over a humpy, and uproot trees, he left his home and followed the trail of the Bram-bram-bults.

He caught up with the brothers at Mukbilly and aimed the mouth of his bag at them. The result was more than he expected. The blast that came out uprooted most of the trees as

---

* The name is commemorative, meaning 'No More Jinijinitch'.

far as the eye can see—which explains the lack of trees in that district. The elder Bram-bram-bult was saved by clinging to one of the few trees that survived the hurricane. His brother, who had chosen a shallow-rooted tree, was blown far away to the swamps at Galk. When he crawled to the water to slake his thirst he was frightened away by the booming Gau-urn the Bittern, and wandered aimlessly along the bank of the Wimmera River.

Elder brother felt responsible for him. He searched for him in vain, and went home to his mother, Dok the Frog.

'Help me find my brother,' he begged.

Dok squeezed her breast, ejecting a quantity of milk which rose in the air in an arc and fell in the direction where the younger Bram-bram-bult was lying, bruised by the tossing he had received in the hurricane and exhausted by his long journey. Mother and son travelled together. Whenever they were at a loss where next to turn, Dok again sent out a jet of milk to enable them to turn in the right direction. When he was sure that he could find the way, Bram-bram-bult sent his mother home and finished the journey on his own. When he reached his brother, he attempted to revive him, but the sadly bruised man had been bitten by a snake. Shortly after the elder brother's arrival, he died.

For a long time elder Bram-bram-bult mourned his brother's death. When he could bear the loneliness no longer, he felled a gum tree and with his stone axe trimmed the trunk and fashioned a wooden figure in the semblance of a man to keep him company. When it was finished, he sang incantations and commanded the figure to come alive. It moved, woodenly at first, but as it gathered confidence, its limbs became supple and it took on the familiar features of his dead brother.

Together they travelled far to the west and made a home for themselves in a cave until they reached their last resting place as the Pointers of the Southern Cross, close to their mother Dok, who is also one of the stars in the Cross.

CHAPTER THREE

CREATION MYTHS

MYTHS and legends which explain how birds, mammals, insects, reptiles, and fish came into being must be nearly as numerous as the various tribes that inhabit the land. One of the most appealing tells how a rainbow once shattered into a thousand pieces, each of which became a bird, as varied in colour as the rainbow, and of an infinite number of shapes and sizes.

Other legends tell how birds and animals developed their separate characteristics. The kangaroo, for instance, stood on his hind legs to observe the flood of multi-coloured birds descending from the sky, and adopted the posture permanently. The emu stretched out his neck for the same purpose, and ran away so fast that his legs grew long and sturdy. Others crept into holes in the ground or dug them with their paws and remained there as burrowing animals that emerge only to forage for food.

As for the birds that fell from the sky, there was the kookaburra who broke into peals of laughter at the sight of the myriad specks of colour falling towards the ground. There were others who were so frightened by their sudden descent that they cried out in fear, developing harsh, discordant voices. Most of the birds enjoyed the experience and sang joyously as they tested their wings and discovered that they had been given the freedom of the air.

The nature of the birds varied as much as their forms and colour. Some were happy and light-hearted, spending much of their time on the wing. Some rejoiced in wind and sunshine. The eagle-hawk was one whose powerful wings took him higher and higher, as close to the sun as he could fly. There were others who had limited ability to fly and were content to browse in the undergrowth and satisfy their hunger with a diet of worms and insects. And a few, such as the mopoke, preferred the dark night in which to seek their prey, sleeping by day in order to avoid the sunlight they thought so harsh, and developed large, staring eyes to catch every glimmer of light at night.

In time the multi-coloured family of birds became confirmed in their habits, enjoying each new day, living happily in the world that had been prepared for them.

But not all. A few were dissatisfied with what Baiame had done for them. They longed for another colour in their plumage, a sweeter or louder voice, different beak, legs, or body. Chief among them was Brush Turkey. He felt his body was too clumsy. His wings could not support him in soaring flight. And, more than anything he resented the fact that he was brown all over, from head to tail, from beak to claw. He was jealous of the bright plumage of other birds, of their sweet voices, and the manner in which they could soar far above his head into the blue sky.

Unable to improve his own condition, he determined to destroy his light-hearted relatives. There was only one way he could think of to do this. Far away on the hills there was a burning tree. He could see it gleaming like a spark at night. It had been struck by lightning and, being endued with magical qualities, the fire that blossomed in its branches never died down.

'If I were to take some of this fire and put it in the forest, there'd be a grand conflagration,' he thought. 'It would destroy their nests and in time there'd be no eggs and no fledglings. I'll do it!'

He reflected, 'What about me? What would happen to me?' Then he reflected that his home was in the scrub, and that it would make little difference to him if the forest was destroyed.

He set out on his journey to the burning tree in daylight, arriving there after it was dark. The tree was bigger than he had thought and he was unable to approach too near for the heat that came from it. Poking about in the undergrowth he found a dried stick and thrust it into the tree. It burst into flame. Chuckling to himself Brush Turkey scuttled away from the tree. Flapping his wings, half-walking, half-flying, he came to the forest and set fire to a heap of fallen branches.

The result was more spectacular than he had imagined. Gum trees burst into flame from top to bottom with a sudden roar.

Within seconds the fire ran through the forest, fanned by a gentle breeze, sending up showers of sparks that kindled further fires.

The other birds were sleeping on their perches in the trees, never dreaming of danger. Only Owl was awake. Suddenly he was blinded by light and realised that the forest was on fire. With a whoosh and a scream he rushed from nest to nest shaking the boughs and shouting, 'Wake up! Wake up! The forest's on fire! Hurry, hurry, or you'll be burnt to cinders!'

A great clamour arose as the birds flew from their nests. Those with young tried to carry them on their backs. Eggs had to be abandoned as the nests exploded in flames. A few birds perished, but most escaped, hiding in caves, in long grass well away from the forest, or flying about aimlessly, wondering what to do next.

The bewildered ones fluttered farther and farther away until they reached the sea. By that time they were exhausted by the heat and the long flight. Then a wonderful thing happened. As their wings drooped, they fell headlong into the sea, and down into its cool depths. Their wings shrank, legs disappeared, their bodies elongated, and feathers changed to silvery scales—and in this unusual manner the ocean was populated with fish of as many varieties as the birds that experienced the transformation.

The fire that Brush Turkey had lit was so fierce that every bush and tree was reduced to ashes. It is now the dead heart of the great island continent. But other forests sprang up in the north, the east, and the west. The birds that had survived the conflagration built their nests once more in the new-grown trees and raised families, so that the world was again filled with song and laughter.

The one who suffered most was Brush Turkey. The brown plumage he despised was covered with ash and turned to an even unlovelier grey—all except his head which remained a fiery red from the flames—a badge of shame, a constant reminder to everyone of the terrible deed he had done.

The First Men and Women

THE greatest of all mysteries is surely that of the origin of mankind. It is not surprising that there was much ingenious speculation on this important subject. It is impossible to unravel all the complications of inter-relationship between animals and men. The inter-changeability of animal life forms, including those of mankind, is a recurrent theme in myth and legend. On the other hand there are some in which mankind is regarded as unique, and the subject of a special creation. One such example is to be found in the Aranda myth of the Numbakulla brothers and the Inapatua.

The Inapatua were an embryonic form of life. They were formless, but with shadowy indications of the beings they would ultimately become. They can best be envisaged as boulders with a faint resemblance to the various parts of the human body. Lifeless, they lay on the desert sands.

The Numbakulla were two brothers who observed these strange forms from their home in the sky. They descended to earth and, working patiently with their knives, carved the plastic mass into recognisable shapes, imbued them with life, and sent them to people the continent that awaited their coming.

This myth has the virtue of simplicity. A curious factor is that creation of new life presumes the prior existence of sentient beings; as for instance, in the Munkan myth of Yagaanamaka, whose name may be translated Trample-the-Hair.

A woman who was travelling north and a man on his way south, met on a plain. The following conversation, direct and to the point, took place.

The man asked, 'Where are you from?'

The woman replied, 'From the south. Where do you come from?'

'From the north. Are you by yourself?'

'Yes.'

'Then will you be my wife?'

'I will be your woman.'

96

The formalities were complete. Man and woman were one. They lit a fire and lay down together. A new regime had begun. For the first time man and woman had been united, but with divided responsibilities, living together, sharing good and ill fortune, each complete and yet part of the other.

The days were spent in fishing, hunting, gathering grubs and vegetables. At the shared evening meal, daytime absence was replaced with union by night. They would have been content to live out their years together in this way were it not for the thought that when they died there was none to remember them.

'We have no baby,' said the woman with sudden insight. 'We two have no baby. All living things have babies, but not we two.'

It was springtime. She had seen eggs and fledglings in nests, the tiny offspring of animals, the diminutive forms of insects, turtles' eggs, even roe in the body of fish they caught.

'If birds, animals, reptiles, and insects can all have babies, then we too should have a baby.'

The man agreed. 'I shall make a baby of clay. You can nurse it.'

'Yes,' she said. 'You can do that, but you must place it in my body to give it life.'

The man was startled at this proposal, but after going away and thinking about it, he had to agree that a baby made of clay would be of no use unless it were alive.

He dug clay, fashioning it skilfully into the form of a little man complete in every detail. It lay inert in his arms.

'Place it in my body where I can cherish it,' the woman said, and this he did, injecting the juice from a milkwood tree to start the flow of milk, and red gum to simulate blood once the clay baby came alive.

And behold, when the woman gave birth to the baby, it emerged flushed with life, moving its limbs and crying. The woman put it to her enlarged breasts and the baby lay contentedly in her arms.

'It lives!' the man exulted. 'It is a little man. Some day he will go hunting with me. This baby is our baby, the first ever to be born of woman.'

He left the mother and baby, bounding over the plain like a kangaroo, hunting not for the one but for the two who now shared his camp fire. When he returned he looked at the baby again.

He said, 'Our baby has no hair!'

He gathered grass and placed it on the baby's head.

'Now you look like a real boy,' he said proudly. 'We shall live here and watch him grow into a man.'

The woman was content.

'What shall we call our baby?' she asked.

'We shall call it Yagaanamaka—Trample-the-Hair, for here I have trampled on the grass that is now the hair of our baby. In all the years to come more babies will be born, more and more, until the world is full of babies. This will be their totem centre where men will trample the grass for the babies their wives will bear.'

One of the most astounding series of metamorphoses began with a mosquito. Instead of completing its life cycle in the usual manner, it increased in size and shape and turned into a blowfly. Some time after assuming this form it swelled up again and became a moth. The most startling transition occurred when the moth changed into a small bird, the process ending when the small bird in turn became a crow.

Once it achieved its final shape the erstwhile mosquito took on the characteristics of that meddlesome, high-spirited fellow usually known as Wahn,* who was the progenitor of the crow family. A more widely circulated legend tells how Wahn accompanied Mulyan, the Eagle-hawk, and how Wahn tricked the larger bird into jumping onto the nest of a kangaroo-rat, where his feet were impaled on a pointed bone. The Wotjobaluk version ascribes the Crow's motive to his need to find a wife.

The animal world was still in process of formation. No one had yet been created who would be suitable for a lively Crow to take to wife. True, there were some half-formed creatures of indeterminate shape who inhabited the trees without ever setting foot on the ground. Crow felt that his only hope was to capture one of them and in some way to adapt it to a woman who would serve as his wife.

---

* The adventures of Wahn the Crow are related in some detail in Part Two — Legends.

It appears that Crow had not yet adopted the likeness of a bird, or else that he had passed through this stage of evolution and had reached the stature of a man.

He made his plan carefully. The tree-top creatures were beyond his reach. It was necessary to lure one of them down or, to use a later term, to smoke one out. This is what he did, in a literal fashion. First he took the bone of a kangaroo, trimmed one end to a sharp point, and pushed it into the ground, point uppermost. Next he gathered a quantity of wet grass and young leaves. Lighting a fire, he piled the sodden vegetation on it. The trees were swathed in heavy drifts of smoke. There was an uneasy stirring in the branches.

'Jump!' Crow called. 'You'll be smothered if you don't get down quickly. Don't be afraid. I'll catch you.'

He held his arms wide. For a little while nothing happened. Then a plump body hurtled through the smoke towards his outstretched arms. At the last moment Crow stepped aside. The body fell and was impaled on the bone.

Ignoring its cries and struggles, Crow picked it up and carried it to the fire, holding it over the billowing smoke. The blood that dripped from its torn body quickly congealed. The creature writhed in his arms. From the shapeless flesh, amorphous protrusions gradually assumed their final shape. Crow looked at the body which had been so ungainly and even repellent, marvelling at the delicacy of its features, at the sparkling eyes that looked into his, the long lashes, the broad nose and prominent lips, ears more delicate and exquisite than any fragile seashell, body and limbs rounded, soft, and inviting, feet that could walk the endless plains and hands and fingers that seemed made for food-gathering, fire-lighting, and the work he would require from a wife.

She was the first woman, at least of the tribe of the Eagle-hawk, and he the first man of the Crow family. For Crow there arose new obligations from that day—the need to protect her, to hunt for them both, and the final responsibility of fatherhood.*

---

* The myth offers an explanation of the relationship between Crow and Eagle-hawk moieties.

There is some connection between totemic ancestors and the creation of the first men and women. Not infrequently it is the ancestor of a particular totem (whether man or woman) who is the subject of individual myths.

Amongst the tribes of the Murray River the Crow again appears, not as the progenitor but as the agent by which a woman ancestress appears on the scene.

In the Murray River myth, Crow wished to cross the river. As he was unable to swim the only way to get to the far side was to construct a canoe. This proved more difficult than he thought. He searched up and downstream looking for a suitable tree to provide the hull of a bark canoe. Some were too small. Or the bark was too thin. Or there was some hole or defect that would let the water through. When at last he did find a suitable tree it was at some distance from the river. Painstakingly he cut the bark with his knife and stripped off a large sheet, sewing the ends and placing spreaders to shape it to his liking.

Placing it on his head, he set off in the direction of the river. He had not gone far before he heard a rhythmic tapping sound. It was too regular to have any natural origin. He kept on walking, his eyes darting to right and left, trying to probe the undergrowth in search of the noise-maker who was apparently accompanying him. As the sound neither rose nor fell in intensity, he came at last to the conclusion that it must be coming from the canoe.

He lowered it to the ground and looked inside. To his surprise he saw a woman sitting in it. Crow had never seen a member of the opposite sex. He sat down and stared at her, fascinated by the anatomical differences. The woman spoke no word. When he stood up, she stepped out of the canoe and helped him carry it to the bank of the river and launch it.

Crow was coming to the conclusion that this strange, silent being had been providentially placed there simply to help him. He handed her the paddle but, to his further surprise, she shook her head vigorously and took her place in the canoe, evidently expecting him to do the hard work of paddling across the river.

It was the beginning of a long series of lessons that the bachelor Crow was to learn about the relationship between man and woman, and their individual responsibilities. Some of the lessons were hard to learn, but there were compensations, and sharing of many of the tasks he had had to perform before he met the woman.

In time they settled down to a working partnership, each with his or her own duties. Two children were born, each of a different totem. For protection against danger, the mother kept them hidden in a tree; but one day, when both parents were away from the encampment, the children scrambled down from their perch. Once they reached the ground they took on human form and became the earliest Aboriginals from whom all others are descended.

The Kurnai tribe, which lives in the eastern coastal districts of Victoria, substitutes the Pelican for the Crow, and identifies his woman as Tuk, the Musk-duck.

The Death of Man

THE advent of death is no less mysterious and awe-inspiring than that of birth. The beliefs that centred round the final destiny of man were as varied as those that explained how he was first created. In some areas the fear of visitation by the ghosts of those who were once living men and women were very real, giving rise to involved burial ceremonies. There were divergent accounts of spirit worlds, and of the spirits of human beings being translated to the sky world as stars. There were beliefs in rebirth in subsequent generations. And among some tribes there was certainly the belief that death was final and irrevocable, with no hope of an afterlife. It was a fate that eventually overtook even the most vigorous and powerful totemic ancestor who, after arduous journeying, was destined to end his days as a pile of rocks, or as sacred emblems. While the ancestor might, and usually did, achieve rebirth, it was in lesser mortal form, bereft of the power and endurance that won him fame.

For mortal man, the final annihilation, even though it might be delayed, could never be avoided. In *Aranda Traditions*, Professor Strehlow tells that among some Aranda subtribes the souls of the dead take a journey to the Island of the Dead in the northern seas, where they are destroyed by bolts of lightning;

that others pay visits to their graves before their destruction; that others again are confined to lifeless but sacred tjurunga. 'But none of these varying versions has any comforting power in the face of death itself; the native has no hope of future life in which he himself will rejoin his friend, his kindred, his family, or any of those who were once dear to him.'

The Aranda legend of the Curlews of Ilkakngara provides an explanation of the origin of this belief.

First came the Curlew women, one by one, from an opening in the rocks. Many women came, and after them the Curlew men, one by one, from the same opening, until the last one emerged.

The women were glad that they had been followed by their menfolk, but the men were angry. Their anger was directed against their leader, the first to come out of the rock.

'Why did he follow the women so closely?' they asked. 'Why did he take the lead? Why did he not let us come out together? Is it because he wanted first choice of the women?'

These and other questions were bandied about, adding fuel to their indignation. The women said nothing. They stood in a circle, eyeing the men speculatively, as women sometimes do when men are not looking.

The man who had emerged first from the rock took no notice of them nor of the women. He busied himself lighting a fire, thinking to please everyone by providing warmth for those who, like himself, had endured the age-long chill of a rock-bound prison. His thoughtfulness was ill-rewarded. After conferring among themselves, the men chose one of their number to point the bone that brings death.

And so the first man of all men was the first to die. His body was racked with pain for a moment. Then, the brief convulsion over, he lay in the cold sleep of death, unwarmed by the fire he had lit for those he believed were his friends.

The women danced slowly and sadly round his body, grieving for the one who had loved them, until they were driven away by the men.

The body was buried in the stony soil, and the men clustered round the fire. Presently one of them shouted in alarm, pointing to the spot where they had buried the dead man. The ground above the buried body was heaving as though some subterranean animal was trying to come to the surface. Two large stones fell outwards, followed by a hillock of earth seamed with runnels of sliding sand and tiny particles of earth. With horrid fascination they watched as a shock of human hair, followed by a face with wide, staring eyes issued from between the tip-tilted stones. Nose, mouth, chin and neck were plainly visible. It was the head of their leader, the one they had killed and buried, come to life again.

They shrank back, fearing the vengeance of one who had the power to rise unharmed from the grave. They waited for his body to follow, but his shoulders remained below ground. Only the head moved, the eyes shifted from one to another, and the mouth opened to speak words of reproach or condemnation. Unknown to those who watched, the man's shoulders were caught under the stones, preventing him from rising further.

Suddenly the men were thrown aside. Urbura the Magpie rushed through the crowd, scattering the men like leaves in a passing gust of wind. In his hand he held a heavy spear. He thrust the barbed point deep into the man's neck, withdrew it and stamped fiercely on the man's head, forcing it into the ground with blow after blow.

As it disappeared the boulders rolled back, covering the hollow, sealing head and body beneath them.

The women crept nearer, still chanting their mournful song, stamping their feet as Urbura had stamped his.

'Stay fast, held for ever!' Urbura shouted. 'Do not try to rise! Stay in the grave for ever!'

Urbura the Magpie spread newly-sprouted wings and took flight, followed by the men and women, now changed to curlews who shriek and wail when they remember the death and dying again of the first curlew.

Had Urbura not killed him a second time, death would not have come to mankind. In the words of Professor Strehlow's informant, 'and now all of us die and are annihilated for ever; and there is no resurrection for us'.

Strehlow assures us that the idea expressed in these words is 'entirely dissociated from any Christian teachings'.

Again, there is a Murray River myth that tells of Nooralie, the Great Spirit, who created order out of chaos in the heavens and

103

on earth. Men and women were not differentiated by sex, so far as their physical features were concerned. Animals were a queer mixture, and in the sky, sun, moon, and stars pursued an aimless course.

With the assistance of Bonelya the Bat, Nooralie tidied up the disordered elements of nature. When his work was finished the whole world became as we know it, with one exception. Death had not come to men and women.

Bonelya crawled into a hollow tree and fell into a deep sleep. Concerned for his faithful helper, Nooralie warned men and women not to come near him until he was fully rested. Some time later a woman happened to pass by. She was carrying a load of firewood and accidentally knocked it against the tree. The hollow trunk boomed like a drum, waking Bonelya, who crawled out and flew away.

Nooralie was so annoyed that his faithful friend had been disturbed that he brought death to men and women as the final act of creation.

Amongst the Kulin people it was said that at first the Moon revived those who died with a drink of magic water, thus prolonging their lives indefinitely. For some reason the Pigeon disapproved of the practice. Exercising his own considerable talents, he counteracted the effect of the magic water, so that those who died remained dead—as men have done ever since. The only one who survived the superior magic of Pigeon was Moon himself who, when on the point of death, is revived and comes to life once more each month.

While it was held by some that death was final and irrevocable, in many parts of the continent there was a variety of beliefs in a continuing state of existence. Many of these have been summarised by R. M. and C. H. Berndt in *The World of the First Australians.** The Lower Murray tribes say that when the culture hero Ngurunderi completed his journey among men, he took his sons with him on a long trek to the land of the dead, somewhere to the west. On the way one of his sons went missing, leaving one of his spears behind him. Ngurunderi tied a

---

* The writer is indebted to the authors for the information that follows.

rope to the butt of the spear and threw it, in the expectation that it would find its way to the missing boy. It found its owner. The lad caught hold of it and was drawn back into the company of his father and brothers.

Ever since then the souls of the dead are drawn up to their final home, where they are received with kindness. Infirmities they may have suffered during their life on earth are healed, and those who were aged are given renewed youth and vigour, and supplied with husbands or wives. There is no sadness in that world. Many who come there grieve at first for those they have left behind, but before long they feel at home in their new existence.

It is said that before his departure Ngurunderi dived into the sea near Kangaroo Island, and that the spirits of the dead follow the path he pioneered by crossing first to the island and cleansing themselves as he did.

The sky is the traditional spirit home of many tribes, many of which have a recognised point of departure or jumping off place. At Botany Bay there is an invisible tree that provides a bridge from this world to the spirit land. In order to reach the far side, various tests must be passed. Elsewhere the departing spirit climbs a rope to the land in the sky where Baiame is waiting to receive it. In this case the tests are severe, but with what a European might regard as a tinge of humour. To the Aboriginal they had deeper significance. Having climbed the rope, the spirit must then pass through two revolving rocks which, as they turn, reveal the Moon god and the Sun goddess who are endowed with sexual characteristics of abnormal size. The more timid souls dare not pass by, but those who are bold pass between them unharmed.* Before entering the Sky-land and being received by Baiame, a spirit must endure a series of questions by two ancestors without replying. Finally it is forced to watch erotic dances and listen to women singing humorous and no doubt suggestive songs without reacting to them. It would seem, therefore, that the spirit world is denied to those

---

* There would seem to be some affinity here with the attempt made by the Polynesian demigod Maui to overcome Hine-nui-o-te-po, the goddess of death, by passing through her body. He failed in the attempt, and so was unsuccessful in overcoming death.

who retain the carnal appetites of the life they have abandoned, and that only the pure in mind are admitted to the celestial abode!

The destiny of the spirits who fail the tests is not stated, but it may be assumed that they remain on earth, either to linger by their bones, or to plague the living. In some places men and women are supposed to be possessed of two or more spirits, one of which is received into a paradisean afterlife, the others remaining behind as malicious ghosts.

In western Arnhem Land the departed spirit has to endure many tribulations before being admitted to Manidjirangamad, the Sky-land. An unpleasant individual named Gunmalng knocks out its teeth with a club. If the gums bleed the spirit is sent back to its body, for death has not yet come to its owner. A bloodless spirit continues its journey, but has to avoid a guardian who is waiting with his spear. Fortunately a protector is at hand. The first sign that this peril is being approached is the presence of a white cockatoo, which screams to announce the coming of one who is striving to reach Manidjirangamad. Thus warned, the guardian's wife offers to remove the lice from her husband's hair. If the spirit is sufficiently wary and agile it will be able to steal past the guardian without being seen. In order to protect herself, the woman waits until the spirit is at a safe distance before telling the guardian that she has seen it. It is then too late for him to catch up with it.

The perils of the road are not yet over. The spirit comes to a group of people who are eating fish, while nearby a second guardian is waiting to cut off its legs. As soon as they see it the people begin crying piteously to arouse the guardian. On being told that they want more fish, he rolls over and goes to sleep, and the spirit is able to steal past unnoticed.

Finally the spirit comes to a river which can be crossed only by canoe. If it is a male spirit, the ferryman conveys it to the other side in an old canoe, beating it with a club or paddle all the way across. If the spirit is female, the ferryman provides a new canoe and treats the ghostly woman courteously, but expects payment in the manner that men so often demand of women.

If, after surviving the hazards of the road to Manidjirangamad, the spirit arrives at its destination, it is sure of a welcome by its ghostly inhabitants.

106

In the legends of most ethnic races in the Southern Hemisphere there are usually accounts of visits paid to the land of the dead by mortals. A number of these tales have been extant amongst Aboriginals.*

To the people of Arnhem Land the island of Bralgu is the land of the dead, where spirits dance the endless years away. One of their occupations is to send the morning star to the northern coasts. To do this, they tie balls composed of feathers to a large pole by means of strings. The balls are thrown out into the night sky, where they shine like stars. When morning comes the balls are retrieved by pulling in the strings—a ritual practice repeated by the Aboriginals in the mortuary ritual of the Morning Star.

A man named Jalngura of Bremer Island noticed that a yam leaf had dropped by his side. As a strong wind was blowing from the island of Bralgu he knew that it must have been wafted from the spirit land and, on the spur of the moment, decided to visit that fabled island while he was still a man and bring back word of what he had been able to see.

It took several days hard paddling in his canoe before he reached Bralgu. He stepped ashore, carrying a spear-thrower which was a replica of those he believed to be made by the spirits. It was cylindrical in shape, adorned at one end with human hair.

When the spirits saw that he was carrying a Bralgu woomera they accepted him as one of themselves, greeting him as a new arrival and providing him with a feast of yams. When night came he was entertained with dances and provided with clapping sticks with which to keep time. In return he sang to them, and was rewarded with three attractive girls, who became his wives.

Before dawn they wakened him and invited him to observe the rite of the Morning Star. This was what Jalngura longed to see. He was taken to an old woman who kept the balls of seagull feathers in a basket. Of all the spirit men and women he had met, she was the only one who harboured a suspicion that he might not be what he pretended. She refused to take the balls

---

* See also Part Three—Fables, which contains an account of the quest of Baiame by Yooneeara.

out of the container while he was present. No amount of pleading by other spirits would make her change her mind until Jalngura begged her to show them to him and sang a magic song that persuaded her to cooperate.

When the balls were taken out Jalngura was surprised and yet relieved to see that they were exactly the same as those used by his people in their own ceremonies. He watched, fascinated, as they were tossed out on the ends of their feathered strings and gleamed with steady flame in the pale light of dawn.

As the old woman pulled at the strings in order to restore the balls to the receptacle in which they were kept, Jalngura begged her never to cease heralding the coming of day with these comforting lights.

She looked at him from under lowered brows.

'That I shall do, whether you ask me or not, mortal,' she said. 'You are here under false pretences. If it were not that you had charmed me with your song there would be no place for you here or on your own island. I fear you will pay for your rashness. In your turn you must promise me one thing. When you return to the land of Bralgu, as you must, whether soon or late, promise me that you will bring your wives and children with you.'

Jalngura promised readily and with a light heart got into his canoe and sped back to Bremer Island, where he had many things to tell to his fellows.

That night he chose one of his wives to lie with—and the prophecy of the keeper of the Morning Star came true. The long and strenuous double voyage in his canoe had weakened his back. In the night it broke and before he could wake to see the Morning Star again, his spirit and that of his wives and children were again on the way to the land of Bralgu.

River and Sea

Two brothers named Malgaru and Jaul lived near the Centre. After a long period without rain the water holes and soaks were all dry. Malgaru had foreseen the drought and prepared for it by sewing up a kangaroo skin and filling it with water. Once the waterholes ran dry Malgaru refused to share the water with the improvident Jaul, which led to bitterness between the brothers. Jaul realised that if he were to survive he must leave his own territory and seek water elsewhere. His brother agreed and offered to accompany him.

When they arrived at Biranbura, near Fowlers Bay, they searched for pools without success. Malgaru placed his water bag in the shade cast by some rocks before going farther afield to look for food and water. During his absence Jaul, maddened by thirst, burst the bag. The water gushed out and ran across the sand. Malgaru saw what was happening. He ran back in an attempt to save what he could, but was too late to prevent a different kind of catastrophe. The water continued to pour out of the bag, filling the hollows, spreading inland, and into a deep depression that is now part of the sea.

Both the brothers were drowned in the flood. When the birds saw the torrent that threatened to inundate the whole country and destroy the trees that supplied them with berries, they began to build a dam to hold back the flood waters. The only materials they could find were roots of the kurrajong tree. Because of the use made of them on that tragic day the tree is sometimes called the water tree. In later years it proved a boon to the Aboriginals, for it flourished for longer than other trees in time of drought. Its roots contained water that could be expressed to provide a supply for drinking. The reason is that the water that came from the kangaroo skin bag soaked into them when they were used as a dam to prevent the flood from engulfing the inland plains.

Long before there was any Murray River, long before Ngurunderi made his journey along its banks, a small family group camped at Swan Hill. There were six members in this tiny clan, Totyerguil the father, two Black Swan wives known as Gunewarra, two sons, and Totyerguil's mother-in-law Yerrerdet-kurrk. They were all dependent on the hunter's skill.

While the Gunewarra were preparing the evening meal, Totyerguil told his sons to collect a supply of gum. They had only just arrived and their camp was in unfamiliar territory. Before long the boys came running back in a state of excitement.

'There's a big waterhole over there,' they gasped. 'And in it there's an enormous fish—the biggest fish we've ever seen.'

Totyerguil was sceptical. Most of his life having been spent in mallee country where there were only small soaks, he had seldom seen fish of any kind.

'How big?' he asked.

'Big as this! Bigger!' they said, spreading their arms to their fullest extent. 'Much, much bigger!'

Their father accompanied them to the waterhole, which he found to be a pond many metres across. There was no sign of the fish that his sons said had been lying near the surface, its back appearing like a small island in the pool. Totyerguil peered down into the depths of the pool where, much to his surprise, he could discern the shadowy form of what was undoubtedly a monster fish.

'Spear it!' the boys shouted, but their father shook his head.

'It's too far down, too far away from the bank,' he said. 'I must make a canoe so I can spear it from above. Come and help me.'

He cut the bark from a nearby tree and sewed the ends roughly together.

'That will do,' he told his sons. 'It's not a very good canoe but it will keep afloat long enough for me to get at the fish.'

Gathering his spears, he got gingerly into his homemade canoe and paddled quietly across the pool until he was directly above the sleeping fish. Raising his arm he drove the spear through the water and thrust it deep into the fish's back.

The boys, who were standing on the bank, saw the canoe lifted up as though by a tidal wave. The still water broke into waves that dashed over the bank, smashing into each other, sending spouts of water high into the air. The canoe, with Totyerguil clinging desperately to the frail bark, was lost to sight in the heaving cauldron. The boys feared that their father would be drowned or swallowed by the great fish, but when the tumult of water subsided they saw that the canoe was still afloat, though practically waterlogged, and their father was still clinging doggedly to it with one hand and holding his remaining spears in the other.

Far below the surface of the pool the fish, which we are told was Otchout, the father of all Murray cod, broke out of the pool that had long been his home. Like a battering ram, it dashed head-first into the bank and then up to the surface. The walls of the tunnel he made fell in. Water rushed into the channel, sweeping the canoe along with it.

All that day Otchout fled from the spear-throwing Totyerguil, who was borne on the crest of the wave that raced along the trench.

Night fell. By this time the fisherman had been left far behind. He camped for the night, enduring cold and hunger, while Otchout rested comfortably in a deep pool he had excavated with his fins. The spear, which remained upright in his back, troubled him, but he was confident that, having left the hunter behind, he would be able to dispose of it.

Long before sun-up Totyerguil was awake and on the trail again. Arriving at the second pool just as the first shafts of sunlight lit the horizon, he hurled a spear at Otchout. It landed immediately behind the one he had thrown the previous day.

Once again the startled cod hurled itself against the bank and fled across the land, excavating the unending trench along which the water rushed headlong, with Totyerguil trying to keep pace by paddling furiously. When night fell, the fish was again far ahead; and again it made a hole in which to rest, while the hunter spent another fireless, foodless night in the open.

Day after day, Totyerguil followed Otchout, night after night they rested, and each following morning or night another spear was planted in the fish's back.

At Murray Bridge, where the white man threw a bridge across the river a hundred years ago, Otchout made his last pool and Totyerguil threw his last spear. The hunt was over. Otchout's back bristled with spears, which we can still see as the spines of the Murray cod. The river we call Murray was made, increasing in volume as it was fed by rain and various tributaries, flowing gently until it reached the sea more than a hundred kilometres distant. Otchout was translated into a star, while the disappointed hunter set out on foot to return to his family at Swan Hill.

Before he left he dragged his battered canoe ashore and planted a pole he had made from the branch of a Murray pine upright beside it. The bark canoe took root and grew into a gigantic gum tree. The paddle pole became the prototype of all the canoe paddles made by the tribesmen of the Murray River district in later years.

When Totyerguil arrived at the camping ground at Swan Hill, he found it deserted. He had been away so long that his family had given him up as dead.

The fish had grown night after night, as the boys told and re-told of the way it had struggled when it was speared by their father.

'He must have been swallowed whole,' Yerrerdet-kurrk said. 'It's no use waiting for him to come back from the fish's stomach. We've got to find a better campsite than this. The pool is drained. We'll find no more fish there, I can tell you, and you boys aren't skilled hunters like your father. We'll have to try some other place.'

They left their camp and went eastwards.

Although they had long been gone, Totyerguil was able to follow their trail. It led across the plains, into the foothills, and then up steep mountain sides, until at last he came to the blank wall of a cliff. He looked round in every direction. As there was no sign of their passing on the stony ground, he wondered whether they had been killed and eaten by some monster from the mountains. As a last resort he shouted, 'Are you there? I am Totyerguil. Are you there, my wife? Are you there, my sons?'

The words echoed among the ravines, diminishing to a last faint 'Are you there? there? there?'

To his surprise he heard a reply from far above. 'Yes, we're here, here, here.'

Somehow the two women and two young men had managed to scramble up the steep mountain sides. Having reached the top, they found themselves unable to get back. Totyerguil had arrived in time, before they perished of starvation and cold.

'You must throw yourselves down,' the hunter shouted. 'Don't be afraid. I'll catch you. You won't hurt yourselves.'

Summoning up courage, his youngest wife threw herself from the cliff top and was caught in the arms of her husband. She was followed by the older wife, and then by the two boys, who enjoyed the sensation of hurtling through the air.

Last of all came the old woman, Yerrerdet-kurrk. Totyerguil spread his arms instinctively, but at the last moment he

112

remembered that it was forbidden for a man to speak to or even look at his mother-in-law.*

The poor woman crashed to the ground, breaking several bones, which took some time to heal. While they were mending, the family was forced to remain at the foot of the mountain. Hunting was poor, and Totyerguil had to venture far afield in search of game, as also did his wives, searching for grubs and other insects and what little vegetable food they could find. This they all did ungrudgingly, but the old lady harboured resentment against her son-in-law. She suspected that he had drawn back on purpose instead of catching her in his arms; even if that were not true, he might have ignored the tribal law for the sake of saving her from possible death.

Once she recovered, the hunter led them all on a journey that took many days, and ended in a pleasant place where there was plenty of water, with trees, and yams, and other plants, and an abundant supply of game. For a while they all lived happily together.

The old woman concealed her feelings. She had not forgotten her grievance, and was only waiting until memory of the accident had gone from the minds of others. Revenge, when it came, would be even sweeter for the delay. She was in no hurry. She would know when the time was ripe.

During this period Totyerguil did not set up a permanent camp site. He wanted to explore the whole region before settling in one place, spending some time at each stopping place.

In her search for yams Yerrerdet-kurrk came one day to a deep waterhole. In skirting it she saw a bunyip lurking in its depths. A plan formed in her mind. She visited the pool several times, bringing branches and sticks of wood which she piled on the bank. Each time she came she looked into the pool to see if the bunyip was awake. It looked up at her with its wicked eyes,

---

* It was an almost universal rule that once a man was betrothed he had no further converse with his future wife's mother. Amongst some tribes they were not permitted to speak to each other under any circumstances, but only through a third person. In some cases a special language or vocabulary was employed. In others sign language was used. It was customary for the woman to turn away when she saw her son-in-law or heard him speaking. The tabu did not create ill feeling. When she was in need she looked to him for help.

113

and she drew back quickly. The day came when the bunyip was asleep—but Totyerguil was away hunting. She began to fear they would shift camp before the presence of her son-in-law coincided with one of the bunyip's occasional sleeping spells.

But at last the day came. There was a plentiful supply of meat. Totyerguil had decided to straighten and oil his spears and lash the heads more firmly to the shaft. With a fast-beating heart Yerrerdet-kurrk floated her collection of timber and leafy branches over the water, spreading them so thickly that there was no sign of the hole. She ran back to the camp and called to her son-in-law, 'Come quick. I've found the nest of a bandicoot.'

Seeing the piles of leaves and branches, he thought that it must indeed be the nest of a bandicoot. He advanced towards it cautiously, holding a spear in one hand and a boomerang in the other.

His mother's brother, Collenbitchik the Bull-ant, who had joined the family some time before, came running up to see what all the excitement was about. Yerrerdet-kurrk caught him by the arm and said urgently, 'Tell your nephew not to use his spears.'

'Why not?'

'It would spoil the flesh. The best way is for him to jump on the nest and catch the bandicoot with his feet. That's what my husband always did.'

'Well,' said Collenbitchik, 'I don't suppose it will make much difference. You might as well do as she says and keep her happy, Totyerguil.'

His nephew grinned. He had killed many bandicoots and knew all about their ways, but if it pleased the old woman, there seemed no harm in doing as she said.

Dropping his spear, he jumped on to the tangled branches. To his dismay he crashed through them and dropped feet first into the waterhole.

As he fell he saw the bunyip rearing up with gaping mouth and claws ready to seize him. His only weapon was his boomerang. He threw it at the hideous head, but it went wide of its mark, soared through the remains of the leafy screen and disappeared into the sky where it can now be seen as a bright star.

114

Dragged under water, Totyerguil was unable to free himself from the grasp of the bunyip and was drowned. The ripples died away. Collenbitchik, appalled by the sudden catastrophe, jumped in and dragged the body away from the monster. The mud at the bottom of the waterhole had been stirred up and he was unable to see, but he groped his way to the side, questing with his hands and fingers, which developed into the characteristic feelers of the bull-ants. So ended the life of Totyerguil whose pursuit of Otchout the Cod resulted in the formation of the Murray River.

We are told by Aldo Massola, who recorded this Wotjobaluk myth in his book *Bunjil's Cave*, that 'Totyerguil is now the star Altair, and the two smaller stars on either side of him are his two wives. His mother-in-law has become the star Rigel, and Collenbitchik's "fingers" have become the double star at the head of Capricornus.' No mention is made of the fate of the two sons, but the boomerang, Wom, is the constellation Corona Borealis.

All along the northern coast crocodile legends abound nearly as plentifully as crocodiles. From the Maung tribal territory in the Goulburn Islands comes the legend of a group of tribesmen on walkabout who came to Inimeiarwillam, near the mouth of the King River. They crossed the river by canoe, pulling it back and forth several times until they were safe on the further bank, and bestowed the name, which means 'He pulled a bark canoe'.

One man was left behind. He must have been unpopular with the others, for in spite of begging to be taken into the canoe, he was refused time after time. He finally managed to make the crossing by swimming.

'I'll turn myself into a crocodile,' the man said. He walked along the bank until he came to a grove of ironwood trees. Digging up some of the roots, he heated them over a fire, peeled off the bark, and pounded them on a flat stone until they were soft enough to be moulded by hand. When he was satisfied with the shape he placed it on his nose, elongating it until it looked like the long, flattened snout of a crocodile. As he slid across the muddy bank, his body grew long, a tail formed at the base of his spine, his skin hardened into scale-like armour, his legs and arms shrank, thickened, and ended in claws. Wicked teeth

115

protruded from his jaws. He had changed from man into crocodile.

Silently he swam downstream, his eyes protruding above water, with the rest of his body concealed. He was delighted to find that he was not too late. The canoe was making its last journey. Rearing up, he opened his jaws wide, seized the canoe in his teeth, and shook it, spilling the frightened tribespeople into the stream.

With frantic strokes they attempted to swim to the shore, encouraged by the shouts of their friends who were safe on the bank. The metamorphosed man-crocodile was too quick for them. With strong strokes of his tail, he darted from one to another, his teeth coming together with a vicious snap, tearing them limb from limb, until all that remained were severed limbs and mutilated bodies drifting out to sea in the reddened water.

His revenge was short-lived, for he was snatched away from the scene of carnage and placed high in the heavens. His position there, where he can do no harm to mortals, is indicated by three stars, with another three to show where the bark canoe has been placed. In it were three young women. They did not escape the man-crocodile's fury, but are now represented by three lumps at the back of every crocodile's head and are supposed to warn the reptiles of coming danger.

In Part Two — Legends there is a story that tells of the fate of Pikuwa who seduced two girls and was trapped by them in a pit. In a variant of the legend Bindagbindag (for that was the name given to him by the Ngulugongga of the Daly River) was a man who pursued his own daughters who had taken refuge high in the branches of a banyan tree. Bindagbindag swarmed up a rope that had been left dangling from the tree house. When he neared the top his wife sawed through it with a sharpened mussel shell and he fell to the ground.

For many days and nights he lay there. All his bones were broken and he was unable to move. When they began to mend he was aware that he had lost the resemblance of a man, for his limbs were splayed out in all directions.

'I am no longer a man,' he said sadly. 'I shall make my home in the water. It will buoy me up and I shall no longer feel pain when I move.'

116

He crept to the edge of the bank and slid into the slowly moving water. It cradled him and the pain slowly ebbed away.

'Now I am neither man nor any other creature,' he said. 'I am more crocodile than man. I can never return to my former state and as I am, it will be difficult to feed myself. There's only one thing left to do. I must turn into a crocodile.'

The change, as related in the legend of the crocodile of Inimeiarwillam, came quickly. To try out his powers he snapped at a dog that was swimming close by and had the satisfaction of feeling his teeth crunch through flesh and bones.

He, too, was translated to the Sky-land, with all his family. The rope from which he fell is the Milky Way and a dark hole the banyan tree, with his wife and daughters camped under it, safely protected from his shining teeth.

The Frilled Lizard

FIFTY kilometres north of Cape York is an island named Nelgi, which was once occupied by lizards, goannas, and snakes, their leader being a Frilled Lizard called Walek.

Fire was unknown to the early inhabitants of the islands of Torres Strait, who placed their food on sun-warmed stones and cooked it a little at a time. It was a prolonged, time-consuming process. Far away from the coastal islands of New Guinea they often saw smoke rising, and suspected that their relatives had found some way of cooking their food properly.

At a tribal meeting Karum, the Monitor Lizard, was asked to find out whether this was true. He slid into the water and headed north, but before long he was back again, shivering with cold.

'It's no good,' he told them. 'Cold currents came up from the bed of the sea. I was tossed about by the waves and turned from my course by the strong currents. I could barely make it back to this island of Nelgi. You must find someone who is stronger than I.'

He crawled slowly and painfully to a flat rock and lay at full length, revelling in the hot sunshine.

'Why don't you try, Walek?' asked one of the smaller lizards.

117

After Karum's defeat, Walek's pride was touched.

'I'll try,' he said. 'I have a sister on the mainland. She may be willing to help us.'

Before he left he told his people to watch for smoke on the northern islands as a sign that he was on his way back.

He climbed ashore at Mawat on the New Guinea coast, changed into human form, and went some distance inland where his sister, Ubu, was living. She greeted him and invited him to share their evening meal. Malek was fascinated by the sight of a fire outside the hut, and the way Ubu prepared the food by placing it on hot stones and covering it with vegetation and earth.

'Is that what is called fire?' he asked, watching the smoke and flames rising from the wood.

'Yes,' she said shortly, looking round furtively in case anyone was within earshot, for the secret of fire-making was jealously guarded by the tribe into which she had married.

'Where does it come from?'

She opened her hand and showed him four coals glowing between her fingers.

'You don't need them all. Give me one,' he begged.

She refused, but he was so persistent that she gave him one from the other hand. Malek thanked her and left at once. When he reached the water's edge he looked at the coal more closely, saw that it was black and felt cold. Realising that she had tricked him, he went back and demanded another from her right hand.

Frightened that he might do her an injury, she reluctantly parted with one of the glowing coals.

This time he changed back to his normal shape, put the coal in his mouth, and struck out strongly. On reaching Saibai, the first island he came to, he went ashore and threw the coal into some long, dry grass, which burst into flame, satisfying him that the fire was still alive.

Far to the south, on Nelgi, the reptiles were gazing anxiously across the strait, wondering whether Walek had been successful in his quest. Presently they saw a tiny thread of smoke far in the distance and, at intervals, on nearer islands as Walek kept going ashore to make sure the coal was still alight. When he arrived at his home island he was given a tumultuous welcome and soon

118

food was being cooked and eaten with relish by everyone except Walek, whose tongue had been badly burnt, and had to be attended to for some time before he could eat. If ever one has the chance to look at the tongue of a frilled lizard, it will be seen that it bears the scar that was caused by the live coal he carried in his mouth during his long swim from New Guinea to Nelgi Island.

Sun, Moon, and Stars

THE sun is invariably regarded as female in Aboriginal legends, just as the moon is always masculine. One of the simplest and most appealing legends tells of a woman who lived in the all-pervading darkness of a world unlit by sun, moon, or stars. The only lights were the flickering bark torches held by those who were seeking food or water.

This woman, Knowee, left her small son sleeping in a cave and went out to search for yams. Without the heat of the sun to encourage plant growth there was little vegetable life on earth and it was necessary to forage far afield. She was afraid to leave the boy alone for long, lest one of the darker shapes that prowled the earth should snatch him away. But without food they would both die.

On this occasion she began to despair of finding any roots. Everywhere she went the earth was bare, broken into gorges and ravines, with huge boulders and outcrops of rock over which she was forced to climb. Growing tired in her hopeless search she decided to return to the cave. With a shock she realised that she had no idea where it was. In following one ravine that led into another, with many side passages, and guided only by the dim light of her torch, she was unable to recognise any landmark.

The only thing to do was to keep on walking, trusting that instinct would take her back to the starting point.

But alas, the farther she went the farther she wandered from the cave where her boy was lying. Weary and dispirited, she reached the very end of the world and, unknowingly, stepped from there into the dark land above the world.

Every day she traverses that vast plain, holding her torch high above her head. The flame has grown brighter with the passing of the years. In her daily march across the sky it lights up the whole world as she keeps on searching for the son who is still awaiting her return.

A Murray River tribal myth of the origin of the sun is unique in that it embodies elements of a number of separate legends that have already been related. The skilful manner in which they have been blended justifies a retelling of this extensive myth.

As in the previous story, it begins when the world was in darkness, though there must have been some kind of half-light to enable the actors in the following events to see what they were doing. It may be that earlier men and women who had been taken into the sky to shine there as stars provided the light that enabled the Emus to see how fair was the world that lay far below.

We must not be surprised at this.

The Emus were equipped with powerful wings and spent their entire lives disporting themselves above and through the clouds that wandered beneath the high dome of heaven. Not one of them had ever landed on the earth. Born in the empty space of the sky, their eggs cradled on soft clouds, with their playmates of wind and cloud, they felt no urge to explore the solid world that lay so far beneath them that it was but a blurred landscape reaching from one distant horizon to another.

Until one day, whether forced by a vagrant wind far from her aerial playground or whether by accident, a female Emu flew sufficiently close to earth to see its many features. For many hours she struggled upwards to reach her accustomed playground. On arriving there, she called her friends round her and told them, at great length, what she had seen.

'It's quite different to our home,' she said. 'Mountains and valleys don't change their shape as they do here. But the colours! Beautiful greens and browns, and greys, silver and gold, crimson flowers of every shape and size! Clouds of leaves blowing in the wind—and things that move on two legs and four. Some with wings but most without, climbing the mountains, swimming in rivers and lakes. If only the light had been brighter I would have seen more.'

Her friends thought she was romancing.

'It can't be like this world of ours,' they said. 'See how we fly through the changing clouds that are never the same from one day to another. You can have that dull, petrified world if you want it. This is the home that Baiame has given us. You should be ashamed to want to go to one where you don't belong.'

Emu hid behind a cloud and sulked. 'They don't understand,' she said to herself. 'If they'd seen it as I have, they'd want to go there too.'

She fell asleep, wafted to and fro on the breeze, dreaming of the new world she had seen. When she woke her mind was made up. Not waiting for the wind to blow her down, she flew joyously with strokes of her strong wings towards the earth. Sometimes she closed her wings and fell in a plummeting dive with the cold wind whistling past, smoothing the feathers close to her body. Again she opened her wings, drifting quietly, down the tenuous highways of the air, to land on a patch of green sward sheltered by tall trees.

While drifting close to the earth she was entranced by a song and the sight of heavily built birds dancing in a circle. She ran towards them, begging to be allowed to join in the dance.

One of them, a Native Companion, came up to her, keeping her wings folded close to her body.

'It is a sacred dance,' she said. 'We don't know who you are or where you have come from.'

'I am an Emu,' was the proud reply. 'I live far above you. I am the first of our tribe ever to come to your home.'

'Why have you come? Why don't you stay with your own people?'

Emu was taken aback by the rude manner of the Native Companion. It was not the kind of reception she had expected.

'Don't you want me here?' she asked. 'If I'm not wanted I'll certainly return to my tribe. I have come here because I thought everyone would be happy and kind in this beautiful world of yours.'

The Native Companion, who was jealous of Emu's mastery of the air, pretended a cordiality she was far from feeling.

'Yes, of course we'd like to have you with us,' she said sweetly. 'But there's a problem. It's those wings of yours.'

'What is the matter with them? Don't you like them?'

'Of course, of course,' Native Companion said quickly, folding her own wings even more tightly against her. 'But as I told you, this is a sacred dance. Only those birds who are wingless are allowed to join in.'

'What if I take them off?' Emu asked.

'In that case you will be welcome. Let me help you.'

She pulled with her beak and with a tearing sound the Emu's wings were removed. Standing before them, Emu was appalled at the laughter that rose from the Native Companions.

'You've been tricked,' shouted Kookaburra. 'She was jealous of your wings. You'll never be able to put them back,' and he kept on laughing, on and off, for a long time, just as his descendants do to this day.

Fortunately Emu found other friends who were better disposed towards her. She had lost the ability to fly back to her friends in the sky, but earth provided many compensations. The joy of browsing through the undergrowth, discovering new plants and succulent fruits and berries, catching frogs and fish in the billabongs with her feet in the cool water, these and a hundred other delights, and not least the freedom to join in the dances unencumbered with wings was proof that she had been wise in coming down to earth.

Nevertheless Native Companion still nourished her spiteful temper. After Emu had been some time in her new home, so long in fact that she had made a cosy nest and laid a clutch of eggs on the soft grass, Native Companion paid her a visit. She was accompanied by one fledgling, having left the others in the nest for the father bird to care for.

'Why have you got so many eggs?' she asked peering into the nest and clucking in disapproval. 'You'll have a hard job raising a brood as big as that. Much better to have one fledgling so you can give it proper attention.'

'All the women of my tribe lay several eggs,' Emu said. 'The babies are easy to look after when they break the shell.'

'In the sky, yes, where they'll never come to harm among the clouds,' was the reply, 'but not here on earth. Too many animals and reptiles here would like a tasty meal of eggs or young birds.'

The inexperienced Emu was impressed by this advice. She broke all the eggs but one and devoted herself to its care.

But the wickedness of the Native Companion did not go unpunished. Gnawdenoorte, the son of the Great Spirit, had heard what she said. He had not interfered when Emu's wings were removed, knowing that the ultimate destiny of the huge birds lay on earth and not in the sky, but at this further evidence of Native Companion's spitefulness, he took action. Two things that great man did to punish her. He changed her singing voice to a harsh croak; and, when breeding time came, her proud brood was reduced from ten or twelve to one, or at most two. The only thing he did not take from her was her graceful movements in the dance.

Emu, too, had learned her lesson—never to trust Native Companion. She was used to life on earth, seldom yearning for the freedom of the air she once possessed. Doubly so when she was joined by her husband and the friends she had known in the realm of the sky.

Another mating season came, and in due time the nest again contained its full quota of eggs. When Native Companion came drifting up to her on a day that her husband was absent, she was on guard against honeyed words. This time, the spiteful bird said nothing. Using the wings she had hidden when she had helped denude the Emu of hers, she sprang over her head, alighting on the nest, and began crushing the precious eggs with claws and beak.

Emu lashed out with her tree-like leg, sending her rolling over the ground. But Native Companion had managed to seize one of the eggs in her claw. She hurled it with all her might far into the sky, where it broke against a pile of firewood that Gnawdenoorte had prepared to warm himself. As it struck the wood, the egg burst into flame, igniting the woodpile and flooding earth and sky with light and warmth.

So the sun was born and maintains that warmth and life day after day, to the comfort of all that lives and grows on the earth below.

Bahloo, the Moon god, is usually represented as the lover of Yhi, the Sun goddess. He was a cheerful soul, fond of playing tricks on others, but never malicious. Once, long ago, he was a man who lived on earth, where he was known as Nullandi, the

Happy Man.* In old age he was raised to the sky by Baiame, where he received the new name, Bahloo, and was renewed in mind and body. Every month he declines in stature, but grows again to his full size, a sign to mankind that when they die they will be restored to life again in the land that Baiame has provided for them.

Bahloo had not long been in the sky when a terrible thing happened. The Sun goddess fell in love with him. Bahloo was still fond of the wives he had left behind and often longed to be with them again. He was frightened of Yhi, who had had many lovers, and used men as playthings. She followed him across the sky, overwhelming him with a passion that was expressed in the increased heat that emanated from her radiant body.

Bahloo hastened his steps, pursuing an erratic course that contrasted sadly with his usual slow and steady pace from east to west. As Yhi pursued him closely, he was in danger of being cornered. He fled to the edge of the sky, hoping to slide down to earth. At Yhi's command the edges were turned up, penning him like an emu caught in the net of the hunters.

It may have been the analogy that prompted him to disguise himself as an emu. He stalked past the guardians of the sky without being challenged. Arriving back on earth he went directly to the camp where he used to live and crept into his own gunyah. He prodded his wives until they woke.

'Be quiet,' he said sternly before they had time to open their mouths.

'I thought you were ...' one of the younger wives said, and then covered her mouth with her hand.

Bahloo turned to her and said, 'Yes, you thought I was—whom?'

She was reluctant to say more, but at Bahloo's insistence she confessed that his brothers had been visiting the gunyah regularly.

'Are they likely to come here tonight?'

She giggled. It was sufficient for Bahloo.

'Get up,' he said to the other wives who were lying quite still, hoping not to be drawn into the conversation.

---

* The legend of the Happy Man and Loolo the Miserable Man is related in *Myths and Legends of Australia*.

They stood up.

'Go out and fetch a large log—about this long,' he said, spreading his arms to their fullest extent. As they ran out he addressed the youngest wife.

'When they bring in the log, cover it with a kangaroo skin. Then take the others with you and hide in the bush until I call you.'

As soon as they were gone, he hid in the darkest corner of the gunyah, holding a frond of fern in front of him to disguise his unmistakable form. The waiting time was brief. He watched with some amusement as his three brothers stole in on tiptoe. His eyes were accustomed to the dark. He grinned as he saw the look of astonishment on their faces when they realised that the women were not there.

'Where are they?' one of them whispered.

'Look,' said another, 'there's someone over there in the corner, wrapped up in a kangaroo skin.'

'It must be Bahloo!' the third brother exclaimed.

They ran outside and came back with their nulla-nullas. It was with considerable enjoyment they attacked the still form, oblivious of the fact that Bahloo himself was standing in the corner thoroughly enjoying the spectacle. When the disgusted trio had left, Bahloo joined his wives and set up a new encampment, waiting until Yhi's ardour cooled, occupying his time with his favourite occupation, the manufacture of girl babies.*

Bahloo, the cheerful and often mischievous Moon god, spent a great deal of his time on earth, mainly because of the attraction of the pretty young women he found there. He was usually accompanied by his 'dogs', who were in reality snakes—which failed to endear him to the men and women he met on his lonely excursions.

On one occasion he came to a river that was so wide that he found difficulty in crossing it. He waited on the bank until a party of men came that way, and appealed to them for help.

'Will you carry my dogs across for me?' he asked.

They shrank back from him.

---

* For the legend of the making of babies, see Part Two—Legends.

'No, we're frightened to touch them. They might bite us.'

'They won't hurt you,' Bahloo laughed. 'Look, I'm holding them. They don't bite me.'

When they continued to refuse, Bahloo became angry. He broke off a piece of bark and held it out.

'See this?'

He threw it into the water, where it was caught in the current and floated downstream.

'If you help me, you'll be like that piece of bark. Did you see how it disappeared and then bobbed up again? When you die you'll come to life again. Now watch this.'

He picked up a stone and tossed it into the river.

'See how it sinks? If you refuse to carry my dogs across, then you'll be like the stone. When you die, you'll never come to life again. What will you do?'

'We won't touch your dogs. We're too frightened,' they repeated.

'Very well,' said Bahloo. He picked up the snakes and swam across the river. On reaching the other side, he shouted, 'You've lost your chance. When you die you'll stay dead. You're nothing but men while you're alive, and when you're dead you'll be nothing but bones!'—and he stalked off into the bush, so angry that when the time came to make his journey across the sky, he never came back to earth again.

Another legend puts the moon in a more kindly light. Long ago men did not die because he gave them a magic drink every month to bring them back to life. It was Bronze-wing Pigeon who was the hard-hearted one. His magic was stronger than Moon's, and counteracted the magic of the water. Men who died then remained dead. Only Moon survived that superior magic and continues to revive after his death every month.

While Bahloo is the commonly accepted name of the Moon god, there are other names and legends to account for the guardian of the night sky. In a few words, a conflict between a man whose son had been killed because of misconduct between his wife and her lover resulted in both men being severely wounded. The betrayed husband drowned himself, but the lover of his wife, Japard by name, rose into the sky and became

126

the moon man with the scars of battle plain to see on his face.

The mother of the dead boy was turned into a curlew that constantly bewails the loss of a dead husband and son.

The legend is in striking contrast to that of the cheerful Bahloo.

Every constellation and countless individual stars are productive of legends that account for their origin. Some have already been related. There is a degree of consistency in many of these tales in spite of the fact that they have come from widely separated tribal groups. The myth of the totemic ancestor or of some less distinguished figure of the Dreamtime frequently concludes with the principal actor or actors being taken into the sky to begin a new life, removed from the hazards of everyday events in the world as stars.

A typical star legend is that of the Spider Women of the Great Victoria Desert. Amongst the Spider clan that was camped by a waterhole were two sisters, one of whose duties was to take food each day to a boy who was undergoing initiation tests some distance from the encampment. They had been given strict instructions not to show themselves to him, but to light a fire as a sign that food was ready, and to hurry back to the camp.

The younger woman, intrigued by the possibility of a liaison with a man of her own age, decided that she must see him for herself. In her own words, 'I shall make myself into a wife.'

The boy was living in a hollow tree, and was safely hidden, but the next time she took food and searched for him, he was stalking a goanna. He saw her place the food on the ground and light the fire. Then, instead of leaving, she began searching for his hiding place. He bent low in order not to reveal his whereabouts and ran to the hollow tree. The Spider Woman saw his legs disappearing into the hole in the trunk. Satisfied with her discovery, she went home and told her sister what she had seen.

'You must help me,' she said. 'I want that boy for myself. When we take meat out there tomorrow, I will light the fire while you go over to the tree where he is living. Catch him for me. I'm sure he will want me when he sees me.'

Her sister agreed. On the following day, the plan was put into operation. While the younger sister was busy lighting the fire, the older one crept up to the tree. A rude ladder had been constructed to reach the opening. She cut it off and sat down to wait, hidden in the bushes. As soon as the fire was well alight, her younger sister pretended to leave, but she too concealed herself in the scrub.

It was long before the boy returned to pick up the food and take it to the hollow tree. Warned by a glimpse he had caught of the girl who had obviously been searching for him on the previous day, he waited until he was sure that the food-bearers were well away from the fire before venturing near his hiding place.

When he came to the tree he was surprised to find that the vine ladder had been removed. His suspicions aroused, he turned to run. He was too late. The elder sister sprang out of the bushes where she had concealed herself and held him tightly in her arms until the younger came running to join them.

'It's no use your trying to run away,' the older girl said. 'Anyway, why should you? My sister loves you. You should be pleased. If I let you go, will you promise not to run away?'

Seeing that there was no hope of escaping, the boy agreed. The younger sister stretched herself out on the ground, trying to persuade him to lie with her. Remembering the solemnity of the initiation rites and the penalty if he broke the prohibitions imposed by the elders, he refused to yield to her persuasions. The ordeal of the period of solitude had already been broken, which was bad in itself, even though it had not been his fault. The conviction that he must not cohabit with women during this period was so firmly impressed on him that he resisted all her blandishments.

Disgusted by his lack of cooperation, the sisters eventually left him. As he stood there, wondering what to do next, a group of other young initiates came up to him and persuaded him to go with them. Hoping he had spent sufficient time alone to satisfy the old men, the boy went with them.

They had not been gone long before the sisters returned, believing that by this time his resistance would be weakened. Finding that he had left, but puzzled by the multitude of tracks that led away from the tree, they followed them until they came to the initiation camp.

Cautiously they peeped through a screen of branches and

were in time to see the conclusion of the smoking ceremony. The boy had been held over a fire that had been piled high with green vegetation. He staggered away from it with smoke-filled lungs.

'Run!' the elder urged him. 'Run and fill your lungs with air.'

Coughing and spluttering, he ran from the fire, straight into the arms of the younger Spider Woman. Helpless to defend himself in his dazed condition, he was thrown across her shoulders and borne away. When the old men saw what frightful sacrilege was being committed, they pursued the girl, hurling spears at her. She leapt high in the air, out of reach of the flying spears, and in one tremendous bound reached the sky, where she and her reluctant husband remain for all time as twin stars.

Any recital of star legends would not be complete without mention of the constellation of the Southern Cross, which was a special creation of Baiame. It is the gum tree named Yaraan-do. The stars of the Cross are the eyes of a man and a spirit imprisoned within the tree, blazing in the darkness, while the Pointers are two white cockatoos that followed the tree when it was lifted into the sky.

Another legend gives an entirely different explanation. It goes back to the days of the Dreamtime when a vast plain was occupied by a flock of Brush Turkeys. There was much sorrow among them, for younger birds were often missed, their bones and feathers scattered among the trees and bushes being the only clue to their fate. Suspicion fell on many birds. It was only after Baiame sent two messengers that the ravisher of the flock was found to be a fierce old Turkey who had been living a solitary life on the edge of the plain.

The messengers of the Great Spirit were also Brush Turkeys of gigantic stature. They flew down to the Turkeys' camping place during a meeting that had been called to discuss the problem. After the corroboree there was a dance—and all the time the cannibal Brush Turkey was lurking behind the bushes with his eyes on a young Turkey girl.

In the small hours of the morning, when the dancers lay down to rest, the old-man Turkey stole into the circle and picked up the youngster he had selected as the tenderest and juiciest of all the young ones. As he was on the point of disappearing into a thicket he looked up and saw a huge bird towering over him. A moment later old-man Turkey was lying on his back, half stunned, looking up with an expression of dismay on his old wrinkled face. Another great bird stood over him, there was the soft sound of a second blow, and the cannibal lay dead on the rim of the dancing floor.

When daylight came and the birds got sleepily to their feet, Baiame's messengers told them what had happened during the night.

'That is the end of your troubles,' they said. 'Your children will never be molested again.'

They gobbled and clucked with relief. From their midst the two celestial birds rose into the air, flapping their wings, mounting swiftly towards the sky, where Baiame rewarded them by placing them as Pointers to the Cross for all men—and turkeys—to admire for ever.

The Insect Tribe

ONE of the great mysteries of the Dreamtime was that of death. Belief in the finality of death and the alternative of an afterlife have already been mentioned. It was the tribe of butterflies that provided comfort to those who were ready to accept that their experience was symbolic of an afterlife for beings whose days, whether short or long, would find fulfilment beyond the grave.

Long before men came to Australia, when the only occupants of the land were various forms of animal life and death had not yet entered the world, it was the habit of their representatives to gather once a year on the banks of the Murray River.

As they were able to talk to each other, the nights were spent discussing the enigma of life. In the midst of such a gathering a white feathered form crashed into the centre of the circle. It was a cockatoo that had been craning its neck, trying to overhear the conversation of the old men, and had overbalanced. The bird was old and decrepit. Caught unawares, it had no time to open its wings before it struck the ground.

The old men looked at it in consternation. Getting to their feet they bent over the body, but could detect no sign of life. Never in all their experience had they witnessed death in any form. The services of the medicine-men were secured, but the body of the bird grew stiff and cold and even the most skilled of the clever-men were unable to revive it.

When they had assured themselves there was no sign of life in the cockatoo, the discussion grew animated.

Life they could understand but not this strange absence of life that imposed an invisible barrier against the activity, motion, and intelligence they had experienced without question. They knew that new life came from the spirits sent by the ancestors, but where did this strange state of non-being come from? Where did the spirit that controlled the body go?

Finding no answer to these questions, the following day all the animals, including birds, reptiles, and insects, were called together to see if anyone could provide the answer. Mopoke, who had the reputation of being the wisest of the birds, was asked. He blinked his eyes solemnly but refused to speak.

It was Eagle-hawk, the leader of the bird clan, who contributed a positive statement. He picked up a pebble and threw it into the river, looking round for approval. No one moved or spoke.

'Don't you understand?' Eagle-hawk asked when the silence became oppressive. 'You saw the pebble when I held it up. Now it has gone into the river. Vanished from your sight. It has gone. It is no more. There is no pebble. That is what has happened to the spirit of Cockatoo. Yesterday it was alive in his body. Now it has gone, leaving only his flesh and blood and feathers. Throw them into the river and Cockatoo will be no more, as the pebble is no more.'

Still there was no reply. He had not succeeded in convincing them.

Then Crow stepped forward, holding another pebble in his claw. They leaned forward to hear what he had to say. Though many of them had suffered from his practical jokes, everyone recognised that he had an ingenious mind and might have a solution to this puzzling question.

He hopped on to a ledge of rock and threw his pebble into the river. It went in with a plop that everyone could hear. Crow went back to his former position without speaking, and again silence fell. When no one ventured to open his mouth, Crow clattered his beak impatiently.

'The answer is obvious. The pebble is still a pebble. We can't see it, because it's on the bed of the river. If you don't believe me, Frog will dive down to bring it up and show you.'

'Yes, it must be there,' they said in chorus.

'Very well, you stupid animals. Eagle-hawk thinks his pebble has vanished because he can't see it, but I say that it is still a pebble, in a new element. It's now a water-pebble instead of a land-pebble, isn't it?'

'Yes, yes.'

'Well, that is what has happened to Cockatoo's spirit. It's still a spirit, but it's no longer in his body. He's dead, but his spirit is alive, somewhere. We can't see it. We couldn't see it when he was alive, could we? Now it's in another place. Perhaps it's in another body. Maybe Baiame has sent a mouse, or a rat, or a wombat, or a kangaroo, or even an eagle-hawk,' he said, looking at Eagle-hawk slyly.

Eagle-hawk ruffled his feathers angrily.

'Let me hit you on the head and send your spirit away,' he said. 'If you're so sure that it will still be alive, then you'll be able to come back again.'

'No,' said Crow calmly. 'I know where the pebbles are, but unless someone brings them back, they'll stay in their underwater world. I wouldn't like that to happen to me. And if I did come back, it might be in another animal like a worm—or a lizard, or even an eagle-hawk, which would be worst of all.'

'Then you're not ready to prove what you've been saying?'

'Yes, I think I am,' Crow said slowly, 'but not in the way you want.'

He raised his voice so that everyone could hear.

'It will soon be winter when many of us go to sleep until the warm weather returns. Others, like many of my friends the birds, fly away away in search of the sun. During the long winter months, let the animals and the reptiles who go to sleep see if they can change into another body and show us what they look like when they come back here in the spring. And the same with those who go away. Then we shall find out whether their spirits enter into a new life.'

After some discussion it was agreed that Crow's experiment was worth a trial. Eagle-hawk was about to dismiss the gathering when a chorus of their voices seemed to come from beneath his feet.

'What about us?' they called. 'May we try too?'

'Who are you? Where are you?' Eagle-hawk asked.

A small caterpillar stood on his hind segments, reaching up as far as he could.

'I represent the insects,' he squeaked. 'The bugs and the beetles, the worms and the caterpillars. We want to see what happens to our spirits.'

'I didn't know you had spirits,' Eagle-hawk said scornfully. 'I'm afraid I didn't see you down there. You can't be much use to us, but if you want to try I suppose there's no harm in that.'

The corroboree was over. Some of the furry animals prepared their burrows for the long cold nights of winter. The migratory birds left for their winter quarters. Before long only the hardier animals and birds stayed behind to forage for food in the cheerless days ahead.

Of the insects there was little sign. They had hidden in crevices in trees and rocks, burrowed beneath the soil, hidden under water, or attached themselves to trees and wrapped themselves in cocoons.

The winter months passed slowly. The days increased in length. The sun warmed the ground. The trees fluttered their leaves in anticipation of the soft winds of spring. One by one animals emerged from their winter quarters, or flew southwards towards the meeting place.

Eagle-hawk called them together and addressed Crow.

'Let's see the new forms of your coming-back-to-life spirits,' he jeered. 'Here's Wombat. He looks the same to me as he did when we were last here. Maybe he's brushed his coat, and not before time. And here's Snake. I see he's got a new skin and he looks bigger than before, but really, Crow, he's still the same old Snake.'

Crow looked round doubtfully. Some of the animals sniggered. Kookaburra let out an ear-shattering laugh in which others joined.

Suddenly Crow shouted at the top of his voice, 'Be quiet! See what's coming!'

A broad stream of colour seemed to be flowing down the valley towards them. When it came closer everyone could see that it was like a rainbow—a mixture of every colour under the sun. Nearer still, and they saw a million dragonflies and butterflies turning and twisting, fluttering in the sunshine, hovering on gauzy wings. Others, small and slender, clad in quieter colours, were darting round the larger insects. Flies, sandflies, gnats, scintillating beetles, butterflies and dragonflies, they all alighted on the grass.

'Who are you?' Eagle-hawk asked wonderingly.

'We are the insects that left in autumn,' they said. 'The same spirits are here to meet you, in new bodies. Crow must be right. We have gone through death and come back into a new life.'

'Yes,' said Crow softly, with none of his usual grandiloquence, 'you have indeed solved the mystery of death by showing us how the spirit can pass from one body to another, from one state of existence to one that is even more glorious.'

They came from many parts of the northern part of the continent, those Bee Men of long ago—so far back in the Dreamtime that they had little knowledge of food or how to obtain it. Those who came from the coastal lands and from the south-east were armed with spears made of sharp-pointed bamboo, and spear-throwers; a man from Melville Island had a throwing stick, a barbed spear, and a fighting stick; those who had come from the east bore stone-tipped spears and stone boomerangs. They had come together at this place to barter pearl shell and spears, hair belts and coloured ochre, grinding stones and axe-heads, boomerangs and pitcheri leaves.

A brisk trade developed until two of the men quarrelled over the exchange of gifts. Soon they were all at each other's throats. Some of the barter articles were trodden underfoot, and the weapons, spears and fighting sticks and boomerangs, they had brought to trade with were briskly employed in defence and attack. There were broken heads and limbs, and wounds from which blood poured on the sand.

There was no thought of hunting on that dreadful day. When night came, bodies lay still in death and, because they were Bee Men, the sweat still dripped from the pores of their skin. It was sweet, like honey. Ants crawled over them and picked it from them.

Only a few of the warriors remained alive and even they had changed in form. Tiny wings and hairs had sprouted from their bodies. Looking down at the dead men, they saw bees swarming in the gaping flesh.

They looked at each other in wonder. They spoke to each other in the droning voices of bees. They were joined by the spirits of the dead men. Their bodies turned to stone. Dead men and living men, they lay on the ground in the form of rounded boulders, above which swarms of bees buzzed and hovered incessantly. Their barter goods turned to stone but the spirits of the Bee Men were now all bees, tasting the pollen, storing it, making honey for the men and women who came into the world in following ages—men and women who eat honey, and flesh of animals, and birds and lizards, eggs and fish, and fruit and berries, grubs and insects and seeds and vegetables of many kinds—but of all these the honey of the bees adds something that no other food can supply.

Amongst the several principal types of folk tale is the 'play' story. It usually provides intimate details of the sexual adventures and misadventures of a cunning fellow who employs his wiles to seduce unwary women. Not infrequently the tables are turned and he becomes the victim. These tales give great enjoyment to the listeners, who are titillated as much by their scandalous element (for which there may be assumed disapproval) as by their broad humour.

One such tale from Arnhem Land includes the adventures of two sisters who went some distance from the bay where their people were camped to collect cycad palm nuts. When their dilly-bags were full they dried the nuts in the sun, pounded them, and soaked them in fresh water. They were occupied for several days in this work. When it was finished they left the pounded nuts and made a new camp some way off by a mangrove swamp where they proposed to gather periwinkles.

Seeing no sign of other people near the lonely swamp they divested themselves of their pandanus leaf skirts and waded through the mud where the mangroves were thickly clustered.

It happened that a lonely hunter was close by and saw the

women picking their way through the swamp. It was many days since he had seen a woman. Looking back, the sisters saw him standing at the edge of the swamp and hastened towards the concealment of the mangroves.

The hunter laughed, and said to himself, 'Two to choose from! Or shall I have them both?'

He took small magic articles from the wide bark belt he was wearing and used them to conjure up torrential rain that churned up the mud, making it dangerous for anyone to linger there. The hunter concealed himself behind a tree. As the women freed themselves from the clinging mud and started to race along the beach, the hunter stepped out and caught both of them by the arms.

The elder sister pulled herself free and escaped to the camp that had been set up earlier in the day. The younger woman was less fortunate. Namaranganin, the hunter, gathered the girl up in his arms. Taking no notice of her screams and struggles, he carried her bodily to his own temporary camp in the jungle.

Before they reached the tiny clearing where his camp was located, Baiangun, the other sister, had collected the cycad nut paste and had made her way back to her people's camp.

'Where is your sister?' she was asked.

'Jalmarida has been caught and carried away. I don't know where she is. Deep in the jungle somewhere, I expect.'

'Who has taken her?'

'I saw him only for a moment, when he caught hold of my arm. I pulled away from him so he was just a blur, but I think it was Namaranganin the hunter.'

The men wasted no time in gathering their weapons and setting out on the trail, following the girl's footsteps until they came to the beach near the mangrove swamp. There they saw the footprints of a heavily laden man leading into the jungle, and knew that it was Namaranganin, heavily burdened with the girl. By then it was dark. The men lit a fire and made camp for the night.

Far away in the clearing Namaranganin was making good use of Jalmarida. She gathered firewood and helped her abductor to build a shelter. When it was finished he left her there while he tried to find some bird or animal for their evening meal. There was no need to warn her to remain in the clearing.

He had taken a tortuous path after leaving the beach, and she had no idea where her people's camp might be.

Namaranganin returned with two ducks. They provided a meal for man and woman. The flames died down. The girl was dragged into the hut, but refused to comply with Namaranganin's demands.

The cunning man did not force her. He fed the fire at the opening of the hut with dry twigs, coaxing it to a blaze, then piled quantities of damp leaves on it, and lay down beside her in the stringybark hut.

During the night she asked, 'Why is the hut full of smoke?'

'To keep you awake,' he replied.

'Why?'

He laughed, 'You are a woman. You should know.'

'You've made a big mistake,' she said. 'You should have taken my sister instead of me. I'm protected by the Dagurura of my ancestor.'

Her subterfuge availed her little, for the sacred rannga* returned that night to the waterhole of its totemic ancestor.

Namaranganin's triumph was short-lived. Early in the morning the clearing was ringed with fire. Jalmarida's people had lit fires that prevented the hunter from escaping. They closed in on him and speared him to death.

As for Jalmarida, she was turned into a fly and flew away over the tree tops.†

---

* A stone which is also a totemic emblem.

† The story may sound puerile to a western reader, but is included for several reasons. The explicit details of the original narrative afforded great enjoyment to the listeners. The story of metamorphosis into an insect is unusual but, apart from this, is typical of camp-fire tales that were appreciated by listeners of all ages.

The Bird Tribe

MURKUPANG was a hairy giant who possessed great powers of magic. When he left his cave home to go hunting he commanded the river to rise up and block the entrance to prevent strangers from robbing it of the enchanted objects he kept there.

One long, hot, dry summer season his magic appeared to have deserted him. No matter how far afield he went he could find no game. Food for himself and his wife's mother, who lived nearby, was in short supply. Murkupang's appetite was gargantuan, in keeping with his size, and there was nothing left over for his mother-in-law. She was a shrewish old lady and would no doubt have told him what she thought of him if conversation had been permitted. Thinking that all he needed was a reminder, she sent two of her grandchildren (but of another son and daughter) to tell him that he had not sent her anything to eat for several days.

Unfortunately she had chosen an inopportune moment. Murkupang was starving. When the children came to the cave he seized them and ate them both. His hunger satisfied, he realised that his impulsive act was likely to bring trouble on himself. He was capable of dealing with half a dozen men at once, but if the old woman roused the clan against him, as well she might, it seemed likely that he would be overpowered and killed.

Gathering his magic implements together, he abandoned the cave where he had been living and travelled southwards until he came to a mountain that contained a cave much like the one he had left. The only drawback was that it was near the summit, far away from the river where he would have to draw water, and difficult to reach from any direction. There was an obvious way of overcoming the difficulty. Using the magic at his command, he carried the peak and the cave it contained down to the river bank and rested in it that night.

Next morning he turned northwards, still in search of game, with the mountain top obediently trailing behind him. Nearer the coast game was plentiful. Murkupang was satisfied that it would be a good neighbourhood in which to settle. He planted the peak on top of a low, flat mountain and took up residence in the cave, imagining himself safe from the vengeance of his relatives by marriage.

His mother-in-law, however, was not a woman to give up easily. Recruiting two helpers, who also possessed magic powers, she tracked him down.

'See that cave?' she said to the men who accompanied her. 'That's where he lives now. Stay here until he goes hunting. Then I'll tell you what to do next.'

Before long they saw the giant leave the cave and head in the direction of the river. When he was out of sight the old woman lit a fire, and made her helpers stand in the smoke to rid them of any smell that Murkupang might detect. Next she wrapped them round with stringybark and, chanting and waving her hands, moulded the bark to their bodies. She stepped back to admire her handiwork.

'Yes, that's fine. You look just like stringybark trees!' she said in a satisfied voice.

Coming back later in the day, laden with meat after a successful trip, Murkupang saw the fire, which was still burning, and came to investigate. He recognised his mother-in-law at a little distance and felt sure she had brought reinforcements. It would have taken keener eyes than his to see that there were two more stringybark trees on the plain.

When he came close to the cave entrance, he placed the body of one of the kangaroos he was carrying on the ground and called to his wife's mother. 'This is for you. Come and get it.' Not waiting to see whether she responded or not, he entered the cave and released his dogs, for he was still uncertain whether any of the tribespeople were there or not.

The dogs raced down the hillside. They searched everywhere, even passing the two stringybark trees, but could not discover any man-scent.

Satisfied at last, Murkupang led them back to the cave where he cooked a meal for himself, threw the bones to his dogs, and went to sleep.

As soon as it was dark the disguised men shed their bark coverings and carried them to the cave where they used them to block the entrance.

Taking firesticks that the old woman had concealed, they set fire to the bark. Fanned by the wind the flames roared into the cave.

Murkupang sat up, to find himself engulfed in fire and smoke. He tried to force himself through the burning bark, but was forced back by the heat. There was only one thing left to do. Using the last of his magic power, he changed himself into a mopoke and flew out through a gap in the flaming bark.

It was the end of Murkupang the hairy giant and the beginning of Murkupang the mopoke that flies stealthily in the night to avoid its enemies, crying mournfully because of the loss of the power it once had.

In Aldo Massola's account of this Mara legend he quotes a version by R. H. Matthews which says that eight dogs also escaped in the form of the soldier bird, mynah, magpie, black jay, crow, cockatoo, eagle-hawk and quail-hawk.

Emu and Jabiru

EMU and his son-in-law Jabiru the Stork were expert spear-makers. Emu specialised in the hooked variety while Jabiru made the many-pronged spear used by fishermen. The Emus and Jabirus lived together very happily, sharing the spoils of the hunt. As might be expected, Jabiru concentrated on spearing fish while Emu hunted birds and animals on land.

Early one morning Jabiru and his wife went out in their canoe to fish for stingray. They promised to bring some back for Emu and his wife. It was a successful morning's fishing. The canoe returned well laden with stringray of all sizes. While Jabiru prepared the fish for cooking, his wife lined the earth oven with stones, which were soon red-hot. When they were ready Jabiru placed the liver and fat of the fish on a piece of bark and gave them to his wife to cook.

After they had feasted on these delicacies to their hearts' content, the woman said, 'I'll take some now to my parents,' but was surprised to find nothing but flesh.

'Where's the liver and the fat?' she asked.

'All gone,' her husband said with a broad smirk. 'You didn't think there'd be any left after the big feed we've just had, did you?'

'Never mind,' she replied. 'We've often given my parents all the tasty pieces. There's plenty of flesh left. It won't do them any harm to go without the liver and fat for once.'

Unfortunately her father didn't agree.

'Where's the liver? and the fat?' he asked so fiercely that his daughter shrank back and said, 'There wasn't any. These fish didn't have any.'

'You're lying! You and that precious husband of yours have been stuffing your bellies with them. I can see the fat running down your chin. Don't I always save some of the best part of the meat for you when I go hunting?'

He snatched up his club and a handful of spears and rushed over to Jabiru, yelling, 'I'll show you what happens to those who insult me. Stand still and I'll pound the liver out of you!'

Jabiru didn't wait to have his liver pounded. He picked up a stout branch of pandanus, struck Emu's club aside, and smashed the branch into Emu's body, first on the left side and then on the right.

Emu staggered to his feet and hurled one of his spears at his daughter's husband. It penetrated his body and stuck out of his mouth. Frantic with pain, Jabiru flew away with the spear sticking out of his mouth.

They never saw each other again. Emu went inland, his wings short and stubby after being broken by the pandanus log, while Jabiru made a new home for himself in the swamp where he found his new beak useful for spearing fish.

The Tail of Willy Wagtail

IT may be hard to believe, but long ago Willy Wagtail was big and strong with a tail like that of all the other birds. He was something of a bully, too, and suspected of all kinds of crimes. In fact rumours of his addiction to cannibalism were circulated so freely that the Bram-bram-bult brothers sent one of their relatives, Tortoise, to check up on him. It was a good choice, for he was well protected with shields, back and front, if Wagtail ventured to attack him.

Tortoise approached the Wagtail camp cautiously and greeted the bird, asking if he could stay with him for a while.

Once established there, Tortoise commenced his investigations, poking into concealed corners of the gunyah and fossicking through piles of rubbish. At first his search proved unfruitful, but on the second day he came upon a number of bones underneath a pile of leaves and branches.

'What are these?' he asked.

'You can see for yourself,' Willy Wagtail said rudely. 'What did you think they were?'

Before Tortoise had time to reply, Willy Wagtail seized him by the neck, pushed him along a faint track in the bush and with a tremendous heave sent him rolling over and over. There was a sound of splintering wood and Tortoise found himself hurtling into a deep pit, straight towards a pointed stake. He twisted his body sideways to avoid it. The front of his shield was broken as it touched the stake, but otherwise he was unharmed, though somewhat bruised and shaken by the fall.

Feeling sure that Tortoise was dead, or at least mortally injured, Willy Wagtail went back to his camp to fetch his knife, intending to cut Tortoise into pieces and feast himself on them. While he was away, Tortoise managed to scramble out of the pit. He limped back to the Bram-bram-bult brothers, and told them what had befallen him.

'That proves it,' one of the brothers said. 'No wonder so many birds and animals have disappeared lately. It seems he throws them in the pit where they're impaled on the stake so he can deal with them at his leisure. Come, brother, tomorrow we're going to pay a visit to Willy Wagtail and teach him a lesson he won't easily forget.'

The Bram-bram-bults were strongly built and agile, and had no fear of the bullying Willy Wagtail. When they arrived, he eyed them doubtfully, but decided he could deal with each separately. He welcomed them and invited them to stay the night, promising to prepare a place for them to sleep.

After they had eaten, the big bird invited one of the brothers to come with him for a stroll through the bush. He went willingly, but took particular care to keep his eyes on the track, ready to detect the brushwood that concealed the death pit. Willy Wagtail led the way. When they were close to the pit, he said, 'It's your turn to go first. You go on, and I'll follow.'

Instead of replying the Bram-bram-bult gave him a push that sent him reeling back, on to the pile of brushwood. Willy Wagtail stumbled, tried to save himself, and with a despairing cry, disappeared into the hole. The second brother came running along the path. Together they looked down. There was Willy Wagtail, lying helplessly at the bottom, his back broken by the wicked stake.

They pulled him out, carried him back to the camp, and chanted spells to make him shrink into a bird so small that he would not be able to harm anyone. In time Willy Wagtail recovered from his broken back, but his tail refused to straighten itself.

And, if you look, you will see that Tortoise still has a chip out of his carapace.

The habits and characteristics of curlews and owls, which are the subject of a number of legends, are summed up in a Narunga legend from the York Peninsula.

Long ago Owl was a man who lived in a cave by the seashore. He had no wife, but was very fond of his two dogs. Close by, on the beach, lived Curlew with his wife and children, who were left at home when their parents were hunting.

One day Mopoke was walking along the beach and saw the children playing on the sand.

'Look, there's a meal for you,' he said to his dogs.

Later that day the Curlews returned to their camp. There were no children waiting to greet them—only an untidy heap of gnawed bones. They knew at once what had happened. Their wailing cry, the cry that curlews still make, reached the ears of Mopoke who was sitting in his cave, with the well-fed dogs crouched at his feet.

Mopoke prepared for an attack by Curlew, but as the days went by without any sign of his enemy, he relaxed his precautions.

Curlew was biding his time. Revenge would be all the sweeter if delayed. He wanted to make sure it would be effective, for Mopoke was stronger than he.

143

The opportunity arrived when he happened to meet Kangaroo.

'You can help me,' he said, and told his friend of the terrible thing Mopoke had done.

Appalled by the account of this ruthless deed, Kangaroo responded as Curlew had hoped. 'You can count on me,' he said.

'This is what I want you to do,' said Curlew, and told him of the plan he had concocted. 'I want you to browse on the plants near Mopoke's cave. Pretend you haven't seen it. I'm sure that he'll want to kill you when he knows you're there, especially if he thinks you can be taken unawares. He'll be sure to set one of his dogs on you. When it gets near, run into the scrub and hide.'

'I can do that,' Kangaroo said, 'but how will that help you? What will you be doing?'

'I'll be hiding too. When the dog rushes at you, he'll get the surprise of his life.'

'That won't really settle the score with Mopoke, will it?' Kangaroo asked.

Curlew smiled through the tears that still ran down his face. He assured his friend that it was only the beginning.

Kangaroo cooperated, and the plan worked out just as Curlew had promised. He was so well hidden, close to where Kangaroo was browsing, that the dog had no idea he was there. As it rushed past, Curlew clubbed it on the head, and dragged it down to the beach.

Mopoke was mystified. He had seen the dog running down the hill and disappearing in the scrub, while Kangaroo, who appeared to have taken fright, hid himself, but presently reappeared and went on eating as though nothing had happened.

He released his second dog, and again it failed to return.

That night Mopoke felt sad. Both his dogs had disappeared without trace, and he had no wife to comfort him. He spent a lonely and unpleasant night.

In the morning he heard someone calling him. It was Curlew, who was standing on the cliff top above his cave, taunting him, calling on him to come out and fight.

It is difficult to realise the despair of an old bachelor who has lost his only friends, even though they are only dogs. He had no stomach for fighting. All he wanted was to be left alone, to brood over the loss of his four-footed companions.

When the challenge remained unanswered, Curlew cursed the killer of his children.

'Remain in your cave for ever,' he shouted.
'Sulk there today and every day.
You'll never see the sun again.
You'll be afraid to come out in the
    daytime lest I am lying in wait
    to kill you.
You'll have to wait till dark to hunt
    for food.
You'll have no friends because you're
    a creature of the dark.
The only living creatures you'll see
    will be the little ones you
    kill in the dark.
Remain in your cave for ever!'

That is why mopokes live in caves and hidden places, venturing forth only at night.

It was a fitting punishment for one who fed helpless children to his dogs, but it did not lessen the grief of Curlew and his wife, who will always mourn for their dead children.

The Discovery of Fire

EVERY tribe had its own version of the origin of fire. The versions have a certain uniformity. An animal of some species gains possession of the fire and refuses to part with it. After various skirmishes it is taken from its guardian, by guile or by force, and distributed to those who have need of it. The first example comes from Victoria, the second from the Northern Territory.

Two women belonging to a tribe that lived near the present city of Melbourne were endeavouring to extract honey from an ants' nest when they were attacked by a swarm of snakes. They fought desperately, striking at them with their fighting sticks. One of them missed the snake at which it was aimed and struck a boulder, breaking in two. A sheet of flame flew out of one of the broken ends. A Crow that was perched on an overhanging branch was fascinated by the unusual sight. It swooped down, snatched the broken piece up in its beak, and sped away. While the women were still trying to kill the snakes, two men happened to see the trail of smoke left by the Crow as it flew overhead. They ran after it as fast as they could, shouting and throwing stones at it. The startled Crow dropped the stick, which fell into the long grass and started a conflagration.

The Great Father, Punjel, took the men to his home in the sky and told them that the gift of fire must never be allowed to go out. He showed them how to use it to cook food and warm themselves on cold nights, warning them that it must never be allowed to break loose again. They paid heed to his words, but after a while grew careless and allowed their campfire to die. Soon the world was as fireless as before the fire came from the woman's fighting stick.

No sooner was the gift lost than all the tribespeople realised how dependent they had become on the gift of Punjel. In addition, the snakes, who had been repelled by fire, multiplied and attacked the people in their camps and gunyahs.

Seeing what was happening, Pallyang, another celestial deity, sent his sister, Karakarook, to earth to defend women who were molested by snakes when they left their camps to dig for yams.

Karakarook's enormous fighting stick made short work of the snakes until it broke. Once again the flame came from the broken stick, and again Crow pounced on it and flew away with it.

Punjel lifted the men who had previously chased the Crow, and placed them on a mountain top. The Crow flew into their outstretched arms, and the firestick was wrested from it.

Karakarook gave her broken stick to the women, while the men who had captured the fire instructed their fellow tribesmen how to make and use firesticks.

'Punjel warns you that this is the last chance you will have to preserve fire,' they told the men who had gathered on the mountain top. 'But because he wishes you well, we will teach you how to make fire by rubbing two sticks together in a special way.'

Little Hawk, Big Hawk, and Dog lived together near the Daly River. Dog's principal duty was to supply yams, for he had the gift of scenting the buried roots and digging them up with his strong paws.

One day he came back with a good supply and said, 'Let's light a fire and cook them for our evening meal.'

'We haven't got any fire,' Little Hawk said.

'I know that as well as you do,' Dog retorted. 'It's easy to get fire. All you have to do is to take a pointed stick, press it against another piece of wood, and twirl it round till the fire comes.'

'You're the strongest,' Big Hawk said. 'If it's so easy, you do it. Then we'll know how to do it another time. Here's a pointed stick.'

Dog took the stick and twirled it vigorously between his paws, but no smoke or fire came from it. When his paws became sore, he gave up, saying 'It's no good. I haven't learned to do it properly. We'll have to get a firestick.'

'Where do we get a firestick from?'

'There are some women over there,' he said, indicating a camp some distance away. 'All you have to do is to bring back a firestick from their campfire.'

'They're bigger than we are,' Little Hawk objected. 'If you go they'll be too frightened to refuse.'

'Very well,' said the obliging Dog, and limped away on his sore paws. When he reached the camp, he watched the women preparing the ovens, and asked for a firestick. They refused to give him one and went on with their work. Dog decided to take one by force. He waited until the fire blazed up in the oven and bounded over to it. The women pushed him away, refusing to let him near the fire.

Dog returned dejectedly to his friends and confessed he had been unable to get a firestick.

'We'll have to sneak up quietly, and get it when they're not looking,' he told his friends. 'I'm too big. What about you, Little Hawk? You're small. They'd never notice you.'

'All right,' Little Hawk said, and went to the women's camp, where he hid behind a pandanus to see what they were doing.

The meal was over, and the fire was out. He waited there, all night, while the women slept; all day, while they went out to gather fresh supplies of food. Drowsing in the dusk he was wakened by movement close to his hiding place. The women were searching for Dog and his friend Big Hawk whom they suspected might have come to steal their fire, but Little Hawk was so small they failed to notice him standing in the shadow of the pandanus. As soon as the fire burned up he darted over to it, and snatched a blazing stick.

As he flew back to Big Hawk and Dog, pieces of charcoal fell from the stick, leaving traces along the track that can still be seen. When he arrived at the camp, he found that Dog had become tired of waiting and had eaten the yams he had collected without having them cooked.

Little Hawk was annoyed to think that he had spent so much time and, at the end, risked his life to provide Dog with the fire he wanted, only to find he had eaten his food raw.

He scolded his friend unmercifully. Dog was too ashamed to reply—which accounts for the fact that dogs no longer chatter as chicken-hawks do, and eat their food raw.

PART TWO—LEGENDS

CHAPTER ONE

REPTILE PEOPLE

BEFORE examining a few typical legends of reptiles and kindred species, it is well to recall the widespread belief in the existence of the Rainbow Snake, symbolic of rain, water, and the products of rain, all vitally important to tribes that occupied or ventured into the vast desert regions of the interior. Many tribes believed that, were it not for the Rainbow Snake, life would cease to exist.

The extent to which the Rainbow Snake entered into fertility rites is indicated by the frequency of his (or her) appearance in sacred designs and drawings. Water was the life-giving element. The Snake that brought rain was the life-giving force in religious rites. Medicine-men whom he killed and brought to life were able to conjure up rain clouds by appealing to him and performing the necessary rites.

One of the great totemic ancestors was preceded on her journey by the Rainbow Snake which cleared the way by uprooting trees and causing rivers to flow to the sea. He symbolised the storms and floods that caused the rivers to rise. In Arnhem Land he protected sacred lore by sending floods to drown those who offended against it. In this area, so rich in art forms, he was called Julunggul or Yurlunggui. In the Kimberleys he was associated with childbirth.

The Aboriginal attitude towards snakes is therefore vastly different to that of most white people. The close association of the Rainbow snakes with totemic ancestors and their beneficent role in providing water is an indication that reptiles were not in any way regarded with revulsion. The fact that they made a welcome contribution to the meagre larder in the drier regions of the continent was of considerable importance to Aboriginals. Europeans who are accustomed to handling snakes, though treating them with respect, have a mental attitude towards them probably akin to that of the Aboriginals themselves, who regard them as objectively and impassively as the other forms of life that contribute to their welfare.

The Snake People of Ayers Rock

THE importance of snakes in Aboriginal mythology is illustrated by identification of many of the features on the southern face of Ayers Rock with the Kunia (carpet-snakes) and the Liru (poisonous snakes), and the battles they fought. Other features of the Rock are identified with various species of lizards as well as animals.

The two kinds of Snake people, poisonous and non-poisonous, lived together at a waterhole called Pugabuga. The more restive members of the Kunia tribe became dissatisfied with their surroundings and decided to migrate to a flat sandhill where there was a limitless supply of water. At the end of the Dreamtime the sandhill was changed to the rock known to Australians as Ayers Rock, but as Uluru to the Pitjandjara tribe.

When the sandhill was transformed into a rock, the Kunia people were also changed to stone and can be seen as boulders or features of the Rock. Coolamons, wooden dishes for carrying water, grass-seed and other commodities, knives, spears, and grinding stones were also changed. The caves where men, women, and children took refuge could be descried in the irregularities of the rock face by the imaginative tribespeople of a later age. The beards of the old men, the tracks men made to fetch water from the Uluru waterhole, all can be traced on the face of Ayers Rock.

The Liru people, the venomous Snake men, struck off in a different direction, going towards Mount Olga and preying on the peace-loving people they met.

One of the Kunia women gave birth to a baby in a cave in the Rock—a cave that was later resorted to by Aboriginal women in labour in the belief that the spirit of that Carpet-snake woman would ensure an easy and painless delivery.

No sooner had the baby of the Kunia clan been born than Bulari, for that was her name, saw a party of Liru warriors coming towards her. She called to the Carpet-snake men to come to her aid, first spitting disease and death at the warriors before taking refuge in a nearby gorge. Working themselves into a fury with shouts and war songs, the Liru men attacked the Kunias. Many on both sides were killed in the battle.

The signs of the conflict can be clearly traced on the Rock. The bodies of the dead men are there, and the open mouths of the warriors who shouted defiance at their enemies. A long fissure and a shorter one can be seen in the rock face. The cracks in the rock represent places where a young Kunia warrior slashed open the leg of the leader of the raiding party. The longer cut was made when the knife was sharp, the shorter one as the tip of the knife broke off.

The Kunia warrior's triumph was short-lived. The Liru leader wounded him so severely that he was forced to crawl away on hands and knees, and bled to death at the side of a watercourse. The Pitjandjara believed that by shouting a certain word his spirit could still send water cascading from the hole in the rock where he died.

When the mother of the young warrior heard of her son's death, she seized her digging stick, which was impregnated with the same spirit of death used by the mother in the cave, and descended on the Liru leader like an avenging fury. So deep was her grief and fierce her desire for revenge, that the man had no time to defend himself. Bringing the stick down with all the force she could muster, she cracked his skull, severing his nose from his face. A split rock, more than twenty metres in length, standing apart from the cliff, represents the nose of the warrior, four holes in the cliff his eyes and nasal passages, and the water stains on the face of the cliff his blood.

A striking mouth-shaped cave is the open mouth of the grief-stricken mother. She fled with the survivors to the eastern end of the Rock at Kuniapiti, where she met the remaining refugees. The Liru men had made simultaneous attacks on various groups of Carpet-snake people and only a few women and children were left alive. The mother who had avenged the death of her son by killing the Liru leader, and her brother, were so distressed that they 'sang' the spirits of death into themselves and died at Kuniapiti, where they had taken refuge.

Many boulders and peculiar depressions, protuberances,

cracks, and stains on the Rock commemorate the massacre of the harmless Carpet-snake people, whose bodies are boulders, their hair the tufts of bushes that have taken root in the rock face.* The stones that are the bodies of the mother of the young warrior and her brother were used in increase ceremonies in the belief that rubbing them would increase the Carpet-snake population and thus provide more food.

After the raid on Uluru, the Liru men linked up with a tribe of men of gigantic stature, the Pungalunga. The combined force then attempted to wipe out the mythical Kunduna Snakes in the Tomkinson Range. In attempting this foolish enterprise the Liru people were completely exterminated.

Snakes and Turtles

In view of the preceding tale of the conflict between poisonous and non-poisonous snakes, it is interesting to learn how some species became venomous.

The fact of the matter, said the wise men of one tribe, is that at one time all Snakes were harmless while Turtles possessed forked tongues and carried the poison glands.

In those days there was great competition between Men, Turtles, and Snakes for eels which were highly esteemed as food. No one was satisfied, each of the three clans claiming that the others were taking more than their fair share. The eels were even less satisfied!

Turtles had another cause for complaint. The females of the Turtle tribe were accustomed to laying their eggs among the reeds at the edge of lakes, pools, and streams; but unfortunately for the Turtles, Snakes and Human Beings were even more partial to Turtle eggs than to eels. And since the Snake tribe was not poisonous, its people were harried by hunters who relished a tasty feed of Snake meat.

---

* In his book *Ayers Rock* (Angus and Robertson), from which the information in this section has been gleaned, Charles P. Mountford includes a magnificent collection of photographs of the natural features of the Rock and explains their significance.

And, curiously enough, Men and Women were not very happy either, because they were afraid of the Turtles—and with good cause. When they stooped down to gather eggs from the nests at the base of the reeds, Turtles would swim rapidly through the water and, before the egg-gatherers could draw back, would leap up and bite them on the tongue. A distressing business for the Men and Women who were gathering food, for the poisoned teeth of Turtles inflicted a fatal wound. It was useless to try to defend themselves, for the carapace of a Turtle deflected the heaviest blows of spear and club.

Everyone was dissatisfied. The Humans were the first to initiate action to improve their lot. They sent a deputation to Spur-wing Plover, who was noted for his ingenuity, to seek his help. Plover was also an eel hunter, and a very effective one, more so than the Snakes or Human Beings. Before he went on an eeling expedition he smeared white clay on his armpits as a kind of camouflage. Equipping himself with two spears, one in each hand, he would take up a position on the bank of a stream or pond and stand motionless, waiting for an eel to come close to the edge. With a lightning stroke of one of his spears he would impale it and throw it on the bank. This was how the Human hunters caught the eels. The secret of Plover's success, which Men had never succeeded in imitating, was his skill in handling two spears, enabling him to strike with either hand, no matter where the eel appeared.

In spite of this, Men fished for eels so persistently that the supply was becoming depleted. Plover feared the day might come when it might be difficult to find enough to satisfy his appetite.

When the Men came to him asking for help in their feud with the Turtles, Plover was delighted. He could see a way of reducing the Human population while rendering the Turtles harmless.

His first move was to call the Snakes together. When they were assembled he suggested that it would be a good idea if they changed heads with the Turtles.

'Why should we do that?' they asked. 'What good would it do for us?'

'I'm surprised you ask that question,' Plover replied. 'Just think. If you possess their poison sacs, you'll be able to defend

155

yourselves against the Humans. Oh, I know that they'll keep on doing their best to kill you, but it will be so much more difficult that many of you will be able to save your lives. And in addition, remember that you, too, will be able to kill many of them, just as the Turtles do now. More so, because you live on the land, whereas the Turtles have to wait until they go to the water's edge before they can get close enough to bite their tongues.'

It was a convincing argument. Provided Plover could get the Turtles to agree, the Snakes were in favour of exchanging heads.

Plover next went to see the Turtles. He explained his plan, stipulating that if they accepted it, they must agree to a small request of his own.

'If we give our heads to the Snakes, we'll be defenceless against the Humans,' the Turtles argued. 'We'll lose all our eggs, and in another generation there'll be no more Turtles!'

'Not so,' said Plover. 'In the first place, the Snakes live on land and will have many more opportunities of biting Humans than you ever have. That should reduce their numbers considerably.'

'It's a point,' one of the old-man Turtles said reflectively, 'but I'm still not convinced. Even though there may be fewer Humans, our eggs will be even more vulnerable. That means that fewer Humans will be able to gather more eggs with impunity.'

'That is so,' Plover admitted. 'But I can show you how to cure that problem. I've often thought you are foolish leaving your eggs among the reeds where anyone can pick them up. Why don't you bury them? If you cover them with sand or soil, no one will find them; and the sun will warm them. They'll hatch more quickly that way.'

'But the young Turtles won't know how to get into the water,' the old-man Turtle objected.

'Oh yes, they will. If they don't know the way themselves, the rains will come and wash them into the stream.'

The Turtles debated for a long time while Plover waited to hear the decision. When it was made it was favourable. They agreed to his plan.

'Now for my request,' Plover reminded them.

156

They looked at him warily.

'A very simple request,' he assured them. 'Leave the big eels for me. You can take as many little ones as you can catch.'

The Turtles agreed it was a fair price to pay for the new kind of life they would lead. All that remained was to organise a place and time for the exchange of heads. When it was all over, Turtles found a safer place for their eggs; but without their poison sacs they were helpless to defend themselves. Human Beings found it harder to find Turtle eggs and were in constant danger from Snakes. The eggs were equally difficult for Snakes to find, and they were hunted ruthlessly by Humans. Spur-wing Plover was the only one who gained any advantage from the transaction and even that was doubtful, for as the supply of small eels diminished, there were few of them to grow into large eels.

It is probable that no one, Turtle, Snake, Plover, or Human, was any happier than before.

In another part of Australia, the poison sac was supposed to be a possession of Goannas which was stolen from them by the Black Snake. The only consolation Goannas had was the discovery of a certain plant that counteracted the effects of their own poison when they were bitten by Black Snakes.

Death to the Giant Snake

In this romantic folk tale the principal characters are Men and Women, and the villain of the piece is a real-life snake instead of a Snake-man. It concerns a young man and woman who were greatly in love with each other. Their future life together seemed assured, for they had been promised to each other in marriage. The man had completed his initiation tests, enduring the ordeals with proper stoicism. As soon as he returned from the hunting expedition, the spoils of which were to be given to the parents of his promised bride, she would be given to him.

While he was absent, the girl went into the bush to collect honey to add to the coming feast. It proved difficult to find and she wandered a long way from the camp. Her search took her into a stony valley, far from her usual haunts. An unusual silence brooded over it. Not a single bird was in the valley, and she missed the usual rustle and chirping of insects. She was about to retrace her steps when her eyes lighted on a cluster of eggs lying in the shade of a large boulder. They were the largest eggs she had ever seen. These, she thought, would make a splendid addition to the coming feast, better than honey, which could be gathered at any time.

She bent to pick them up and place them in her dilly-bag, when she heard the sound of something slithering over the rocks. Before she had time to move or even to open her mouth to scream, the coils of an enormous brown and yellow snake encircled her waist. Another loop fell over her shoulders. They tightened round her body, squeezing the life out of her, crushing her bones to pulp. As quietly as it had come, the snake glided away, its colours merging into the arid background of jumbled rocks. It had come and gone without malice, but determined to protect its precious cluster of eggs.

Two days went by before her relatives discovered her mangled body. Seeing the snake eggs lying on the ground close to her outstretched hand, they realised what had happened to her.

'So young, and so foolish to attempt to steal the eggs of the giant snake,' her mother said tearfully, as they laid the broken body at her feet. 'When her promised husband returns, how can we tell him of her fate?'

The camp fires were beginning to gleam in the dusk as he returned. In spite of his long trek and the heavy burden on his back, his step was light, his eyes shining at the thought of the new life that would begin that night. On his back was a load, big or bigger than any one man had ever brought into the camp—a kangaroo, a wombat, and the thighs of an emu.

'This is my gift to you,' he said to the mother and father who sat in silence before him.

Their reply was as devastating as it was unexpected:

'You have come in time for her burial, son who was to be.'

The young man could scarcely contain his grief as the story of her death was unfolded. As a blooded warrior, he held back his tears and said coldly, 'Why have you not buried her?'

'Her body has just been found this very day,' her father said.

'Then I shall follow her and claim her spirit. The wirinun will mend her broken bones, and I shall restore her spirit and breathe life into her.'

'That you may not do,' her father said sternly. 'Her spirit is now in the realm to which all women must go, and the one who killed her is still alive. Where does your duty lie?'

The young man looked steadily at him. He had no more words. He turned and went to the house of the unmarried men. No one dared speak to him. His grief was his to bear alone.

As the days passed there was whispering in the village. Everyone had expected that he would set out in search of the snake that had killed his promised wife, but he sought no information from those who had found the girl's body. He took no part in the dances and songs at night. He said little to anyone, nor did he seem to hear what they said to him. He took part in the hunt each day, but at night he was wrapped in a cloak of silence. The old women shook their heads.

'He will die,' one said. 'He wishes to join the girl in the spirit world.'

'He will never succeed,' said another. 'There is one such world for men, and another for women.'

'You are wrong,' said a third. 'He is silent because he is lost in thought. Do you, who have never seen one of these snakes, think a man can go out with his spear and put such a snake to death? When I was young, I saw one. I shall never forget that day. Look at these grey hairs. They are not grey with age. They turned from black to grey and then to white on the day I saw that monstrous brown and yellow horror.'

'What was it like? Tell us about it,' said another.

'You've heard me tell it often enough,' she cackled. 'Telling is not enough. If you had seen it, you would know what I mean.'

'Then what do you think the young fellow will do?' asked the woman who had wanted the story retold. She dropped her voice to a whisper. 'Do you think he is afraid?'

'No. He has no fear, that one. We must have patience.'

But little patience was needed. The following morning the young warrior surprised everyone by saying, 'Who will come with me to gather beefwood gum?'

He sounded so cheerful that everyone looked at him in surprise.

'Why do you want gum? We have plenty. You can have some of ours if you need it.'

'It's fresh gum I want.'

He laughed at them, looking more like his old self. 'If you help me gather it I'll show you what I'm going to do with it.'

Overcome with curiosity, they followed him without further question. After the gum had been gathered, he made no attempt to return to the camp but led them to the valley of the giant snakes. Taking one of his closest friends with him, he left the others at the mouth of the valley, warning them not to venture any further. Making as little noise as possible, the two young men gathered armfuls of fallen branches and built a platform in an overhanging tree.

'Now you can make as much noise as you like,' the young man said to his friend. They shouted at the top of their voices, joined by the others who were waiting at the mouth of the valley.

'Again!' he called as the clamour died away, and again the valley threw the sound back and forth between the cliffs.

Suddenly—there it was, the gigantic brown and yellow snake, its head swaying from side to side as if searching for the source of the noise. It was followed by a swarm of smaller snakes with the same colouring. It was evident that the eggs the girl had intended to take home, for the gathering of which she had died, had hatched into a monstrous brood.

The moment of vengeance had arrived, but for the watchers the manner of its coming was still a mystery.

Their curiosity was at last rewarded. The two men in the trees took lumps of newly gathered gum from their dilly-bags and kneaded them into large balls. The mother snake had located them on their platform and was uncoiling her vast body, her tongue quivering between widely-opened jaws, her head coming close to the platform. When a ball of gum fell into her open mouth her jaws closed like a spring trap, her teeth sinking deeply into the gum.

The young men pelted the baby snakes with the gum and succeeded in sealing their gaping jaws as those of their mother had been sealed.

There was no pity in the hearts of any of the men who came to the valley that day. Bubbur, the biggest of snakes, had killed the loveliest daughter of their clan. Her children were small only by comparison, each as thick through the body as a man's leg, each growing in size and strength to some day match its mother's enormous bulk.

With sealed jaws the small snakes were no longer dangerous. The onlookers rushed into the valley and attacked the brood, mother and offspring, until all were dead.

'The Bubburs have been scarce in the land since then,' wrote that great teller of Aboriginal folk-tales, Mrs Langloh Parker, 'though their name carries terror yet to its hearer. Their size has grown with time, and fear has stretched their measurements, until even the strongest and wariest feel a tremor when the name of the brown and yellow Bubbur is mentioned.'

Goanna makes a Canoe

FROM the far north of Queensland comes the story of how Goanna made the first bark canoe. It seems probable that Goanna's habit of climbing trees and clinging to the bark is responsible for the story of canoe-making as told by the observant Aboriginals of that area.

The Goanna man had been experimenting in the construction of a canoe. As no such vessel had ever been dreamed of, his efforts were clumsy. When the canoe was completed he launched it, jumped in and pushed it out into the sheltered bay, where he began to fish. In a short time the water that seeped through the roughly sewn seams was up to his knees. Thoroughly disgusted, he swam ashore and watched the disintegrating sheet of bark being carried away by the tide.

He sat lost in thought, going over in his mind what he had done, determined to find what he had done wrong. For a long time he brooded, but at last the frown left his brow. He knew how to rectify his mistakes. It was no use trying to patch up the old canoe, even if he could reach it. It was floating, almost submerged, far out in the bay. He walked upstream until he came to a suitable tree, and lit a fire at a little distance.

The method of construction he had devised has been admirably described by Ursula McConnel in her account of the

Munkan legend 'The Making of a Bark Canoe by the Goanna'.*

'He climbs a tree; cuts a sheet of messmate bark; lays it over the fire; scorches it; pulls it out and lays it down near the river. He cuts fine bamboo; burns the point in the fire; splits the stalk down, flattens it, softens it down with his knife.

'He folds the sheet of bark down the middle and sews up one end; sews, sews, sews, pushing the point of the cane through the holes made with the pointed wallaby-bone stiletto. Then he sews up the other end; both ends he sews up, pushing the cane through. Then he cuts off the ends slantwise, inwards and downwards. Then he breaks short sticks; puts a stick on each side, laying them crosswise to keep the canoe stretched outwards. The bark he fastens by running string across to each side of the canoe and tightening it.

'The splayed foot of a mangrove stem he cuts for a paddle; planes it down; heats it in the fire; bends it to straighten it.'

Now, well equipped with canoe and paddle, Goanna launched the canoe in the river, stepped into it confidently, and paddled downstream. As he went he leant over the side. The canoe did not capsize. He kept looking until he saw a fish. He raised his spear and impaled a very surprised fish on the three-pronged head. He speared another fish and another. By the time he reached the bay, many speared fish were lying at his feet in the canoe. The Goanna man felt pleased with himself.

The habit of tree-climbing remains with him, ever since the day he climbed a messmate tree to strip it of its bark. And it is up tree trunks that he still scuttles, when alarmed by intruders.

Goannas and Porcupines

THE tree-climbing ability of Goannas is an important factor in a legend related by the tribes of the Murrumbidgee district. Goannas had come to this region shortly after all the animals had left the thousand islands of the northern seas and arrived in

* Ursula McConnel, *Myths of the Munkan* (Melbourne University Press). The author is grateful for permission to include this extract.

Australia in the canoe belonging to Whale (see page 192). Goannas were among these pioneers. They were an industrious people, noted for their patience and skill in growing food in the land from which they came, and living on the products of the soil.

Unhappily, their nature changed when they were settled in the southern part of the continent. They grew lazy, deceitful, and envious of others. They did not hesitate to steal provisions and, losing their appetite for vegetable food, developed a liking for meat. Flesh of any kind was welcome—small lizards, four-footed animals, so long as they were small and defenceless, and the flesh of larger animals, provided someone else had taken the trouble to kill them.

The most peculiar part of it all was that other animals seemed quite unaware of the changed habits of the Goannas. They had no suspicion that they were the thieves who stole their choicest pieces of meat. This applied even to the wives of the Goannas who, of course, belonged to other moieties. When their husbands reluctantly shared food with them they had no idea that, as often as not, it had been stolen, often from those of their own tribe.

One day the Goannas heard that the Porcupines had arranged to round up all the game in their vicinity. They proposed to spread out in a large circle, gradually closing in, driving the animals before them until they were penned into a small enclosure where they could be killed at leisure.

The head man of the Goanna tribe went to the leader of the hunt and offered the services of his own men.

'No thank you,' said the Porcupine leader. 'We don't need any help. Your offer surprises me. I thought you were all vegetarians. What do you know about game animals?'

'Nothing. Nothing at all,' the Goanna replied hastily. 'I didn't mean to suggest that we would take an active part in your expedition. I meant we could help in other ways.'

The head man of the Porcupines made no reply, but the inquiring look on his face was as good as a question.

Goanna racked his brain.

'Honey!' he said with sudden inspiration. 'That's it. Honey. Your men will be busy chasing the animals or whatever it is you do. Far too busy to look for honey, which would be a good thing to sweeten the meal tonight, wouldn't it? My men are skilled honey thieves—I mean honey seekers. Much better than yours, I suspect,' he went on glibly, gaining confidence. 'Porcupines are not well adapted for tree-climbing, no matter how good they may be as hunters. Let my men come behind you as you close in. I guarantee you'll have a pleasant surprise at the end of the day.'

After exacting a promise that there would be no interference in the hunt, Porcupine agreed to let the Goannas take part.

There was no doubt of the Goannas' skill in locating the nests of the bees. One of them caught a bee and tied a scrap of down to it. When the insect was released the Goannas were able to follow it to its nest high in a tree trunk. When they came to the branch where the honey was hidden in a hollow, they chopped at the trunk with their axes, leading the Porcupines to think they were chopping steps to help them climb the tree.

The hunt proved successful, a large number of possums being killed. Several coolamons of honey were equally welcome, for the Porcupines had a sweet tooth.

The Goannas ceremoniously carried the coolamons to the Porcupines, inviting them to take as much as they wanted. In other ways, too, they were painfully solicitous of the welfare of the Porcupines.

'You must be tired after that long chase,' their leader said. 'We can see what splendid hunters you are. We are weak creatures compared with you. We hope you will feel refreshed after eating this delicious honey. Why don't you all lie down and have a sleep? While you're resting we'll light the fires and roast the meat for you. When you wake up it will be waiting for you.'

The Porcupines lay down and watched the preparations drowsily. As the fires burned up and the smell of roasting meat filled the air, the Porcupines could not keep their eyes open. One after the other they dropped off to sleep.

Darkness fell, the stars came out, the moon rose over the distant hills and looked down on a peaceful scene. A glade in the bush, surrounded by tall trees. Porcupines sleeping peacefully. Goannas going about on tiptoe to avoid waking the sleepers, busily feeding the fires and occasionally turning the roasting possums.

High up in one of the tallest trees a solitary Goanna was keeping an eye on the sleepers, ready to give the alarm if one of them should waken.

Presently he gave a long-drawn screech. One of the Porcupines was sitting up, yawning and scratching himself, looking with some interest at the activities of the Goannas. As the air was rent by the alarm the scene changed from peace to frenzied activity. The Porcupine sprang to his feet, while others stretched themselves and sat up in alarm.

The Goannas were ready. They had taken the precaution of laying the possums in the ovens with their tails protruding outwards. Each Goanna seized two of the possums by their tails and scampered off with them to the trees. The last to go was the head man. He was burdened with four possums, two in each hand, and followed more slowly.

By this time it dawned on the Porcupines that the Goannas were robbing them of their meal. They raced after them. It was almost too late. All but the over-burdened leader were safely up the tree. He was in a sorry plight, cornered by the Porcupines just as the possums had been caught earlier in the day. He dodged backwards and forwards, trying to reach the tree, but in vain. Every step he took was blocked by a Porcupine, whose leader came up with a brand snatched from the fire. He beat the Goanna with it mercilessly, leaving burnt patches down his back. Finally he wrested the possums from the thief and let him go. The poor fellow crawled slowly up the trunk of the tree, more dead than alive, and fell into the arms of his men. They were not over-sympathetic. After all, they had most of the possums, cooked to a turn, and were able to enjoy a satisfying meal, while the Porcupines, far below, had to content themselves with a small serving of the four remaining animals.

It was many months before the head man of the Goannas recovered from the burns and welts on his back. He was scarred for life, and his descendants bear the same marks. Worse still, the secret vices of the Goanna tribe had been revealed to the world; never again would the Porcupines allow them to take part in a hunting expedition.

The Lizard who Came from Nowhere

IT would seem that in folklore lizards are coupled with goannas as thieves. It may be that their habit of darting into hiding when alarmed has led men to think that they are guilty of thievish practices.

Long before these reptiles became common, a small boy suddenly appeared in an isolated village. No one knew where he came from. The people who lived at the camp were so far from any other clan or tribe that it was impossible for him to have come from a neighbouring encampment. Had he been lost when straying from a family on walkabout? That was the likeliest solution. But the fact that he could speak their own language perfectly seemed to make the supposition far-fetched.

He was questioned closely by the elders, and then by women who tried to gain his friendship, without result. He was prepared to talk about anything under the sun or moon except where he came from. In this one respect he was completely obstinate, even when beaten.

After a time he was accepted without further questioning and was given the name Boy-from-nowhere. It was difficult not to like him. He was a happy little fellow, joining at play with the other children of the clan, and even helping in the day's work, which few were prepared to do.

Still, there was something strange about him. He often wandered away on his own, especially at night, when others kept close to the camp fires, fearful of what might be lurking beyond the narrow circle of light. Then suspicion began to dawn. Food supplies were dwindling mysteriously. No matter what was put aside for future use, some always went missing. And more than food. The head man lost a new spear, just after he had completed straightening and polishing the handle and lashing the bone head to the shaft. Another reported the loss of his woomera, while small objects such as gum, bone needles, headbands, and knives were constantly going missing. The only objects that were never taken were those reserved for sacred purposes—tjurunga, the sacred boards, ochre for body painting, pointing bones, and feathered string ropes.

166

The epidemic of stealing became so serious that the elders kept watch, especially at times when most of the younger men were out of the camp foraging for food. The culprit was soon discovered. The strange boy was seen stealing out of one of the humpies, and was found in possession of a dilly-bag complete with its contents.

A severe beating was a fitting punishment for such a crime, a beating that would put an end to such offences for all time. The boy was held firmly by one of the men while another prepared to administer a thrashing with his spear.

No sooner had he drawn back his arm than something extraordinary happened, something that brought everyone running to see it for himself. The boy had slipped out of his captor's arms and had grown to twice his normal height. He was as tall as the tallest man in the clan.

The man who was about to thrash him let his spear drop from nerveless fingers. The barb fell on the boy's foot, almost pinning it to the ground. Again he doubled in size. He had grown as high as the trees that surrounded the encampment.

This was witchery, devilry. The medicine-man hastened to his hut to prepare spells to drive away the evil spirit that had taken such unusual shape. While he was there the men of the village flung spears at the boy giant. He dodged them adroitly until one, thrown by the most powerful man, penetrated his heart. Like a falling tree, he crashed to the ground and lay still.

Timidly the warriors approached him, looking with awe at the elongated figure, and then with pity as they saw his boyish face.

'We must not bury him,' said the wirinun. 'It would do us much harm if the evil spirit that has possessed this boy were to lie near our camp. It would come out at night, and who knows who the next victim would be?'

'What shall we do with him, then?' someone asked.

'Cover him with bark,' the medicine-man said. 'If we no longer see his face, the good spirits may tell us the meaning of the riddle we have seen today and we shall know how to deal with him.'

Many pieces of bark were needed to cover the corpse, but at last the work was done. Everyone waited for the revelation that was to be made to the medicine-man. And the good spirits found the answer to their problem, for when they raised the bark the following morning, there was no sign of the boy's body. It had vanished during the night.

As the last piece of bark was thrown aside, a tiny four-legged creature with a long tail ran over the stones and hid between them. Its hiding place could not be found; but from then onwards, in that camp, and in many others, small lizards became so common that no one ever remarked on them. Nor did anyone except the wirinun connect them with the boy who had come to the camp as a stranger from nowhere. It must have been that wirinun who passed on the story of the lizard that came from nowhere to others, who told it to those who followed them, so that we may read of it today.

The Meat Ants and the Fire*

THERE was only one tribe of people in the Dreamtime that knew how fire was made. It was the tribe of the Meat Ants. Ants alone knew the secret of making fire, and if you look at a meat ant you will see that it is indeed the same colour as fire.

In a nearby tribe there lived a young man who had an uncle. One day the uncle went to the mother of the young man and said, 'My nephew will not eat the meat we have brought back to the camp. He says that we should eat only the food that has been cooked by fire, for then it will taste better.'

'Fire?' she said wonderingly. 'What is fire? I do not even know if there is such a thing as fire.'

But the young man told his people that there was such a thing as fire. He knew that this was so, for somewhere in the land

---

* The legend was collected by the late Miss Mildred Norledge and published in her *Aboriginal Legends from Eastern Australia* (A. H. & A. W. Reed), a collection which was edited and rewritten by the present writer at the suggestion of Emeritus Professor A. P. Elkin. This version of the legend of the Meat Ants is, with some further editing, the same as that included in Miss Norledge's book.

While meat ants should not be included in a collection of stories about lizards, it is hoped that readers will forgive its appearance in this section as there is no special category for the Insect people.

there was a tribe of people that had been taught how fire was made. He said that if his people would let him go on a long journey he would seek the tribe of people who knew how to make fire. His people said in unison, 'Yes, go out to seek for the people that know how to make fire.'

For many days and nights the young man walked across the land. He came across many tribes, but none of them knew how fire was made, nor even what fire was. They sat in darkness when day had ended and night came.

One day the young man saw some children playing, for only the old people and the children were in the camp. The men were out hunting, and the women out gathering food. The young man hoped that they might have the secret, but when night came he knew that these people were also without fire.

He came to another land and although it was forbidden for him to enter it, he looked to the north, and saw a mountain so great that it was like a dividing range across the land. He walked towards it and said to himself, 'If the people who I need do not dwell upon this mountain, then I will return to my own tribe.'

When he came to this mountain he saw children playing together and rolling stones. It seemed to him that these children looked better in stature and countenance than those of his own people and of the other tribes he had seen. It came into his mind that perhaps he had at last found the people whom he had been seeking—the people who knew how fire was made. When he saw the children going up to the peak of the mountain, he said to himself, 'Their camp must be on the peak. I will follow them and see what it is like.'

As he did not wish to be seen, he climbed a tree, walking from tree to tree. So silently and stealthily did he do this that no one saw him, but from the tree tops he was able to watch where the children were going.

When he came to the top of the mountain, he could see the glare of a fire, and knew that at last he had reached his goal.

'Now that I have found what I have been seeking,' he said to himself, 'I must find some way to take fire home to my people.'

There was a grass-tree growing nearby. He cut the tree down to its very roots and took out the core, intending to put a lighted stick of fire inside it as soon as he could get one. He knew very well that these people would not teach him how to make fire, and that to take a burning brand from their fire was the only way he could secure it.

He waited till all the people in the camp were asleep. When he saw no one awake except a little boy, he crept up to him and gave him a stick to play with. The little boy played with this stick and put in the ashes of the fire until it blazed up. The young man took the stick from the child and thrust it quickly into the core of the grass-tree.

When the boy saw what the young man had done, he ran to where his father lay sleeping and woke him up. In his excitement and fear, the child was unable to speak, but his father at once realised that the boy had seen some strange thing, because he kept pointing to where the young man had gone. All the people in the camp were now awake. They saw the young man's tracks and knew that a stranger had been there.

They followed the young man's tracks and before long he knew that they were on his trail. He found a large vine growing on the mountainside. He slid down it, and when he got close to the root, cut it with his stone axe. The angry tribesmen began to swarm down the vine, not knowing that it had been cut from beneath. The vine gave way as these people took hold of it and they all fell down and were killed.

The courageous young man returned to his own people taking to them the gift of fire, and to the people of other tribes that he met on his way he also gave this gift. In this manner and on that day, fire came to many tribes.

The children of the people from whom the young man took the fire turned into meat ants and meat ants they are to this day. The home of the meat ants is Durundur in the Kabi tribe's country.

CHAPTER TWO

FROG PEOPLE

MANY are the tales that are told of the frogs—fables and legends that come mainly but not solely from the well-watered regions of the continent. Like the Aboriginals themselves, frogs have learned to adapt themselves to the most trying climatic conditions. In at least one area of scarce and unreliable rainfall they seem to have foreknowledge of drought conditions. After a fall of rain preceding a long dry period, when water will be no longer available, they fill their bellies until their whole bodies are distended, and bury themselves in the sand. When on walkabout, the Aboriginals of this region are able to detect their presence. They dig the little creatures out of the ground and drink the water imprisoned in the bodies of the frogs.

In the eastern and southern states, the croaking of the frogs reminds them of the gigantic Frog of olden time, known as Tiddalick, Karaknitt, and doubtless many other names. This obese creature is credited with once having swallowed all the water in the region where he lived. It was released only when an ingenious worm succeeded in making him laugh. As the laughter rumbled up from his belly, water gushed out of his mouth, filling rivers, streams, billabongs and waterholes, bringing vegetation to life and quenching the thirst of parched animals and mortals. His laughter continued until the last drop of water was spilt, the sound booming like thunder across the land. He laughed so much that he lost his voice. When he regained it, all he could do was to croak hoarsely with the sound that every frog has since inherited. It may be assumed that the unending chorus of the frogs is an attempt to regain the pleasant tone that was lost by their ancestor when he released the flood water in a gale of laughter.*

---

* The full story of Tiddalick is related in *Myths and Legends of Australia* by A.W. Reed (A.H. & A.W. Reed). Other frog stories appear in Part Three — Fables.

The Timid Frogs

IN striking contrast with the self-assurance of Tiddalick is the size and timidity of the Frogs that inhabit the marshy places of Australia. That they are small in size is of course beyond their control, and indeed an advantage in hiding from their enemies; their timidity, on the other hand, is due to the actions of their male forefathers. It happened that they became so exasperated with their womenfolk that they decided to leave them and form a male community. Nobody knows why. It may be that wives, aunts, sisters, and grandmothers nagged them unmercifully, for this characteristic is not unknown even amongst mortal women, who should have more sense.

In making the momentous decision to leave their comfortable surroundings the male Frogs were as foolish as men who leave their wives. They soon discovered that there was much work to do, day and night, previously performed by the female Frogs, which they had taken for granted.

Nevertheless there were compensations. It was pleasant to sit on the leaf of a waterlily in the evening basking in the last rays of the sun, yarning with friends, with no one to interrupt them, immersing themselves from time to time to keep their skins moist and pliable.

All went well for some time. The male Frogs kept congratulating themselves on their removal from feminine influence, especially in the evenings when the day's hunting was over.

One night there was a strange feeling in the air. No one could describe it or say what it was, but it was felt by everyone. Was it something in the slight breeze from the west? Was it something rustling in the bushes? Did it come from the clouds or was it something moving steathily under the ground? Or by the pool where they had made their new camp?

It was something they had never felt before. And then they heard it. It was a Voice. Just a Voice. No form, no body, only a Voice. Strong and near and at the same time soft and far away. Not like a man, or an animal, or even a Frog speaking. It came from everywhere, from the sky, and the air, from the water and the ground, from trees and bushes. Some of the Frogs thought it was coming from inside their bodies.

Even stranger, it had no words, and yet they understood what the Voice was saying to them. It was asking for food. The Frogs looked at each other, undecided what to do. How could they possibly give food to a Voice?

The demand from the wordless Voice became imperative. The message it conveyed was that there would be trouble for them if its demands were not satisfied. Hesitantly the Frogs gathered a supply of food and placed it on the margin of the pool. The moon rose and the tiny silver fish they had placed on the bank shone in its rays.

To the astonishment of the Frogs, the fish vanished, one by one. It seemed as though some unseen animal was swallowing them. One of the Frogs, bolder than the others, ventured a question. Jumping on to a fallen tree trunk he said, 'Who are you? We can't see you. What are you?'

The Voice made no reply. The fish had all disappeared. Where they had been lying a little breeze circled round, raising a puff of dust that slowly settled. The brave Frog, who was the leader, hopped closer to examine the ground.

'There are no footprints,' he told the others, who had not ventured near. 'It must have been a ghost, a spirit. Now it has gone.'

The Frogs remained quiet for a long time, expecting to hear the Voice again, but there was no sound except the soft brush of wind against the leaves. The feeling of a presence had gone.

After this experience they were not surprised to feel the unseen visitor and to hear the wordless Voice the following night. Once again they were able to understand its demand for food. Night after night the same thing happened. The invisible creature, if creature it was, had a healthy appetite, and food supplies began to run short.

One morning the leader called the Frogs together.

'This is getting serious,' he said. 'We have no knowledge of what this mysterious visitor is like. He may be as small as a mouse or even a grasshopper, in which case we have nothing to fear. On the other hand, he may be bigger than an old-man kangaroo. I think we must ask him to show himself to us. Who will volunteer to ask the question?'

No one spoke. The silence became painful. It lasted all day, for in those far-off times Frogs did not speak or croak in their own language as they do today. They took a long time to think before speaking. In this case, however, there was no need for anyone of them to think. They were quite sure it was their leader who would have to face up to the unknown consumer of their food. The leader was well aware that he would have to do it himself.

As evening approached and the strange feeling they had already experienced permeated the Frog people, old-man Frog hopped on to the log, holding tightly to it to still his trembling limbs, and demanded as fiercely as he could that the Voice show himself to them.

'There will be no more food until you reveal yourself.'

No words came from the Voice, only a threatening sound like the distant rumble of thunder, but the Frogs knew instinctively that they were being threatened. Controlling a quaver in his own voice, the Frog leader said again, 'We're not afraid of you. If you can't show yourself to us, at least tell us who you are.'

The message came through clear and strong.

'Tomorrow you will see and hear for yourselves. Watch for my coming when the sun is high in the sky.'

Then there was silence, and a great unease among the Frogs. They could not wait for the appearance of the mysterious creature, yet they were in dread of what might happen. The long night dragged on, and the morning hours. At midday every male Frog kept looking towards the west, standing on the bank or on logs and snags in the pool.

When the sun was overhead they saw a swirling column of dust racing towards them. It was a willywaugh. Was this the Voice? Surely not, for they had all seen willywaughs before. They had no voice, only dust and grit and whirling air and confusion.

It was nearly on them. Its fringe ruffled the water at the end of the pool and once again they were conscious of that menacing Voice that seemed to speak through bone and flesh.

'I ... am ...'—the words came slowly with dreadful meaning and intensity. Before the sentence was completed a hundred bodies dived headlong into the pool. Not one of the Frogs, not even the old-man Frog who had led them, dared stay to hear the name or seek the form from which the wordless Voice was emanating.

To this very day frogs are still in ignorance of the nature of the Voice. They dread the wind that carries sounds on its unseen wings, and that is why they take refuge under water at the slightest noise.

We can only hope that they have become reconciled to their womenfolk, who can offer comfort and tell them how brave they are, even though they know they are the most timid creatures ever created by the Great Spirit of long ago.

The Everlasting Frogs

FOR months there had been no rain, but at last dark clouds had banked up from the west, covering the sky. When the sun rose that morning, it sent its fierce rays to beat on the parched earth, turning the last muddy puddle to steam that vanished as quickly as it had been born.

It was scarcely midday. The sun was lost behind the clouds. One of the old women of the tribe peered anxiously through the gloom. She felt a cold wind on her face and the first heavy drops of rain. Amongst the wurleys there was much rejoicing.

'Before the day is over, there will be water in the soak, flowers carpeting the sand, game for the young men to hunt,' the woman's brother said.

'But where are my daughters?' she asked. 'It is two days since they left. They should have returned long since.'

'They have probably gone far into the bush in search of yams and grubs. You know they're hard to find since everything dried up.'

The rain streamed down endlessly. Heat had been eaten up by the cold torrents of water that had soaked into the ground and now lay deep in the hollows, beaten into changing patterns by the drops that fell like spears on the shivering water. Through the night the deluge smashed on the withered branches of the wurleys, penetrating the maze of twigs and leaves, drenching the men and women who crouched beneath them.

In the morning the old woman sought out her brother.

'What of my daughters now?' she asked pitifully. 'Where can they be?'

'Sheltering under a bush, I have no doubt. Soon they will return,' he replied.

Before nightfall the rain had stopped, but there was no sign of the missing girls.

In the morning the distraught mother went to the hump-backed wirinun, the clever-man of the tribe. He, too, was old and surly. In his youth he had desired the woman, but she had refused him. Ever since, he had nourished a grudge and had looked for a way of punishing her.

'I know what you have come for,' he said. 'Nothing is hidden from me. Your daughters are safe.' His laugh was thin and frosty. 'Safe!' he repeated. 'Safer than they have ever been. Safer than they deserve. They are bad women, those girls. They have mocked me, saying that my back is like that of Dinewan the Emu.' He drew himself up as straight as he could. 'Dinewan is my may, my totem. It is not right that they should speak of it so.'

The woman tried to calm him down.

'They were thoughtless, as girls so often are,' she said. 'If they come back they will tell you they are sorry. Now I am frightened, for something terrible may have happened to them. Help me find them.'

'I can help you,' the wirinun said. He pointed to a patch of bush that was darker than the rest, bursting with the new life that had come with the rain. 'Go past the tree that was killed by lightning. Keep straight on, and it may be that you will find them.'

'Or maybe no,' he chuckled to himself as the woman hurried away, splashing through the puddles, her feet brushing heedlessly against the vegetation that had sprung to life so suddenly.

Her spirits lifted as she detected signs of the passing of her daughters. She followed the faint trail hour after hour, unconscious of hunger and thirst, until the rays of the declining sun shining in her eyes warned her that it would soon be night. As darkness fell she curled up at the foot of a gum tree and fell into an uneasy sleep.

In the morning she drank from a pool of water and looked round for something to satisfy her hunger. On the ground, close to the tree, there were signs of the Frogs that shelter in the sand. Scooping the sand up with her hands, she found four Frogs. The thought came into her mind, as though placed there by an unseen spirit, that this was as many as her missing daughters. She put the thought away from her. As she was about to squeeze one of the Frogs to death, in order to eat it, the thought returned with redoubled force. Holding the Frog close to her face, she looked into its eyes. It looked at her so pitifully and seemed to be trying to speak, that she put it down. The little Frog huddled close to the others. All four raised their webbed feet in such a manner that she felt sure they were appealing to her to protect them.

She stepped back, and watched them scuttle into their holes. The croaking of the Frogs sounded almost like words, words that sounded like, 'Thank you, mother.'

The woman sped along the track she had followed so slowly the day before. By midday she reached the cluster of wurleys on the edge of the bush and sought out the hump-backed wirinun.

'What have you done to my daughters?' she demanded.

'So you've found them? I wanted you to see what happens to those who laugh at a wirinun—or to one who refuses to become his wife,' he replied fiercely.

'This is your revenge, then!' the woman said sadly. 'All these years you have harboured these thoughts because I was given to another. My daughters are precious to me. Without them I would starve, for there is no one else to help me now. You know my husband was killed years ago. Was it you who killed him with your evil powers?'

'I shall not tell you, woman. There are many things that wirinun do not reveal.'

'It doesn't matter now,' she said impatiently. 'It is my daughters who are important. The young men will soon be anxious to take them to wife, to bear children, to hunt for yams, to cook their food. The future of our people depends on them. If I come to you now, to be your woman, will you restore my daughters?'

'You are old and wrinkled. The juice has left your body. Your skin is dry and wrinkled. I could have no joy in you now,' the wirinun said contemptuously. 'What else have you to offer besides your body?'

'I have the doori that has come down from father to son for so many generations that the number of them can never be counted. It was the doori that belonged to my husband. I have kept it all these years.'

'The grinding stone that talks when it is fed with seeds!' the wirinun exclaimed, a spark of pleasure kindling in his eyes. 'Yes, I might do something for you and your daughters if you give me your doori.'

The woman hastened to her wurley and brought the grinding stone, laying it at the wirinun's feet.

'Do you promise to restore my daughters to me?' she asked, keeping her hand on it until the wirinun made his promise.

'I promise,' he said, and paused. 'I promise to change your girls. Go back to them. You will see that I keep my promise. They will never be eaten when I have changed them.'

Gleefully he lifted the doori and watched the woman he had deceived running towards the bush and disappearing into the scrub.

It was almost dusk by the time she reached the tree where she had slept during the night. There were no daughters there to greet her—and neither were there any Frogs in the holes close by.

She wondered if her girls were by the pool. Looking frantically in every direction, and calling in a quavering voice, she came to the pool—and there she found her daughters. They had been changed, as the wirinun had promised, but not into living flesh.

By the bank, resting as though they had been drinking the water, were four stones, striped with green, in the shape of Frogs. The promise of that evil man had been fulfilled. Her daughters would never be eaten, for they had been turned to stone.

CHAPTER THREE

TREE PEOPLE

In the beginning all was land. There was no sea. Animals and men were allowed to go wherever they pleased. It was impossible for them to go far, but their children would go a little farther. That is the reason why birds and animals are found in various parts of the continent.

Koala and the Rainbow

It had been raining for days and weeks and months and years. The water ran down the hills, forming creeks and rivers that flowed across the plains and collected in hollows. The water rose almost imperceptibly, lapping gently at the feet of the hills. As the deepest depressions were filled with waters that grew into vast oceans, the land area shrank and divided into many islands. Groups of animals and men were divided from one another by the encircling seas.

On an island far distant from the continent that is now called Australia were men who were skilled throwers of boomerangs. They were able to split a small stone at a hundred paces or more, bring down the swiftest bird in flight, and send their boomerangs so far away that they were lost to sight before returning to the thrower.

They loved to engage in contests of skill to show how far or how accurately they could hurl their weapons. Among them was one who was noted for his strength and also for his boasting.

He was often heard to say, 'If I wished, I could throw my boomerang from here to the most distant of all the islands.'

'If you were able to do that, how would you know whether you had succeeded?' asked one of the more sceptical men.

'The answer to that is simple,' the strong man replied. 'What happens when boomerangs are thrown?'

'They come back to the thrower, of course.'

'What happens if the boomerang hits a tree or a rock?'

'The boomerang stays there, especially if it breaks.'

'You have answered your question,' the strong man said with a grin. 'If I throw my boomerang as far as the farthest island and it fails to return, then you will know I've succeeded, won't you?'

'Yes, I suppose that is so, but what's the use of talking about it unless you actually do it?'

'Very well,' the strong man said. 'Watch.'

He chose a well-balanced boomerang. Whirling it round his head several times, he released it. The weapon flew from his hand so quickly that few could see it as it sped across the ocean. Expectantly the onlookers waited, but as the hours dragged by without any sign of its return, even the old-man sceptic was forced to agree that it might have landed on a distant island.

'But there's another possibility,' he said, annoyed by the way the strong man was strutting to and fro, winning admiring glances from the women. 'It may have landed in the sea.'

'Not my boomerang!' the strong man shouted. 'It would cut its way back to me through the sea if it had not reached the island. You are jealous of my skill, old man.'

'There's only one way that we can know for sure,' was the reply. 'Someone must go there to see if he can find it.'

'I know how we can do it,' a small boy piped up.

The old man looked at him disapprovingly.

'We've heard too much from you already,' he growled. 'It would be much better if you ate the food you're given like the other children. I've seen how you spit food out of your mouth—food that's good for you as well as good to eat.'

'That's because no one has ever brought me a Koala to eat. That's what I like best.'

'How can you know you'll like it if you've never tasted it?'

'How do you know there's an island far away over the sea if you've never seen it?' the boy asked cheekily.

'Because I know it's there. It is part of what men who lived and died before I was born have said,' the old man replied.

'I expect they liked Koala meat too,' the boy said. 'My sister's husband caught one this morning. There it is, beside that tree.'

The old man picked up the animal and threw it at the youngster, knocking him over, Picking himself up, he snatched the body of the Koala and ran with it to the beach. Taking a flint knife from the skin girdle he wore, he slit the belly and drew out its intestines. Putting the end in his mouth, he blew into them until they swelled into a long tube that reached the sky. He kept on blowing. The tube bent over in a majestic arch, its end far out of sight beyond the curve of the ocean.

'What are you doing?' the old man asked. 'If you really want to taste the flesh of the Koala, take it to your mother and she will cook it for you.'

'No, no,' exclaimed the boy's brother-in-law. 'Look what he's done. He's made a bridge to the island beyond the sea. Now we can cross it and find where the boomerang has landed. It's sure to be a better place than the one we're living in now.'

He put his foot on the bridge of intestines and began to climb the arch. Next came the boy, followed by his mother's uncle, his father and mother, and aunts and brothers and sisters. Seeing that everyone was crowding on to the bridge of intestines, the old man followed too.

The crossing took many days, days without food and in the burning heat of the sun, but eventually they came to an end of climbing. They slid down the far end of the arch and found themselves on the far away island. It was a good place. The grass was greener than in their own land, shaded by gum trees, with cooler, clearer water than they had ever seen or tasted. And no wonder, for this land to which they had come was the east coast of Australia.

When all the tribespeople were there they let the arched bridge float away. The sun shone on it, turning it to many gleaming colours which formed the first rainbow arch that had ever been seen by men. As they watched the brilliant colours, the rainbow slowly disappeared. The boy was turned into a Koala and his brother-in-law to a Native Cat. Although the other tribesmen remained unchanged, they split up into a number of groups, each with its own totem, and departed to various parts of the island continent. And so it was, said another old man, many generations later, that the first Aboriginals to come from another island became the progenitors of the various tribes which occupied the new land.

Why Koala has no Tail

KOALAS were not seen by Europeans until the year 1810. Several theories became current, one being that they were a kind of wombat, another, a type of monkey. Since then much has been learnt about these appealing little creatures. It is known that they are able to survive on the leaves of only twelve varieties of eucalypt, in particular the manna-gum in Victoria, the forest red-gum in New South Wales, and the blue-gum in Queensland. If the water content of the soil changes, the Koala is sometimes forced to frequent a tree of another species. Its capacity for existing with so small an intake of water and relying on gum leaves has naturally given rise to interesting legends (one is related in *Myths and Legends of Australia*).

Another distinguishing feature is its lack of a tail, for which at least two legends provide an explanation.

During a drought the animals noted that Koala never seemed to suffer from thirst. Suspecting that he had concealed a supply of water for his own use and was unwilling to share it with others, they searched high and low. Various birds and animals maintained a watch on his movements day and night, but without success until Lyre-bird saw him scrabbling up a tree and hanging head downwards from one of the branches. In those far-off days Koala was equipped with a tail which proved useful in climbing and allowed him to perform gymnastic feats that his descendants are no longer able to imitate. Curious to know why the little animal had adopted such a curious posture, Lyre-bird crept close. It did not surprise him to find that Koala was sipping water that had collected in the fork of a tree.

It occurred to him that the tree might be hollow and filled with water. As he was unable to reach the branch where Koala was hanging and had no axe with which to fell the tree, he scuttled back to camp and brought a firestick, with which to set the tree alight. The result was spectacular. The trunk burst into little pieces, releasing the water in a miniature torrent. Birds and animals plunged into the water that collected at the foot of the tree and, for the first time in many days, slaked their thirst.

The events of that day left their mark on Lyre-bird and Koala. If one looks closely at the tail feathers of a lyre-bird, it will be seen that there are brown marks on the outer edges where the feathers were scorched by the flaming firestick.

The result of the conflagration had a far more serious effect on Koala. As the flames shot upwards his tail was consumed. He saved himself by scrambling into the branches of an adjacent tree, but ever after he had to learn to live without a tail.

It must be admitted that the legends that have accumulated round Koala belie the apparent lovableness of the Australian teddybear, including the second legend of how Koala lost his tail.

Once again drought had dried up watercourses and ponds. Leaves hung listlessly on the trees, the ground was parched, the grass was dry and brittle. Koala had not yet learned how to survive on gum leaves. In his distress he consulted his friend, Tree-Kangaroo.*

'What shall we do?' he asked plaintively. 'Unless the clouds bring rain we shall die of thirst.'

Kangaroo leaned back on his long tail and held up his paws.

'We must do something,' he said. 'Let me tell you what happened when I was a very small joey in my mother's pouch. It was a time of drought. There was no water for miles around, and the animals were dying of thirst. Although I was unaware of it at the time, I now know that my mother was thinking more of me than herself. She was fearful I would die too. One morning she said to my father, "Little Joey will die if we don't get water soon. My milk is dried up. I must find water somewhere."

'My father gave a harsh croaking laugh. I can hear it still. "You're a foolish woman," he said. "You know there's no water. All we can do is to shelter under the leafiest part of the trees and hope the rain will come soon."

---

* Tree-Kangaroos are found in Queensland. The soles of their feet are rough to prevent slipping on branches, the claws on their fore-paws long and curved, their teeth adapted for eating fruit instead of cropping grass.

'Speaking with difficulty because her tongue was as dry as a piece of old sun-dried skin, my mother said, "Joey will be dead long before the rain comes. I'm going to take him with me and search for water."

'"You would suffer far less by remaining here," my father warned her. "Why don't you resign yourself to your fate? Too bad about Joey, but it's not your fault or mine."

'My mother was a determined woman. She believed that somewhere there must be enough water for me, if not for herself. Remember, Koala, that she was not like the big Kangaroos that roam the plain in great leaps on their strong legs. She was a Tree-Kangaroo like me, made for tree-climbing. As she crept across the dry stubble on the plains and dragged herself painfully over hills and down into dry valleys, her hands and feet grew sore. I must have weighed heavily in her pouch.' He sighed, and went on with his story. 'Her patience and persistence were rewarded. We came to a dried-up watercourse. Even the mud was hard as ironwood, latticed with ugly cracks. She went to where the old stream bed was deepest and began to dig with her poor curved claws. Oh, it was hard work under the burning sun. After a long while she found the soil at the bottom of the hole was damp. And a long while after that, we sat beside the deep hole, waiting for a little water to collect at the bottom. And it did! Only just enough for me, and I drank it. Night fell. I nestled in her pouch. When daylight came there was a pool of water at the bottom of the ditch. Enough for us both; and our lives were saved.'

'Do you know where that pool is?' Koala asked.

'I'm not sure. I think I could find it, but remember, it's not a pool. It will be just a dried-up river bed.'

Koala waved his long bushy tail excitedly.

'What are we waiting for?' he asked. 'I'll help you with the digging. All you have to do is to show me where the water can be found.'

'Very well,' Tree-Kangaroo replied. 'We'll see if we can find it, but I'll need your help when we get there.'

Like Tree-Kangaroo's mother, the two friends made the long journey in search of the elusive water. After several false alarms they came to a stream bed that Tree-Kangaroo thought he recognised.

'Yes, I'm almost sure this is the place. You'd better have a rest before you start digging, Koala.'

'I don't think we should wait,' said the little Bear, 'but I agree I'm too tired to begin straight away. You look fresher than me. Suppose you take the first spell.'

'Very well,' said Tree-Kangaroo.

He had already said this several times on the journey when Koala had asked him to forage for food, and felt it was becoming his least favourite expression.

He scratched the hard surface of the river bed and dug quickly down to the softer soil below. Presently he stopped and said, 'It's your turn now, Koala'—but Koala was no longer there. He was lying in the shade under the wilting trees, fast asleep. He looked so helpless and pathetic with his tail draped across his face and his tiny paws clasped, that Tree-Kangaroo took pity on him, and went on digging.

Several times he went back to ask Koala to take his turn but on each occasion he was either asleep or had some excuse, such as a thorn in his paw, or cramp in his leg. Tree-Kangaroo grew more and more exasperated.

'You're just plain lazy expecting me to do all the work,' he complained. 'If you don't do your part I'll not let you have the water. It's not far off now. In a little while we'll come to it.'

'I wouldn't deprive you of the privilege of finding it,' Koala said. 'Not now, after all you've done. I'll go and see if I can find something to eat.'

He trotted off into the trees while Tree-Kangaroo returned wearily to the hole. His claws were blunt and every movement was agony. He seethed with anger as he thought how selfish his friend had been. But at that moment he saw a trickle of water at the bottom of the hole. His resentment vanished in the excitement of the find. He jumped out and called, 'Here it is! Water! I've found it at last!'

Koala had deceived his friend. He had not attempted to search for food. Once Tree-Kangaroo's back was turned he had tiptoed to the edge of the bush. As soon as he heard the shout of triumph, he rushed over to the hole, pushed Tree-Kangaroo aside, dived in head-first, and began to lap the water.

Tree-Kangaroo was furious. That greedy, selfish Koala was drinking the water he had worked to uncover without lending hand or paw to help. There was no sign of Koala except for his long brush tail standing straight out of the hole like a grass-tree. He bent down and with one short, sharp snap of his strong teeth, he severed the tail at the base. It fell limply on the river bed—and that is how Koala lost his tail, for ever and ever.

Man into Possum

THE first Possum that ever lived began life as a man. The story begins with two brothers who were expert fishermen. They were dissatisfied with the methods adopted by other fishermen and invented several ingenious devices. Long before the first bark or dug-out canoe had been invented, they used a log to take them to the best fishing ground in the lagoon near their home. Their canoe was roughly boat-shaped, partly hollowed out by fire, partly by adze or axe, to provide a comfortable place in which to sit. It was a crazy craft, liable to turn over at any moment. Forced to spend hours at a time trying to catch fish with their primitive hooks, the brothers often complained at the heat of the sun.

At the front end of the log, in the position that later men termed the bow, there was a long crack. One of the brothers thought about it a great deal, wondering whether some use could be made of it. It was on a day of burning sunshine that a thought was born. When the log was brought ashore at the end of the day's fishing, he pulled a leafy bough off an overhanging tree and forced the butt into the crack.

'What is that for?' his brother asked. 'The log will turn over if you leave it there.'

'Not so,' the other replied. 'Don't you see it is quite light? The leaves will protect us from the fierce sunlight. We'll be as cool sitting on the log as if we were resting under the trees'.

His brother agreed it was worth trying. When they set out for the fishing ground the following morning, working with the roughly shaped paddles that usually moved the log sluggishly across the water, they were surprised to find that they were travelling much faster than they expected.

'It's the branch,' one of them said, his voice raised in excitement. 'The wind is blowing against it and pushing us across the water. We won't be tired before the day's work is done.'

It was a momentous discovery, but there were drawbacks as well as advantages. When the wind changed during the day and helped to blow them back at night, all was well; but if the wind blew constantly it proved necessary to take the leafy branch down and throw it away. The constant placing of branches and removing them wore a part of the crack so smooth that it was difficult to wedge them in securely. They hammered in a thick piece of wood to support the makeshift sail; and when they found how to tie the branch to the side of the log when it was not needed, they no longer had to find a suitable replacement every day.

The next problem arose when the leaves withered.

'I know,' one brother said. 'Let's weave pandanus leaves through the twigs. It doesn't matter if they dry in the wind.'

Shortly after this a peculiar thing happened. They were nearly home, making good time with a strong breeze behind them, when a sudden gust of wind tore the branch from the log. Before they could reach it the river swept it out of sight.

It doesn't matter, they thought. It's bound to land up on the bank. We'll fetch it back in the morning. That is just what happened. The branch had caught on a snag close to the bank. It swung round in the current with the woven sail downstream. Caught in the coarse mesh of the makeshift sail were several fair-sized fish. Unknown to themselves, the brothers had invented the first fishing net!

After this they were noted as the best fishermen in the world. With a net, as well as with lines and hooks, they kept the whole clan supplied with fish, and often had enough over to barter with less fortunate clans.

Close to the camp there was a small salt-water pond. A narrow channel linked it with the lagoon, and the water in the pool rose and fell with the tide. It proved an excellent place in which to keep surplus fish alive, ready for bartering with other family groups in the vicinity.

One day a stranger came into their district, unseen by anyone in the village. He was a cunning man who lived a lonely life,

187

keeping himself alive by stealing food wherever he could find it. Hearing sounds of men and women at work on the morning of his arrival, he concealed himself among the trees. As he stood there he heard splashing sounds as though someone was hitting the water with a hand or a paddle. Making his way cautiously towards the sound, he came to the pool and looked with astonishment at the fish leaping and falling back into the water. There seemed to be hundreds of them. He saw the little channel leading to the lagoon and wondered why they did not escape. Closer inspection revealed a lattice work of crossed sticks that the fishermen brothers had placed across the mouth of the channel to keep the fish penned up in the pool.

The stranger then realised the purpose of the fish pen. He rubbed his hands in delight, thinking no one would ever miss the few he would take, and that he need have no worries about food shortages for a long while, provided he was careful to let no one see him at work.

For many days he remained concealed, helping himself to the fish as he needed them, and on one or two occasions carrying a number of them to a distant encampment where he exchanged them for other provisions.

The fishermen had a method of placing the catch in a basket tied to a log. The basket was kept in the water so that the fish could be placed in the pond alive.

But there were no fish to put in the pond. The arrival of the stranger coincided with a lean period for the fishermen. In spite of all their efforts day after day they returned without a single fish. The villagers were puzzled. The fish population of the holding pond was being depleted more rapidly than expected. No one could tell why, until the inventive brothers decided to keep watch.

It was early in the morning when they found the culprit. He was scooping the fish up in his hands and throwing them into a basket. Seeing the brothers rushing towards him, brandishing their clubs, he looked round, seeking somewhere to escape. The brothers came at him from opposite directions. The fish pond was in front of him, and behind him a tall tree, too smooth-barked for a man to climb.

In desperation he remembered a magic spell he had learned long ago. He spoke it aloud. He grew smaller, claws grew out of his fingers, his skin was covered with fur, and his spear turned into a tail. Like a flash of lightning he scaled the tree, clinging to the branches with tail and claws. The brothers had witnessed the transformation. They too knew a spell, that prevented the thief from changing back into a man.

So the solitary fish thief became a Possum, a Possum whose children and children's children are thieves who sneak into the encampments of men at night to rob them of food.

Red and Black Flying-foxes

WHEN one of Captain Cook's men saw a flying fox in 1770 he was frightened out of his wits, thinking he had seen a real devil. The large 'fruit bats' have a wing span of a metre or more and would certainly appear to be a gruesome apparition at first sight. Contrary to what might be thought, their natural food is flowers, with fruit a secondary item of diet. Nevertheless enormous 'camps' containing a hundred thousand or more flower-eating bats can do irreparable damage to fruit trees. They are quarrelsome animals, a trait which is clearly brought out in a Queensland legend.

The tale begins with a quarrel between two men, one of whom belonged to the red Flying-fox totem, the other to the black. As related by a member of the Munkan tribe, there is a full description of how these early men of the red Flying-fox totem made spears. 'They used to fasten the "nose" of the spear-thrower with gum, and, cutting a baler shell, would put the pieces on with beeswax. They used a small spear, a *pepin*, with a wooden point and no barb. They also cut acacia wood, whittled down the four wooden prongs, and fastened them on with gum. They shaped bone barbs, planing them on a flat palette, fastening them with string made of fig tree fibre. They smeared their spears with red clay, and put on white paint with the finger. Then they carried them on their shoulders.'

In recording the fireside tale as related by a man of the Munkan, Ursula McConnel in *Myths of the Munkan* explains the symbolism of the spear and the action of the story.* 'It has

---

* Included by permission of Melbourne University Press.

many interesting features: the transformation of the *pulwaiya* (totemic ancestor) into the flying-fox is appropriate on account of the quarrelsome nature of the flying-foxes, which also makes them an excellent subject for the depiction of a merciless vendetta, such as may occur in real life, even severing family relationships. The way flying-foxes hook on to fig trees is sufficient to explain their manufacture here of the spear-thrower, with its hook at one end, and the pronged spear, the barbs of which are fastened with the fibre of the fig tree on which the flying-foxes camp ...

'The manner of burial described is that of cooking the flying-fox, i.e. digging a hole, laying ant-bed and covering it over with tea-tree bark. This story contains the only reference in these parts to the funeral custom, common elsewhere, of standing up grave sticks decorated with feathers.'

In the light of these valuable comments the story takes on new meaning.

The Red Flying-fox men were quarrelling among themselves and throwing spears at one another. One of the spears thrown by the father Flying-fox, Wuka, went wide and entered the leg of Mukama who belonged to the Black Flying-fox clan. Fighting stopped at once. Wuka went up to Mukama and put out his leg, saying, 'Here is my leg. Spear it,' to put an end to any further reprisals. Mukama's spear, however, entered the leg of a younger brother, also named Wuka (which was evidently a generic name for the family or clan). Both Mukama and Wuka were sick from the wounds they had received, but Mukama recovered, while Wuka died. So began the vendetta between the red and black clans.

Mukama's brothers taunted their enemies.

'See if you can spear our younger brother in the leg too! We have plenty more brothers to avenge him.'

There followed much wounding by spears.

The body of the dead Wuka was ceremonially burnt. Tea-tree bark was placed over the remains which were covered with sand—the method employed by the Aboriginals to cook flying-foxes. Sticks were placed in the ground by the grave and decorated with layers of Jabiru and Emu feathers.

While the funeral ceremonies were being performed, Mukama the elder carried the wounded Mukama away and lowered him to the ground; but no sooner was this done than the elder Wuka bounded across and pinned him to the ground with his spear, killing him instantly.

The conflict was renewed. This time it was a still younger Wuka who was killed, and so ended this particular vendetta, though it did nothing to stop further feuds between the two clans. As the blood of the young Wuka dropped on the ground and soaked into it, it softened the soil. All the Flying-foxes sank into it, black and red alike, through the earth and into the water that is dyed red with the blood of Wuka.

For the Aboriginals of those parts good came of the conflict. They strike the water with their hands and say, 'May there be plenty of red flying-foxes soon everywhere,' and their wish comes true, for the trees are laden with the clinging flying-foxes that are cooked in ant-beds and provide good eating for the men and women of Queensland.

CHAPTER FOUR

ANIMAL PEOPLE

ONE legend antedates all others in describing how animals came to Australia. Long before there were any four-footed animals in this country, flocks of birds migrated from distant lands. Theirs was a reconnaissance flight. On their return they reported on the quality of the great island continent.

'It has vast open spaces, dense forests, mountain ranges, lakes, rivers, stony deserts. There is room for every kind of animal,' they said. 'Trees for Possums and Koalas, deserts and grassland for Kangaroos and Wallabies, soft earth for Wombats to dig burrows, streams for Platypuses, something for everyone.'

On hearing this the animals held a corroboree, during which they decided to emigrate to the new land. There was only one problem—how to get there. They had no canoes and, unlike the birds, were unable to take to the air. Then someone remembered that Whale had a canoe that was large enough to take all the animals. Would he lend it to them?

'No,' said Whale irritably. He had no love for his fellow animals who lived on land and had no need to keep coming up for air.

It was the gallant Starfish who proved to be the hero of the occasion. He persuaded Whale to lie down while he scraped the barnacles from his skin. Whale found the experience so soothing that he fell asleep. As soon as Starfish assured them that the leviathan was asleep, the animals launched the canoe, scrambled into it, and paddled for their lives in order to get as far from land as possible before Whale awoke.

When at last he did wake from sleep and discovered that his cherished canoe was missing, his fury knew no bounds. He picked Starfish up and pulled him to pieces—which explains why the poor little creature is now such a strange shape. It only took a moment before the huge mammal set off in pursuit of his canoe. The animals had a long start. When they flagged in their efforts at the paddles Koala encouraged them, setting an example by paddling even faster, and they managed to reach the entrance to Lake Illawarra in advance of Whale. It was touch and go, but they made it! Running the canoe on to the land, they leapt ashore and scampered off to different parts of the continent, each choosing the type of country that suited him or her best.

All of which explains why different animals are found in different parts of Australia—and why Whales swim up and down the east coast, still trying to catch up with them.

The Legs of the Kangaroo

OF all the animals, the kangaroo may be regarded as the most important as a source of food. Its unusual gait provided inspiration for dancers. There is a legend that tells how a Kangaroo, watching the dancers at a corroboree from behind a tree, was so carried away by the rhythm that he could not refrain from joining in. When the performers had recovered from their stupefaction at such an unusual intrusion they entered into the spirit of the occasion. Rolls of skin were tied to their girdles in imitation of the tail, and they began to hop in a circle with the Kangaroo. So the Kangaroo Dance was born.

But as the Kangaroo had intruded into the semi-sacred mystery, it became necessary to regularise the situation; the elders permitted him to join the candidates at the initiation ceremony, a privilege accorded no other animal. It will be seen that a situation of this kind would be connected in some way with the totemic applications of a particular moiety.

Many are the legends connected with this unique animal. When it arrived in Australia with its companions on the canoe of the Whale its legs were uniform in length. It walked on all four legs, as a dingo walks. One generation was succeeded by another, and still the Kangaroo browsed on the plains, using his legs in the normal manner. Then came Man the hunter, eager for meat, with threatening spear-thrower and spear that could travel faster than any four-legged animal.

Kangaroo was resting in the shade of a tree when his sensitive ears picked up the sound of something approaching stealthily. He bounded to his feet and saw it was a Man—and that Man had a weapon against which he was defenceless. The only thing to do was to take refuge in flight. Kangaroo had seen that the strange creature threatening him with a throwing implement had only two legs. He felt confident that his four legs would carry him out of danger without difficulty.

He had underestimated his enemy. Man proved swift and strong. His two legs were longer than Kangaroo's four legs, and more strongly muscled. They carried Man tirelessly for hour after hour. No matter how he extended himself, Kangaroo was unable to increase his lead. He was saved only by the setting sun and the darkness that fell on the earth. Exhausted by his exertions, Kangaroo fell wearily to the ground.

Presently he lifted his head. A bright light had appeared in the darkness. Man had kindled a fire to warm himself in the cold night air. Cautiously Kangaroo edged back, rose to his feet, and tiptoed away from the revealing light of the camp fire. In order to make no sound, he rose on his hind legs and in this manner managed to escape. Presently he realised that he was using only two legs instead of four, just as Man had done during the long pursuit. It was an unusual sensation. He experimented further, and found he could cover the ground more quickly by hopping instead of walking or running. Using his tail to balance himself, he was able to leap further, much further than a Man could stride.

It was such an exhilarating experience that he has kept on doing it ever since. His forelegs and paws were of little use. They grew smaller, while his hind legs grew longer and stronger, and they have remained like that to this very day.

The Mice Women who Turned into Dingoes

PUNGALUNG was the biggest hunter who ever lived. If you had seen him you would have called him a giant. He lived in the centre, not far from Ayers Rock. In those days there were no hills. If there had been, you would have seen that he was as high as the hills. Even higher. He was so big that when he killed a kangaroo, he tucked its head under his waist-girdle and let it hang there. His nulla-nulla was as large as a tree. When he walked the ground shook.

Everyone was afraid of Pungalung. Especially women, for he was a woman hunter as well as a hunter of animals. Because of his size Pungalung was able to travel long distances. In a single day he could visit places that most families had not seen, even on walkabout. Pungalung enjoyed these long excursions, for he saw places and people that no one else had ever visited.

One of the strangest things he ever saw was the Mice Women who lived far away. They were all women. There were no men in their tribe. They had never seen a man, so when Pungalung came striding across the desert to their camp, they ran about, looking at him and wondering who and what he was.

Pungalung bent down to look at them.

'Are there no men in your tribe?' he asked in his booming voice. 'Where have they gone?'

'We didn't know what men were like until we saw you,' said one of the Mice Women, who was the leader of the tribe. She was bigger and taller than any of the women.

'Then I will show you what a Man is like,' Pungalung said and held out his arms, expecting her to come to him.

The Mice Woman drew back. She was puzzled and a little afraid of what might happen next. Pungalung caught her round the waist and drew her to him. At last the Mice Woman knew what a man was like, and what men did to women! She screamed and bit him on the lip. At the same time all the Mice Women started shouting, trying to make Pungalung release their leader. Their shouts were only squeaks, but they startled the giant.

The Mice Women kept on shouting. Their voices grew deeper and sounded more like growls and barks than squeaks. The women grew bigger. They changed from Mice to Dingoes. They bared their teeth and snapped at Pungalung. He threw their leader from him, and stood up, holding his club ready to ward them off. By this time the Dingoes had become bold. One of them fastened her teeth in Pungalung's leg. He tried to shake her off, but as he did so another caught hold of his other leg. A third Dingo leapt at his throat.

Nothing like this had ever happened to Pungalung. It had been so easy for him to knock down kangaroos and wallabies and emus with club or spear. It was something quite different to be attacked by a pack of Dingoes. He turned and ran.

No matter how fast he ran the Dingoes followed close behind, snapping at his heels. Dropping all his weapons, he made a spurt and managed to increase the distance between himself and the racing Dingoes, but he knew they would soon catch up with him. Not far ahead there was a tree. He ran to it, pulled it up by the roots, ran his hands down the trunk to rub off the branches, and bent it into the shape of a boomerang. He felt more confident with a weapon again in his hands, and turned to face the pack.

Swinging the roughly-made boomerang at the nearest Dingo, he knocked out its teeth. It was a grand fight while it lasted. There were times when Pungalung was nearly buried under a snarling mass of Dingoes, but after a while he got the better of them. One by one he smashed his boomerang into their faces and knocked out their teeth, until the last of the toothless Dingoes turned and ran off to nurse its wounds.

No one knows what happened to them. Perhaps they turned back to Mice Women again. If that is so we can be sure they would have nothing to do with Men. And we can be even more sure that Pungalung kept well away from Mice Women. He had barely escaped with his life, and was bleeding profusely from a hundred Dingo bites.

In fact, little is known of what Pungalung, the great hunter and woman chaser, did after the day when he was attacked by the Mice Women. All we know for certain is that the hills that grew out of the plain are the heads of animals he killed, and that he slipped and fell between two of these same hills. The huge boulders that lie at their foot are the bones of the giant Pungalung who barely escaped with his life from the Mice Women.

The Two Dogs

LONG ago an old man and his nephew lived on a plateau in the McPherson Range where the north-eastern border of New South Wales meets the south-eastern border of Queensland. They had no other relatives, and lived alone except for their dogs, who were called Burrajahnee and Inneroogun.

One day the dogs chased a kangaroo which fled from the plateau down the steep mountainside. The old man and his nephew feared that the dogs might be lost to them in the excitement of the chase. They called repeatedly, but the dogs took no notice.

The men who lived in the foothills had also seen the chase. Although they had never had an opportunity of seeing them, they had heard of the fame of Burrajahnee and Inneroogun, who were noted hunting dogs, and realised what an unusual opportunity it was to capture them as well as a kangaroo.

The kangaroo had chosen a well-defined path that led from the mountainside to the lagoon near the camping ground of these people. They placed two nets across the track, slinging them between trees, and stood back to see what happened. The kangaroo was unable to stop when it got to the first net. It hurled itself at it and broke through the flimsy meshes. When it came to the second net, which had been placed close to the bank of the lagoon, it leapt high into the air, clearing the net, and plunged head first into the water where, it is said, it turned into a bunyip, which preyed on people who came to live by the lagoon in later years.

The dogs were close on the kangaroo's tail. Passing through the torn net they became entangled in the folds of the second one by the lagoon.

The men who had failed to catch the kangaroo said, 'Oh well, the dogs will serve as well. They will make just as good eating as the kangaroo.'

The tribeswomen prepared an oven while the men killed and skinned the dogs. The feast that night was followed by a dance, and sound sleep for all who had filled their bellies with the unusual food. It was a sleep from which they never woke.

High up on the pleateau two lonely men called to their dogs in vain.

'Burrajahnee! Inneroogun!' they called over and over again, but no answering bark came back from the lowlands.

When night fell the men descended from the plateau and crept stealthily towards the faint glow from the embers of the camp fire. They saw the prone figures of men and women and children—and the tell-tale pile of bones of their greatly loved dogs. With hearts swollen with anger, the older man promised a terrible revenge on those who had stolen Burrajahnee and Inneroogun simply to satisfy their appetites. The uncle and nephew gathered the bones together, moving softly so as not to disturb the sleepers, wrapped the bones in bark, and reverently carried them back to the plateau. When any of the bones, such as a foreleg or foot, fell off as they climbed the steep valleys, the place where it fell was named after that bone, and so the name remains to this day.

On the way they came to a waterfall where they sat down to rest, placing their burdens on the ground. The old man faced in one direction, his nephew in the other; and there the remains of Burrajahnee and Inneroogun were turned to stone. The stone dogs are still to be seen at the top of the waterfall, facing in opposite directions.

The stone dogs are sacred. No man dares to touch them.

As for those who killed them and ate their flesh, they vanished from the face of the earth. The last act of the old man who loved his dogs was to conjure up a great wind that blew them all away—so far that they were never seen again.

Water-rat and Fire

THERE was a time, which lasted many ages, when man lacked the most valued gift that mankind has ever known, the gift of fire. Strange to tell, it was discovered by Water-rat of all people! Before his epoch-making discovery, men lived a miserable existence, eating food of every kind raw and shivering in their makeshift shelters on winter nights.

Amongst those who suffered in this way were Water-rat and his wife. Life went on pleasantly enough in summer, but in winter, after spending some hours foraging for food in the billabong where he lived, Water-rat would creep through the tunnel that led to his burrow, soaked to the skin and feeling as miserable as only a Water-rat can feel.

The only way he could get any warmth into his flesh and bones was to snuggle close to his wife, an attention she failed to appreciate. And this was not the only thing she complained about. Their home was too small, especially now that the family was increasing. In summer it was hot and stuffy. In winter a dank wind blew through the tunnel from the billabong, penetrating every corner.

'We need a larger home,' she kept saying. 'Why don't you make another tunnel with a room at the end where the wind won't whistle round it? I can't keep anything dry where we are. When you come in from food gathering, water gets everywhere and makes puddles on the floor. Look, there's mud everywhere you've been walking.'

Water-rat was disinclined for the hard work entailed in digging a tunnel and constructing an annexe to his burrow. It was all very well in his courting days, when he was young and strong, but now he was older and most of the day was taken up in feeding a brood of young Water-rats.

Constant nagging by his wife at last drove him to it. From then on he was the one who did most of the complaining. The further he got from the soft soil of the bank, the harder it became, and full of rocks. When he came to the roots of a tree, he was ready to give up, but his wife pointed out that it would be a pity to waste all his work.

One day he backed out of the tunnel in sudden alarm.

'A strange thing has happened,' he said. 'I was gnawing at the root when my teeth slipped and I bit into a stone. There was a flash of light. What do you think could have happened? What could it have been?'

'Imagination,' his wife said shortly, thinking it was only an excuse to stop work.

It was not imagination, for as he went on with his work, the same thing occurred several times. On each occasion it was when his teeth closed on a stone.

'It's a very strange thing about the lights that come and go so quickly,' he said one night. 'I can't understand it. One of the lights fell on my paw today and it was hot. It burnt my fur. I could smell it. I wonder what it is.'

The sparks struck from his teeth had set him thinking. 'If I could make them last longer instead of dying as soon as they are born, we could light up our burrow and make it warm,' he told his wife.

He thought about it for a long time. One night he dreamed that the burrow was flooded with light as though the sun was shining inside it, and that bright red and yellow spirits were leaping up from a pile of sticks on the floor. Strangest of all, his wife and children were holding their paws out to the leaping spirits, and steam was rising from their fur. A word came into his mind. It was the word that Water-rats afterwards used for Fire when it raced through the bush and sent them scurrying into their burrows.

When he woke he wondered whether there was some way of summoning the fire spirits. He remembered that the tiny baby spirits that were born and died in an instant appeared when he bit accidentally into a rock. Back in the dark tunnel he clamped his teeth against a stone and once again a spark appeared. Holding a stone in his paws, he struck it against a rock face and a shower of sparks flew out.

'They die too quickly,' he thought. 'Is there a way to make them live?'

Night after night he experimented in the burrow, striking one thing after another against stones he had dug out of the tunnel.

'I wonder if there's another way,' he reflected. He looked round. In the corner were two pieces of wood that had been floating on the water of the billabong. They were quite dry. One was flat, the other was a stick, pointed at one end. He set it upright on the wood and twirled it between his paws. Presently a tiny wisp of smoke rose from the flat piece of wood. He scattered dry grass on it and kept on turning the stick in his paws, pressing it against the base piece.

With a shock he realised that the baby spark spirits were gathering in the grass. He blew on them and suddenly, in the smoke, the flame spirits came to life. Water-rat had discovered the secret of fire. There was great rejoicing in the burrow that night. The family was sitting round the fire, warming themselves and watching the dance of the shining spirits. Every night the family went to sleep warm and well fed, for they had also discovered the art of cooking food.

But as summer came, the Water-rat woman resumed her complaints. 'It's so smoky inside that I can hardly breathe,' she said. 'Why don't you take the flame spirits outside?'

As the days were growing longer and warmer, Water-rat agreed. Taking his apparatus on to the bank, he kindled a fire. He was glad when his wife appeared satisfied with an outdoor meal.

As night fell, wide-eyed animals of every kind gathered round, watching the flame spirits. Water-rat saw the reflection of the flames in their eyes and hastily extinguished the fire.

In time the animals became bolder. They saw how much better food must be if it were cooked by the spirits of the flame that provided heat as well as light. They begged Water-rat to give them some of the fire. Water-rat at heart was a very selfish animal. He kept the fire to himself and his family and refused to tell the secret to anyone.

The other animals tried to take it from him by force, but Water-rat was too wily. As soon as he saw them coming, he poured water on the fire. They resorted to stealth. Animals of every kind tried to steal the fire. Tortoises crawled through the long grass, large animals like the kangaroo jumped out unexpectedly, small birds flew past trying to snatch a piece of the fire, but all in vain.

When every attempt had failed, the animals ventured to approach Eagle-hawk, who was usually too proud to associate with earth-bound creatures. They told him what they wanted and asked him to help.

'Yes,' he said reflectively. 'I have seen this fire of Water-rat and wondered what it was. From what you tell me, it could be very useful. You've been going about it all the wrong way. Leave it to me.'

He soared up into the sky on his powerful wings until he was lost to sight; but he, the great Eagle-hawk, could see the ground far below and everything on it. He saw Bower-bird building its mound, the waterlilies floating on the billabong, Brown Snake gliding through the grass stalking a small animal, and Water-rat coming out of his burrow and swimming across the water.

With spread wings he floated down through the air and fell like a thunderbolt on the startled Water-rat. Sharp claws dug into his back and Water-rat felt himself lifted up, far from the earth. It was a frightening experience for an animal of land and water. Even more frightening was the thought that Eagle-hawk would feed him to his fledglings. He begged to be released, promising anything that Eagle-hawk wanted if only he would return him to earth.

'If I open my claws, you'll return to earth more quickly than you want, Water-rat,' Eagle-hawk said with a touch of humour. 'There's nothing you can give me that I want, but you can do something for your fellow animals down below. You know how much they want to share the fire you've discovered. Promise me you'll give it to them and I'll set you down by your own home. But if you try to cheat and keep the fire to yourself you'll come with me for another journey in the sky. That journey will have a different ending. I'll drop you like a stone.'

Water-rat was only too anxious to make the promise, and for fear of what might happen he kept it faithfully.

The gift of fire has been known to men for so long that most of them have forgotten that it was first discovered by Water-rat; but selfishness is not quickly forgotten, and Water-rat has never since been popular, either with men or animals.

Echidna's Spines

SEVERAL stories have been invented to account for the spines of the echidna. Perhaps there were once as many legends as there were tribes, all of them having much the same origin but with varying details.

In one of the legends, Echidna seemed to be thriving while all the other animals were dying of thirst. As happened in the case of Koala in another legend, everyone believed that Echidna had a secret store of water and that he was keeping it for himself.

Bimba-towera, the Finch, was told to follow Echidna wherever he went, to find the location of the hidden reservoir.

'But he'll see me,' Bimba protested. 'He won't go near the water if he sees I'm watching him.'

'Sooner or later he must drink,' they told him. 'He can't go without water for ever. That's when you'll find where he keeps it.'

Bimba followed his instructions. Everywhere that Echidna went, Bimba was close behind. The wily little Ant-eater knew very well why he was being followed. He said nothing but began to burrow into the earth with his strong claws. Soon he was lost to sight. Bimba cautiously put his head into the hole but withdrew it in alarm as the soil collapsed.

He reported his failure to the animals, who were at a loss to know what to do next. Not one of them was equipped for burrowing beneath the earth, and it looked as though Echidna would keep his secret while everyone else perished.

Then Tiddalick the Frog offered to help. He was a cunning fellow. He had shrunk in size since the day he had swallowed all the water in the land and then disgorged it (see page 171), and had been thirsty ever since. He was as eager to find where Echidna kept the water as anyone, and much more cunning than Bimba in concealing his movements.

He made no attempt to follow the Ant-eater, but browsed among the reeds, taking no notice of Echidna. For most of the time his back was turned. Seizing his opportunity while Tiddalick seemed to be engrossed in catching a fly, Echidna darted to his waterhole. It was concealed by a large flat stone, which he lifted and prepared to lower himself into the depression.

In spite of his apparent inattention, Tiddalick had been watching Echidna's every move. Immediately the stone was raised, he covered the intervening distance in a single bound, and dropped head-first into the hole.

Echidna started back as the water splashed up on to his face.

'What are you doing here?' Tiddalick asked before Echidna had time to open his mouth. 'This waterhole belongs to all the animals. You have no right to come sneaking up and stealing it when we're not looking.'

By this time all the animals had arrived. The first thing they did was to slake their thirst, after which they turned on Echidna and threw him into a thorn bush. When they left Echidna dragged himself free, but was never able to remove the spines from his back.

In another legend Echidna was an old man who lived with his wife in a humpy. He was the mystery man of the tribe, for he was never seen. His wife, who was much younger, mixed with the other women and took her part in food-gathering and cooking. She shared meals with others but had never been seen to take food to the hut she occupied with her husband. Indeed, she had not been near him for longer than anyone could remember. To all questions she made no reply, except to say that what her husband did was her husband's business, and that if they wanted to, they were welcome to ask him.

A much greater problem was vexing the tribe. Every new moon one of the young men of the tribe disappeared, never to return. It was not for many moons that anyone thought to connect the old man, who never ate or showed himself to others, with the fate of the young men. The possibility of there being some connection was raised at a council meeting of the elders. Heads were shaken, for everyone knew the solitary hermit was indeed very old and probably feeble. But at least it was worth investigating. At the conclusion of the meeting the elders took their spears and advanced in a body to the bark hut that had been set up at a distance from the other humpies.

They were horrified at what they saw. The old man was sitting on a pile of human bones, gnawing the meat from a thigh bone. They dragged him out of his hut and stabbed him again and again with their spears, leaving them protruding from his back. By the time they left his arms and legs were broken and his back a mass of bristling spears. He crawled into the undergrowth and was never seen again—unless by any chance that strange animal with deformed legs and feet, with a mass of bristling spines on his back, happened to be that old man!

When his wife, who belonged to the totem of the Robin, heard what her husband had done and of his awful fate, she struck her head with a tomahawk till the blood flowed down her face and breast. And from then onwards the Robin has displayed a red breast in remembrance of that day of horrors.

CHAPTER FIVE

FLOWER PEOPLE

THERE is a sense in which Aboriginal legends may be regarded as utilitarian. Life depended on fresh water and food, and so natural elements of rain and storm, sunlight and shadow, together with earth, sea and sky, and the Great Spirit who brought them to life, were important, each of them having stories of how it came into being or how it attained its present form. For another reason too, animals had more than a fair share of imaginative conjecture and belief attached to them, for every man had a direct affinity with the animal that in turn represented his totemic ancestor. Of flowers, and the beauty of flowers, Aboriginal man had little to say. He was too busy keeping body and soul together to notice the miracle of plant life, except for yams and berries, and grass seed that was ground to make cakes in the embers of the fire. It is pleasing, therefore, to know that the gentler aspects of life were mentioned in legends where flowering plants were personified.

As might be expected, many legends are connected with food and its gathering. The story of the blue Waterlily family from Cape York Peninsula comes into this category. In order to appreciate it fully some knowledge of the plant is necessary. The legend was collected by Ursula McConnel and included in her *Myths of the Munkan*. In relating it as told to her by a member of the Wik-kalkan tribe, she prefaces it with the following explanation:

'When the waterlilies first appear above water, the Waterlily people gather the first roots and cook them in an ant-bed near the *auwa* of the waterlily *pulwaiya* and leave them there uneaten to be washed away by the floods. By this ritual of cooking the first waterlily roots, they remember their *pulwaiya*, the first Waterlily family, and this ensures a plentiful supply of waterlily food for the coming season.

'The flood waters carry the old roots out to sea, but the strong young roots stay in the ground near their old "Camp"; the seeds are carried everywhere into lagoons and creeks.'

The author goes on to explain that the name for the whole plant is often applied to the root, which provides food and is therefore regarded as the most important part of the plant. Each part of the waterlily plant has its own use, and is regarded as a member of a family, the flower and seed-pod being the father,* the main root the mother, the tender young roots the children, the short stalk that bears the bud the eldest son. The little roots surrounding the mother root are the as yet unborn babies.

Coral Creeper

YOONDALONG had been promised to the old man Yebblegoot as soon as she was born. When she was old enough to know her fate, she dreaded the day when her initiation ceremonies would be completed and she would be taken by the old man. By then, she thought, he would be older and uglier than he was now. She was told that at the age of sixteen she would be ready to mate with Yebblegoot, who already had two wives, but relished the thought of taking a fresh young girl into his family.

Like many another girl, Yoonda wished that she was free to marry a younger man, but it was useless to hope for such a happy event. Yebblegoot had performed his part of the bargain by supplying her parents with food for several years. There was only one person in the group who shared Yoonda's feelings, but for a totally different reason. Yebblegoot's old wife was jealous, for she knew that her husband would transfer his affections to the girl as soon as they were married.

When a young man from a distant but related clan paid them a visit, she encouraged him to take an interest in the younger woman. Boojin needed no encouragement. Yoonda was the

---

* It might be expected that the seed-pod would be contained in the mother and so personified; but in Aboriginal myth the male element is frequently regarded as the important procreative power.

most beautiful girl he had ever seen. He fell in love with her and determined to take her to wife, no matter what the consequence might be. He was well aware of the danger into which he might lead her, and himself, for vengeance was swift and severe upon young people who broke the tribal laws.

If Yoonda had been unresponsive, it would have been a different matter; but it was soon obvious, not only to Boojin but also to the old wife, that the girl responded eagerly to his advances. But the time of marriage was at hand, for Yoonda had gone through all the initiation tests and was ready for domestic work and child-bearing. The opportunity she had been waiting for came on a day when Yebblegoot happened to leave his miamia earlier than usual. Yebblegoot's intention that day was to bring a heavy backload of flesh for the parents of the prospective bride, and then to press for early consummation of the marriage.

The old wife watched until Yebblegoot disappeared on his quest, and called Yoonda and Boojin to her.

'I know you love each other,' she said, and chuckled at the guilty look that crossed the faces of the young people.

'There's no use denying it,' she said. 'What are you going to do about it? Are you prepared to marry my husband, Yoonda? Are you ready to let her go without a struggle, Boojin?'

They looked at each other face to face and read determination in each other's eyes.

'No,' shouted Boojin. 'I shall never let her go. I know she is forbidden to me, but I shall fight for her.'

'You can't do that,' the older woman said. 'The elders would never let you. The law is made to be obeyed. There's another way. My husband is away hunting and I know he will not come back until the light fails. If you go now, you can be far away by nightfall. Conceal your tracks as best you can and he'll never catch up with you.'

Boojin looked again at Yoonda and knew it was the only way. After retrieving his weapons, while she hastily packed a few personal possessions into her dilly-bag, they stole quietly out of the encampment. Where they entered the bush, they smoothed out their footprints by sweeping a small leafy branch across them. Hand in hand they ran swiftly towards freedom, apart from their people, but with the prospect of life together.

Boojin used every ruse he knew to conceal their trail, choosing stony ground wherever possible, wading through streams, swinging from branch to branch of trees. He knew there was a concealed valley somewhere in the hills. He had never seen it, but he hoped that somehow he would find it. Yoonda was growing tired. She had to be helped over rough places. While it was easy to cover his own trail, he found it increasingly difficult to conceal her passage through the bush. After many hours she could go no further. He lifted her in his arms and carried her—but now they were travelling slowly, increasing his fear that others might be following.

He was unaware that Yoonda had cut her foot and that a trail of blood showed clearly where they had been as he struggled on, not knowing where he was going.

After observing where the young people had entered the bush, the old wife had followed her husband's trail, running so fast that she caught up with him while the sun was still low above the eastern horizon.

Yebblegoot turned on her angrily when she came in sight, shouting that the presence of a woman would scare away every animal within hunting distance.

'Wait till you hear what I have to say,' she gasped, fighting for breath. 'Bad news for you, husband. Your bride has left you.'

'What do you mean, "left me"? Don't you know that today I am hunting for meat for the marriage meal?'

'There will be no marriage unless you return at once. She's run away with that young fellow Boojin. I knew he'd make mischief as soon as he came.'

Yebblegoot wasted no further words. Hastening back to the encampment, he soon had a band of warriors eager to punish the daring youngster. In spite of the care that Boojin had taken, it was not difficult for experienced hunters to pick up the trail. In the late afternoon Boojin was travelling slowly while the warriors, hard and fit from many a hunting expedition, drew so close that they could see them some distance ahead.

'Now we've got them,' Yebblegoot shouted. 'Look at that river. They'll never get across. Spread out, men, in case they make a dash downstream.'

Boojin heard the shouting. Straining every muscle, he raced down a long sloping bank and threw Yoonda into the river.

208

Revived by the cold water, she struck out for the opposite bank, closely followed by Boojin. Their courage and determination were rewarded. The river was too wide, too deep, too swift-running for Yebblegoot and his men to venture to cross. They returned disconsolately to their camp ground. For Yoonda and Boojin a new life began that day. They had found their enchanted valley, far from jealous wives and the rage of old men; but in spite of their isolation from the rest of the world, Yoonda left a memorial of her courageous flight for others to see and enjoy.

The drops of blood from her injured foot fell to the ground and blossomed as a flower creeper, the beautiful plant known to white men as the Coral Creeper.

A similar tale comes from Central Australia, where a young woman eloped with a lover to escape marriage with an elderly man. They took refuge with the young man's tribe, and lived there for some years. Eventually the rejected husband organised a retaliatory expedition, intending to take the woman by force and kill her husband, together with all the tribespeople. The expedition was successful, for the woman as well as her husband and all her relatives by marriage were killed.

Some time later the vindictive old man returned to inspect the bones that were scattered over the plain, only to find they were covered with a carpet of scarlet flowers that had sprung from the blood of the young woman. Sturt's Desert Pea is the common name, but to the Aboriginals it is the Flower of Blood.

The Flower Child

THE most beautiful of all the flower legends is probably that told to Roland Robinson by an Aboriginal of Lake Cargelligo in south-west New South Wales.*

Long before the white man came, before even the original Australians were here, two sisters walked in fields covered with

---

* Roland Robinson, *The Man Who Sold His Dreaming* (Currawong Publishing Company).

a carpet of flowers. Where they came from no one could tell, for there were no men in this land. It was the springtime of the world, when every living thing was young.

The sisters strolled among the sweet-scented flowers. At times they went hand in hand, at others they parted in search of edible roots and leaves to satisfy their hunger.

Near the close of a bright sunny day, one of the sisters bent to touch an unusually large flower. Gazing into the petals, she saw the face of a baby. The tiny face was so appealing that she plucked the flower and placed it between two pieces of bark to protect it, leaving it to be washed with the dew of early morning. It was a treasure she felt she must keep to herself. Without saying anything to her sister she visited the flower every day, watching the baby growing and becoming more desirable, every time she looked at it.

Summer passed quickly. When autumn came the nights were colder. The flower had faded. The child was still growing but its little face and hands were blue with cold. She hurried back to the bark hut where she slept with her sister, fetched a piece of soft possum fur, and wrapped the baby in it. The infant smiled at her and her heart turned over. She picked him up and instinctively put him to her breast. The baby lay contentedly in her arms, pulling at her breast and waving his tiny hands.

The girl who had not known a man had become a mother. The time had come to tell her sister of the wonderful thing that had happened amongst the flowers of their field. Together they nurtured the child, played with it through infancy, taught it to speak and sing, and bestowed on it the little knowledge they possessed of the ways of birds and animals and how to hunt them for food.

When fully grown the man-child became Mulyan, the Eagle-hawk, and at the end of his life rose into the sky as a bright red star.

Fred Biggs, the Aboriginal who told the story, said in conclusion: 'When I hear the white people preaching, it puts me in mind of this story. That man, Mullairn, was like Jesus. He came into this world without a father. He was formed from a flower. That woman touched that flower. If she had not plucked it, this would not have happened.'

CHAPTER SIX

CROCODILE PEOPLE

ALONG the northern coast there are two species of crocodile, the fresh-water variety, which is shy and comparatively harmless, and the salt-water kind, which is more difficult to snare, but relished as food. This is Pikuwa. In legend the Crocodile Man is a stealer of wives and seducer of young women—a trait that is emphasised in a fragmentary tale from northern Queensland.

Pikuwa and his Wives

PIKUWA was sick. No one would come near him, no one except Otama the Porpoise.

'I'm dying of thirst,' Pikuwa gasped.

'Why don't you drink some of the water you're lying in?' asked the Porpoise. 'If it's good enough for me, it should be all right for you.'

'I want fresh water. Water from the well.'

'Dig your own well,' Porpoise said rudely. 'You've got sharp claws, which is more than I have.'

Pikuwa snapped feebly at Porpoise, who reared up and stabbed him with his spear. Pikuwa, who at heart was a coward, turned and ran to his home close to the sea. His son's wife came to him and said, 'Poor Pikuwa. Let me rub the sore place in your side.'

Pikuwa was pleased when she washed the wound and sang the Crocodile song to him, the song that goes something like this:

> I can't go back. I can't go back
> On account of the spear in your back.
> I'll follow you down to the sea

> And you'll live in your auwa with me
> There we'll stay
> Till close of day
> For you can't and I can't go back.

Pikuwa evidently took this as a declaration of love, and invited her to become his wife.

At that moment the mother of the young woman arrived at the auwa.

'Mother,' she cried. 'I'm married to Pikuwa.'

The older woman took no notice. She went up to the Crocodile Man and stroked his wound. The gratified Pikuwa immediately offered to marry her and so became the husband of his son's wife and her mother.

The next to arrive was his sister's daughter, and to her too he offered himself in marriage.

In succession, and on that one day, Pikuwa married his son's wife and her mother, his niece and her mother, his own grand-daughter, his mother, and her mother—and as many of his female relatives as dared approach him.

But he had little time to enjoy their favours. Old-man Porpoise came up and said, 'A bandicoot went down that hole.'

Pikuwa put his hand (or his claw) into the hole and grabbed the bandicoot. Although he tugged with all his strength he was unable to pull it out. It was a miserable death for the Crocodile, with his hand stuck fast in the hole. He refused to let his prey go, and so he died, with his hand in the hole.

The Sad Fate of Pikuwa

FROM the same northern region comes another tale of Pikuwa, the woman-seducer. Crocodile had conveyed two young women and their mother and father across a river and was wallowing in the mud with little showing except his eyes and nostrils. On reaching the bank the girls climbed an ironwood tree and found honey in a hole in the trunk. Armed with his axe, their father followed them and enlarged the hole, chopping the wood away until it was big enough for him to put his hand inside. Soon the family were enjoying the honey he extracted.

'That's all,' the father said, as they sat on the grass, sharing the meal, while Pikuwa lay watching them with his unblinking eyes. The girls' father wiped his hands on the grass. 'Come on, girls,' he said, and began to walk away, followed by his wife.

'No, we'll stay here and come later,' the girls said. 'Our hands are smaller than yours. There's sure to be some honey left in the hole.'

The girls had a wonderful time in the branches of the tree. When they were unable to get any more honey with their hands, they poked a short stick into the hole, drawing it out and licking it over and over again.

When he was sure that their parents were too far away to hear the girls crying, Pikuwa tunnelled into the banks of the river until he came to the roots of the hollow tree. He climbed up inside the trunk until he was perched precariously above the hole.

'Ow!' he shouted as the stick was poked through the aperture and waggled to and fro in search of the honey. 'Ow! You're hurting me! I'm not a bee. I'm a man.'

The girls drew back.

'Who are you?' they cried. 'Who's that talking in the honey-hole?'

'It's only me, Pikuwa,' was the reply.

The girls looked at each other in dismay. 'The Crocodile Man!' they exclaimed simultaneously. Without their father to protect them, they were frightened of what he might do to them.

They scrambled down the tree and raced along the track where their mother and father had gone. Pikuwa smiled to himself. He was in no hurry. Looking through the hole the girls had used to extract the honey, he watched to see where they were headed.

Sliding down the hollow trunk, he entered the tunnel, crawled back to the river, and let the current take him swiftly downstream until he calculated that he was well past the fleeing girls. He pulled himself up the bank and on to the path, waiting patiently, grinning to himself. Presently he heard running footsteps. As the girls came in sight he reared up, blocking their path.

'I knew you would come,' he said, licking his lips in anticipation.

The girls feared that their last moment had come, and that the wicked Pikuwa would devour them. They fell to their knees and begged him not to kill them.

'Kill you?' he said in surprise. 'Why should you think I'd want to kill you? No, no! You have come to me for your enjoyment—and mine.'

He scratched a deep hole in the ground and persuaded the girls to lie down. There, through the long night, he achieved the ecstasy he had so cunningly planned.

In the morning he sent them into the bush to collect firewood, keeping a wary eye on them lest they tried to escape. They threw the logs down beside the deep hole he had dug. The elder sister asked wearily, 'Do you want us to light a fire?'

'Oh no, not yet,' Pikuwa said with the same wicked glint they had seen in his eye the previous day. 'You must be tired. First come and lie down in the hole with me before you prepare a meal.'

'No,' said the younger sister with equal determination. 'You lie down first. You'll find it more comfortable that way.'

Feeling more than satisfied with this apparent eagerness, Pikuwa scuttled into the hole and lay on his back. As soon as he was settled, the girls piled the logs on top of him. They did not stop until the pit was completely blocked.

As soon as they felt that Pikuwa could not escape, the girls hurried to their parents' wurley.

'Where have you been?' their mother cried.

'We have been deflowered by the Crocodile Man,' they sobbed.

'Once?' their mother said.

'No, many times.'

'How did you escape?'

When they told him what they had done their father was uneasy.

'It will only stop him for a little while,' he said. 'Pikuwa is strong. It won't take him long to throw the logs aside. Then you'll be in trouble again, my girls. And not only you. Listen to me, and I'll tell you what we'll do. When you hear Pikuwa coming through the bush, call to him and invite him to come to the camp.'

'What will you do, father?'

At that very moment, before their father could reply, they heard a deep voice calling, 'Who is that? Who is talking? Where are you?'

'It's Pikuwa,' the girls whispered in sudden fright. 'What shall we do?'

'Call him, just as I told you,' their father whispered back fiercely, as he caught up his club and spear and sprang behind a tree.

'It's us, Pikuwa dear,' the girls called. 'We're here, waiting for you.'

As he came closer they heard his feet shaking the ground. When he reached the tree behind which their father was standing, a spear flew out, penetrating his ribs. Pikuwa reared up, crying, 'Yakei! Yakei!' He fell on his hands and feet. The girls' father jumped out from behind the tree and struck the Crocodile Man a tremendous blow on the head with his nulla-nulla.

'Yakei! Yakei!' he cried again. Blow after blow rained down on him. Pikuwa begged for mercy, but in vain. He could scarcely drag himself along the ground, his cry 'Yakei! Yakei!' no more than a feeble whisper.

Throwing his club aside, the infuriated father of the victimised girls picked up a heavy ironwood log and finished Pikuwa off with one final blow on the forehead. Drawing his knife, he sawed off the head and bore it back to the camp. When they saw the grisly trophy the women rushed to the place where the body was lying and hacked at it, removing all the portions they needed to make a feast, burying the remaining flesh and bones at the foot of the tree where he had been killed.

'Hit-on-the-head', that place was called. It was where Pikuwa met his end; and ever after Crocodiles have had a lump on their forehead to remind them of the penalty of interfering with young women.

The Pursuit of Numeuk the Hunter

NUMEUK was a great hunter. While still a young man living in swampy country, he went in search of geese, accompanied by a friend. Each day they gave the geese they had speared to the old women to cook.

For some reason Numeuk became suspicious of the actions of the women. He confided to his companion his fear that the food they prepared was tainted with magic. They next morning the hunters put out the cooking fires, after having lit a firestick which they took with them.

'If the fires are lit when we return, we shall know that the old ones are preparing an evil magic,' Numeuk said, 'but if the food is uncooked we shall still be able to get the fire going again with the firestick.'

On nearing the camp that evening they were relieved to see no sign of smoke. Nevertheless they approached the site carefully. Peering through the scrub, to their amazement they saw the women holding the geese to their bodies. There was a savoury smell and droplets of fat from the uncooked birds rolled down the women's bellies and dropped on the ground.

This was an evil almost beyond belief. The hunters turned and ran from the scene, their faces distorted in horror. Standing in the shelter of the trees, they concocted a plan to punish the women without hurting themselves. There was great risk to anyone who attempted to harm such evil women, but they were determined to stamp out the women's wickedness.

'There's only one way to do it,' Numeuk told his companion, who was his half-brother. 'We must fight magic with magic. Mine alone is not sufficient. If we combine forces, yours and mine, we shall cool the bodies of those women and cure them of their evil ways.'

They prepared themselves by chanting spells of great power before returning to camp.

'In the morning you are to go to the swamp,' they told the old women. 'We have set fish traps and the fish must be brought back to camp. That is women's work. We shall leave early, so you will not see us until later.'

216

As soon as it was light the two hunters crept away. When they reached the swamp area they chanted further spells, changing themselves into Crocodiles, and slid into the muddy water. There they lay, with only their nostrils above water.

It seemed a long time before the old women came to the edge of the swamp. They were grumbling at having to wade through the muddy water, saying that it was men's work to take the fish from the traps, and the next moment chuckling to themselves at the way they had tricked the hunters and saved themselves by cooking with the heat of their own bodies.

'We had better get the work over and done with,' one of them said. They waded through the mud and went farther into the swamp until the water was up to their armpits.

'Here is the trap,' said one. Both the women bent down until they were completely submerged, groping for the fish in the dark water. At that moment the Crocodile half-brothers glided forward and caught the head of each woman firmly in their teeth. The longer teeth penetrated their noses, making deep holes in the bridge.

With teeth firmly clamped, the Crocodiles lay still, watching the struggles of the helpless women and witnessing a strange metamorphosis. Their arms grew thinner, spreading out like fans. Their legs dwindled to sticks with flattened webbed feet. Their necks were elongated. Their heads shrank. Their noses grew longer and harder and turned into beaks. Their dark skins were covered in feathers.

When at last they were released they were no longer women, but Geese. And from that time and for ever after, geese have a nasal hole in the upper part of their beaks, as all may see.

From then on Numeuk became the totemic ancestor of Crocodiles. His journeyings took him far from the camp of the Geese Women. At one resting place he was betrothed to a girl named Mardinya, the young daughter of Kunduk and his wife Beminin. As custom dictated, Numeuk then became responsible for providing food for the old couple. As a skilled hunter this caused him little concern, but it put an end to his journeying. Kunduk proved demanding as a prospective father-in-law, never ceasing in his requests for provisions, and demanding the best parts of the animals that Numeuk caught.

217

After some time Numeuk grew tired of the constant complaints of husband and wife. This became apparent to Kunduk and Beminin. They pacified the restive hunter by promising that he should take Mardinya to wife as soon as she had completed her initiation rites.

'And that will be very soon,' Kunduk said blandly. 'You can see for yourself that she is blossoming into womanhood. She will make a fine wife for you, a good food-gatherer and cook, and be tender and responsive to your advances.'

The puberty rites were over and still Mardinya remained with her parents. 'Tomorrow and again tomorrow' was the excuse that Kunduk always offered. It was not until tribal gossip came to his ears that Kunduk was faced with the loss of his child. The elders accused him openly of incest, the punishment for which was severe.

He hastened to Numeuk and said, 'The time has come! Bring some whistling ducks for Beminin and myself and Mardinya shall be yours this very night.'

'You have lost the little wit you ever had, Kunduk,' Numeuk replied. 'You know as well as I that whistling ducks are out of season. It will be many moons until they appear again.'

Kunduk laughed at him. 'You should trust me,' he said. 'I'm not asking you to chase wild geese. I too have been a hunter. Not as great as you, perhaps, but many things that I have learned are hidden from you. One is the place where the whistling ducks go where hunters such as you can never find them. Wait until tomorrow, Numeuk, and I will show you where to find them.'

Numeuk was still sceptical and suspected treachery of some kind but, he thought, nothing would be lost by waiting another day, with the fresh virginity of Mardinya to be enjoyed at its ending.

His acceptance caught Kunduk by surprise, for the older man had no idea where whistling ducks might be found. In his perplexity he sought the aid of the totemic Goose Women whom Numeuk had punished for their wicked actions. They harboured a grudge against the hunter and were only too willing to do him an injury.

'I can tell you what to do,' one of them said, cackling with laughter like a goose. 'You must take this Crocodile Man who

218

lusts after your daughter to the lake we call Windaramal.
Nearby you will find a banyan tree. Pass by it and you will come
to a plain where you will find many bones. Remain there and
sing this song.'

In her quavering voice that crackled like dry twigs she sang a
song that went something like this:

> Mumma lies white, bare on the ground.
> Mumma's ears are deaf to the sound
> Of the whistling ducks in the pool.
> The hunter comes, the one who's a fool
> Lured by the love of a virgin girl
> To see the wings of the ducks unfurl.
> Mumma is dead and the ducks are dead
> But the hunter will follow wherever he's led.
> Mumma, the flesh that is withered and dry
> Mumma, the bones that are bleached by the sun,
> Mumma that stirs to life for the one
> Who thinks that soon the whistling ducks will fly.

Unknown to Kunduk and Beminin there was deep, crafty magic
hidden in the words, and dark revenge for the deed that
Kunduk had performed in the swamp long years before.

With lighter hearts the old people led Numeuk past the lake
and the banyan tree to the plain of whitened bones.

'Now you must listen,' Kunduk said. 'This place is sacred.
Only I can show you where the whistling ducks are hiding.'

He crouched down and sang the song the Goose Woman had
taught him. Straightening himself, he turned and pointed to a
large waterhole that had appeared on the gibber plain. The
whistling ducks were congregated round it. Numeuk gazed at it
with startled eyes. Never before had he seen so many in one
place. Hastily he began to prepare the snares, but Kunduk
stopped him.

'I have shown you your prey where you least expected to see
it,' he said. 'Let me show you a better way of catching the birds
than you have ever dreamed of.'

He presented Numeuk with a long pole.

'This is the way I caught more birds than any other hunter in
days long past,' he boasted. 'Hold firmly to one end. Beminin
and I will be at the other. We will throw you right into the

waterhole. Before the ducks have recovered from their surprise you will be able to kill many of them.'

Numeuk hesitated. The ghost of the words of the magic song, scarcely heard at the time, coursed through his mind: 'The hunter comes, the one who's a fool,' but he failed to identify them.

'Hurry,' Kunduk urged. 'The birds are getting restive.'

Still unsure of Kunduk's intention, but excited at the prospect of killing so many birds at this season, Numeuk grasped the end of the pole. Straining limbs and back muscles, Kunduk and Beminin swung the pole over their heads in the direction of the waterhole. Propelled like a spear from a woomera, Numeuk hurtled through the air and fell through a startled flock of ducks. He braced himself for contact with the water—but no water was there, and the ducks had all vanished. What he had seen a moment before was a mirage, an hallucination kindled by the magic of Kunduk, Beminin and the Goose Woman.

The mumma lay thick on ground that had seemed a pleasant waterhole. Numeuk stood up and walked away from the intolerable stench. Kunduk and Beminin fled, not only to escape the fury of Numeuk, but also the miasmic stink that nearly overpowered them.

There was no need for them to fear the hunter. Numeuk was ashamed of his condition. He was running as fast as his legs would take him to Lake Windaramal to cleanse himself of the evil-smelling mumma. The water closed over his head. He splashed vigorously in the shallows, swam out to deeper water and, returning to shore, scrubbed himself with wet sand. It was all in vain. The malodorous, slimy mumma clung to his skin. Condemned to solitude while it lasted, for animals and insects gave him a wide berth, he set out on his travels once more. At every waterhole he saw he bathed himself again, but without removing the obstinate filth.

But he was not alone. Fearing the wrath of the old men of the tribe, and at the insistence of his wife's brother, Kunduk sent his daughter in pursuit of the man to whom whe was betrothed. Day followed day with Mardinya following at a distance. Behind her were Kunduk and Beminin. Until their daughter slept with Numeuk the hunter was obliged, by tribal law, to feed the girl and her parents. This strange quartet went on their way. Numeuk was careful to leave part of the spoils of his hunting each evening for Mardinya to find and share with her parents, who were careful to avoid being seen.

And slowly the awful slime of the mumma wore off until at last Numeuk was able to claim his bride. How great then was his grief to discover that the girl he took to be a virgin had already given herself to another. Casting his mind back to the days when he was living with her tribe, he realised with a further shock that the man who had deflowered her was none other than his own half-brother.

In the days that followed he heard the tearful cries of the girl who should have been his woman. Her parents had returned to their camp. Her husband, now completely recovered from his unfortunate experience, would have nothing to do with her. The young woman was reduced to digging roots and prising witchety grubs from the few trees that remained alive in the arid country through which she and her husband were passing. Her only hope for survival lay with the husband who was yet a husband only in name.

The fires of anger still burned in the breast of Numeuk. Twice he had been cheated, once by Kunduk and Beminin, and once by his bride and half-brother. Never again would he be fooled by smiling faces and false words.

One day the hunter stopped to gather honey from a tree. It was a tricky operation, demanding much care and recitation of many spells. By the time he had cut off the branch that contained the honey, Mardinya had caught up with him and was looking at it expectantly. Numeuk crammed a handful into his mouth and said curtly, 'Come with me.'

He led her to a nearby cliff and placed a sapling against it.

'Climb to the top,' he said. 'You can use the branches as footholds.'

Expecting that he would follow, she climbed the natural ladder and looked back. Numeuk pulled it away.

'Remain there,' he called.

'Are you not coming?' she called back. Numeuk said nothing. As the daylight faded the girl watched him kindle a fire to roast the meat he had caught during the day. His back was towards her. He remained deaf to her cries.

In the morning he threw a stone up and over the cliff top and smiled as he heard a cry of pain. The next day he did the same, but the girl's cries were weaker. On the third day there was no sound. The stone he had flung disturbed a swarm of flies that had descended on her body.

At last the hunter was satisfied with his revenge. He climbed the cliff and cut off the dead girl's hair, stuffing it into his dilly-bag. Then he returned swiftly to her home.

According to tribal law he was required to give the girl's hair to her parents in token of her death. Numeuk planned a more subtle revenge on the old man and woman who had tricked him. He cut some of the hair into short lengths and mixed them with the honey he had taken from the tree. This he presented to them in a wooden bowl. They received it with delight, believing that their son-in-law had forgiven them.

That night both man and wife suffered severe pains in their bellies. Seeking a cause, they discovered short black hairs in the bottom of the honey bowl. The horror of the truth dawned on them. Mardinya had been killed, and her husband had taken this method of showing his contempt. The outraged parents put their case before the wise men of the tribe, believing that Numeuk would be severely punished for the callous deed.

The elders deliberated long. The clever-men sang incantations and examined the tiny black hairs carefully. To the discomfort of Kunduk and Beminin, they were cross-examined and forced to confess their part in the deceiving of Numeuk.

When the old men were all agreed, they summoned the complainants and told them that Numeuk's dreadful deed was no worse than their deception of him, and that of the girl herself.

'The gods are satisfied,' they were told. 'The weight of Numeuk's evil is now balanced by the weight of your ingratitude and the shame you forced upon such a mighty hunter. We have no more to say, for evil is balanced by evil. It has no further place in our tribe.

But for Numeuk a further ordeal lay before him and a long pursuit that has few equals in the tales that once were told to boys to prepare them for the trials of initiation. It is a story of hate, fear, endurance, and exhaustion.

222

Aware that the admiration bestowed on him as a hunter had been diminished by his cruelty in killing his young wife, Numeuk felt the hostility of the tribespeople and set out on a journey that would take him far beyond the tribal lands. While the elders had counselled acceptance of the fact that one wrong had been cancelled by another, there was one who was determined to kill him to atone for the death of Mardinya. He was Mamru, the brother of the dead girl.

As soon as Numeuk had left the camp Mamru followed his trail. He was not as fleet of foot as the famous hunter and soon lost sight of him. Mamru was a young warrior, as yet unskilled in fighting and, under normal circumstances, no match for the mighty Numeuk. But he was confident of success. His mother's brother had given him three stones that would protect him in battle, and he was sure that the burning resentment he felt would strengthen his arm. Being a skilled tracker he was confident that he would not lose the trail and that, no matter how far and fast Numeuk might travel, eventually he would catch up with him.

The pursuit was not as easy as he had anticipated. All his skill was needed to follow the faint trail across the stony reaches of desert. Without the added perception lent by the magic stones his uncle had given him he might well have been at a loss. It was always a relief to come to waterholes where traces of Numeuk's presence were easy to detect; to bush where fallen leaves and flattened scrub, and footprints in soft ground not only showed where the hunter had been, but also how far he was ahead of his pursuer.

It was not until he came to a broad, muddy river, that he met any other tribespeople. Explaining his errand, he sought information on whether Numeuk had crossed the river and if so, how he had managed to evade the many crocodiles he could see.

'Yes, that man passed safely to the other side,' he was told. 'We could hardly believe what we saw. He waded into the water, just like a crocodile, and we saw him no more until he climbed out on the far bank.'

Mamru remembered then that Numeuk was a Crocodile Man and that he must have waded through the mud at the bottom of the river, or swum across barely submerged, without danger from the crocodiles that infested the river. How then could he hope to follow?

The problem was solved by constructing a frail raft of paper-bark stretched over pandanus poles, on which he risked his life—still protected by the magic stones that caused the reptiles to keep well away from the tempting morsel of humanity.

The country on the far side of the river changed completely in character. Instead of sand, rock, and bush, the land was swampy. Mosquitoes plagued him day and night. Huts built on stilts with smoky fires smouldering all night were new to him, but he found the swamp people helpful, and ready to pass on to him whatever information they possessed.

'The hunter passed this way yesterday,' he was informed. 'We warned him there were great dangers ahead if he went on, but he laughed at us. We could see he is a great hunter and a strong man. You are young and lack his strength. It will be best for you to turn back now, before it is too late.'

'What are the dangers you speak of? They can be no worse for me than for my enemy?'

'Numeuk has gone to the country of the Rainbow Snakes,' they said in hushed voices. 'It is a land that no man can enter and preserve his life. The Rainbow Snake Women are the progeny of the Rainbow and Crocodiles. They lure a man to his death with sweet songs and words like honey.'

'How then can Numeuk hope to escape?'

'It may be that because he is a Crocodile Man himself that he will escape.'

'And if not?'

'That he will find out for himself.' They said no more. The only sound that broke the quiet of the night was the whining of myriads of mosquitoes buzzing angrily beyond the smoke haze that enveloped the village of bark huts.

Then an old man spoke up. 'There is a way he can escape their clutches. Somewhere there is a secret path that leads to the womb of Earth Mother. We have never seen this cave, nor dare we go in search of it, for there are perils and magic you can feel in your bones long before you come to it. This Numeuk is a mighty man. It may be that he can discover that secret path.'

'What will he do if he discovers the womb of Earth?' Mamru asked.

'The red earth of the womb is the place of fertility, of the woman-element that can preserve men against women. If he covers his body with this red ochre he will be safe from the Rainbow Snake Women.'

Mamru said no more. Silently he gathered up his spears and set out on the trail left by Numeuk. The Mosquito village people followed him with their eyes, sitting motionless in their huts. Knowing he was determined to follow wherever Numeuk led, they believed they had seen the last of this imprudent young man.

Mamru walked slowly, bending over to make sure he was following the faint trail left by Numeuk. Presently he noticed a displaced twig by the side of the trail. Only an experienced tracker would have seen it, for the trail led onwards without a break. He parted the bushes and saw the merest shadow of a footprint on a softer patch of earth. So this was where Numeuk had turned aside to visit the cave that was known as the womb of the Earth Mother.

He followed the side trail confidently until he came to a tree that towered above the surrounding bush. An old, gnarled man was sitting at the foot of the trunk. He was the guardian of the cave. He looked up in surprise as Mamru drew near.

'You are the second rash one to come this way,' he said in a high-pitched voice. 'Many are the summers and winters that I have sat here alone, yet within three days my rest has been disturbed. What do you want?'

Mamru fell to his knees and laid the spears he was carrying on the grass in front of the old man.

'A peace offering,' he said. 'I have come for the red ochre of Mother Earth to protect me from the Rainbow Snake Women.'

'Always the same!' the old man cackled. 'In all my life as guardian I can count on my fingers all who have come this way, and each of them has made the same request. You may enter the cave and take the red earth, as the man who came before you has done. It may protect you, and it may not. It is well for you that you first offered your gift. The one who came this way but three days since did not display this courtesy, and I opposed him.'

He sighed. 'Unfortunately he was stronger than I. Look!' He showed Mamru a deep wound in his side. 'You would have been

225

less fortunate, for you are but a youth and there is more strength in these old limbs and more craftiness and skill in brain and hands than you will ever attain. But no matter. You have a care for the old, and I can see that you are armed with anger. That may carry you through perils that would overcome others. To say nothing of the three stones I see you are carrying in the bag slung from your neck,' he added craftily.

'Go, my son. You will find the cave of the womb on the far side of this tree. Make sure you cover yourself from head to foot with the red earth, leaving no spot uncovered. Unless you take that precaution, you have no hope of surviving the perils that be ahead.'

He closed his eyes and fell asleep. Mamru circled the tree and entered the dark cave. When his eyes became used to the gloom he saw the red earth glowing with a strange radiance. It was soft to the touch, soothing the weals and scratches that had come with his travels, and warm, even hot, for was this not the very womb of Mother Earth! He smeared his head, body, and limbs with the plastic earth. The guardian of the cave was asleep as he stole past and threaded the narrow path until he came to the trail where Numeuk had turned aside. He felt strangely unprotected without his spears and clutched his nulla-nulla more firmly in his reddened hand.

Presently he heard the siren songs of the Rainbow Snake Women. He came in sight of a tree-girt pool, and longed to bathe in its cool water to wash the hardening red ochre from him. He resisted the impulse. The bodies of the Rainbow Snake Women writhed in the water. They twisted into strange shapes, their heads stretching up to the clouds. He could detect traces of claws and crocodile teeth. More clearly he could see the sinuous coils of their bodies, and knew that without the protection of the red ochre he would have seen only the enticing shape of beautiful women, and have been lured to his death.

He quickened his pace. Surely Numeuk could not be far away. Without warning he stepped out of the shade of the bush and looked down a long, bare valley dotted with huge boulders. At the far end it narrowed to a rock ravine with towering cliffs on either side. The walls sloped inwards, cutting off the sunlight. The path that ran between them seemed black as night, but he could detect something huge and, he felt instinctively, repulsive. It was moving in the darkness.

There was no sign of his quarry in the valley. Mamru realised that he must have passed through the dark, menacing defile, and sat down to think.

'Where Numeuk goes Mamru must follow,' his thoughts ran. 'No man in his right mind would go through that dark tunnel unless he had a purpose.' It was in his mind to turn back. 'But somewhere beyond there must be a fairer land than this. One where it is good enough for Numeuk to make a home. If I turn back now, he who deserves death for what he has done will live long and enjoy the plenty of that land.'

He made up his mind, saying to himself, 'Where Numeuk goes Mamru can follow.'

Holding his narrow wooden shield firmly in his left hand and his nulla-nulla in his right hand, he walked boldly down the valley and into the darkness of the passage between the cliffs. Something hard and unyielding brushed against his arm. In the blackness he saw two eyes gleaming like fire, and heard a hissing sound. The eyes came closer and he realised that something was on the point of attacking him—and that the 'something' was a rock python, larger than he had ever seen before. The head darted towards him in an attempt to stun him as a prelude to being crushed in the coils of the body.

Mamru raised his shield. The jaws of the python closed on it and were pierced by the points at top and bottom. Before it had time to envelop him, Mamru rushed onwards through the tunnel and into a beautiful glade enclosed by high cliffs.

The grass was green and sprinkled with flowers. A stream gurgled over the boulders. Wallabies and other animals browsed or chased each other playfully on the grass or round the rocks at the foot of the cliffs, there was a glint of silver from the fish in the stream, and everywhere the scent of flowers in what seemed like a dream world to the young man who had dared so many dangers in the land through which he had passed.

He wanted nothing more than to lie down and rest in this beautiful scented world. The nulla-nulla dropped from his grasp and he lay at full length on the soft grass, quenching his thirst from the stream that murmured so softly by his head. He closed his eyes and fell into a dreamless sleep.

After many hours he was aware of someone standing by his side. He opened his eyes and saw Numeuk looking down at him.

'You are rested now,' the hunter said. 'I have prepared food. Come and share it with me.'

Still in a daze, Mamru followed him to a cave at the foot of the cliff. A fire was burning on the rocky floor, warming the cave, for a chilly wind had sprung up as the sun disappeared behind the cliff top. Food had been laid out on a shelf in the rock, and brushwood laid in a corner to provide a soft bed.

The two men said little to each other as they ate and then lay down on the mattresses of brushwood. Numeuk seemed strangely subdued. Mamru lay awake, waiting until he heard the hunter breathing steadily in sleep. He rose, picked up his nulla-nulla and stole softly out of the cave. Untying the woven grass bag that hung round his neck, he took out the three magic stones, breathed on them, rubbed them in his hands and, keeping his voice low in order not to disturb the sleeping hunter, chanted the spell his uncle had taught him before he left on his death-dealing mission. He laid the stones at the entrance to the cave and watched them grow.

Soon they filled the cave mouth. Before it was completely sealed he heard Numeuk shouting, begging to be released. A slow smile spread across his face as he watched the stones moulding themselves to the shape of the cave roof, cutting off Numeuk's frantic cries. Without a further care to trouble him now that he had avenged the death of his sister, he lay down to sleep until morning.

Nothing more remains to be told of the death of Numeuk. Avoiding the ravine where the python lurked, Mamru made a rude ladder of laced vines, by means of which he scaled the sheer cliff walls and set off homewards. His journey took many days, for haste was no longer needed. There was time to hunt, to dream by the fire at night, to savour revenge that was sweeter than any sugar-bag, and to rehearse the tale he would tell to the old men when he reached his home camp ground.

The elders sat in a circle nodding their heads, seeming not to listen, though Mamru knew that the words he spoke were retained in their memories, and that some day they might be woven into the stirring tale of how Mamru killed Numeuk the Crocodile Man. For the moment they would neither approve or condemn, but by their silence he knew that all was well.

CHAPTER SEVEN

STAR PEOPLE

MANY are the tales told of the scintillating lights that spangle the night sky. The bowl that circles the earth is the last refuge of innumerable fugitives who have found peace and security in the immensity of the heavens.

Sky-raising Magpies

THERE was a time, before time began, when there was no sun, moon, or stars. The sky itself was clamped firmly to the earth, a belief that was shared by the Maoris of New Zealand. In the Maori pantheon there were seventy gods, sons of Rangi the Sky Father and Papa the Earth Mother, who held each other in tight embrace. It was Tane, the god of nature, who forced them apart to let light into the world and who clothed earth and sky in beauty.

The Aboriginal belief was simpler, though similar in essence. The noisy, garrulous Magpies achieved this stupendous feat. Growing tired of the cramped conditions in which they lived, crawling in their narrow confines with no opportunity of using their wings, they held a conference, from which emerged the suggestion that if they cooperated by thrusting at the roof that pressed so heavily on them, they might be able to raise it well above the earth.

Each bird secured a stick, holding it firmly in beak or claw. At a given signal they all pressed their sticks against the firmament. At first there was no movement, but as they strained their feet on the ground and pushed the sticks against the solid mass above them, there was a creaking and groaning like some animal in pain.

'Harder! Stronger! Firmer!' the leader shouted. A crack of light showed on the near horizon. The birds could feel a stirring of the massive bulk. It lifted! Now their feet were leaving the ground. The air between earth and sky was turbulent with the beating of a thousand pairs of wings.

'It moves!' was the cry from a thousand throats as the clinging earth cover moved upwards. The higher it went the easier it became for the birds that pressed on it. For a little while they rested, supporting the mass on the boulders of the higher hills.

Once again there was a concerted effort. No longer did the sky press upon them. It was floating in the air like a gigantic cloud covering earth and sea. The gloom to which the Magpies had been accustomed in their narrow world was lightened, but deep shadows still lay beneath them and above.

The air was colder, the wind keener. Suddenly the sky split asunder from end to end and light such as no bird had ever dreamed of flooded the world. The dark shadows rolled away. Sunshine was there, wind, trees waving in the breeze far below, seas unknown, undreamed of, rolling in blue and white and silver in the golden rays. Untouched now by the sticks that had prised it loose, the sky floated into the immensity of space—a world in itself now that it was separated from earth, a pathway for the goddess of the sun, the god of the moon, and all the starry beings that would some day take refuge in it. Under and around it there drifted a gauzy mantle of clouds.

The Magpies have never forgotten that moment of ecstasy when the sun first shone through the riven sky. Each day that it rises from the journey of night it is greeted by the vociferous chorus of Magpie song, as it was on the day of its first rising.

The fable of the sky-lifting Magpies is by no means universal among the Aboriginals. In another tribe the astounding feat is attributed to a man who, like the Magpies, grew tired of the oppressive confines which he and his people endured. There was so little space in which to move that men and women were as small as ants, creeping through fissures in the rocks. The microscopic hero of the story was a lonely man. Lonely because he dared to question the need for change. Others accepted the conditions in which they lived. This man dreamed of a more spacious world, and because of the dreams he told round the tiny camp fires, he was expelled from his tribe. He wandered far from the campsite, until one day he came to a pool of water far larger than the miserable trickles of water from which he and his people usually drank. Unknown to him, it was a magic pool. Its water gave him strength. He grew in size until head and shoulders pressed against the sky. Bracing his feet, he pitted his strength against it and felt it move. Seizing a stick he thrust it against the sky, forcing it upwards. The stick bent under the strain but by that time the sky was moving. It had needed only a little pressure to send it floating into the infinity above.

As it dwindled into the distance, the man looked round him. Tiny birds and animals were growing in size, as he himself was growing, gazing upwards at the miraculous disappearance of the sky that had pressed so heavily on the earth. A Kangaroo lifted itself up and stood on its hind legs and tail, adopting the posture with which men became so familiar. An Emu ran in circles, its legs and neck growing longer and longer.

The man who had raised the sky lifted his arms and shouted for joy. He threw the bent stick with all the strength of his arms. It described a circle as it flew through the air and returned to his feet. On that momentous day when earth and sky were sundered, the first boomerang made its first flight in the newborn spaciousness of earth.

The unaccustomed freedom was accepted by men, by women, by children, by birds that flew high into the air, by animals, by trees and flowers, by all living creatures except those insects and reptiles who were content to burrow into Mother Earth, who still provided them with sustenance and shelter.

Dinosaurs of the Sky

WHAT is the sky made of? A question that has been asked by the wisest of men as well as children of every race through every age. Is it sufficient to say that it is a 'something', whether a god, as some have maintained, or a land fairer than that of earth, where celestial beings live and sometimes influence the lives of earth-dwellers?

In the trackless heart of the Centre there was once a tribe that came nearer the truth than many wise men have done. 'There is nothing,' they said. 'It is a great hole, a nothingness,' and this is how it happened.

Whether or not the sky was ever pushed into its present position, or whether it was always there, above men's heads, it was once supported on three enormous gum trees. On the earth beneath there were lakes of fresh cool water, fed by rivers lined with trees, and grass grew in the rich soil.

The sky itself was inhabited, not by human beings, but by horrific monsters. From time to time they peered through the tangle of leafy branches on which their land rested and saw the lush fields and forests and the shining lakes far below. It was a fairer prospect than their own sky land. They spent long hours looking at it through the foliage of the supporting gum trees.

It may be that they grew dizzy watching the animals disporting themselves in the waters of the lake, or the swaying of the branches. Whatever the reason, one by one they fell from the sky land until none was left, and only clean-picked bones reminded men of later ages that they had ever fallen from their lofty perch.

Aeons of time passed by. Streams and lakes dried up and the three tall gum trees died. The years and the centuries gnawed at the dead timber, until the trees fell to the ground, leaving holes where the branches had penetrated the sky land. Like a worn out fishing net, the holes grew larger and ran together, until at last the sky became one vast hole, with nothing to remind mankind that once there had been a land inhabited by monsters, held up by three gigantic gum trees. That is why the wise men of the Dieri tribe say that the sky is a great hole. Pura wilpanina they called it: the great Hole.

Under it the land is parched and bare. Few things can live there, for there is no sky land to shade the burning of the heat of the sun in Central Australia. The lakes and rivers are gone, except for salt-encrusted depressions in the sand, but the bones of the monsters of the sky land remain. The old-time Aboriginals called them Kadimakara, but white-skinned men of today prefer to call them Dinosaurs.

The Seven Sisters

In the sky land or, if it is preferred, the great Hole of the sky, pre-eminent among the stars is the constellation of Orion. It is linked with the fate of seven sisters; and of these sisters many tales are told. Not one is like another except that each sister finds a final resting place in the night sky.*

In one of these tales the seven girls were known as Water Girls. A curse had been inflicted on them. They were condemned to a water existence, confined to a large pool where their only companions were Crocodiles, fish of various kinds, and leeches. They craved the society of human companions, but in vain. There were times when young men attempted to catch them, but these they avoided. Through constant immersion in water their skins became smooth and covered with a slime that enabled them to slip from the grasp of those who attempted to abduct them.

Until one day a hunter saw them and fell in love with one of the girls. Her long hair floated on the surface of the water. The hunter darted forward, seized the long tresses and wound them round his arm. Caught fast by her hair, the Water Girl was unable to escape, and was borne off in triumph.

At first the hunter feared he had made an unfortunate choice, for her nature had changed to such an extent that she was unfitted for life on land. It was not until he held her over a smoky fire that the slime peeled off her body and the curse was removed. From then on she became a perfect wife—and more. Her experience in the pool, in the company of living things, had taught her the language of the animal world. She accompanied her husband on his hunting trips and, by her knowledge of the ways of the wild, ensured that they always returned loaded with game.

The Water Girl's father was also a great hunter and maker of dug-out canoes. The curse that had been placed on his daughters had vanished when one of them was restored to

---

* An entirely different version of the Meamei is related in *Myths and Legends of Australia*.

233

normal life on land. They were all able to return to the camp of their mother and father which, somewhat curiously, was placed high in the branches of a banyan tree.

A few months after they had been restored to their parents, a sad event occurred. To the great concern of all the women, their father had misbehaved himself with one of the girls. The shame was felt by them all, including the elder sister who had married the hunter. She tried to console her mother and sisters, and made a plan to punish the wrong-doer.

One afternoon they saw a small canoe being paddled upstream and realised that their father was returning from a hunting expedition. They watched him tie his canoe to a stake and walk towards the banyan tree, laden with the meat he had brought.

His wife lowered a stout vine, calling to him to tie it to the animals.

'Hurry,' he called. 'I'm hungry.'

'Wait till we've hauled up the meat,' she replied, 'and then we'll let down the vine for you.'

The meat disappeared among the leaves. Shortly afterwards the vine snaked down, the end of it falling at his feet. When he neared the platform built in the branches his wife slashed the vine with a knife and he fell into a billabong and sank beneath the water. His daughters gazed in horror, waiting for him to come to the surface; but there was no movement among the leaves and flowers of the waterlilies until they saw, with renewed horror, a huge Crocodile slithering out of the pond.

A new horror awaited the women. Long after they had given up hope of seeing him again, the dead man rose to the surface and spoke.

'I shall not die!' he shouted. 'Even though I am dead I shall live for ever.'

His words came true, for his spirit lives on, reborn monthly with the waxing of the moon. As it grows, so the body of the dead man is reborn and waxes fat on the spirits of unborn babies, after which he is again torn to pieces by the Crocodile that lies in wait for him.

It happened that in the same tribe there was a woman who, unknown to the men, had stolen the secrets of initiation, and possessed the gift of immortality. She was in league with the reborn hunter, and supplied him with the spirits of the unborn babies when their mothers were careless and failed to obliterate their footprints. He in turn changed those he chose to Water Girls, and so provided himself with physical satisfaction as well as food.

The younger hunter, the husband of the Water Girl he had rescued from the billabong, now enters the story again. He was a good-natured man, seldom troubling himself with the vagaries of his father-in-law and the fate that had overtaken him. Nevertheless the manner of the death of his wife's father must have haunted him, for one night he had a vivid dream.

He dreamt that he was sleeping at the foot of the banyan tree, with his wife resting peacefully at his side, when he heard someone calling her. The voice came from far up in the branches.

'Climb the rope, climb the rope,' the voice kept on repeating. He tried to clasp his wife in his arms to prevent her leaving, but he was afflicted with some form of paralysis, unable to move so much as a finger. Helplessly he watched his wife stand up, clutch the vine that had tumbled from the tree top, and climb up it hand over hand.

Vainly he struggled to speak, longing to call her back, but no sound came. As soon as the girl disappeared among the leaves the strange vice-like grip left him. He leaped high into the air, trying to swarm up the branches in pursuit, not daring to hold the vine lest it break under the double weight. When he was a few metres from the ground he heard a long wailing cry. The severed vine dropped down in snaky curls as his wife plunged headlong into the billabong and sank into the water. The ripples spread. The water flattened itself as though nothing had disturbed it. The leaves of the waterlilies slowly spread over the pond, and all was still.

The young hunter knew then that the wife he had rescued once from the curse of the pool had passed into her father's power, lured to her death by the woman who fostered the father's obscene appetite. He vowed then that he would not rest until he had rescued his wife and put an end to the evil into which she had been forced.

After much searching he came to the home of Nardu, the Sun-dreamer, who provides shelter from the Sun goddess when she returns from her sky journey each night. He reached it as the light was fading.

'What do you want of me?' the Sun-dreamer asked. 'There are few who dare this perilous journey. Your need must be great.'

The hunter told him of the rape of his wife and his desire for revenge on her father and the woman who had aided him.

'Only one woman?' Nardu asked. 'A man, strong and handsome as you, can surely have a choice of wives?'

'It is not my wife alone, though it is she who fills my mind,' the hunter explained. 'She has six sisters who by now have probably been lured back to the dark billabong and deprived of light and happiness. And there are women who fear for their babies because of the wickedness of a man and an old woman.'

'Helping is not the work for which I was destined,' Nardu replied. 'I am the Sun-dreamer. My task is to shelter the Sun goddess, and for that reason you are in grave peril. I must warn you not to enter the cave of darkness. When the goddess comes, and that will be soon, the very rocks will boil with her heat. Do you not see how the plain round you is composed of cinders? Nothing can live in the heat that comes with the goddess. Yet I would help you if I could. If we dry up the billabong where this evil lurks, your wishes may be fulfilled. That is all I can do for you.'

As he spoke the hunter could feel the goddess burning his skin.

'Hurry!' Nardu said. 'She comes. The goddess is merciful, but mortals cannot withstand her. Go now, lest you suffer the fate that has come to others who have sought her help.'

The young man turned and ran, feeling the fierce shafts of sunlight on his back. He smelled his hair singeing and dared not face the raging torrent of light and heat that poured out of the Sun goddess's cave.

Streams dried up, trees crackled and burst into flame. Far ahead he saw birds and animals fleeing from the devastation that poured from the cave. Darkness had been turned to light, icy cold to unbearable heat. The whole world seemed to be on fire. At last he reached the place where his father-in-law and the seven Water Girls lurked in the billabong.

236

All he could see was an expanse of dry, cracked mud and a Crocodile struggling to free itself from the mud. Of his father-in-law there was no sign, but far across the smoking plain he could see the seven sisters racing towards a downpour of rain on the edge of the world. They were fleeing for their lives to escape the holocaust the Sun goddess had released. It had served its purpose in burning up the eater of the spirits of babies and his helper, but now the hunter was afraid that the world would be consumed in the flames.

As he ran frantically toward the girls, they disappeared into the curtain of rain. In a few moments he felt its soothing caress on his skin. The Water Girls were still ahead, plunging into the river of the sky where they felt themselves at home. Swimming strongly against the current to the source of the river, they were again lost to sight. Unable to keep up with them the hunter leaped high into the air, up to the very sky where, as a star, he still pursues the seven Water Girls across the night sky.

The Hunter who Threw Stars

IN contrast with the somewhat involved story of the hunter who pursued the seven sisters is that of Mangowa, another hunter who saw a young woman paddling a bark canoe across a lake in South Australia. The sight so distracted him from his fishing that he dropped his spear and raced along the bank to intercept her as she stepped ashore.

She tossed her head, refusing to speak to him. Undeterred by her attitude, he followed her to her camp and, in time, so ingratiated himself with the elders that they consented to a marriage between him and the haughty young woman with whom he had fallen in love. As most of the men were old it may be suspected that they had expectations of an improvement in the food supplies, for Mangowa's prowess as a fisherman and hunter was well known.

Unfortunately Pirili did not share the feelings of her elders. It was not unlikely that she had another suitor whom she favoured. If so, Mangowa gave him little chance to court her. He accompanied Pirili wherever she went, except when hunting. From these expeditions he returned bearing gifts—the flesh of wombats and kangaroos, and wild honey, even flowers for her hair, and choice witchety grubs, which are usually gathered by women. Although her eyes gleamed and her mouth watered at the sight of the tempting food, she turned her back when he offered them. And when his back was turned the men and women of her tribe laughed behind their hands, knowing that they would benefit, for the rejected gifts would eventually come to them.

One day, when Mangowa had offered Pirili a particularly tempting morsel, and it had been spurned, his patience came to an end. He picked her up and carried her away, screaming and struggling, heading for the camp fires of his own clan. Some of the younger men pursued him with spears and clubs, but even though burdened with the slight form of the girl, he was fleet of foot. Pirili's cries could still be heard, faint and far away and plaintive in the distance as the young warrior hurried towards the security of the camp fires of his own people.

After travelling for some hours, believing he was nearing the camp ground of his relatives, Mangowa's legs began to ache. His face was scratched and his arms, clamped tightly round the struggling girl, had lost all feeling. He recognised the trees that fringed the familiar clearing, but when he stepped out of the bush, his heart sank, for the camp fires were dead. No sign of life could be seen anywhere. It was then, and only then, that he realised that he had spent months on the far side of the lake in his courtship of Pirili. His love for the beautiful girl vanished in sudden, unreasonable anger. He dumped her roughly on the ground, intending to thrash her with his spear.

It was the moment Pirili had been waiting for. She sprang to her feet and in one tremendous, breathtaking leap her feet left the earth and she soared far into the sky and took refuge in the Milky Way. The women who inhabited that delectable land had been watching her abduction, hoping she would find a way to escape. They took her into their arms, hiding her from the sight of her exasperated lover.

Mangowa had not earned his reputation as a great hunter lightly. The exhaustion of the past few hours was dispelled and he filled his lungs with air, crouched low, and sprang up to the sky.

He could not reach Pirili, who was protected by the women of the Milky Way. In his rage he plucked handfuls of stars as though they were pebbles and hurled them at the women; hoping to drive them back, leaving Pirili at his mercy.

But the women of the sky were stronger than Mangowa. Taking no notice of the flying stars, which dropped down and made holes in the ground that later were filled by the rain and became waterholes, they surrounded the hunter, seized him by the hair and the arms and legs and threw him back to earth.

As for Pirili, there she remains as a shining star in the constellation of Orion.

Wurrunna and the Seven Sisters

THE theme of Seven Sisters stars was familiar to the tribespeople in many parts of the continent. In south Australia one of the sisters is Pirili. The legend of Wahn the Crow and the Seven Sisters is probably even better known; in another legend the sisters are Emu Women, who were pursued with amorous intentions by the Dingo Men. They hid amongst the boulders but, as might be expected, the Dingo Men scented them and tried to drag them out. Failing to do so, for the women had wedged themselves tightly into the crevices between the boulders, the Dingo Men lit a fire. The smoke drove the women out, burning their wings, with the result that Emus have lost the power of flight.

With their long legs the Emu Girls were able to escape, and fled to the end of the world where they hid in the sky land and now shine brightly to taunt the Dingo Men who remain far distant, lost in the constellation of Orion.

The culture hero Wurrunna was another who pursued Seven Sisters to their destination in the sky. On his return to the camping ground at the conclusion of a long and unsuccessful day on the plain, he longed for a feed of grass-seed cakes. In spite of repeated requests, no one would give him any. It was not that the supply was exhausted, but that the tribespeople were hoarding them for future use, and would not give them to one who had brought nothing for the evening meal.

Wurrunna was infuriated by their ingratitude. It was not his fault that he had come back empty-handed. Time and time again he had secured game when others had failed. Only this once had he come home without a backload of meat and they refused to satisfy his hunger! He was too proud to plead with them, too angry to argue. Silently, while his fellow tribesmen looked on impassively, he gathered up his spears and spear-thrower, his nulla-nulla and dilly-bag, and left the camp.

Wurrunna had many adventures as he journeyed to regions that none of his tribespeople had seen. One day he met people who had no eyes but were able to see through their noses. On another occasion he was walking through the bush, and came unexpectedly on a lake surrounded by rushes. The banks were lined with birds, lizards slithered over fallen tree trunks, the air quivered with the croaking of frogs. After drinking deeply of the refreshing water, Wurrunna caught a large lizard, lit a fire, and cooked it in the embers. Presently he lay down, closed his eyes, and was lulled to sleep by the sound of rippling water and the splashes made by the frogs as they jumped off floating leaves and half-submerged logs.

In the morning he woke with dry lips and felt as though sand had crept under his eyelids. At night he had rested on a grassy bank that was cool and soft. Now it felt hot, unyielding, and covered with sharp-pointed stones. He opened his eyes and looked blearily at a gibber desert that stretched to the horizon, dancing crazily in the heated air. Of the lake, the bush, the frogs, or the birds there was not one sign.

The journey across the sandy desert seemed endless. It was bounded by distant mountains that seemed to retreat before him. All day long he toiled over pitiless sands that scorched the soles of his feet, hardened though they were by many a desert walkabout. That night he lay exhausted on the ground, parched with thirst and, as the night wore on, shivering with cold. He would gladly have gathered a few sticks together to light a fire, but there was not a single bush or tree on the plain.

Another day dawned. Wurrunna lay still, hardly daring to move or to open his eyes for fear of what he might see. The ground on which he was lying was no longer stony. Something under his hands was soft and springy. Wind was blowing through the leaves and from far away came the muted roar of a

240

waterfall. It was his ears alone that told him that the world around him had changed for a second time while he slept. There was a freshness in the air. His eyes, when at last he opened them, assured him that the evidence of his ears was true. The grass was a green carpet dappled with flowers. Trees bent over him to shield him from the sun. A river flowed past, wide, still, majestic as it slid beneath its banks and swept over rapids dotted with smooth, shining boulders.

'A magic land! The Dreamland of Baiame!' Wurrunna exclaimed, wondering whether he had left the world of men and been transported in sleep to a spirit world. He detected the smell of meat cooking and saw a thin column of smoke rising behind the trees.

Going forward cautiously, taking care not to be seen, he peered between the shrubs and saw seven of the most beautiful women he had ever set eyes on. No men were there, only the seven beautiful women. He suspected they were engaged on a demanding journey that was the culmination of their initiation into full womanhood. Placing his weapons on the ground, and stepping boldly into the open, Wurrunna held up his hand in greeting.

They looked at him in surprise and with a certain amount of suspicion.

'You look too young for a wirinun,' one of them said, confirming his surmise that this was indeed the final journey on which they set out as girls and returned as women, ready for marriage and motherhood. If so, they were keyed up to a high pitch, ready for any eventuality, and must be approached cautiously.

'Who are you? What do you want?' the same girl demanded.

'You see I come to you without weapons and in peace,' he replied. 'Like you, I am in a strange country, far from the trail of my ancestor. I have seen mysterious sights and at times I have been filled with fear. Now I see you. You will do me no harm. If you share the food you are cooking with me, you will find I can repay you, for I am a skilled hunter.'

The girls laughed.

'Don't you think we can find our own food? How do you think we have existed during the weeks we have spent on this journey? Tomorrow we decorate ourselves with ochre paint.

We shall put feathers in our hair and return to our kin as women.'

Wurrunna wisely said nothing. He sat down and allowed the girls to bring him food and water from the river in their coolamons.

'May I sleep here tonight?' he asked when he was full.

'You may sleep by our fire,' they answered, 'but we warn you that one or another of us will be awake all through the night. We trust no man while we are on this journey.'

Wurrunna slept little that night. There was no movement except when one of the girls who had been keeping watch left her station and gently wakened another to take her place. Wurrunna shared the morning meal with them.

'It is time you left,' the eldest girl said. 'If the clever-men ever find out that you have been with us and shared a meal with us we should be in trouble. We are going that way,' she said, pointing to the west. 'You must go to the east. You will find good hunting there. We must never meet again.'

They packed their few belongings in their dilly-bags and without a further word or gesture, set out on their way.

Wurrunna sat lost in thought for a while. It was long since he had seen a woman and his ardour was kindled. It would be difficult to carry off one or more of these determined young women, but he was determined to make the attempt. All that day he kept out of sight as he followed the trail. He did not join them when they prepared the evening meal but chewed a piece of dried meat and lay down in the shelter of the bush. The following morning he was up long before the sun rose. As silent as when searching for a sleeping possum, he crept up to the camp and took two of the digging sticks that were leaning against a tree trunk.

An hour or two later there was great consternation when the girls discovered that two of their sticks were missing. Leaving the owners to search for them, the others left the camp site. The two girls whose sticks had been stolen searched vainly amongst the scrub and long grass in ever-widening circles until suddenly they found themselves face to face with Wurrunna.

Before they could recover their wits he grasped them both round the waist and held them firmly, despite their struggles.

'It's a long time since I have been with women,' he said. 'You had better make up your minds that you are to be my wives. If you do as I tell you we'll be happy together. But if you try to escape you'll be two very unhappy women.'

The girls protested violently, warning their captor that their sisters would soon be looking for them.

Wurrunna laughed. 'By the time they get here we'll be far away.'

'They are more powerful than you think,' one of the girls warned him.

'They'll never find us,' he boasted. 'I'm skilled at concealing my trail, I'll teach you too how to cover your tracks so well that no one can detect them.'

He released them and ordered them to head for the stony foothills, displaying his nulla-nulla prominently to warn them of the futility of attempting to escape.

For the next few days all went as Wurrunna had planned. There was no sign of pursuit. The girls appeared resigned to their fate, and even to show some signs of satisfaction at having been captured by such a handsome man. But they were biding their time, confident that their sisters would come to the rescue.

Late one afternoon Wurrunna called a halt and told them to strip the bark from a tree to cover the saplings he was gathering, in order to make a humpy. As soon as he disappeared into the bush the girls climbed up the trunk and clung tightly to a stout branch. The tree began to grow upwards. When Wurrunna emerged from the bush with an armful of poles, he saw the tree reaching up to the sky, carrying the girls with it.

He was quite helpless. The lowest branches were far from the ground, many times his own height. He called to the young women, demanding that they come down at once, but they were not listening. Far above they heard the voices of their sisters, sweet as the sound of water rippling over stones. The voices came, not from the ground, but from above.

Wurrunna heard them too. The real nature of the seven girls suddenly dawned on him. None of them were initiates. They were sky women who had been visiting the earth to satisfy their curiosity about the ways of men. The two he had captured had probably enjoyed their experience as wives of a mortal. They may even have regretted parting from him, but the call of their sisters was too strong to resist.

As he saw the tiny figures stepping on to the sky land from the topmost branches of the tree, Wurrunna thought he was seeing them for the last time; but he, and all men, still see the Seven Sisters every night when the sky is clear, for they are the Seven Sisters that white men call the constellation of the Pleiades.

The Milky Way

THE broad band of misty light that lies across the sky has attracted the attention of many an imaginative storyteller. One of the tales, in which the Milky Way is named Milnguya, centres round an episode in the lives of Wahn the Crow and Baripari the Native Cat. Wahn is noted for his mischievous propensities, but in this tale he is noted, surprisingly, for his sense of propriety.

Crow and Cat had cooperated in building a fish trap, a low wall of stones that was covered by the sea when the tide was at the full. When it ebbed the fish that had swum into the salt-water lagoon were trapped. The Cat and Crow tribes were therefore ensured of a plentiful supply of fish at all seasons.

The fish that were trapped in this way were usually small, but at one particularly high tide, Balin, the leader of the Barramundi tribe, incautiously allowed himself to be caught by a swiftly-ebbing tide. His exasperation can be imagined; but with the self-confidence of an acknowledged leader, he devised a method of extricating himself and his relatives. He was aware that there was some jealousy between the land-based tribes, and considerable resentment that the Wahn and Baripari people reserved the product of their fish trap to themselves. Taking advantage of this, he called to the people of another moiety to capture the smaller fish quickly before Wahn and Baripari appeared, and to release him and his relatives. It was a mistake.

A crowd of excited people rushed into the shallow lagoon and threw all the fish, including Balin and his relatives, on the shores. Pits were dug, fires hastily lit, and by the time Wahn and Baripari and their people appeared, nothing was left but a pile of bones.

The real owners of the fish trap were puzzled at the absence of fish, until they found hot ashes in depressions in the sand and piles of fish bones littered over the beach.

Wahn was more concerned over the fate of Balin than the loss of food.

'Balin was of our totem,' he explained to Baripari. 'You know that I would never dare to eat Barramundi, nor would I want to, for Balin was my friend, the noblest of all his tribe. See, here are his bones, twice the length of any other fish.'

He wept over them.

'What can we do about it, now he is gone?' asked Baripari.

'There's one thing we can do,' Wahn replied. 'We can pay proper respect to his memory. If you can find a hollow-stemmed tree in the bush, bring it here while I gather his bones together.'

Baripari came back dragging a large tree behind him. The two friends lopped off the branches with their stone axes, and placed the bones in the hollow stem, sealing the ends with mud.

'Now what shall we do with it?' Baripari asked.*

Wahn looked up.

'Up there is the river Milnguya,' he said. 'It is quiet and peaceful as it flows across the sky, far away from predators and the wicked ways of men and animals. Let us place the burial post beside its dark waters.'

Holding the hollow tree trunk that contained the bones of Balin by both ends, and assisted by their relatives, they flew up to the river-in-the-sky and laid it on a bank.

'This is a pleasant place!' Baripari exclaimed. 'If it were not for our fish trap I would be glad to stay here for ever.'

Wahn remained silent, thinking deeply.

'We don't need the fish trap any longer,' he said at last. 'Balin has been caught and devoured. Let's leave it to those men below. I am content to remain here with you.'

Baripari was delighted. They lit camp fires and rested beside them.

When we look up at the Milky Way, the storyteller might say, some of the stars are the camp fires of Wahn and Baripari and

---

* An entirely different legend tells how a Crow man, disgusted by his quarrelsome relatives, fled to the Milky Way by means of a ladder constructed from the bones of the fish.

their relatives; others are the spots of the Native Cat, and for those who can see, the hollow tree trunk that contains the bones of Balin is there, and dark patches that are the outspread wings of Wahn the Crow. And what of the shining mist that straddles the sky? What else can it be than the smoke that reflects the light of the camp fires of Wahn and Baripari?

Another explanation is that the band of light is the river Milnguya itself, inhabited by a huge Crocodile, its teeth, tail and claws gleaming brightly in the misty light. But for most people, the Milky Way is smoke drifting from many camp fires. In his beautiful book *Wandjina*, Roland Robinson writes of the famous wanderer Nagacork who loved men and animals, birds and fish and reptiles alike.

'Allo, allo, allo, allo, cha nallah, wirrit, burra, burra, cubrimilla, cumbrimilla, Bo bo,' he sang as he went from place to place: 'Oh well, all you people who belong to me, you have changed into men, animals, birds, reptiles, fish, sun, moon and stars. I go now. I go forever. You will see me no more. But all the time I will watch about you.'

And so, when his long pilgrimage was ended, Nagacork took his rest among the stars—and the smoke of his camp fire drifts silently across the night sky to remind us of his friendship with every living creature.

Moon and Morning Star

WHILE the concept of totemic ancestors is paramount in legend and myth, natural objects and phenomena may frequently be discerned as personifications. This is probably true of a northern legend which relates the adventures of two brothers, one of whom represents the Moon, the other the Morning Star. In the original version neither are named specifically, but the influence of the Moon in its various phases becomes obvious when we consider its presence during the dances in which the legend is re-enacted, in its phases and their supposed influence on women, and in the curvature of boomerang and beach. That of the Morning Star is less obvious, but nevertheless an essential ingredient in a simple tale that explains the essential difference between Man and Woman.

One of these brothers we shall therefore call Moon, the other Morning Star.

At the time they journeyed southward, the world was largely unformed. There were no rivers, few birds, no animals, and little plant life, no sea, and no women. Only blue skies, sun, golden sands. Moon and Morning Star were carefree and light-hearted. They danced as they made their long trek to an unknown destination and, as darkness fell on the world, wrestled together until they sank exhausted to rest.

Food was needed to sustain them on their long trek. They longed for the flesh of fish to supplement the meagre diet of thin roots they found in the dry scrub.

'We need sea before we can find fish,' Moon said when his brother complained. 'Sea and rivers.'

Joyously they created a sea to hurl its waves on a sandy shore, and rivers to refresh withered plants and dusty scrub. Their happiness grew larger, and the chanting song Te-tyampa louder, as they speared fish and cooked them in the ashes of fire. And all the time, whether walking, dancing, swimming, or wrestling they chanted Te-tyampa over and over again.

They carved the land into pleasing shapes, hurling their boomerangs in a vast curve, forming beds for rivers that were yet to run. The clouds gathered on the hills, pouring refreshing rain on a thousand plants that sprang to life when touched by the magic of water. Shining rivulets coursed down the wakening gullies, joined hands and filled the waiting ravines.

Leaving behind them a world that was as fresh and exciting as their own experience in creating it, they came at length to a place to which they gave the name Untyapalanga. Singing Te-tyampa as they wrestled together, Moon encouraged his brother to greater effort. He bounded high in the air, clapped his hands and feet together, and finally sank exhausted at his brother's feet. Moon waited until he was sure Morning Star was asleep. It was the moment he had been waiting for.

Only one thing had irked him during the long journey. He had been conscious of a something missing. Something he craved without knowing what it was. At first he had been content with the companionship of his beloved brother, but as the days passed he felt growing dissatisfaction. It was a missing something so real that it hurt, physically as well as mentally. A longing, a yearning for the unknown, unrealised, unfulfilled. Yes, unfulfilled. Small river yielded to larger river. Land embraced the advances of the sea. Clouds melted one into another. Even the boomerang that carved the world into shape and the spear that plunged and withdrew and plunged again, transforming the life he had created into death, all these had a purpose and a fulfilment denied to him. Mind, arms, loins, his whole body ached in a longing for the unknown and unattainable—and suddenly, here at Untyapalanga, he knew what it was.

The acts of creation had been shared with his brother, but Moon and Morning Star had acted independently. Each was Creator in his own right. In wrestling they had touched each other's bodies, in singing their voices had blended; but the products of their creation embodied an element that was missing in their own relationship—the ecstatic satisfaction of union, of creation that was the product of two creators. There must be a giving partner and a receiving partner, a strong one and a weaker one whose strength could be greater than that of the giver.

Male and female! That was what was missing! He could see it clearly now. The sky gave rain to the earth which accepted the fertilising element to clothe herself with life. Birds, fish, animals, plants—these he and Morning Star had created, but their creations were greater than their creators, for in their union was the gift of endless, ever-continuing life. Without it they would ultimately crumble to dust. With it grasshopper, worm, seabird, fish, and animal would perpetuate themselves.

And more! Surely there was an ultimate satisfaction in this newly discovered act of creation.

He looked down at his brother. His body was illuminated fitfully by the uncertain light of the camp fire. Taking his boomerang, he went over the unconscious form of his brother, using the weapon as a surgical instrument, carving deeply into the flesh, rebuilding the body to a new and, to his eyes, a more pleasing form. As he worked the night passed swiftly. A hush had fallen on the world as though it held its breath to await the creation of the final mystery.

When the sun rose, Moon's work was complete. He threw his boomerang away. No longer was it needed to make life. The brother who had shared his life was ready for a new era of creation. Brother no longer, but woman, wife, co-creator.

So these two, who once had laughed and sung and wrestled together, were joined in a new relationship. There was new meaning as they sang Te-tyampa together, greater joy as they wrestled by sunlight, moonlight, starlight; and utter contentment as they rested in each other's arms at the end of a long day.

Moon lashed their spears together and fashioned them into a yamstick, the symbol of woman's responsibility in life. She used it to dig for roots and insects while with a new spear and a new boomerang he became the hunter of game on land and sea. He the provider, she the help-mate, the one who cooked and carried the dilly-bag and, in her body, and later in the coolamon he made for her, the baby that was born of their union.

So the first woman was made to help the first man, to be the complement of man, as Morning Star in the sky is to Moon.

In recognition of their mating, each month we, who are descended from this first couple, can see in the sickle of the moon the shape of the boomerang with which the first woman was made.

CHAPTER EIGHT

CROW PEOPLE

A PARALLEL to Wahn, the Black Crow, can be found in the folklore of most nations in the world—amusing and ingenious creatures such as Anansi the spider in Africa, the mischievous Polynesian demigod Maui, Hoki the trickster of Scandinavia, and many another.

The following group of legends provides some insight into the spirit of fun and light-heartedness that characterised the Aboriginals in their moments of relaxation. The inhospitable world in which many of them lived was not regarded as hostile, for they were ever under the protection and surrounded by the continually reborn and revitalising presence of their ancestors so long as they remained within the province of their journeys.

The malicious acts of Wahn were as agreeable to those who listened to the tales as those rare occasions when he evinced a more charitable attitude towards his fellows. The selection is a small one from a considerable repertoire of legends in which the Crow appears, with variations in the spelling and pro-nunciation of his name.

Leaving Home

WHEN Wahn was still a boy, he was already a good mimic, able to imitate the cries of animals and the call of birds. He was popular with everyone, not only with his companions, but also with men and women, who laughed at the fanciful tales he made up for their amusement. As a result of this popularity he became spoilt. The initiation period was a great trial to him, but with considerable ingenuity he managed to avoid some of the more demanding tests. By the time he came to full manhood, he was lazy and conceited, resting in the shade whenever he could, surrounded by a few admiring women who neglected their duties to be with him.

The men of his clan viewed him in a different light. At the meeting of the council they complained that he was making the women lazy too, and decided that he had better leave.

'Very well,' Wahn said when they conveyed their decision. 'If you don't appreciate me I will go, but I warn you that you'll be sorry.'

He gathered his few belongings together, placing some food in his dilly-bag, together with a rope of hair, a firestick and a kangaroo bone. Taking his spears and a throwing stick he had not used for many moons, he left the camp site, to the relief of the men and the regret of many of the women.

After travelling for some time in the territory of his own people, he came across a waterhole beside a few gum trees, not far from the encampment of another clan, and made preparations for a camp of his own. For the first time in years he toiled for days building two rows of miamias, constructed of branches and brush, thatched with grass. Late one afternoon he lit a fire and climbed into one of the gum trees where he was concealed by the foliage. As darkness crept across the plain he watched the hunters returning to their camp site. They looked warily at the new encampment with the many miamias, but apart from keeping a close watch on it, decided not to investigate any further lest the visitors prove to be too numerous to attack.

When it was quite dark a hunter who was returning heavily laden with the body of a kangaroo, and who had been delayed by the weight of his burden, was attracted to the fire in the newly made camp.

Wahn slipped down from his perch and went into the nearest hut, where he began to cry aloud like a baby. Peeping through the crevices in the walls of the miamia, he smiled to himself as he saw the hunter standing and listening. He crept into the next hut, where he imitated the voices of several people, as though they were talking together. From hut to hut he went stealthily in the darkness, imitating the sounds of someone chopping wood, of husband and wife quarrelling, of water boiling in a pot, of running water, of the hissing of steam as water was poured on hot stones, of someone or something thumping on the ground.

251

When he reached the last miamia in the row he tiptoed into the second row of huts and repeated the performance, speaking with many voices, and with clucking noises and the cries and grunts of animals. In the last hut he sang as a young girl would sing, a plaintive song full of sadness and longing, of laughter and love.

Neilyeri the hunter stood in the doorway, looking for the girl who had sung the song of enchantment. No girl was there, only Wahn, standing looking at him.

'What do you want?' Wahn asked.

'I heard a girl singing.'

Wahn looked thoughtful. 'There's no girl here.'

'But I heard many people, and a girl singing.'

'I tell you there's no one here except me. Come, see for yourself.'

The two men looked in every miamia. Neilyeri scratched his head.

'There's something strange going on. These huts were not here a few days ago. Who are you? Are you really a man, or a spirit? Who made the miamias? Why have I heard sounds of occupation and now they are all empty?'

'So many questions!' Wahn laughed. 'I built them all myself so people would have somewhere to sleep when they visit me. Why don't you stay with me, now you're here? You don't want to go out into the dark do you? We can cook the kangaroo you brought with you and then go to sleep. You'll be quite safe here.'

'No, I'm going back to my own camp,' Neilyeri said hastily. He was convinced there was something eerie about this camp site and that Wahn was being evasive. After all, he had heard all the sounds of a busy community and suddenly the whole camp was silent and deserted. There was some devilment here.

He picked up the body of the kangaroo he had flung to the ground when he had heard the song. Outside the circle of firelight everything was black. There were no stars, but as his eyes became accustomed to the darkness, he could see the twinkling of the camp fire of his own people in the distance.

A soft voice spoke at his shoulder.

'Don't worry,' Wahn comforted him. He took the body of the kangaroo from his shoulder. 'Come and warm yourself by the fire.'

Neilyeri spread out his hands to warm them. Wahn was

behind him. He gave Neilyeri a push that plunged him into the fire. The flames licked round his body, flared up as it caught his hair, and slowly consumed his flesh.

'This is the life for me!' Wahn said as he raked away the ashes and placed the meat Neilyeri had brought on the hot stones, covering it with leaves and earth. When the meat was cooked he ate until he could eat no more.

The kangaroo meat, together with roots and the greens he had gathered, lasted several days.

'Plenty of food without having to work for it,' Wahn thought.

After a week the food was all gone. Wahn lured another hunter into the camp at nightfall, pushed him into the fire, and cooked the food he had brought.

For a time all went well, though he found he had to employ different tactics, travelling some distance and choosing men from other clans, bringing them to his camp under different pretexts.

Then came the day of the corroboree when men and women from the various clans, including his own, gathered together as a tribe.

'Where is Neilyeri?' someone asked.

No one knew where he was, nor the hunters who had disappeared from other clans. Amongst those who were missing was Wahn, who had been driven away by his own people, but little thought was given to him.

A young man suggested that there might be a bunyip on the plain, devouring men who hunted alone.

'Nonsense!' said a grey-haired man covered with tufts of down in preparation for the dance and singalong that was to be held that night. 'Bunyips live in swamps. 'They have more sense than men and women who live on dry plains.'

'Tell us what happened to Neilyeri, then, and all the other men who have disappeared since our last corroboree,' the young man retorted.

'Plenty of things might have happened to them. They might have lost their way and died of thirst.'

'No, no,' came a chorus of voices. 'They were all experienced men. They must have been carried away by an evil spirit.'

Someone began a song in which the words 'What shall we do?' kept coming in as a refrain.

A tall lean figure strode into the circle of men.

253

'What shall we do about what?' he asked with a smile.

Everyone stopped singing and shouted, 'Baiame! It's Baiame!'

And indeed it was Baiame, the Father Spirit, who had been alive since time began.

'What can Baiame do to help you?' he asked. 'I have come to you in the form of a man because I knew you needed me.'

He listened to their account of the men who had gone away and had never returned.

'Remain here,' he said. 'I am going away. For a little time you will see no stars at night. When they shine again you will know I have gone back to my home in the sky. Then the hunters may go out in the morning knowing they will return safely at nightfall.'

Baiame, the Great Father Spirit, stood alone in the middle of the plain. He saw the solitary camp, larger than any other, with its deserted miamias, nestled under the tall trees. Many tracks led towards it, but there were no footprints to indicate that anyone had ever left it.

'Strange,' thought Baiame. He walked over to the tallest tree, swung himself into the branches, and hid among the leaves.

Presently Wahn came sauntering out of the mallee scrub and stood in the shade of the tree. Baiame watched him eyeing a tiny figure trudging across the plain. It was a hunter who had been so far from home that he knew nothing of what had happened at the corroboree. When he was at a little distance, obviously intending to pass the encampment, Wahn went inside the nearest hut.

Baiame was startled to hear the cry of a baby coming from what he knew was an empty hut; but when he saw Wahn going from one miamia to another and a variety of sounds coming from each, he realised what the young man was doing. But the hunter was too far away to hear the many voices, and after a while was lost to sight.

Baiame dropped lightly from the tree. Catching a wallaby in his hands, he swung it across his shoulder and entered the path between the rows of miamias. The sounds that Wahn was making as he flitted from hut to hut were louder now. Last of all came the song that was sung as though by a woman. Baiame walked up to the fire that Wahn had lit, and said, 'Who is singing?'

'There's no one here except me,' Wahn replied, coming out of the hut.

'There must be. I've heard many people in their miamias, and then a song that is welcome to a lonely hunter, sung by a girl who must be as beautiful as the song she sings.'

'No one is here,' Wahn repeated. 'See for yourself.'

'It doesn't matter,' Baiame replied in a tired voice. 'I have walked far today. I'm a long way from my people. May I sleep beside your fire tonight?'

'Of course you may. Bring your wallaby with you. We'll share a meal together and then you may sleep, warm and safe throughout the night.'

As they came close to the fire, with Wahn walking in front of the Great Spirit, Baiame caught him by the ankle, swung him round like a bullroarer on the end of its cord, and threw him into the fire.

The flames leaped up, bathing Wahn in fire. He grew smaller, dwindled to a heap of white ashes. Baiame blew on them. They swirled round in the flames and disappeared like a puff of dust on a windy day.

Baiame clapped his hands and looked up. A white bird was perched on a bough of the gum tree where he had been hiding. The ashes had come together. They had changed shape and had been transformed into a bird, a white bird that, only a little while ago, had been a man who had cried like a baby and sung like a girl.

No longer was he a man, but a bird, the White Crow, watching a star flashing across a starless sky, the star that was Baiame returning to his eternal home.

Then all the stars in the vast void glowed once more with sudden light.

The Gift of Fire

THE White Crow left the deserted camp and went on a long journey, sometimes flying to try out his wings, sometimes walking on his clawed feet.

'This is better!' he said as he flew over the tree tops, and was grateful to the unknown hunter who had transformed him from man to bird.

As he flew he began to feel pangs of hunger. He swooped down to a valley and followed the river that bubbled over the rocks. His bright eyes caught a glimpse of a man moving among the bushes. Wahn settled on a convenient rock close to the bank of the river and watched him curiously. The man had gathered a pile of firewood and was sitting beside it, looking perplexed.

'Why don't you light your fire?' Wahn called.

'What's the use?' the man said when he realised it was a bird that was speaking. 'I have nothing to cook.'

'Not for cooking with,' Wahn said. 'If you had fire you could set the grass alight and the emus would be driven into your arms and you'd have plenty to eat.'

'That's true,' the man said, 'but unfortunately I have nothing to light it with. My firestick burnt out while I was searching for wood.'

Wahn laughed, and turned head over heels on the stone he was perched on.

'I'll tell you how to make a fire,' he said. He flew over to the bank and dragged out a piece of dry timber with a shallow depression in the middle.

'Now see if you can find a stick of hard wood with a pointed end.'

The man broke off a length of dead wood from a branch, using his knife to point the end. Following Wahn's instructions, he placed the sharpened point of the stick on the flat piece of timber and twirled it in the palms of his hands. Soon a wisp of smoke rose into the air. Wahn picked up a bunch of dry grass and piled it on top of the smoking wood. The smoke grew thicker. A dull red glow showed through the grass, then a spark, and another gust of smoke. Wahn caught the grass in his beak,

256

fanned it till it burst into flame, and threw it over his shoulder, where it fell into the long grass close to the trees. It blazed up, and in a few minutes trees and shrubs were alight, the wind fanning the flames, filling the valley with smoke. And with the smoke came fire, leaping from tree to tree.

Wahn plunged into the river and stood there with only the tip of his beak showing, while the man ran for his life with the flames at his back. So fast did he run that he overtook the birds and animals that were trying to escape. When he reached the mouth of the valley on the edge of an open plain, he turned. Fitting a spear to his woomera, he hurled it at an emu that had caught its foot in the undergrowth and was trying desperately to release it. The bird collapsed and died with the spear protruding from its breast.

By the time the man had brought it up the valley the banks of the river were burnt bare and covered with twigs that dropped from the skeleton trees and kept smouldering in the ashes. The pile of firewood was gone, but the stones that had been heaped beside it were red-hot and the air above quivering with heat.

Wahn was standing once more on the boulder on which he had alighted.

'Well, you've got your fire now,' he said laughingly.

He helped the man cover the body of the emu with the hot stones until only its legs protruded, and waited impatiently for the bird to be cooked.

When at last the meat was uncovered, Wahn pecked at it, tearing away lumps of flesh and swallowing them greedily, while the man sank his teeth into the meat and the fat ran down his chin.

Before he lay down to rest, Wahn picked up a burning twig, wrapped it in a sheet of bark stripped from a messmate tree that had escaped the holocaust, and placed it on the boulder in the stream.

It was late afternoon when he woke. He opened one eye, and then sat up with a jerk. A small bird was flying up the valley leaving a trail of smoke behind. Wahn opened the other eye.

'Birds don't leave smoke trails,' he said aloud. He looked at the stone on which he had placed the smouldering twig. The messmate bark had gone. He looked up-river again.

Spluttering from the smoke that still hung in the valley, he flew up the ravine at the head of the valley, buffeted by the hot air, until he caught up with the little bird. He gave it a blow with his wing that sent it rolling over on the ground. The twig dropped out of the bark. Wahn swooped on it, but found that it was cold and dead.

He left the place in disgust and flew back to where he had come from. When he got there he found the man was busily occupied in trying to kindle another fire.

'He seems to be growing shorter,' Wahn thought. 'I wonder what he's doing.' As he came closer he saw that the man was twirling the fire-making stick so energetically that the softer base piece had sunk in the ground, and that the man was following it. His feet and legs had already disappeared. As Wahn stood on the boulder and watched with interest, he sank into the hole until only his head was showing.

Down and down he went, until the river seeped into the hole, filling it with water. It began to boil and give off clouds of steam.

'Well, well,' Wahn said and chuckled to himself. 'That's what comes of playing with fire! I must call this place Tu Mauwa, the place where fire was made.'

A tongue of flame shot out of the hole.

'"Place of Fire" is right!' he said as he dropped a few leaves and splinters of wood into the fire and watched them curl up and burst into flame.

He was still laughing as he flew away in search of more mischief.

The Medicine-man

'THAT's where the stick should go. Another one here. A tuft of grass to fill that hole and keep the wind out. Now to brace the poles.'

Wahn the White Crow was talking to himself as he flew from one tree to another, breaking off the branches and carrying them to the gunyah he was building.

'Why are you building it in a tree?' asked Dinewan the Emu. 'Gunyahs are built on the ground.'

'Not mine,' Wahn replied. 'Ground gunyahs are for men and stupid birds that can't fly.'

'Ho!' said Emu. He was so angry that he nearly choked. 'Ho!' he said again to give himself time to think. 'You'll be sorry when the wind blows. It will be shaken right out of the tree. I wouldn't be surprised if you break your neck.'

'The wind will rock me to sleep in my gunyah, Dinewan. Even an Emu couldn't fall through the floor I've built,' he boasted.

He put the finishing touches and lay down in the gunyah. The branch on which the flimsy structure was built creaked and moved in the breeze. Two of the floorboards rubbed together pinching him where it hurt most.

'Ow!' he screamed and jumped out of the hut.

'Tired of it already?' Dinewan laughed.

White Crow was too busy to reply. In and out of the gunyah he flew with his beak full of moss and grass, covering the floor and packing it into the crevices. When it was completed to his satisfaction he lay on his back with his beak and toes sticking up into the air.

Later in the day he was woken from a deep sleep by a quarrel between Emu and Native Companion. Wahn gathered that Emu had taken the Native Companion chickens for a walk and had lost them in the bush. The shouting went on all the rest of the afternoon and half the night. When at last they had exhausted themselves, as well as losing their voices, and had gone off to their own gunyahs, Wahn came down from the tree. He poked his head into the Brolga home, where the Native Companions were settling down to sleep.

'I've heard what Dinewan did,' he whispered. 'He should be ashamed of himself. Do you know what I would do, if I were you?'

'What?' asked Brolga, the Native Companion, irritably.

'I'd heat up some of the red gum of the ironwood tree, and plaster it over his head.'

Brolga's eyes brightened.

'Help me heat the gum, Mother,' he said.

She blew on the embers of the fire until they glowed brightly and they felt the heat on their faces. The gum was placed on a stone close to the fire until it was soft and burning hot. Brolga scraped it on to a piece of bark. He crept quietly over to Dinewan's gunyah and slapped it on top of his head.

Woken from a deep sleep, Dinewan jumped to his feet, screaming with pain and dancing from one foot to another.

When at last the pain subsided, he pulled the cold gum off his head, together with a clawful of feathers.

He was up early in the morning while the world was grey and still, and went upstream, where he dug with his strong feet until he found some red gum. Then he hurried back and heated it over the fire.

'What have you got there?' Brolga asked curiously, hoping that Dinewan did not know who had put the ironwood gum on his head during the night.

'Red gum,' said Emu shortly.

'What are you going to do with it?'

'I'll show you, Brolga.'

He picked it up, and before Native Companion could escape, clapped it on his head.

The dancing of Dinewan in the night was not to be compared with the dancing of Brolga that morning. The hot red gum ran down his beak and dropped on the ground. He sprang as high as Wahn's gunyah, higher than the tree tops, high as the moon. When he came back to earth his feet sank into the ground. They made two holes, so deep that rivers flowed into them and filled them. Brolga jumped out, but again he sank into the ground. Wherever he stood, water flowed into the holes.

All the swamps in Queensland were made on the morning when Brolga danced with the red cap on his head.

Wahn came out of his gunyah and hopped down to the ground.

'Why are you wearing a red cap?' he asked innocently.

'Take it off!' Brolga shouted. He lay on his back and drummed his feet on the ground. All the dancing had gone out of him.

'Leave it to me,' Wahn said. 'I am a famous wirinun, especially good at pulling off red caps.'

He caught the gum in his beak, braced himself, and pulled as hard as he could.

'Oh dear,' he exclaimed, 'there's still some left on your head. It won't lift off. Never mind. If I pulled it any more, the top of your head would come off.'

He fetched water from one of the holes Brolga had made and sprinkled it over his head.

'There you are,' he said. 'It will be better now. Lucky for you I was here.'

'It feels a bit cooler,' Brolga said doubtfully. 'Thank you, Wahn.'

'Don't thank me,' Wahn said. 'I was glad to do it for you. But when anyone says, "What a fine red cap you're wearing!", remember to tell them that it was a gift from your medicine-man.'

The Eagle-hawk

AFTER his adventure with Dinewan and Brolga, Wahn felt it might be prudent to make a hasty departure. Strangely, he felt a little homesick. He debated the wisdom of returning, and came to the conclusion that as he was no longer a man, but a bird, there was little chance of his being recognised.

He found many changes at the encampment. Several new clans had taken up residence there. Among them was a man who was universally feared. No one ever dared argue with him, nor deny him anything he asked for. When Mulyan, for that was his name, asked for Wahn's sister in marriage, she was given to him at once.

Mulyan took her into the mountains. Neither of them was seen for many moons. It was hoped that the quarrelsome, over-bearing man would never come back. Their hearts sank when they spied him walking towards the camp.

'Where is the lady Mulyan?' he was asked.

'Mind your own business,' Mulyan said so fiercely that they recoiled and asked no further questions.

Shortly afterwards Wahn returned to his old haunts. By perching in the trees he overheard everything that went on in the encampment. He soon learned that his sister had been taken away by Mulyan, and that no one had seen her since. Wondering what he could do to find her, or if that were not possible, to exact revenge on the man who had abandoned her, he fell asleep. He dreamed that he was beating Mulyan with a club until he begged for mercy.

While he was perched on a branch, dreaming this beautiful dream, Mulyan came along the bush track directly below. He happened to glance up and saw a gleam of white feathers amongst the green leaves.

He chuckled aloud. 'Now I remember a secret my wife once told me about her brother being changed into a White Crow by Baiame. If that's not Wahn I'll eat my woomera.'

He sat down to think what he could do to Wahn before Wahn could do anything to injure him. Presently he rose, feeling pleased with the stratagem he had devised. He hurried to the camp and took a digging stick belonging to one of the women.

'That's my digging stick,' a woman shouted. 'What are you going to do ... ' Her voice trailed off as she saw who was taking it. 'Oh, it's you, Mulyan. I'm glad you want to borrow it.'

Mulyan grunted. He went along the bush track and, in a soft patch of dirt, dug a deep hole, scattering the soil by the side of the path. He placed a large piece of meat on the bottom of the pit and covered the hole with a framework of heavy timber. Tying a cord to cover, he led it over a branch of the tree and pulled on it until it was drawn out of sight among the leaves. His work completed, he sat down among the bushes and waited, holding the end of the cord in his hand.

As soon as Wahn woke and realised that beating Mulyan with a club was only a beautiful dream, he felt hungry. And no wonder. He could smell meat! The meat that Mulyan had placed in the hole was more than a week old and had a strong smell, which was very pleasing to Wahn.

He flew down and walked along the track, his head turning from side to side, his bright little eyes peering everywhere. He came to the hole and saw the meat lying at the bottom.

'A trap!' he thought. 'A man trap, but not a trap for birds.' It would be the easiest thing in the world to flutter down without touching anything and fly away with such a lovely prize.

His decision made, he swooped down, caught the meat in his beak, and with strong strokes of his wings, bore it aloft to ground level. It was a large piece of meat, and heavy. He needed all his strength to lift it. No sooner did he appear than Mulyan released the cord. The lid thudded down, shaking the ground and imprisoning Wahn in the dark hole. Twigs and bark showered down on him as he crouched at the bottom.

'Let me out!' he cried. 'I'm not an animal. I'm Wahn the Crow.'

262

He heard laughter and a deep voice saying, 'You'll never escape, Wahn.'

'Who is it? Who's speaking?'

'It's Mulyan, the man who married your sister.'

He jerked the cover aside and before Wahn had time to protest, hit him on the head with a stick, leaving him unconscious, but still holding firmly to the meat. He shovelled earth into the hole until the Crow was completely covered and stamped on it till it was firm.

With a self-satisfied smile on his face, Mulyan went off to his gunyah, thinking he had forestalled revenge and equally sure that it was the last he would ever see of his wife's brother.

In the middle of the night he woke with a start. Lightning lit up the gunyah, then came a peal of thunder, and in the middle of it he heard a voice that sounded strangely like Wahn's.

'It can't be!' he exclaimed. 'He's lying dead under the earth.'

But it was Wahn, and a very lively Wahn. While the dirt was falling into the pit, he had struggled to his feet and had tunnelled through the wall of the excavation. He pecked with his beak and scratched with his claws, making the tunnel and then a shaft that led to the fresh air.

By the time he reached the surface he was exhausted. He lay down to sleep. When he woke the stars were shining. He flew over to Mulyan's gunyah and perched on the roof, chanting a song to wind and rain. Clouds rolled across the sky, the rain came down in torrents. The black night was lit by a flash of lightning, and then came the peal of thunder. Wahn's voice grew louder. At that moment Mulyan woke and heard a song, harsher than the thunder, that made his flesh creep.

> Sitting on the gunyah roof
> Singing in the pelting rain,
> Here I pray the gods to send
> Thunder, hail, and rain.
>
> 'Mulyan will die,' they say,
> 'He will perish in the fire,
> Wahn will be victorious
> And achieve his heart's desire.'

Listen to the voice of doom
As the gods draw closer still.
Mulyan, your time has come;
Now the gods will rend and kill.

Say farewell to all your friends,
Look your last on camp and plain.
I the Crow will take your life,
And your call for help is vain.

Gods of rain will flood your camp,
Gods of thunder crash and roll,
Gods of lightning flash and blind,
They have come to rob you of your soul.

Mulyan lay shivering under his kangaroo skin rug. Wahn flew to the doorway and shouted:

*Gods of lightning flash and blind
They have come to take your mind.*

A flash of lightning leapt from the sky, striking the gunyah and setting it on fire. Wahn bounced up and down clapping his wings with delight.

After a while there was a movement in the ashes, which were all that remained of the gunyah. They whirled and swirled as though blown about by Willy Wilberoo the Whirlwind. Out of them flew a large bird, which disappeared into the dark sky.

Wahn was thoughtful as he walked away. Mulyan the man had become Mulyan the Eagle-hawk. Wahn was not sure which would be worse. And there was something else to think about too. He had not been hurt by the lightning flash but it had come so close that it had scorched his feathers. Others noticed it and began to call him Smoky-White Crow.

The Pelican Babies

WAHN was not particularly enamoured of the epithet Smoky-White, and decided it was time he left his own people to see what the rest of the world was like.

It was getting dark. He had found nothing to eat all day and was tired and hungry. He had almost made up his mind to spend the night in the tree tops when he saw a light flickering in the distance. It was the camp fire of the Pelicans who were eating their evening meal.

'Hullo,' he cried, swooping on a morsel of fish that was sizzling on the fire. 'Thanks for saving it for me, cousins.'

'Who are you calling cousins?' old-man Pelican asked, trying to snatch the fish from Wahn's claws. He was too late. Wahn caught it deftly in his beak and swallowed it in one gulp.

'I'm your cousin from over the mountains,' he said.

'If you're a Booran, you don't look much like one. Why haven't you got a food pouch under your beak?'

Two fat tears rolled out of Wahn's eyes, hung on the tip of his beak, and splashed on the ground.

'I have no need for one,' he said sadly. 'All I have is my little dilly-bag, because there is hardly any food where I come from.'

Mother Booran felt sorry for him and pushed over a sheet of bark containing several pieces of fish.

'Thank you,' Wahn said with a catch in his voice. 'There's more food here than I've seen since last summer.'

'What's your name?' asked old-man Pelican.

'I'm Wahn the Pelican, cousin.'

'Welcome, Wahn,' all the Pelicans cried, fussing round him, asking questions about his other relations, and finally ushering him into a corner of the hut where he could sleep.

In the middle of the night old-man Pelican nudged his wife until she woke.

'I don't believe that fellow is a Pelican at all,' he whispered. 'I've been thinking about it half the night. All Pelicans have food pouches.'

'How can we find out?'

'Let's take his dilly-bag and see what's in it.'

He picked it up and carried it outside. When he turned it upside down a few trifles fell out—a white kangaroo bone, a rope of twisted hair, a firestick, tufts of fur, and a few feathers.

'See, he's been eating kangaroo meat and birds. No fish. I tell you, he's not a Pelican.'

'What shall we do?' his wife asked.

'I don't know, but we must be careful. I'll repeat a sleep-making spell while we go fishing in the billabong in the morning. We'll hide all the babies. When he wakes up and finds we've gone perhaps he'll go away too.'

It was late when Wahn woke up, rubbing his eyes with his wing-tips.

'Coo-ee,' he called, seeing the hut was empty. 'Is there any food for Wahn the Pelican?'

There was no reply.

'Pelicans!' he called, 'Where are you?'

He put his head on one side to listen, but all he could hear was the murmur of insects, the rustling of leaves, and an unusual squeaking sound.

He hunted for food in vain. There was not a scrap anywhere in the camp. Presently he noticed tracks the Pelicans had made in the grass. He followed them until he came to the billabong. The Pelicans were on the farther side, standing in the water darting their beaks in and out and filling their pouches with fish. Wahn went back to the camp and found his dilly-bag lying in a corner of the hut. He could see at a glance that his bag had been searched.

'Nobody can do this to me. I'll show them!' he said aloud. As he stood racking his brains for something to do to pay the Pelicans back, he heard the squeaking noise again. It seemed to come from a gum tree growing by the camp. He circled round it and saw six baby Pelicans sitting on a branch with a net under them in case they fell off. They were so closely guarded by leaves and branches that he was unable to touch them.

He tried to chop the tree down with an axe, but the axe refused to harm the Pelicans. He lit a fire under the tree, hoping to burn it down, but the fire sulked and died.

Then he thought of the Tuckonies, the mischievous little people who live in the bush and have seldom been seen by mortals. They were friends of his. He sang a little song, asking them to make the tree so tall that no one would be able to reach the baby Pelicans.

> As insects burrow in the bark
> And fire leaps up from hidden spark
> I beg you now, dear Tuckonies,
> To play for me the tricks I please.
>
> As frogs jump in the billabong
> And birds keep singing all day long,
> I beg you now, dear Tuckonies,
> To pull and stretch the tallest trees,
>
> And lift the mighty trunks on high
> Towards the distant sky-blue sky.
> I beg you now, dear Tuckonies,
> To carry off these chickadees.

Flashes of pink and white appeared between the leaves. The Tuckonies were at work. The topmost branches moved upwards as if feeling their way towards the sky. The middle branches followed, and last of all the branch on which the baby Pelicans were sitting. They squealed even louder and cried for their mothers and fathers.

Wahn encouraged the Tuckonies by shouting and singing. His voice cracked, and has been hoarse ever since. Long afterwards the Pelicans made a joke of it, and said the tree grew so quickly because it wanted to get away from the sound of his voice.

At last the babies were so high that he could scarcely see them. Wahn was rather surprised that the Tuckonies had sent them so far away, for in spite of their mischievous natures, they were kindly little people.

Suddenly he heard a hissing noise. Looking down he saw the Carpet-snakes glaring at him.

'It's the Guridjadus,' he said in surprise. 'Good morning to you, cousins.'

'Never mind about the good morning, cousin Pelican, cousin Carpet-snake, cousin Crow,' a Snake hissed. 'I want to know why you've sent the Pelican babies away up there.'

'It wasn't me,' Wahn said hastily. 'It was the Tuckonies. They were making so much noise that they wanted to get rid of them.'

'Nonsense,' said Guridjadu. 'The Tuckonies knew we were coming. They did it to protect them from us. You don't think they did it out of kindness to you, do you?'

'Why don't you go down to the billabong and complain to the Pelicans?' Wahn asked. 'When they know you've been cheated out of a meal of their babies they may be sorry and give you some fish.'

The Carpet-snakes hissed angrily and glided off into the bushes.

The sun was overhead when the Pelican fishers returned. One of the mothers cried, 'Where is the tree with our babies? It's not there any more.'

'Of course it's there,' old-man Pelican said. He went with her and then looked round in bewilderment. All he could see was the trunk of a tree stretching far up into the sky. The woman had her head thrown back and was staring upwards.

'Yes, it's the tree,' she said. 'All you can see is the trunk, but if you look up you can see that it has most of its head in the clouds. And look! There's the branch with our babies still on it, and the net we made in case they fell out.'

Every beak was turned up pointing like spears to the sky. Wahn couldn't help laughing at the sight.

'You did it!' the woman cried. 'You've taken our babies away from us.'

'Wahn,' said old-man Pelican in a very soft voice, 'I'm going to give you the biggest thrashing you've ever had in your life. When I've finished I'll throw you in the billabong and the fishes can do what they like with you.'

Wahn stopped laughing. 'Let me explain,' he said earnestly. 'It's true that I asked the Tuckonies to make the tree grow tall, but you know they'd never do anything to hurt your babies. It was because old-man Guridjadu and his wife sneaked in to the camp that I persuaded the Tuckonies to save your children by sending them out of reach of the Carpet-snakes.'

He told the lie unblushingly but was embarrassed when one of the mother Pelicans threw her arms round his neck.

'We're sorry we doubted you,' the Pelican leader said. 'But the important thing is to get them down again. The Tuckonies appear to have gone home. Can you sing a tree-shrinking song, Wahn?'

'No! I'm afraid not. I seem to have lost my singing voice.'

'Then will you fly up and bring them down?'

Wahn confessed that that was beyond him too.

'Perhaps you know a tree-climbing specialist?' he added hopefully. Fortunately the Pelicans had plenty of friends. At their call a number of birds gathered to learn what they wanted. There were Parrots and Cockatoos, Curlews and Larks, Emus, Magpies, Kookaburras, Mopokes, Brush Turkeys, Wrens, Kingfishers, Galahs and many others—but not one of them could climb a tree. After them came Goannas, Lizards, and Possums who had much experience of tree-climbing, but they agreed that the feat was beyond their capacity.

Only Tree Creeper was left. He was a tiny bird, noted for his habit of creeping up trees and pecking insects from the bark. He was so small that no one had bothered to ask him. When all the others had declined, he agreed to try. And to the relief of the Pelicans he brought the babies down one by one and restored them to their parents.

While they were being fussed over and fed with titbits of food, Wahn flew silently away. He felt he had outstayed his welcome.

The Singing Frog

WAHN stared in his astonishment at the clearing. He could hardly believe his eyes. Eagle-hawk was sitting beside Wombat. Goanna was walking arm-in-arm with Kangaroo. Platypus and Native Bear had their arms round each other. Frilled Lizard was dancing with Galah. Insects, animals, and birds were talking together. At the foot of a tree Frog and Tortoise were sitting side by side.

'What's happening, Bunyun-Bunyun?' Wahn called to Frog.

'Peculiar. Peculiar,' said Frog, shaking his head. 'There was a big corroboree. Some of the medicine-men said it was wrong for anyone to marry anyone of their own totem.'

Kinkindele the Tortoise joined in, speaking in a deep voice. 'I want to marry a Tortoise girl. It would be ridiculous if I were forced to marry an insect, wouldn't it? And what about you,

Bunyun-Bunyun? Would you like to marry a bird and have children with wings?'

'Of course I wouldn't. A nice little Green Frog with bulging eyes is all I want.'

Tortoise and Frog appealed to Wahn.

'Can't you help us?' they asked.

'Come with me,' he said, and led the way. Bunyun-Bunyun hopped along at his heels, followed some way behind by the lumbering Kinkindele. They sat down on the hill-top.

'There are only three of us, but they are many,' Wahn said.

'Too many,' grumbled Tortoise.

'Three wise heads are better than many empty ones,' Wahn retorted. 'Provided one is mine. Listen to me. All we need is to find a way to stop them eating. Their new wives will make their lives a misery. Then the husbands will go back to their proper wives.'

'How do you propose to make them hungry? They have plenty of food.'

'Not me,' Wahn said. 'You two are going to do it, and I'll tell you how. You are going down to the clearing to dance and sing. They'll be so amused that the men will forget all about hunting and eating.'

'You know I can't dance,' Kinkindele protested, 'and to be forced to hear Frog trying to sing is too horrible to contemplate.'

He pulled his head inside his shell, drew in his feet and lay there, looking like a rounded stone.

'Never mind. He's asleep half the time anyway,' Wahn said to Frog. He whispered his plan. Frog's face split in two with a grin. When Kinkindele woke, the three friends went back to the clearing.

'Listen to me, everyone,' Wahn shouted, flapping his wings. 'Bunyun-Bunyun, Kinkindele and I have something to show you. Gather round in a circle'.

There was a great deal of laughing and pushing as the circle was formed, with the three friends in the middle. Tortoise and Frog retired to the bush. Everyone waited expectantly for their return. There was a gasp of astonishment when slow, waddling old Kinkindele the Tortoise came dancing into the arena on his hind legs. He stood on his toes and twirled gracefully with the sunlight twinkling on his polished shell. He stood on his front legs, then on his head, wagged his little tail, and spun round on the edge of his shell.

'Again! Again!' the spectators shouted.

No one realised that it was not Kinkindele who had been amusing them, but Bunyun-Bunyun, with a coolamon tied to his front, and a polished wooden shield on his back.

Frog kept on dancing. Birds, animals, insects, lizards, and snakes joined in. Clouds of dust rose in the air, the ground shook as they danced and sang. The sun went down, the moon came out, painting them with white light as the dance went on. When the sun rose again they all lay down to sleep.

It was late afternoon before they stirred and began to think about lighting fires for a meal.

'You've nothing left to cook,' Wahn reminded them. 'You've been asleep when you should have been hunting. As there's no food you may as well listen to something you've never heard before. Kinkindele is about to sing for you.'

Tortoise took no notice of the peal of laughter that rose from the crowd. He waddled into the middle of the circle and opened his mouth.

This time it was really Tortoise standing there, but Bunyun-Bunyun was hiding behind a tree, throwing his voice as though Tortoise was singing. He had often practised this in the swamps and billabongs where he lived. At last he had a great audience.

The voice that was thought to be Kinkindele's growled and rumbled, soared and fell like a bird's. It sang of frogs in the pond, stars shining on water, of reeds swaying in a gentle breeze, lightning playing on mountain peaks, birds soaring, insects burrowing, wallabies hopping over vast plains.

Throughout the day and night the song went on. Not one of the animals would have deigned to listen to old Frog singing in the billabong, but to see Tortoise standing there, singing of life as they knew it, made them forget the passing of time.

When the sun rose on the third day, Tortoise could hardly stand and Frog's voice was as croaky as it is today.

'Let's go fishing!' shouted Booran the Pelican.

They all rushed to the water's edge. Wahn went with them, but Kinkindele was so tired that he slumped on the ground and was fast asleep in an instant.

Soon there was an enormous pile of fish on the beach. Wahn fluttered on to a stump and called out, 'You can rest now while I light a fire to cook the fish.'

'Hurry up and get on with it,' they shouted.

'You must have a little patience,' Wahn told them. 'You know that food must never be eaten where it has been caught. Come with me and bring the fish with you.'

Presently he stopped and said, 'This would seem to be a suitable place.'

'No. You must go farther,' said Kangaroo.

Everyone looked at him in astonishment.

'I didn't say that!' Kangaroo said, as surprised as anyone else. He spoke again without moving his lips. 'Come on. What are you waiting for?'

A tumult arose. Some said 'Go,' others said 'No, he said to stay here.' They tried to shout each other down and soon came to blows.

Wahn looked on approvingly. He knew that Bunyun-Bunyun was concealed in the bush. It was he who had thrown his voice, putting contradictory words into Kangaroo's mouth.

Fur and feathers were flying. Blood was flowing. Wounded birds and animals lay on the ground. Wahn wandered off and sat down with Bunyun-Bunyun and Kinkindele, thoroughly enjoying himself as he saw one after another stagger away from the fray to tend his wounds.

After a while, they all crept away silently, ashamed of what had happened, and very tired and sore. Never again would Wombat want to marry Eagle-hawk. The Frilled Lizard would never again dance with Galah. It was the end of what Wahn, Kinkindele, and Bunyun-Bunyun thought to be madness. The fighting was over for all time, but from then on birds and animals, reptiles and insects learned languages of their own and never spoke to those who were not of their own totem.*

---

* The distinction between men and animals must be made clear. It was unthinkable that men and women of the same totem, i.e. with the same totemic ancestor or ancestral spirits, should marry, for that would be incest. While it is true that Kangaroo and Lizard might be totemic brothers, the emphasis in this legend is placed on the bodies of the animals and not on their spirits.

Kinkindele and Bunyun-Bunyun turned to speak to Wahn, but he was not there. He had gone to light the fire and cook the fish that were lying on the battle ground.

Tortoise put his head close to Frog's and said, 'I do think he might have said thank you for what you did.'

Frog looked at him.

'Wahn doesn't know how to say thank you,' he said sadly.

Eagle-hawk Again

'OUT!' shouted Mulyan. 'Out of my camp, you rascal.'

He had seen Wahn creeping towards his gunyah, obviously in search of food.

'Don't be too hasty,' Wahn said. 'I've been admiring the effortless way you fly. I wish I could develop your style.'

'You'd have to be an Eagle-hawk first,' Mulyan said disdainfully.

'Well, there's no harm in trying, Mulyan. I'm proud to be your friend. Will you let me join you the next time you go hunting?'

'You're no friend of mind, Wahn, but you can come with me, provided you can keep up with me. I'm off now, so you'd better hurry.'

He flapped his wings so energetically that Wahn rolled over in the dust.

He was on the point of saying something but thought better of it. It was as well to keep in with Mulyan until there came an opportunity of showing him who was the better bird.

It was hard work keeping up with Mulyan. Wahn was soon out of breath. Fortunately the Eagle-hawk began to circle.

'What is it?' asked Wahn.

'Can you see what I see?'

'What?'

'There's a nest down there. Obviously a bush rat's. No, I didn't think you could,' Mulyan said. 'There are several young rats in the nest. I'm going down. You can have what's left.'

They flew down with Mulyan still in the lead. By the time

Wahn arrived all the rats except one were eaten. Mulyan tossed the smallest one to Wahn saying, 'There, sharpen your beak on that. It's quite enough for a little chap like you.'

Wahn thanked him and flew with it to a tree, where he swallowed it in a single gulp. He rummaged in his dilly-bag and brought out a kangaroo bone, polishing it and sharpening the point. From his perch near the ground he saw an empty nest. He hopped down and buried the bone in the nest with the sharp point uppermost, concealing it in a tangle of grass.

'You and I together, Bone,' he murmured, 'we'll punish Mulyan for being so contemptuous. I'll bring him with me tomorrow. I'll show him the nest. When he uses his weight to crush the grass, I want you to hold up your head.'

'Come quickly,' Wahn said to Mulyan the next day. 'I've found another rat nest.'

'Where?'

'Close to the one you found yesterday. When you left I hunted round and there it was, quite close to the other.'

Mulyan grumbled and seemed reluctant to go, but the thought of another feed was irresistible. When they arrived, Wahn indicated the nest with the sweep of a wing

'It's empty,' Mulyan said disgustedly. 'If you've brought me on a fool's errand, you'll be too sore to sleep tonight, Wahn.'

'No, truly there are bush rats there. You can't see them on account of the long grass. If you stamp on it as you did yesterday you'll see them. You are heavier and stronger than me.'

Persuaded by the subtle flattery, Mulyan dropped heavily on the nest. The air was rent by the agonised screech, for he had landed feet first on the pointed kangaroo bone. He fell on his side, moaning with pain. Wahn fussed round him.

'What happened?' he asked. 'Oh dear, a spear has gone through your foot. Let me help you.'

He tugged the pointed bone out of Mulyan's foot, slipping it into his dilly-bag.

'There, that's better. Lie down here in this long grass. You'll be quite comfortable. I'll light a fire to keep you warm during the night and by tomorrow you'll feel better.'

As the moon rose high that night, Mulyan woke with a start. He heard two voices. One was obviously Wahn's but he couldn't tell where the other came from. He propped himself on one wing and saw Crow bathed in silvery moonlight. He seemed to be talking to his dilly-bag and at times holding his sides with laughter.

'You did well, Bone,' he was saying. 'Just what I wanted you to do. Did it hurt when he jumped on you?'

Then came the thin, white, splintery voice.

'The sun and moon fell on my head! I bit deep into his claw. He fell over and roared with pain. Let me do it again.'

Sitting up straight Mulyan caught a glimpse of a white splinter of bone sticking out of the bag and realised what Wahn was laughing at. It was not a spear that had pierced his foot but a magic bone that Wahn had taught to wound him. He staggered to his feet, but the pain in his claw was so severe that he collapsed.

Realising he had been discovered, Wahn hastily pushed the bone into his dilly-bag, snatched it up, and flew away, looking for a safe place to hide.

It was daylight when Mulyan discovered the hiding place. Wahn had taken refuge in a small cave.

'Come out!' he shouted. 'I'll flatten you till you look like a sheet of bark.'

'That's no reason for coming out,' Wahn said calmly.

He watched with some apprehension as Mulyan lit a fire by the mouth of the cave. The smoke poured into the cave. Wahn began to cough and splutter, but presently the sounds died away. Mulyan was perplexed. He sat down to take the weight off his injured foot. In the hot sunshine he fell asleep.

The next thing he knew Wahn was calling to him from the cliff top.

'How did you get up there?' asked Eagle-hawk.

'I climbed up here. You didn't know there was a chimney in the cave, did you? You can't get the better of me, can you, Mulyan—ever?'

Mulyan eyed him closely.

'You're browner than you were, Crow,' he said. 'You're a kind of dirty brown now. Brown Crow! Brown Crow!' he shouted derisively, rocking with laughter.

Wahn was disgusted. He flew away and washed himself in a stream, but it was no use. He would always be a Brown Crow.

But Mulyan was never the same after stepping on Wahn's magic bone. He could fly but when he tried to walk he hobbled like a very old bird, because of the magic bone that had gone through his foot.

The Black Swans

AFTER a thousand and one adventures, Wahn had changed. Not physically, except in one respect. With age his dark brown feathers had become darker still, until they were as black as night. He was intrigued by this change. He had noticed that men's hair and the coats and plumage of animals and birds frequently became lighter with age. He had expected that with the passing years there might be some hope of his feathers regaining their pristine purity. Was Baiame punishing him for the tricks he played on others? Had he been too selfish? Come to think of it, he had never tried to help anyone else. The thought came that there had been occasions when others had helped him, and he had never repaid them or even expressed gratitude.

He decided he would try to turn over a new leaf. And the only way to turn over new leaves was to find some in another part of the world.

It was the longest flight he had ever made, past the Mountain where Baiame had his home above the clouds, to the Land of Women, a place where there were no animals of any kind except a few birds.

The Women of that place spent most of their time making weapons—spears, clubs, and boomerangs. Wahn was curious.

'What's the use of making them when there are no animals to hunt?' he asked.

'We make the best hunting weapons in the world,' they told him. 'Sometimes men come here to barter for them. They give us meat to eat and possum and wallaby skins to keep us warm in winter.'

'Yes, I can understand that,' Wahn reflected. 'But if your weapons are so good I would have thought to see many men here. I can see none!'

'No,' they said sadly. 'There are few who come for them. It's so difficult to get here. You were able to fly across the great desert, but there are no waterholes and there are few who have the strength to cross it.'

'That is so,' he said. 'And then there's the lake at the borders of your land. They'd need canoes to get to this side.'

'Oh, we would never let them cross the lake!' the Women said. 'When they reach the shore they leave their gifts and go back a day's march into the desert. As soon as they have gone we paddle across in our canoes, take their gifts, and leave as many weapons as we think they are worth.'

'But aren't you afraid they'll hide in the bush at the edge of the lake and carry you away?'

'Oh, no. There are usually only one or two men who have survived the journey and we are many. And,' they added, 'we have the best weapons.'

'Then I have a surprise for you. As I was flying here I saw many men crossing the desert, heading your way.'

The Women looked alarmed.

'Don't worry,' Wahn tried to assure them. 'I'll fly back and see what they are doing.' With a flick of his tail and steadily flapping wings he flew away.

Arriving at the men's camp site, he hid behind a boulder, his eyes nearly starting out of his head as he saw that every man had an animal of some kind with him in a bag, or fastened to his wrist by a cord. There were wallabies and wombats, rats and dingoes, possums and koalas. A few kangaroos were tied to bushes.

As he watched and listened, the leader rose to his feet and addressed the men. Wahn learned later that his name was Wurrunah.

'When we come to the lake,' he said, 'you must take your animals with you and hide in the bush. Take care not to be seen. I will call on the spirits to turn my brothers into Swans. They will swim across the lake. The Women will see them and chase them in their canoes. Then my Swan brothers will turn back and lead the Women to the bush where we are hiding.'

'They'll never come ashore,' one of the men interrupted.

'That's why we've brought the animals,' Wurrunah said. 'As soon as the Women get close to the bank you will untie the animals and let them run away. The Women are sure to come ashore and chase them.'

'And what will you be doing, Wurrunah, while this is going on?'

'That is the important part, my friend. You will all keep well out of sight. While the Women are hunting the animals I will cross the lake in one of their canoes. I'll take all the weapons I can find, so there will be enough for everyone. I'll bring them back and share them among us all.'

Wahn had heard enough. He crept away to think over what he had heard. He was facing a dilemma. If he told the Women what he had overheard, they would refuse to chase the Swans and the men would have to go away empty-handed. On the other hand he had a fellow feeling for men who had undertaken such an arduous journey, perhaps without result.

In the end, after cogitating for some hours, he decided to do nothing. He flew up to Baiame's Mountain and perched on a rock overlooking the lake. Soon he saw men creeping through the trees and, faintly in the distance, the sound of a bullroarer. That must be Wurrunah, making magic with his tjurunga. He looked in that direction and saw two men changing from brown to white. Their heads grew small, their necks long, their arms turned into wings, and their legs dwindled to sticks. It reminded him of the time, long ago, when Baiame had changed him from Man to Crow.

When the white Swans reached the middle of the lake, the Women caught sight of them. Shouting with excitement, they ran to the water's edge, jumped into their canoes and began to chase the Swans.

As they drew close to the farther shore, he could see kangaroos leaping in the shadows and smaller animals rushing farther into the bush or on to the sandy desert.

Leaving the Swans, the Women leaped ashore and began to overtake some of the animals. Time passed by. A solitary canoe left the bank and was paddled across the lake. Presently Wahn saw Wurrunah returning with the canoe heavily laden with the splendid weapons the Women had made. He landed safely and distributed them amongst his men.

'I've done the right thing by not taking sides,' Wahn reflected. 'Everyone should be happy now. The Women have had the excitement of the chase and a good supply of meat, not only for the present, but for the future as well. If the animals breed there will be good hunting for years to come. And the men are happy to with such a plentiful supply of weapons.'

A sudden thought made him pause. 'I wonder what will happen to the Swans!'

The two birds were swimming slowly and majestically towards the shore. As he looked at them Wahn was knocked off her perch by a rush of wings. His old enemy Mulyan had seen the Swans and was headed for them.

They saw him coming and rose half out of the water, flapping their white wings, calling to their brother for help. Wurrunah rushed to the side of the lake, but there was nothing he could do to save them. Mulyan had reached them. He was pushing them under water and plucking out beakfuls of feathers until they floated in drifts on the quiet water.

Wahn was enraged. Spreading his wings he flew round the mountain, calling to the Crows who lived there, 'Wah, wah, wah.'

His voice carried across the valleys and across plains and forests. Soon hundreds of Crows were flying out of trees and caves in Baiame's Mountain. Wahn opened his eyes in amazement as he saw they were all as black as himself. Like a black cloud they descended on the lake.

Mulyan heard them coming. No one could mistake that distinctive sound—'Wah, wah, wah,' from which Wahn derived his name. He beat the air with his wings, mounting up until he was lost to sight in the blinding sunlight.

The Black Crows flew round the naked, shivering Swans. They plucked some of their own feathers, letting them settle on the Swans until they were completely covered.

'Thank you, brothers,' Wahn said gratefully. 'You have done a good deed today.'

He chuckled aloud as he flew away, imagining how angry Mulyan would be.

And, of course, it will be remembered by all the Crows of Australia that it was due to their thoughtfulness that the Swans of their land are black instead of white because of the Crow's feathers that covered them that day.

The Moon God

AFTER his solitary excursion into philanthropy, Wahn felt the need to revert to his usual self for a little while. A spice of mischief provided a needed contrast to what otherwise would become a colourless existence. It was not that he intended going back to the bad old days. All he craved was a little holiday from a blameless future.

He went off to see Bahloo, the Moon god, who was an old friend. Bahloo was round and white (a very comforting sort of colour to look at for a while). Bahloo lived in a dark cave in the side of a hill. When he saw Wahn coming to him with his tail dragging in the dust and with feathers black as night, a broad smile spread over his face.

'Come in, friend Wahn,' he called. 'You're just in time to help me.'

Wahn subsided heavily on a convenient stone. He didn't really care what Bahloo was doing.

'I'm making girl babies,' Bahloo said proudly.

'That's women's work,' Wahn replied.

Bahloo's smile grew brighter.

'They only think they make babies,' he said. 'If it were not for me there'd be no babies at all. I make them here. When young women get married I give the girl babies to them. As many as they want. Too many, sometimes, I think.'

'Let me make the male babies,' Wahn suggested.

'Oh no. The boy babies are all made by Walla-gudjai-uan and Walla-gurron-buan, the spirits of birth.'

Wahn went off in a huff.

'I only wanted to help,' he said. 'You get on with your baby-making.'

He sauntered outside and sat on a boulder. Presently he grew tired of sitting and thought he would like to fossick for grubs. After a while he went back to the cave.

'Oh Bahloo,' he said, 'forget about the babies for a while. I've found a tree with hundreds of grubs. Come and help me.'

'That sounds good,' said Bahloo. 'I wouldn't mind a feed of grubs. Where is the tree?'

'Come,' said Wahn, and Bahloo followed him.

'Here is my hooked stick,' Wahn said. 'I've already filled my bag with grubs. Now it's your turn. You'll have to climb well up the tree and throw them down to me.'

Bahloo climbed the tree and poked the stick into crevices in the bark, but could not find a single grub.

'Where are they?' he shouted. 'I never know whether to trust you.'

'Higher up,' Wahn replied. 'I've gathered all the ones where you are. You'll have to go much further.'

Bahloo went further up until he found the grubs. As he prised them loose he threw them down to Wahn. Every time a grub came down Wahn opened his beak and swallowed it. When he was quite full he breathed on the trunk of the tree and crooned a little song he had been taught long before by the Tuckonies.

> As fire leaps up from hidden spark
> And insects burrow in the bark
> I call upon the Tuckonies
> To play with me the tricks we please.

Quite a while later he called, 'That will do, Bahloo. Where are you now?'

'Oh Wahn,' said a distant voice, 'the tree has grown so tall that I'm right up here in the sky. What has happened to me?'

'You were too greedy,' said Wahn. 'I'm afraid you'll have to remain up there for ever. I don't know how to get you down.'

The Moon god is up there for all time, but he still manufactures babies. At least that is what he believes, and it is true that he may have something to do with it. When he is very busy he lets Wahn help him, but the baby spirits made by Wahn take after him, and are just as mischievous as the Crow.

How Wahn Became a Star

WAHN was growing old. Whenever he thought of the disgrace of being turned into a Black Crow, he tried to mend his ways, but the old mischief kept breaking out.

He was travelling down the Murray River. He saw no sign of

any enemies, nor even of the few friends he had. He wondered what had happened to them, whether they might be keeping out of his way. The thought annoyed him. The only bird he came across was Pewingi the Swamp-hawk. He decided to shake off his depression by playing a trick on Pewingi. Perhaps that would cheer him up. Remembering how he had induced Mulyan to jump on his pointed kangaroo bone, he planted echidna quills in the deserted nest of a kangaroo rat and persuaded Pewingi to jump on them.

For several days the poor bird lay helpless, in great pain and unable to walk. Somehow Wahn didn't experience quite the enjoyment he expected from her plight. When she felt better she agreed with Gooloo the Magpie, who had sympathised with her, that it was a miserable thing to do, and that Wahn should be punished.

'All the same,' Pewingi said, 'though he doesn't know it, he's done me a good turn. I was never able to catch a kangaroo rat before, but now the quills have grown into my feet I find I can hold on to them.'

Far down the river Wahn's doubts and depression had grown into an intolerable burden. He had wanted to tell someone about the trick he had played on Pewingi but no bird or animal was there to listen to him.

'Suppose they're hiding because they don't want to hear it,' he thought. 'Oh, suppose no one really likes me! I thought they enjoyed laughing at the tricks I've played. Perhaps I'll never see any of my friends again.'

With slowly flapping wings he flew far away from the river, and came to Mount Gambier. He looked so woebegone, with his feathers ruffled in the wind and the tears running down his beak, that Gwai-neebu the Robin took pity on him.

'Cheer up, Wahn,' he chirped.

'I've nothing to cheer up about,' Wahn said. 'I've done so much harm to others that no one will forgive me.'

'Perhaps it's not as bad as you imagine,' Gwai-neebu replied. 'Your mischief has taught us several useful things. Because of what you've done Men know to light fires when their firesticks burn out. The Swamp-hawk can catch her prey now because of the quills you gave her; and at least you were kind to the Swans.'

As he was speaking a rain squall swept across the mountain.

The two birds sheltered in the lee of the rock where they had been standing. As quickly as it came, the storm was over. The sun broke through the clouds and sparkled on the raindrops clinging to the trees.

'It must be a sign that what you have said is true,' Wahn said, spreading his wings with a new sense of freedom. 'My feathers are still black but I feel clean and shining like the rain.'

Then Baiame, the Father Spirit, called 'Come' in a voice like thunder, rolling across the clouds and echoing from the cliffs.

'Come, Wahn, and take your place among the spirits of the sky.'

He picked him up in his hand and set him in the sky, where he became a white star that looks down on the earth and smiles when it sees the tricks men play on each other.

'Well!' Gwai-neebu exclaimed, 'That's the strangest thing I've ever seen. Wahn a star! I wonder whether he's tricked Baiame, just as he's played tricks on everyone else.'

As he flew down to the lowlands he was deafened by the crying of all the Crows in the world. They were laughing and shouting 'Wah, wah, wah,' because the first Wahn had become a star.

They have never stopped talking about it from that day to this.

PART THREE—FABLES

The Adventures of Yooneeara

A daring thought once came to Yooneeara of the Kamilaroi tribe.

'I am going on a long journey towards the setting sun,' he told his people. 'I will not stop until I come to the home of Baiame himself.'

He gathered his hunting spears, put a few possessions in his dilly bag and, as an afterthought, stuffed a live bandicoot in with his snares and fire sticks.

'What do you want to take a bandicoot with you for?' his friends asked. 'Don't you think you'll be able to get enough food by hunting?'

'You never know,' said Yooneeara. 'It might come in useful.'

He set out on his adventure and travelled for several days until he came to the land of the Dhinnabarrada, the queer men who have legs and feet like emus. They hunt together in bands looking for grubs, which are their sole food, and spend the rest of their time making boomerangs from the strong-scented wood of gidyer trees.

As soon as they saw Yooneeara they rushed towards him, trying to touch his feet, because if they had been able to do this they would have changed him into a Dhinnabarrada like themselves. They ran so quickly that the young man knew he could not escape. He put his dilly bag on the ground and opened it. The bandicoot struggled free and ran away as fast as it could. The Dhinnabarradas whooped with excitement as they gave chase, for they had never seen such a strange animal before, and Yooneeara was able to creep away unseen.

Presently he came to a large plain which was the home of the Dheeyabery tribe. When seen from in front they looked like men, but from behind they had the appearance of round balls. They gathered round the explorer and patted him with their hands.

'Where are you going?' they asked him.

Yooneeara was afraid that if they kept on feeling him with their hands he would become as round as they were.

'I am going to see Baiame,' he said shortly, shook himself free, and ran away.

'Come back, come back. Stay with us,' they cried until he could no longer hear their voices.

But though he ran very fast he could not get rid of the mosquitoes and march flies that began to swarm round him. The faster he ran the more viciously they attacked him. He sank down breathless beside a water hole, but the insects attacked him until he was nearly desperate. He knew that he must protect himself or he would be driven mad. It was worse than any of the ordeals he had had to endure in the bora rite.

He took his knife and cut a large rectangle of bark from a tree; in it he made two tiny holes for eye-pieces. He wrapped it round his body and pulled the ends together as tight as he could, pushing leaves and grass into the gaps of the home-made armour. Well protected from the insects, he walked onwards towards the setting sun. Some of the insects found their way inside the armour, but they were few and he felt he could endure their bites.

After a long time the pests were left behind and he was able to take off the uncomfortable garment. He put it into a large water hole to soak, thinking that it would be soft when he returned, and that he would be able to wrap it more closely round him. As he placed it in position he noticed that the water was clear. At the bottom of the pool he saw tiny men walking about. He could hear their silvery voices calling, 'Where are you?' and every now and then he saw one of them catch a fish and throw it up so that it jumped out of the water and fell on the bank.

'Thank you, little men,' he said with a grin, gathered the fish into his dilly bag, and went on.

There was no need for him to spend time in hunting. His dilly bag was full of fish and he knew that he must be getting close to Kurrilwan, the home of Baiame. He passed the Weebullabulla, the misshapen old women who live on yams and lizards and have nothing to do with men, and came to the great swamp called Kollioroogla. It was not very wide, but its ends stretched to the far horizons.

At last Yooneeara's heart failed him. He could see no way of crossing the barrier. He dug his spear into the thick black mud. It sank so far down that he had difficulty in pulling it out. The swamp was too muddy to swim and too deep to walk through. He lay down to rest and slept all through the night and far into the next day. When he woke the sun was sinking behind the mountains on the far side of the swamp, and the red glow beckoned him on. He ran along the bank until he came to a fallen tree. It was long and slender, and he wondered whether it would bear his weight, but at least it was a bridge. He ran across it lightly without missing his footing, climbed the hills, and came to the far slopes of the mountains.

The place was a wonderland, lit by a sun which never sank. Game of all kinds, including animals he had never seen before, ran through the scrub, the air was filled with the singing of birds, and there was a sweet scent of flowers. The trees were all green and pointing in one direction towards a huge cave in the mountainside. At his feet a stream chuckled over the rocks and fell in a silver sheet of water into a lagoon where swans and ducks were swimming, and plants dipped their blossoms into the cool water. He ran down to the lagoon and plunged into it washing the dust and sweat of his journey from his face and body. The water was soothing and invigorating. Yooneeara left his weapons on the bank and ran up to the cave. In front of it Byallaburragan, Baiame's daughter, was roasting a snake at a fire.

'I have been waiting for you,' she said, and gave him a tender morsel of flesh, which satisfied his hunger.

'Have you come here to see my father?' she asked.

'Yes. It has been a long journey, but my soul told me to come to see the Great Spirit.'

'You can see his body there,' Byallaburragan told him. 'It is many moons since any man has been bold enough to look at Baiame. He is asleep and you must not wake him. Look!'

Yooneeara peered into the cave. In the shadows he saw the body of a man stretched out on a bed of compressed bushes. He was many times the size of an ordinary man, and mystical patterns in white and yellow clay were painted on his body. Yooneeara longed to speak to him, but Byallaburragan warned him that it was time to leave.

'Have courage,' she said, 'and soon you will see him properly.'

The homeward journey took many days. There was a lightness in the traveller's heart that took him quickly past all the dangers. The garment of bark was soft when he took it from the water. It clung to his body and protected him against the march flies and the mosquitoes.

Eventually he reached his home and tried to gather his people round him to tell them what had happened to him. Yooneeara did not realise that the time he had spent in the presence of the sleeping Baiame had changed him. In a little while he died, and his spirit went direct to the Great Spirit in the land of everlasting life without having to endure the sorrows of the path.

But this was not known to Yooneeara's people. All they knew was that they would never dare to try to find the home of Baiame while blood and breath still stirred in their bodies.

The Anger of Pund-jil

After the great flood, men and women became very numerous on earth. They were to be found everywhere. Wherever they went they did cruel and evil things to the animals that had been made to share the earth with them.

Then the great god Pund-jil was angry. First he made fierce storms and winds which drove the men and women into caves and valleys, where they tried in vain to shelter from the wrath of the god. Trees were blown over, and clouds of sand choked the people so that they could hardly breathe.

While they were lying on the ground struggling for breath, or crouching at the far end of caves, Pund-jil came down from the sky, armed with his huge flint knife. With it he cut those people up into little pieces, so that they no longer looked like men and women.

But that was not the end of them. Pund-jil knew who were good and who were bad. The good ones he saved. He called on the wind to carry them up into the sky, where they became stars.

And what of the bad ones? The pieces that had been men and women fell to the ground and wriggled like worms. They were blown away by wind, far into the sky, where some of them drifted down like snowflakes and melted, and were never seen again. Others were lifted up by the clouds and carried all over the world.

'Put these here,' and 'Put these there,' Pund-jil commanded, and at his word the clouds deposited their burdens wherever Pund-jil said. Far away from their friends and families, the wandering pieces of mankind were turned into men and women again when they touched the earth. Their descendants have forgotten what happened in those far-off days, but they had better be careful lest Pund-jil should come to earth again and send them far away from their own hunting grounds.

Baiame's Gift of Manna

For his delectation Baiame endued certain gum trees with the power to form buumbuul, or manna. This sweet substance was like lumps or bags of sugar which hung on the leaves and twigs. It could be eaten raw, or mixed with acacia gum and hot water to make a refreshing drink. Baiame warned the men and women who lived in those far off days that the trees were sacred, and must never be touched.

The women resented the prohibition. They longed to taste the food of the gods, but the men respected Baiame's orders and refused to allow them to touch the buumbuul or even to go near the trees. Baiame was aware of their temptation, and of their strength of character in resisting it.

'As a reward for your steadfastness,' he told them, 'I will give the buumbuul to you as a food. Look on the coolabah and bibbil trees and you will find that the food that was reserved for the gods has now been given to men.'

There was great joy when the sweet food of the gods was made freely available to men and women. Year after year it was gathered and eaten, and was the most highly esteemed of all foods.

There came a time when the supplies were so plentiful that the sugar ran down the bark of the trees and hardened into large lumps. It was another sign of the tenderness of the Great One because, shortly afterwards, a great drought came to the land. Mankind might not have survived had not Baiame given them his own food with such a prodigal hand.

So it is that when the buumbuul is found in greater quantities than usual, men know that a long drought will come to the land.

Bees and Honey

Although the native bee is no bigger than a fly, it is an important provider of honey. Once the nest is found the sugar bag is eagerly devoured — wax, honey, pupae, dead bees, ants, and all. The stick which is used to pry the sugar bag from the tree is thrown in the fire, and by this simple act the spirits of the bees return to the heavens, the Paradise of the Spirits, where they stay until Mayra, the wind of spring, breathes life into the flowers again. Then the bees return to the Paradise of earth and gather honey to fill the bellies of mankind.

Bees do not think that they were created simply to provide food for men and women. Their busy lives are devoted to gathering honey and storing it up for the next generation, and therefore their nests are well hidden amongst the branches and in the hollow trunks of trees. The Aborigines have several methods of discovering where the nests are hidden, but perhaps the most ingenious is the way that was first discovered by the brothers Naberayingamma.

These two Numerji men lived a long time ago. They were bearded giants who went on a long walkabout through the land. They had never seen bees until they came to a bloodwood tree where the little creatures were busily engaged in their work.

'Here is a wonderful thing,' the younger brother said. 'The insects are scooping honey out of the flowers and flying away with it. I wonder where they are taking it.'

'We will soon find out,' the elder brother said. 'I will show you how to discover their nest. When we find it there will be plenty of honey for both of us. Go and cut a forked stick and bring it to me.'

The younger brother had learnt to trust his brother's

sagacity. While he was looking for a suitable branch, the other found a leaf which contained the cocoon of a spider. He teased out the web, and when his brother returned with the stick, he used it to climb up into the branches of the bloodwood tree.

'I am going to put bits of the web on the bees,' he called out to his brother. 'You will be able to see them clearly now. Watch where they go.'

For some time he was busy attaching tiny fragments of spider web to the bees he managed to catch.

Presently his brother came running back.

'I have found it,' he shouted. 'They fly into a hollow tree down there. That's where the nest must be.'

The elder Nakerayingamma climbed down, and together the brothers went to the hollow tree. They broke the bark with their clubs, chopped out the honey bag, and ate it greedily.

From their discovery the Aborigines learned the art of attaching a tiny white scrap of web or some other easily dis-tinguishable piece of material to the honey bees to guide them to their nests.

Black Paint and Red Ochre

There were many skilled hunters in the tribe, but none so daring as Kudnu and Wulkinara. The men were close friends and usually went in search of game together. It is said that they could think each other's thoughts. There is no doubt that constant practice enabled each to know what the other was thinking. Thus they could work and hunt together with greater success than other men. A time came when the ability to work together was the saving of the whole tribe.

Into the territory of Ngadjuri there came an old woman with angry eyes, fingers like the talons of a bird, and sharp, pointed teeth that could tear the throat out of a man before he had time to defend himself. Alone she would have struck terror into the hearts of men, but with her two dogs, one red and the other black, she was able to roam where she wished and none dared oppose her. The dogs were like their mistress, unafraid of man or beast, and as eager as she for the taste of human blood. When several men had been torn limb from limb trying to stop the bloodthirsty trio, the whole tribe packed their possessions and began to move southward.

'Where are you going?' Kundu demanded. 'Do you think you can escape the woman by shifting to a new water hole?'

'Will you leave your territory to her simply because she lifts her lip and snarls at you?' Wulkinara asked. 'Doesn't the land that belonged to your fathers mean more to you than this?'

'You haven't seen her,' one of the warriors replied shamefacedly. 'I would rather face a bunyip alone and in the dead of night than that old woman.'

'Her dogs are monsters,' another said. 'If you fought with one, the other would leap on your back and crush your head in its jaws.'

'I know!' a third interrupted as Kudnu was about to speak. 'You are going to say that if you fought with one of the dogs, Wulkinara would guard your back...but what of the woman herself? No one can overcome her.'

'Well, we shall see,' Kudnu said with a bitter laugh. 'You had better hurry or you won't catch up with the women.'

The two friends looked at each other. There was no need to discuss the matter. They knew what they had to do. They emerged from the scrub and stood in full view on the plain. From far away there came a distant sound of barking and two tiny dots moved towards them, rapidly growing larger as they covered the ground with huge bounds.

'Hurry up,' said Wulkinara, and helped his friend into the branches of a tree, and then hid behind a low bush. Kudnu shouted as the dogs ran past the tree. They wheeled round and scrabbled at the trunk, jumping up and falling back. Wulkinara clung firmly to the branches, looking down into their open throats, marvelling at the contrast in the colour of their fur. One was a vivid red, the other jet black.

With their attention concentrated on Wulkinara, Kudnu stepped out of his hiding place with two boomerangs in his left hand. He took one in the other hand and threw it unhurriedly but with great force at the red dog. The whirling stick severed the dog's head and sent it rolling over on the sand. The black dog whirled round, caught sight of the hunter, and leapt at his throat. Wulkinara had no time to throw his weapon, but he brought it down on the dog's body with all his might, and broke the back of the black beast. The force of the blow cut the dog in two. For a moment the separate halves balanced on their front and hind legs and then collapsed.

There was rustling in the scrub. Wulkinara turned and saw the old woman leaping at him, her face contorted with rage. The man had no time to lift his boomerang, but the woman faltered in mid-air and crashed on to her back with the shaft of Kudnu's spear quivering in her throat.

The friends exchanged glances. There was no need for them to speak. Together they had done what they set out to do, and the ancestral territory was safe for their people once more. The body of the old woman was burnt, but the dogs were buried. Do not forget them, for the place where they were interred was later known because of the vast deposits of red ochre and black clay which are used by men to paint their bodies.

The Cannibal Woman

The old blind woman Prupe lived a lonely existence in her own small encampment. Her nearest neighbour was her sister Koromarange, who had taken charge of her granddaughter Koakangi and guarded her day and night. Her heart was heavy because she carried a secret that she was ashamed to reveal to anyone. Her sister Prupe had become a cannibal. The blind woman was too frail to hurt grown men and women, but whenever she had an opportunity she stole small children, stifling their cries with her bony hands and carrying them to her lonely camp fire where she killed them and cooked the tiny bodies as though they were wallabies or emus.

Koromarange had seen their bones scattered round her sister's camp. Becoming suspicious, she had shadowed Prupe one night, and before she could interfere she had experienced the horror of seeing one of her own grandchildren killed. It explained at once what had happened to the other grandchildren whom everyone thought had been stolen by evil spirits.

Koromarange begged her daughter to allow her to take the last remaining grandchild to her camp. The parents were about to leave on a hunting expedition and they accepted the offer with alacrity. During the day Koromarange led the little girl far away from the camp and spent the time hunting for roots and witchetty grubs. This happened every day, but she was so frightened that her sister might learn of the presence of Koakangi that she took presents of food to the blind woman to prevent her coming to visit her camp.

Unfortunately she defeated her own purpose because Prupe, to whom blindness had brought a sixth sense, realised that her sister was concealing something from her. At night she groped her way through the scrub until she could feel the heat from Koromarange's camp fire on her face. Stepping cautiously through the bushes, her fingers fluttered as delicately as the wings of a moth, feeling the body of her sister and the arm that was clasped protectively round the girl's body.

'Ah ha!' the old woman muttered as she huddled over her camp fire later in the night. 'It was Koromarange's granddaughter! She needn't think she can escape me. I'll steal her when my sister goes to the well to fetch water. I'll take her eyes and then I'll be able to see again.'

Before dawn she was concealed in the bushes. As soon as she heard her sister going to the waterhole she rushed forward, gathered the sleeping child in her arms, and fled to her camp.

When Koromarange came back and saw that her granddaughter was missing, she knew what had happened. With eyes flashing with rage she crept silently to her sister's camp. Knowing how sharp Prupe's ears had become she dared not make a sound. Breathing softly and controlling her anger, she watched her sister tie the child to a tree and leave the camp to get vegetables as a relish for the tasty meal she expected to enjoy that evening. As soon as Prupe was out of earshot Koromarange rushed into the camp and dug a hole in the ground. She put sharpened stakes at the bottom and covered the hole with branches of trees with soil packed tightly on top.

Last of all she released Koakangi and took her back to her parents who by this time had returned from their hunting trip.

It was late afternoon before Prupe drew near the camp, a broad grin on her sunken mouth, with long runnels of saliva dripping from her chin as she thought of the succulent food she would soon be cooking. She caught her foot and stumbled, and with a cry of fear she crashed through the covering of soil and the scattered branches that hid the pit. For a few moments she clung desperately to the edge, scrabbling for a foothold and scattering the branches in every direction. Some of them fell in the fire and flared up, setting the scrub aflame. She raised one hand to shield her face from the fiery heat and fell headlong to the bottom of the pit where she was impaled on the sharp stakes.

If we were to go to Prupe's ancient camp we would find, even today, a vast pit thirty feet deep, surrounded by burnt and blackened vegetation, to remind us of the sorry end of Prupe the cannibal.

The Case of the Moth

A Queensland hunter went on a long journey, taking his small son with him. It was hard for the little boy to keep up with his father, and day by day he grew thinner and weaker. Then came the rains. They fell without stopping until rivers rose and the land became one vast swamp. The little boy became ill. The only thing his father could do was to build a rough shelter of bark and branches of trees to keep the rain off him. Their food supplies had long been exhausted, and the man knew that his son would die if he was not given nourishing food quickly.

He tucked the boy up in his kangaroo-skin rug and splashed through the marsh in search of game. It was not easy to find in the flooded land, but after several days he found an opossum and killed it with his spear. He hurried back to the gunyah he had built, fearful that he might find his son lying there dead from starvation.

He arrived at the clearing, which he recognised by the broken branches of trees and the little mound that rose above the water, but of the gunyah and of his son there was no sign. He could not understand what had happened. He had been prepared to find his son's body, but the last thing he imagined was that it, and the little gunyah that sheltered it, would have disappeared as though by magic.

He leaned against a tree. His hand came in contact with a loose knob of bark and twigs on the trunk. He looked at it idly and then, with a sudden sense of shock, more closely, for it was a replica of the little gunyah he had built to shelter his son. He opened it with trembling fingers. Inside the case lay the white body of a grub, and he knew that the spirits had taken pity on the boy and saved him from death.

To this day the grub of the Case-moth always has a gunyah which it builds to protect it, and remind it of how, long ago, a father cared enough for his son to build a shelter for him while he sought for food.

The Coming of Death

The first man ever to live in Australia was Ber-rook-boorn. He had been made by Baiame. After establishing Ber-rook-boorn and his wife in a place that was good to live in, he put his sacred mark on a yarran tree nearby, which was the home of a swarm of bees.

'This is my tree,' he told them, 'and these are my bees. You can take food anywhere you like in the land I have given you, but this tree, the bees, and the honey they make, you must never touch. If you do, much evil will befall you and all the people who will come after you.'

He disappeared, and after he had gone, the first man and woman obeyed his instructions. But one day, when the woman was gathering firewood, her search carried her to Baiame's tree. The ground was littered with fallen branches. When she looked up and saw the sacred tree towering above her, she was terrified, but the easily gathered wood was so tempting that she came closer to gather an armful.

A brooding presence seemed to hover above her, and she raised her eyes once more. Now that she was closer to the tree she saw the bees hovering round the trunk, and drops of honey glittering on the bark.

She stared at them, fascinated by the sight. She had tasted the sweet excretion only once before, but here was food for many meals. She could not resist the lure of the shining drops. Letting her sticks fall to the ground, she began to climb the tree.

Suddenly there was a rush of air and a dark shape with huge black wings enveloped her. It was Narahdarn the Bat, whom Baiame had put there to guard his yarran tree. Ber-rook-boorn's wife scrambled down and rushed to her gunyah, where she hid in the darkest corner.

The evil she had done could never be remedied. She had released Narahdarn into the world, and from that day onwards he became the symbol of the death that afflicts all the descendants of Ber-rook-boorn.

It was the end of the golden age for Ber-rook-boorn and his wife, and the yarran tree wept bitterly at the thought. The tears coursed down the bark and solidified in the form of red gum which can often be found on yarran trees.

The Coming of Spring

Wild, shrieking winds blow through the trees, stripping the leaves, and bending the tops until they are curved like boomerangs. Birds take shelter from the icy blast. Insects burrow into the ground. Animals huddled into any shelter they can find. In some places snow lies white on the ground. Even man must live on the food he has stored up and, while wind and rain turn the world into a place of desolation, he crouches on his tiny shelter made of bark or branches of trees.

It is winter.

The winds stop blowing one day, and all the living things hear a single, rolling peal of thunder. It is a sign that Mayra, the Spirit of Spring, has left her home and is coming closer, melting the snow and ice, touching the trees and plants with warm fingers.

Mayra is golden. Wattle trees burst into flower, and everywhere there are living clouds of green and yellow, and the many hues of the rainbow, as trees and plants rejoice in the presence of the gentle spirit.

The air is full of the music of waking birds; the very earth becomes a carpet of glowing colour, insects peer cautiously from their hiding places. When they see the goddess they rush into the sunshine and spread their wings, or uncoil their bodies from the long sleep. Animals are full of this newfound joy, and in men and animals the blood races in the veins, and happiness returns to the earth.

'If only it would be spring for ever,' someone sighs, but Mayra knows that she is welcome only because she has chased away the spirits of gloom. She knows that eternal spring would become wearying. After the first rush of joy, she watches the sun as it grows in strength. When the heat of summer becomes almost unbearable, she knows it is time to be on her way.

But next year the Spirit of Spring will be back, and men and animals await her return with unwearied hope and joy.

Dingo and Native Cat

While searching for food Dingo met Native Cat. They circled each other warily, each showing a bold front, yet secretly a little afraid of what the other might do. Dingo could not take his eyes off the other's sharp claws, while Native Cat looked uneasily at Dingo's strong white teeth.

The sun rose high and the men sought the shade of a banyan tree, taking care to keep well away from each other.

'Where do you come from?' Dingo asked. He had jerked into wakefulness and was fearful lest he should go to sleep again. It seemed better to spend his time talking rather than run the risk of putting himself at Cat's mercy.

'I live amongst the trees. I often see you running about on the plain. What a pity you can't climb.'

'I don't have to sneak up into the trees to hide,' Dingo said scornfully. 'I'm able to look after myself.'

'I don't hide either,' Cat retorted. 'It's cool here and there's plenty of honey if you know where to look for it. But don't let's quarrel. It's too hot.'

'I'm not quarrelling. And I'm not frightened of you either. I'm stronger than you.'

Native Cat laughed.

'You may be stronger, but strength is not as important as you think. Anyone who can come back to life after he is dead fears no one.'

'And who is able to come back to earth once his spirit has left his body?'

'I am.'

'You!'

His tone was so sceptical that Cat jumped to his feet and said, 'If you don't believe me, I will show you. Take your knife and cut off my head.'

He knelt down and rested his neck on a log. Dingo took his knife from his belt and drove it into Cat's neck. The blood spurted from the jugular vein, but Dingo took no notice and hacked away until the head rolled across the sand and the body collapsed on the other side of the log.

'That's the end of you, Cat!' he said, and swaggered away.

Three days went by. Dingo built up his fire and lay down behind the brush shelter he had built. He was on the edge of sleep when he started up, every nerve alert. A voice came out of the darkness.

'Are you there, Dingo?'

'Who is it? Who is there?'

The voice spoke again, sounding thin and remote as though it was coming from the stars.

'I am Cat. I said I would come back. Here I am.'

A bright glow shone in the sky. It moved and came closer. Native Cat jumped lightly to the ground and stood in front of Dingo, who was trembling from head to foot.

'Don't be afraid. All you have to do is to believe that you will come back. Let me show you.'

He pushed Dingo down, and with a swift movement severed his head from his body.

'A pity he didn't have time to believe!' he said as he scooped a hole in the ground and buried Dingo's head.

It was Native Cat who taught men to bury their dead, and gave them the hope of reincarnaton; but Dingo knows nothing of this. He became an animal destined to live out his days hunting in the arid desert lands, lacking the confidence he had when a man, having no hope of return to earth after he is dead.

The Dogs That Were Really Snakes

Bahloo, the moon god, waited until everyone was asleep before taking his three dogs for a walk. Bahloo was a friendly fellow, greatly liked by all the blackfellows; but the same could not be said of his dogs. That was why he usually chose the hours of darkness to exercise them.

Sometimes Bahloo shows himself in the daytime. We have all seen his round, shining face sailing across the afternoon sky. It was on one such day that Bahloo was leading his dogs through the scrub when he came to a broad stream. A party of men was camped on the bank.

'A very pleasant day,' Bahloo observed. They all smiled when they saw his round face.

'Well met, Bahloo,' they shouted. 'Why have you come here?'

'I am taking my dogs for a walk, but now I want to cross to the other side of the river. Will you carry them across for me?'

'No,' they cried in unison. 'No, we will not touch your dogs, Bahloo.'

'Why is that?' asked the Moon.

No one answered him.

'Oh, come! If you will not help me, you must tell me why.'

One, braver than the others, spoke for all of them.

'Bahloo, we all admire you. We would do anything for you — anything except come near your dogs. They do not harm you, but if we touched them they would kill us.'

Bahloo was annoyed.

'I have made a simple request,' he said, 'and you have refused it. Look!'

He picked a piece of bark from the trunk of a tree and threw it in the river. It sank, and then bobbed up to the surface.

'You have seen the bark? If you do as I ask you, you will be like that piece of bark when you die. You will come back to life on earth again, just as I die and live again in my home in the sky. But if you disobey — watch again!'

He threw a stone into the water.

There was no need for him to say any more, for his meaning was clear to everyone.

'Oh, Bahloo, we love you, and we fear you, but we fear your dogs even more. They are not really dogs. They are snakes — the tiger snake, the death adder, and the black snake. Each one has poison fangs — we dare not touch them.'

'Then when you die you will remain dead. Your bodies will lose their flesh, and in the end your bones will crumble into dust.'

With these words ringing in their ears, he picked up his snakes, which he called his dogs, wrapped them round his neck with their tails drooping over his shoulders and coiled round his arms, and waded through the water.

After that day Bahloo never talked with the people of earth again, but vindictively sent his 'dogs' to plague them. Wherever they were, men killed them, but it was no use, for Bahloo was always watching, sending others to remind them of his dreadful words about death.

The Dugong, the Cockatoos, and the Chicken Hawk

Dugong and her brothers the Cockatoos were camped at the mouth of the river where food was plentiful. It was nearly midday and the heat waves were dancing above the hot sand. Dugong lay fast asleep among the rushes while her brothers went off on a Hunting expedition.

'She will be quite safe here,' they said. 'No one can see her.'

They did not know that Chicken Hawk was on the far side of the swamp. He was a lazy man.

'If I set fire to the rushes they will burn nicely on a day like this,' he thought. 'Then I will be able to get my food more easily.'

He twirled his fire stick vigorously, and soon a wisp of

smoke rose in the still air. The tinder glowed and the dry grass he had packed round it caught fire. The flames swept across the lagoon. Chicken Hawk waded across as soon as they had died down and stumbled over the body of Dugong. He looked at the burnt flesh, recognised the young woman, and ran away quickly with fear in his heart, because he knew that her brothers the Cockatoos were famous fighting men.

Meanwhile they had seen the sudden flight of birds above the swamp, and the pall of smoke that hung over it.

'Our sister!' they cried, and ran along the beach and up to the swamp. The charred ends of the reeds were crumbling to ash and dropping into the water. They searched among them until they found their sister's body and lifted her tenderly in their arms. She stirred slightly and her eyelids fluttered.

'Who did it?' they asked. 'Who tried to kill you and burn our homes?'

She could not speak. They laid her in a warm pool of water.

'Lie there, little sister. The water will heal your burns. We will find the man who has done this. He will never try to light a fire again when we have finished with him!'

They waded through the swamp and picked up Chicken Hawk's trail on the far side.

'It is Kalalang the Chicken Hawk!' they cried.

The trail led them inland across a bare stony plain where they could keep the trail in sight only because they were skilled huntsmen, and down to the beach. Chicken Hawk had waded through a stream and had climbed a tree, but the eagle-eyed hunters soon found him. They dragged him down and beat him with their spears until he was bruised and bleeding in a hundred places.

'Let me go!' he called feebly. 'I am dying already. I did not mean to hurt your sister. I did not know she was lying among the reeds.'

'We've punished him enough,' one of the Cockatoos said. 'he will never come back to our camping place by the shore again.'

Chicken Hawk dragged himself painfully into the scrub and made his way inland, never daring to go down to the shore again. The Cockatoos went back to find their sister, but she had gone. She had had enough of men. She had swum out

304

of the swamp and down the river to the sea, which she has discovered is a much better place for dugongs than the land.

The Fate of Mocking Bird

Weedah the Mocking Bird was true to his name. He could imitate the voices of men and women, of crying babies, barking dogs, wind in the trees, the crackling of fire, and the running of water. Unfortunately he turned his talents to wicked purposes. He left the company of his fellow tribesmen and constructed a new encampment which contained many gunyahs.

Mocking Bird danced in and out of the tiny huts trying out his voice. One of the men who lived in the old camp was curious, and hid behind a tree. As he listened he heard many sounds — girls chattering together, children shouting as they raced round the camp, old men and women talking, someone singing, and all the other noises that come from a busy community, but there was no sign of life anywhere, except that a huge fire was burning in a cleared space. Wonderingly he tiptoed forward, stealing between the huts and peering through the doorways.

Weedah came out of one of the gunyahs and stood watching him with a smile on his face.

'Are you looking for someone?'

The man whirled round.

'Oh, it's you, Weedah! Where are all the others?'

'What others?'

'I heard the sound of many people, but your camp seems deserted now.'

Weedah laughed and came towards him. The man stepped backwards. Weedah kept on walking, and the man retreated steadily before him until he felt the heat of the fire on his back.

'Stop! Stop!' he shouted. 'You are mad, Weedah!'

Mocking Bird spread his arms and shrugged his shoulders.

'What is the matter with you, friend? No one invited you to my camp. I am lonely here, but some day men and women may come and fill the place with songs and laughter and talk.

But they have not come yet. You are imagining things.'

'I did hear them, Weedah.' He shivered. 'There is something strange about this place. I am going home.'

Weedah stood in his way. As the man tried to edge round him, Mocking Bird lunged forward and sent him spinning into the fire.

A weird torrent of laughter swept through the camp as though many kookaburras were chattering together, but it was only Weedah laughing at his success.

As the days passed by Mocking Bird attracted many men and women into his camp by the magic of his voice, and burnt their bodies in the fire which was always kept alight. No one except the victims knew what had happened, but the suspicions of Mullian, the Eagle-hawk, had been roused. He scouted round and found that although many trails led to Weedah's encampment, there were none coming from it except those of Mocking Bird himself.

Mullian, proud, self-reliant, and cunning, then knew what had happened to some of his closest friends. He decided that the time had come for Weedah to pay for his misdeeds. He stepped boldly out of the shelter of the trees and listened to the medley of sounds that came from the gunyahs. Weedah had become over-confident. When Eagle-hawk wandered amongst the shelters, he came up to him, asking the usual questions, and driving Mullian slowly towards the fire.

The crucial moment arrived. He launched himself at the larger man, but Mullian stepped aside, and as Weedah stumbled forward, he tripped him up. Mocking Bird tried to save himself. As he balanced precariously on his toes, Mullian took him in both hands, lifted him into the air, and hurled him into the fire. Mocking Bird's head struck heavily against a stone, and he lay still with the fire licking his clothes.

As Mullian was leaving the camp the air was rent by a violent explosion. The back of Weedah's head broke in two, and from it came a bird which flew into the trees and began to chatter like a kookaburra, mocking the Eagle-hawk.

Weedah the Mocking Bird retained all the traits of Weedah the man who preyed on his own friends. Weedah the Mocking Bird still builds little shelters of grass, and imitates all the sounds of nature as he runs between the gunyahs.

A Fight with a Kurrea

On the edge of the lagoon Toolalla was poised like a carved statue staring across the marshy waste. The Kurrea of the Boobera lagoon had terrorised the people who depended on the wild life of swamp and lake for their food, and they had appealed to Toolalla, who was a renowned warrior and hunter, to put an end to the monster. If the Kurrea had confined his attentions to ducks, swans, and fish, the tribespeople could have tolerated him, but no man dared paddle his canoe on the lagoon, nor even fish from the bank, because the Kurrea had developed a taste of human flesh. Sometimes he had even left the shelter of the quiet waters and had ploughed long furrows through the soil in his search for tasty morsels of human flesh.

Toolalla strained his eyes as he peered through the early morning mists. There was a ripple on the oily water, and quietly and menacingly a vast bulk emerged from a deep hole. Its eyes glared balefully at the hunter. Toolalla's arm went back, the woomera jerked forwards and his spear hurtled through the air, struck the Kurrea, and bounced off his skin, falling into the water with a splash. Time after time Toolalla hurled his spears until none were left. The Kurrea swam through the reeds at the edge of the lagoon and charged up the bank, his mouth wide open, his fangs flickering between his teeth.

The hunter did not linger. The dust spurted from his heels as he raced through the scrub. He had no hope of escaping, but was determined to run until he dropped. The Kurrea gained on him quickly. His body was partly submerged in the ground, and the soil piled up against his breast like the bow wave of a canoe.

Toolalla veered to the left. In the distance he had caught sight of a bumble tree, and he wondered whether he could reach it before he was caught by the Kurrea. The bumble tree was the mother-in-law of the Kurrea and was the only living thing he feared. The hunter reached the tree and clung to it. The monster skidded to a halt and turned round in panic when he saw his mother-in-law. A deep hole was formed by the movement. Then the Kurrea raced back through the channel he had made in his pursuit of Toolalla.

The experience was a salutary one. He still needed food, and he preyed on the animal life of the lagoon, but no longer did he seize men. In fact the appearance of a canoe was enough to send him scurrying back to the bottomless hole where he had made his home. The channels he had made in the land in search of human victims, including the one that had been formed during his final excursion in pursuit of Toolalla, were filled with water in the rainy season, but at other times they were quite dry.

The Kurrea no longer haunts the lagoon, but his descendants are the Gowarkees, the giant emus with black feathers and red legs which live in the swampy country near the home of Baiame.

The First Bullroarer

While the Byama brothers were hunting they left their young sons, who had both been named Weerooimbrall, on a small plateau surrounded by large rocks. They thought the boys would be safe in this sheltered spot, but they had reckoned without Thoorkook and his dogs. They had offended Thoorkook some time before, and at last the chance for revenge had arrived. He had seen the two brothers climbing up the hill behind their camp, accompanied by their sons, and had watched them leave the plateau without them. His dogs raced through the scrub and up the hillside, and by the time Thoorkook gained the rocky shelf, he found them fighting over the remains of the two mangled bodies.

All night long the dismal chanting went on in the Byama camp as the boys' relatives mourned their loss. At sunrise the fathers were intent on revenge, but nothing could assuage the grief of the two mothers. They went about the day's work quietly with the tears rolling down their cheeks and hissing into the cooking fire. When night came their cries broke out again. They wandered away from the camp. The other members of the tribe shivered and went inside their wurleys, blocking their ears against the mournful sound. Night after night it continued until at last the women were changed into curlews, whose wailing will continue through the long nights until the end of time.

'We have lost our sons,' the elder Byama said, 'and now our wives have gone too. We are not men if we do not kill Thoorkook and his dogs.'

'It is true,' his brother agreed, 'but Thoorkook is a bad man and his dogs will tear us to pieces if we go into his camp.'

'Many dogs, much fear, brother. One dog, little fear.'

Byama the younger understood. 'But how?' he asked.

'I will show you.'

He tied a rolled up skin to his girdle and began the slow rhythm of the kangaroo dance. He shouted and muttered spells, and gradually his arms shrivelled, his legs grew thick and strong, and the skin roll changed into a tail. The man was gone and in his place stood a kangaroo. Byama the younger wondered what his brother was going to do, but he followed his example, and presently two large kangaroos hopped towards Thoorkook's encampment.

The dogs scented them and came towards them snarling, straining to reach them. The kangaroos bounded away with the dogs hot in pursuit. One, stronger and swifter than the others, got well ahead of the rest of the pack. When it was close to their heels the kangaroos stopped and swung their tails at it until its head was pounded to pulp. The other dogs had nearly reached them by the time they had finished. Away they went once more until another dog took the lead.

All through the day the kangaroo brothers bounded round the plain, waiting until a single dog came close enough for them to deal with it. By the end of the day every dog had been killed. The brothers changed back to human form, stalked into the camp of the killer of their sons, and slowly and deliberately put him to death. Thoorkook's spirit took flight and became a solitary mopoke.

The shame of the death of the Weerooimbralls was over, but the killing of Thoorkook could not restore the boys to life nor bring back the curlew wives, and the brothers were lonely men.

One day Byama the younger was using his axe to prise a

grub from a crevice in a tree trunk when he dislodged a large piece of bark. It hurtled through the air, spinning so quickly that it made a peculiar sound. The elder brother turned round.

'It is the voice of my son!' he whispered.

He concealed his excitement.

'There's no game here,' he said to his brother. 'You go over there and I will go in the opposite direction. We will meet in camp tonight.'

As soon as the younger Byama was out of sight he dropped to his knees and examined the chip, turning it over in his hands, wondering how he could make it spin through the air as it had done when it had sprung from the tree trunk. He threw it up many times, but it fell to the ground without a sound. He took out his knife, cut a small hole in one end of the chip, tied it to a long piece of string which he took from his bag, and whirled it round his head. Again the soft voice of the Weerooimbrall was heard.

Taking his stone axe with him, Byama went back to the tree and cut a much larger piece of thin wood. He fashioned it to the same shape as the piece of bark, bored a hole at the end, tied it to a strong cord, and whirled it round his head.

Byama the younger was on his way home, burdened with the day's catch. He rushed up to his brother.

'I have heard the voice of my son Weerooimbrall!' he shouted.

'He is not here. You know he is dead.'

'But I heard him. His voice was loud and clear.'

'Was it like this?'

The elder Byama swung the thin piece of wood at the end of the cord.

It whirled and twirled and cried like a human voice.

'What is it?' the younger Byama asked in a bewildered manner. 'What are you doing? It is my son speaking and calling to me!'

'No, brother, it is not your son. It is not my son. But their spirits live in this piece of wood, crying to us with their own voices.'

And so the first bullroarer was made. It was a sacred thing that preserved the spirits of the boys who had been killed by

Thoorkook. It was never shown to women. It needed only to be swung on a string to bring the boys' voices to life.

As the years went by it entered into the initiation rites of young men, who were told that the spirits of the Weeroo-imbralls were present, sharing the experiences of manhood with them, preserving them from evil, and strengthening them in their ordeal.

The First Man in the Southern Cross

Baiame once travelled far across the land he had made, and was lonely because there was no one to talk with. He scraped red earth up in his hands and fashioned it into the shape of human beings. Two men he made, and then there was only enough earth left to make a single woman. It was asking for trouble, but Baiame did not know enough about the children of his creation to realise this. He lived with them, teaching them what plants were good to eat, how to dig roots from the ground, and where the best grubs were to be found.

'With these, and water to drink, you can live, and your bellies will never be empty,' he said.

After that he left them, and returned to his home in the sky. For some time the three people lived happily together, but after a while there came a long and severe drought. The plants withered, roots were difficult to find, and the grubs seemed to have disappeared.

'We must find something to eat, or we will starve,' the woman said.

'But there is nothing left.'

'There are animals. We must hunt them, and then there will be flesh to eat and blood to drink.'

The men looked at her in consternation.

'The Father Spirit has not given us permission to kill the animals he made,' they objected.

'But he didn't say we were not to kill them,' she replied. 'I am sure he expects us to think for ourselves.'

One of the men was convinced. He stalked a small kangaroo and killed it with a sharp stone.

'Now what will we do?' he asked.

'I will show you,' the woman said.

She dug a shallow hole and burnt wood in it till a glowing heap of embers and hot stones lay at the bottom. She singed the fur of the kangaroo and roasted the flesh.

'There we are,' she said. 'Let us fill our bellies with the good food that Baiame has provided.'

The hunter squatted down beside her, and they sank their teeth in the half-cooked meat.

'It is good!' the man said, his eyes alight with appreciation. 'Come and taste the new food,' he called to his companion.

The other man moved away.

'This is not what Baiame taught us. A dreadful thing will happen because you have done this thing. I would rather starve than eat one of Baiame's children.'

Nothing they could say would make him change his mind. The smell of roasted flesh nauseated him, and he ran across the plain. The others followed him at a distance. He was faint with hunger, and presently he fell at the foot of a white gum tree and lay still.

The others looked at him in astonishment which changed to fear when a dark spirit with flashing eyes dropped down from the branches of the tree. It picked up the body of their friend and threw it so that it fell into the trunk of a hollow tree. Then it sprang after the body. Two white cockatoos, disturbed by the movements of the evil spirit, screeched and fluttered round in circles.

The tree groaned, the soil was disturbed as the roots were jerked out of the ground. It rose up in the air, followed by the cockatoos, and dwindled in the infinite space of the sky. Darkness fell, and nothing could be seen but the white specks that were the cockatoos, and four fiery eyes which glared out of the hollow trunk. They were the eyes of their friend and the evil spirit.

The tree was lost to sight, but the four points of light, which were the eyes of the man and the spirit, and the white wings of the cockatoos mounted up into the sky. The eyes remained inside the white gum tree which is known as Yaraan-do, and became the stars of the constellation of the Southern Cross, while the white cockatoos, which followed them, are the Pointers.

312

Fish Hawk and Lyrebird

The pool lay dark and still in the shadow of the trees. Fish Hawk was just as still as the pool, lying on his back with his legs stretched out, fast asleep. He had spent the morning crushing poisonous berries. When he had finished he poured the juice into the pool and went to-sleep knowing that when he woke the fish would be dead and floating on the surface. He smiled in his sleep and dreamed of the big feed he would soon be having.

He did not wake up, even when Lyrebird came out of the bush and began to spear the fish. The poison had not had time to take effect, but before long the newcomer had a good supply. He lit a fire and began to roast them. Fish Hawk woke with a start and realised that Lyrebird had deliberately taken advantage of him. He stole up behind him, quietly gathered up the spears which Lyrebird had put by his side, and retreated to the shelter of the trees. He chose the tallest tree he could find, climbed to the top, and lashed the spears to the trunk. Back on the ground, he looked up and admired his work. The spears looked like a feathery branch at the top of the tree. He hid under a bush and waited to see what would happen.

Lyrebird made a leisurely meal and then put out his hand to gather up his spears. His groping fingers failed to find them. He searched everywhere with a puzzled expression, but there was no other place where he could have left them. Fish Hawk laughed silently as he watched from his hiding place and saw Lyrebird running round and round the pool, looking everywhere for the missing spears. It was even funnier when he began to talk to himself.

'Someone has been here while I was cooking fish,' Lyrebird said aloud. 'Who could it be? What would he do with them? He could bury them, but there is no sign of the soil being disturbed. He could run away with them, of course, but then I would see the marks of his flight through the bush. And he could hide them in a tree.'

He walked through the bush, looking up and down the

313

trees until at last he saw the spears waving in the breeze.
Lyrebird was a man who did not believe in working when
there was an easier way to do things. He called on the spirits
of water, and streams, and floods, and at his word the water
in the pool rose quickly and carried him on its surface to the
top of the tree, where he retrieved the spears, sinking down to
the ground as the water receded.

Poor Fish Hawk was caught in the flood and swept out to
sea. He has never been able to get back to his quiet pool
again, but lives on the sea coast.

Lyrebird never forgot his experience that day. Everywhere
he goes he searches the tree tops for his spears.

Fish Moon

The sisters swam across the channel that divided the island
from the mainland and pulled themselves up the rocky shore.
It was not a large island but many trees grew there, and there
was an open grassy space which contained a tiny lake, where
the water glistened with the changing colours of an opal.

'This is a good place to be,' one of the women said. 'I
would like to live here for ever. Just think, no babies to feed,
no food to cook, water to drink right at our feet, grass
growing on the hot ground, and shady trees to shelter us from
the sun.'

'And no one to bother us,' her sister replied, throwing
herself on the grassy carpet and stretching luxuriously.
'Wonderful! But we couldn't live here for ever.'

'Why not?'

'Why not? Don't be silly. We would miss the men after a
while. It wouldn't really be exciting, would it?'

'Excitement! Who wants excitement all the time? Much
better to rest and eat, sleep and play, whenever we feel like it.'

'But what about food? What could we live on?'

'Roots and shellfish and grubs. Probably there are yams
somewhere, and there must be water-lily roots in the lake . . .'

She sat up and pointed excitedly. '. . . and fish! Look!'

The rounded back of a large fish curved out of the water
and slid out of sight. The woman jumped up and ran round

314

the edge of the lake to a place where a rock hung over the water. She lay flat on her belly, the fingers of one hand clutching the edge of the rock. In the other hand she held a spear, point down, ready to strike. The fish swam unsuspectingly below the rock. There was a flurry in the water as the spear flashed in the sunlight and pierced its body.

'Quick, sister, come and help me!'

They jumped into the lake, caught the dying fish in their hands, and threw it on to the bank.

'There!' gasped the woman who had speared it. 'I told you there was plenty of food. It's as easy as that. You can gather a big pile of firewood while I find a place to make an oven.'

The fire was soon crackling merrily, and before long the sand and stones were hot enough to bake the fish.

'Doesn't it smell good?'

'Yes, maybe,' the other said grudgingly, 'but fish is not much good by itself. We need roots and all sorts of vegetable food.'

'What an aggravating woman you are ... never satisfied with anything. I tell you this island has everything we want. Take your digging stick and see what you can find over there. I'll go in the other direction. You see, we'll soon have as much as we can eat. Don't forget to take your dilly bag with you. You'll need it.'

Much later they returned, their bags well filled, their mouths watering at the thought of the feast that was in store for them. They made their way to where the column of smoke was rising lazily in the still evening air, and looked down at the fire in astonishment. The stones shimmered with the heat, but the fish was gone.

They could see where it had dragged itself out of the soft sand and across the grass to the shelter of the trees. They followed its trail without difficulty and tracked it to the foot of a tall tree.

'Look!'

The fish was half-way up the trunk, climbing steadily upwards. The woman who had speared it caught the lowest branch and began to climb the tree but her sister clung on to her and said, 'Don't be foolish. You might fall and injure yourself. Where can the fish go? When it reaches the small branches at the top it will probably fall, and we can put it back on the fire.'

They watched the fish growing smaller as it inched its way up the trunk. The top swayed to and fro when it reached the uppermost twigs, but the fish did not stop. It floated upwards where the black mantle of night and the twinkling stars had veiled the blue sky. By now the fish had swelled until it was perfectly round. Its skin was silver and shining with a steady light. The women watched it for hours until it drifted away and sank behind the hills of the mainland.

Two puzzled women lay close to the fire that night. When morning came they cooked the vegetables they had gathered, and roasted cockles in the embers of the fire. They could hardly wait for night to come to see if the fish would appear in the sky. The sun went down, and they knew that the fish was coming long before they saw it, because a radiance was streaming across the eastern sky. It rose slowly and majestically, but it was a little smaller than it had been when it climbed the tree and escaped from the earth. It was no longer round but slightly flattened as though it had been lying on its side.

Every night the sky was clear. Every night the fish made its long journey from east to west. Every night it grew smaller until, after many nights, it was only a thin, curved sliver of light ... and then it was gone, and everything was dark. The island seemed a pleasant place no longer. As soon as morning came the sisters swam back to their own home, to the husbands they had deserted, and to the unending work that is the lot of those who bear children.

There came an evening when the fish appeared again in the east. Every night it grew larger until it was perfectly round. Then something began to eat it away, but it grew once more, and dwindled, and grew, as it has been doing ever since.

The Flies and the Bees

Flies are troublesome, improvident insects who present a great contrast to the Bees, who store up food for winter and are always busy providing for the future. Their ancestors the

316

Bunnyyarl and the Wurrunnunnah were just the same. The two tribes lived together, but they had little in common.

Throughout the hot summer days the Wurrunnunnah were kept busy making galleries and storerooms for their children, and to hold the delicious honey they gathered from the flowers. It was an endless task, and they were exasperated at the improvidence of the Bunnyyarl, who had no thought for the severity of the coming winter, and who seemed to delight in poking about amongst the filth of their scattered home, seeking food which they ate as soon as they found it.

'You will be sorry when winter comes,' they were told. 'It will be no use coming to beg for food from us.'

'We won't come to you,' buzzed the flies. 'We don't like your honey, and we don't like you. Leave us alone.'

When the nights began to grow longer, the Bunnyyarl romped gaily round the camp, but the Wurrunnunnah noticed that when no one seemed to be looking, they raided the Ant food stores. They held a meeting in the galleries of their home.

'The Bunnyyarl have no food stored up yet,' one of them said. 'When the cold winds of winter blow across the plains they will starve to death.'

'I think not,' said an old man. 'They have not heeded our warnings, but they will expect us to feed them.'

'To feed thousands and thousands of Bunnyyarls!' someone exclaimed. 'We'd have nothing left for ourselves. We had better leave them, and be quick about it.'

Every one agreed. The Wurrunnunnahs turned into Bees, and in the twilight they flew away to a distant place, where they chose secure hiding places in hollow trees. They worked from early morning till late at night, building the wax galleries, filling them with honey, gathering their winter food into wax vessels which filled every corridor. When winter finally came, they sealed the entrances to their villages and spent the long months drowsily eating and waiting for spring to wake them up to work once more.

The Bunnyyarl were dismayed when they found that the Wurrunnunnah had deserted them. They crawled into holes and crevices in the rocks and bark of trees, but the icy fingers of winter followed them and shrivelled up their bodies. So it is that flies die in the winter, says the blackfellow, but because the ways of Baiame are past understanding, he creates myraids of new flies to annoy mankind every summer.

The Flight of the Bandicoot

Of all the Bandicoots who lived in the long, infertile valley there was none to compare with Bilba. She was three times the size of a normal Bandicoot. Her paws were broad and strong. When she began to dig in the dry soil it was as though Wurra-wilberoo himself had descended in a whirling sandstorm.

There were no natural enemies of the Bandicoot tribe in the valley. It offered little food or shelter for other animals, and worst of all, there was no water to drink except at the bottom of the deep holes dug by the Bandicoots.

One day the silence was broken by the sharp voices of the Dingoes who had been driven away from their own hunting grounds by a severe drought. With ears pricked, tense and suspicious, they came over the ridge, sniffing the breeze and peering about with hungry glances.

'Look!' the leader exclaimed. 'Bandicoots!'

They rushed down the slope. The leader caught sight of Bilba and turned sharply.

'Follow me,' he barked. 'See that enormous Bandicoot down there by the tree? There will be a fine meal for us tonight, brothers.'

He was answered by yells of delight which startled Bilba. She lifted her head and stared at the pack which was almost upon her. Smothering a scream, she raced up the valley. With her powerful legs she was able to draw away from her pursuers. When the gap had grown wide enough she lowered her head and dug frantically with her paws. Within seconds she was lost to sight in a whirling cloud of dust. The leading Dingo penetrated the storm of sand and discovered the hole in the ground.

'She has gone to earth,' he shouted. 'We must dig her out.'

Although he knew he was no match for the giant Bandicoot, he had the support of his followers. They widened the hole until the broken burrow was lit by the sun's rays.

Heaving herself up on her hind legs, Bilba sprang out, darted swiftly between the Dingoes, and continued uphill. Barking and snapping at her heels, the Dingoes strained every muscle in an attempt to leap on her back, but Bilba was too swift for them. She drew slowly ahead and burrowed once more into the ground.

The Dingoes were relentless in their pursuit. Time after time they flushed Bilba from her hastily dug burrow. She reached the end of the valley, so bare and unattractive to others but so dear to her and all her friends, and dug her way frantically into the ground for the last time. While the Dingoes were widening the tunnel at one end she bored deeper and deeper into the ground. She felt moist sand under her paws and dug even faster. The sand swirled madly in the confined space and in a moment she found herself standing up to her belly in muddy water. The ground stirred under her feet and a jet of clear water shot upwards. It carried Bilba with it and rolled her on the ground. The hole filled to the brim with water, the Dingoes were swept together in a bunch, bowled head over tail, thrown violently against each other, banged against the rocks that were embedded in the sand and, bruised and half drowned, the whole pack was washed ashore. They scrambled to their feet and raced out of the hostile valley as fast as their legs could carry them.

The spring of water did not dry up. It kept welling up in the hole that Bilba had dug, and soaked into the thirsty earth. It trickled down the valley, filling every hole to the brim, and running on to the next, until there was a chain of silver pools in the arid soil.

The Dingoes did not return. It is a long time since Bilba died, and there has never been another giant Bandicoot in the valley, but the water she brought from the depths of the earth has made it a flowering Paradise, a land of green grass and leafy trees and flowers that never stop blooming.

The Frog and the Flies

The Flies, man and wife, were tired of their camping ground which was known as the Place of Flies.

'Come along,' said Fly husband. 'Pack your dilly bag and we will see if we can find a better place than this.'

'But where can we go?'

'Oh, come on,' Fly said in the impatient manner of husbands. 'I know where to go.'

They had not travelled far before they were overtaken by Frog.

'Here comes our old friend Frog,' Fly said, but Fly wife scowled and said nothing because she did not trust him.

They journeyed together in company for several days, sharing the same fire at night, gathering honey, and catching an occasional goanna or wallaby for meat, but leaving Fly wife to find grubs and roots. One evening they came to a place called Tatapikanam, the Place of Frogs.

'This is my permanent camp,' Frog said proudly. 'Make yourselves at home.'

The following morning he lay back with his hands behind his head and said, 'You will find plenty of honey over there.'

'Where?'

'Oh, as far as you can see. There's a tree where the honey ants live. Bring back plenty and then you won't have to go back for a day or two.'

'Aren't you coming with us?' asked Fly.

'No. I have a lot of work to do round the camp,' Frog replied.

As soon as the husband and wife were out of sight he stretched himself luxuriously and went to sleep again.

When the Flies returned Frog was still asleep.

'I told you so,' Fly wife hissed. 'Now that he's got us here he'll make us work our fingers to the bone while he lives in idleness.'

Frog woke up with a start and thanked them for the honey they had brought. Fly wife opened her mouth but her husband kicked her on the shin and she closed it again; but it was set in a firm line which presaged trouble for someone. It was not long before trouble came.

Early the next morning the Flies were woken by a hearty shout from Frog.

'Come on, come on,' he boomed. 'Time you were awake. I'm really hungry this morning, and after we've had something to eat there's a lot of work to be done.'

'Then you can begin straight away,'' Fly wife snapped. 'Take the honey and mix it with water.'

'Oh, I can't do that,' Frog protested. 'It's too early in the morning. My hands are too cold.'

'It's not too cold for me to get the meal ready, is it?'

Frog stood up and threw out his chest.

'Listen to me. This is my camp, and while you are here you will do as I tell you.'

'Oh ho, that's it, is it?' Fly wife screamed. 'I knew what was going to happen as soon as you joined us. Listen to me for a change. If you don't mix that honey at once there'll be nothing for you to eat today or any other day.'

Frog lunged forward and struck her on the ear with his clenched fist. Up to this time Fly had been keeping discreetly in the background, but when his wife was attacked he was forced to come to her assistance. Fly and Frog struck each other. Frog tripped and fell on his face. Fly wife caught him by the hair and banged his face up and down on the stony ground. They rolled over and fell in a water hole. When Frog came to the surface Fly wife picked up a handful of mud and plastered it over his forehead. He scrambled out, picked up a charred stick from the remains of the fire and poked both the husband and wife in the eyes. They blundered about, clutching each other and trying to reach their enemy.

'I've had enough of Flies,' Frog shouted. 'It is my home, remember. Get out of here.'

He jumped back into the water hole and croaked, 'Braka, braka, braka.'

There was a big, flattened lump on his forehead where Fly wife had plastered mud over him, and his eyes were big and protuberant.

'Glub, glub,' he went, and sank out of sight in the pool called Tatapikanam, the Place where Frog was hit.

The Flies staggered down the bank of the stream, falling over and helping each other up again. They could hardly see and their faces were black with charcoal. They jumped into the stream, blinking their eyes to clear them.

'Let us stay here,' Fly wife said. 'This is a good place.'

Her husband looked at her in astonishment. Her face and

body were black, her eyes bulged from her head, she had thin legs — two, four, six of them — and gauzy wings.

'Don't look at me,' she said. 'You look the same as I do. This is now the home of Flies. If any man comes here we will fly into his eyes and make them swell up just as ours are swollen.'

So it remains, Nonpannyinna, the Place of Flies.

The Frog Food of the Bunyip

Down in the billabong a head was concealed among the reeds. It remained so still that none of the wild creatures noticed it. Three ducks paddled past. In the darkness there was a sudden movement. Two hands shot out and seized their legs, pulling the ducks under water and twisting their necks so quickly and silently that the third duck drifted away without knowing what had happened to the others.

The Frog man stood up, shivering a little in the cool night breeze. He tied the ducks to his girdle and was about to wade ashore, where his wife was waiting for him, when he saw a vast grey shape loom out of the swamp. It was a Bunyip, the dreadful monster of marsh and billabong.

The young man did not waste his breath in shouting. He waded through the shallow water in frenzied haste towards the bank. His wife had also seen the Bunyip.

'Give me the ducks,' she called as he came closer.

He handed them up to her, scrambled on to the bank, and lay down, panting for breath.

'There's no time to wait here,' she said. 'The monster is getting closer.'

'Wait till I get my breath,' he gasped.

'Come on,' she urged him. 'The Bunyip will get us if you don't hurry.'

She pulled him to his feet, but as she did so the Bunyip stretched out his long arm, and his claws closed round her body. Her husband caught her by the arm and tried to save her, but the Bunyip lifted her up, tucked her under his arm, and disappeared into the darkness.

The man was desperate. He plunged into the water and

waded through the rushes, but they had closed behind the monster, leaving no trace of his passage.

As soon as it was light next morning the Frog man gathered a supply of the little creatures who were his totem and tied them to a long pole which he stuck in the mud. They cried and croaked miserably, waving their arms and legs in a struggle to free themselves.

'That will fetch the Bunyip,' the Frog man thought. He was crouching among the reeds with his war spear beside him, ready to thrust it into the Bunyip as soon as it appeared. The hours passed slowly. The only thing he could see was the wriggling of the frogs' legs. The daylight faded, and through the night the croaking of the frogs grew fainter. By morning they were all dead. Sadly he untied them, caught some more, and tied them to the pole. The air was filled with a fresh babel of sound as he went to his camp to sleep.

When he returned that night the frogs were gone, and the pole lay on its side among the reeds. With fresh hope he caught a further supply, erected the pole again, tied the frogs in place, and sat down to wait.

Morning after morning the Frog man baited his trap, but never once did he catch sight of the Bunyip. It was only when he could not keep his eyes open for lack of sleep that they were taken. But at length his patience was rewarded. It was early morning. The young husband was about to end his lonely vigil when a huge shape parted the veils of mist, and the Bunyip reached out his claws to take the frogs. Behind it the young woman followed with vacant eyes, dirty and unkempt, with her hair straggling down her face.

'Keep away,' her husband shouted, and threw his spear at the monster. It sank into the soft flesh so that only the end of the handle was showing. The Bunyip groaned and threw the frogs at its aggressor. One of them hit the Frog man in the eye, blinding him for a moment. He still had his throwing stick. He hurled it at the Bunyip, and had the satisfaction of seeing it disappear into one of the Bunyip's eyes. The creature turned round, shrieking with pain, and blundered back the way it had come.

'Come to me, wife,' the Frog man implored. 'You will be safe with me.'

To his astonishment the young woman took no notice but followed the Bunyip into the mist. Her husband ran after her. There was no mistaking the trail now. With only one eye, the Bunyip slipped and fell, picked itself up and staggered on leaving a trail of crushed vegetation behind it. The woman followed close at its heels, for the Bunyip had cast a spell over her which bound her closely to him.

They reached the far side of the billabong. The Bunyip heaved itself out of the water and began to climb a gum tree. It reached the top, sat on a branch, and glared down at the Frog man with its single baleful eye. The young woman stood at the foot of the tree as though petrified.

'You are safe now,' her husband said, holding out his arms. 'Come with me and we will return to our camp.'

She put out her arms, but could not move her feet, which appeared to be frozen to the ground. He took a step towards her, and suddenly stood still. He had come within the circle of the power that bound his wife to the Bunyip, and was unable to move.

Day turned to night, night to day, rain storms swept across the billabong, the water rose and fell with the changing seasons, but still the little tableau remained by the gum tree. The petrified bodies of the Frog man and his wife stood like gaunt stumps of trees, with arms stretched out towards each other in longing, while far above them the single eye of the Bunyip glared from the leaves of the tree.

Then came a great storm which overthrew the gum tree. The eye remained where it was, but the spell was broken, and at last the couple were reunited. Their descendants will never touch the little frogs again. They leave them as food for the Bunyips so that the monsters of the swamp will not molest them.

And where the Murray River now flows, the blackfellows say that the moon is the eye of the Bunyip that once stole the wife of a Frog man of their tribe.

The Frogs at Flood Time

Birra-nulu, the wife of Baiame, was the flood-sender. It may be that she was too engrossed in the love-play of the Father Spirit, or even that she was tired and lazy, but whatever may be the reason, she did not fill the streams with flood waters as regularly as men would wish.

When the streams died away to a tiny trickle of water, and the sun's rays poured from a cloudless sky all day, the wirrinuns, the medicine men, hurried to her home in the sky and made their complaints.

If Birra-nulu was in a good mood and saw fit to grant their request, she would send her messengers to tell the wirrinuns to warn the Frog people that a flood would soon be coming.

Then the messengers would scurry to and fro proclaiming, 'Let the Bun-yun Bun-yuns hurry to the river. Call the Bun-yun Bun-yuns. Hurry up, every Bun-yun Bun-yun. You are needed at the river. The ball of blood is nearly here!'

The Frog people were strong, and able to lift heavy stones. When they heard the messengers calling to them they hurried to the stream, where fires had been lit along the banks. They rolled stones into the fires and sat beside them, looking up the dry bed of the stream expectantly, while the stones slowly turned red and white in the heat.

Meanwhile Birra-nulu had made the ball of blood, and one of her messengers had sent it rolling down the river bed. Presently it came in sight — a huge red sphere gleaming in the sunlight, reaching from bank to bank, and apparently growing quickly in size as it came towards them. The nearest Bun-yun Bun-yuns sprang to their feet, caught the white-hot stones from the fire, tossed them from hand to hand, and threw them into the red ball. Like a bursting bubble it broke, and in a moment filled the stream from one bank to the other in a foaming torrent of blood.

As the red stream raced past, the Bun-yun Bun-yuns hurled the hot stones into it to purify it. The thick, repulsive liquid turned pale, and finally became crystal-clear water as it was refined by the stones. The Frog men kept on shouting, uttering cries of encouragement. Warned by their hoarse shouting, the tribesmen dashed over to the river and filled their coolamons with the refreshing water.

The Bun-yun Bun-yuns always warn the tribes when the floodwaters begin to rise. If they are discoloured and red with mud and silt, it is said that the Frogs have been lazy and have not purified the water properly; but when they run clear, and sparkle in the sunlight, the Bun-yun Bun-yuns have done their work well.

The Frog, the Wallaby, and the Dugong

Two young mothers went down to the beach to gather cockles, carrying their coolamons under their arms. In each coolamon was a tiny baby, laughing and waving its arms and legs in the air.

Moodja's baby was pretty and had been greatly admired by the older women, but Mamanduru's baby was ugly. The women put the babies under a shady tree and were soon engaged in picking up shellfish and putting them in their baskets. The cockles were not very plentiful, and before long the two mothers had wandered some distance from the tree where the babies were lying.

Presently Mamanduru called, 'My coolamon is full. Are you ready to come now?'

Moodja was surprised. 'I haven't got many yet. You must have found a good patch of them. You can go if you want, and I'll follow later. Have a look at my baby as you go past and see if he's all right.'

Mamanduru hurried back to the tree. She tipped the shellfish on the ground, picked up Moodja's baby, put it into the empty coolamon, and went into the bush with it. She concealed her tracks, being careful not to break any twigs that were lying on the ground, and avoiding patches of soft earth. When she came to a stream she climbed along an overhanging branch, dropped into the water, and waded upstream until she came to some smooth stones and baked clay that would leave no trace of her passage. Mamanduru ran back until she came to the sea, and was soon playing happily with the baby in the shelter of a clump of pandanus trees where she thought the other woman would never find her.

When Moodja had gathered a good supply of cockles, she went back to the tree. She heard a baby crying and quickened her steps. To her amazement the baby was not there, but only the ugly little child of Mamanduru. She realised that the jealous woman had stolen her baby, leaving her own off-spring in his place. She picked the baby up in her arms and set out to follow its mother's trail.

Her face hardened as she bent low and peered at the ground. There were no footprints or broken twigs to tell her where to go, but her sharp eyes saw a tiny twig pressed into the ground, and a few ants crushed on the harder soil near by. It was a long, slow task, but at last she came to the stream and reasoned that the fugitive would have waded along its bed. There was no way to tell whether she should go up the stream or down, so she travelled downstream for some distance, but could not pick up any sign of the trail. When she came to the coast she searched the beach before turning inland, and saw an unexepcted movement at a distance. She walked towards the group of trees and felt a surge of relief as she recognised Mamanduru. She stood in front of the woman, who was seated on the ground looking at the baby who was lying on its back and laughing.

Moodja's anger boiled over. She tossed the ugly, mis-shapen baby she was holding into the tree.

'What are you doing with my baby?' she demanded.

'It's not your baby. It's mine.'

Moodja rushed up to Mamanduru, grabbed her by the hair, and jerked her to her feet.

'Give me my baby,' she shouted.

When the ugly baby's mother made no reply, she shook her, still holding her by the hair. Mamanduru groped until she found her digging stick. Moodja reeled back from the pain of the blow she received on her head and fell over. Her hand closed over another stick, dusty and blackened by fire. She jabbed it into her opponent's eyes, bruising them and filling them with ashes and charred wood. The woman made one last blow at Moodja which broke her legs and sent her hopping off into the trees before she fell to the ground. The baby clung to Mamanduru's back even when she crawled on all fours to the water to try to wash the ashes from her eyes.

The ugly baby was changed into a frog with a big mouth; Moodja, hopping on her broken legs, turned into a wallaby; while Mamanduru waded far into the sea and swam away from the shore in the form of a dugong with tiny eyes, and with Moodja's baby clinging to her back.

The Gifts of the Sun Goddess

When all animals, insects, birds, and reptiles had the appearance of men, they were dissatisfied. They went to Yhi, the sun goddess, and begged her to give them the gifts they longed for. The goddess took pity on them.

'I will grant all your requests,' she said, 'but remember this. Once I have given you what you want you will never be able to change back to what you are now. Are you satisfied?'

'Yes, yes,' they all cried. 'Give us our hearts' desire.'

'Very well. Who is first?'

'I am,' said Mouse.

'And what do you want, my little one?'

'I want wings to fly with.'

The sun goddess waved her hand and long, leathery wings sprouted from Mouse's legs and arms until it was transformed into Bat that flies by night.

Seal lumbered up.

'I have had too much of the land,' he said. 'My body is far too heavy, and I hurt myself when I scrape between the trees.'

Yhi smiled sympathetically at the unwieldy Seal.

'Here are flippers for you,' she replied. 'You will still be able to walk on land, but your real home will be in the cool waters of the sea, where you will be able to dive and swim like a fish.'

'I'm next,' said Owl.

'But you can fly. What more do you want?'

'I want bigger eyes, so that the other animals will admire me.'

'There you are, Owl ... but perhaps you will be sorry some day for being vain.'

Her words came true. Owl could no longer bear the light of day, and had to spend the daylight hours deep in the heart of the bush, coming out only at night when his large eyes could see in the darkness.

Last of all, after the other animals had had their wishes granted, Koala came prancing up to the sun goddess, waving his long, bushy tail from side to side, and exciting the envy of the others. Unfortunately Koala was not aware of their admiration.

'Take it away,' he begged. 'It is useless. Take it away!'

And Yhi took Koala's tail away, to his everlasting sorrow.

Goanna and his Stripes

Again it was in the days when animals walked on two legs and were in every way as human beings. There were two tribes which lived together, Mungoongali the Goannas, and Piggie-billah the Porcupines. It was an uneasy association, for their ancestors, who came from distant lands in the west, had been of different types. The Goannas were born thieves, while the Porcupines were a much more self-reliant tribe, and were expert hunters.

In the eastern plain to which the two tribes had migrated, the Piggiebillahs occupied themselves in hunting, but the food of the Mungoongalis was confined to the sugar-bags of the honey ants, which they gathered by climbing trees, and to food which they stole from the stores of the Porcupines. It is sad to relate that their depredations went further than this, for the unprotected children of the Mungoongalis were killed and eaten in secret.

On one occasion the Goannas invited their neighbours to join them on a hunting expedition. The Porcupines laughed scornfully.

'Have you become expert in the chase since yesterday, or the day before?' they asked. 'Thank you for your offer, but we will do much better without you.'

'Please come with us,' they begged. 'We know that we cannot hunt, but while you are busy we will gather sugar-bags from the trees.'

'Well,' one of the younger Porcupines said to his people, 'that might be different. Shall we join them?'

'In view of the fact that you are notoriously unsuccessful in climbing trees, I suggest that you are showing more than your usual sagacity,' the oldest Porcupine observed sarcastically.

The men of the two tribes went out together. The Porcupines made a great killing, but by the end of the day the Goannas had not gathered a single sugar-bag. Although they were adept at tree-climbing, they were too lazy to exert themselves in the hot sun. Whenever they saw they were being watched, they pretended to cut foot-holds in the tree trunks, but as soon as the Porcupines' backs were turned, they lay down and went to sleep.

'Never mind,' they said at the end of the day. 'Honey bags are scarce this year. Now it is time for you to rest. We will cook the food. Go to sleep. We will call you when the food is ready.'

The firelight flickered on the leaves of the trees and on the sleeping forms of the Piggiebillahs. Now and then one of them would turn over and ask drowsily, 'Is supper ready yet?'

'Not yet. Go to sleep. We will wake you when it is ready.'

When the food was cooked, the Mungoongalis scampered up the trees and hid in the foliage. One of them remained behind and threw the roasted bodies of the animals one by one to his companions. While doing so he passed too close to the fire, knocking against a burning log so that it fell on to one of the Piggiebillahs. The Porcupine woke with a scream. The others jumped to their feet and saw the food vanishing into the trees.

One of then snatched a burning stick from the fire and belaboured the Mungoongali. The strokes fell across his golden body, burning the flesh and leaving a pattern of black and yellow stripes which has since been the distinctive coloration of the Goannas.

It is not surprising, therefore, that the Mungoongalis and the Piggiebillahs studiously avoided each other after that, nor that they entertain the most uncharitable thoughts about each other.

The Great Flood

Long, long ago, before the great flood, the Nurrumbun-guttias or spirit men and women lived on earth. They knew that the whole earth was flat, and that for long ages it had been dark, until Pupperimbul, the Diamond Firetail, a little bird with a red patch on its tail, made the sun. Once that great ball of fire sailed across the sky it gave light and warmth.

Even though the world was warm during the day, the Nurrumbunguttias were cold at night, and they did not like eating raw food, so they made fire to warm themselves and cook their food.

Then came the flood. The water rose up quietly from the sea, until it was higher than the tallest gum tree. It was like a vast blue plain, with only the tops of the mountains standing up above it like islands. The water kept on rising, and finally even the mountain peaks disappeared. The world was one vast, flat sheet of water, and there was no place for the Nurrumbunguttias to live. Many of them were drowned, but others were caught up by a whirlwind which carried them off into the sky, where they became stars, and some, who were gods on earth, became the gods of the sky. Among them was Pund-jil. The Milky Way was made out of the fires that the Nurrumbunguttias had kindled when they were on earth.

Slowly the flood waters receded. The mountain tops appeared again, and the spear heads of trees showed above the water. The sea went back into its own place, and the land steamed under the hot sun. Animals, birds, insects, and reptiles appeared once more and made their homes on the quickly-drying plains.

Then Kararock and Berwooland Babinger, the son and daughter of Pund-jil, went back to earth and became the first of the true men and women who live in the world today. Wang, who was a star, stole fire from the heavens once more, and gave it to them; and so on earth there were many animals, and men and women to hunt them.

But the spirits of the Nurrumbunguttias, the old spirits of the world, are still alive. It is because of them that we have darkness, storms, and evil spirits in the world today. And remember, if ever a Pupperrimbul, a Diamond Firetail, is killed, another torrent of rain will fall from the skies.

The Hero Who was Changed into a Mountain

On the Dividing Range the face of a young warrior stares up at the sky. His descendants see the proud profile silhouetted against the setting sun and in their hearts they know that while he remains there, a carved figure in the changeless hills, they will have peace and will be unafraid of their enemies. It is no handiwork of man, this sharp-edged profile. The hand of nature has set it there for all men to see, and to remind the people of the valley that it is to Butcha that they owe their freedom. Cut off in the full strength of manhood, he left no children to remember him and carry on the divine spark of courage and sacrifice to succeeding generations; but there is no need for these while his face can be seen in the dividing hills.

This is the story of how the face of Butcha has been carved into the timeless hills. A fighting man of the Baluchi tribe had made several raids on the Ugarapuls, traversing the pass in the early mornings, killing defenceless men and capturing the most desirable women. The raids were made stealthily and no one had seen him until one morning when he stood on a rock high above the camp and shouted insults and threats.

'Choose the best of your weakling warriors,' he called, 'and I will cut him into little pieces. Or if you are afraid, come and attack me in force and you will learn the strength of a Baluchi fighting man. Already I have taken many of your wives and young women. Soon no one will be left except old men and women, and babies crying for their mothers' breasts.'

Goaded by his words some of the younger men of the tribe hurled themselves up the steep slope, but when they arrived breathless at the rock the Baluchi warrior was no longer there.

The elders sat in conference round the camp fire that night.

'This is a task for young men,' they said. 'We must accept

the challenge or our people will never live in peace. We dare not fail.'

They called the young men to them.

'The honour of our tribe is in your hands,' they were told. 'Who will accept the challenge of the upstart Baluchi people?'

The young men stepped forward eagerly and a chorus of voices answered, 'I will! I will!'

'That is good,' an old man grunted. 'At least we do not breed cowards among the Ugarapuls. But bravery is not enough. Only one man can be chosen, and we must be sure that he is the most skilful fighter among you. Go to your gunyahs now and sleep with your wives. Sleep well, and in the morning we will choose the one who is to serve us all.'

The following morning the eager young warriors danced with excitement. Individual contests were fought, and many a proud young man shed his blood on the grass as he failed to parry the spear of his opponent. There were sore heads and broken legs and arms, but when the sun was high there was no doubt who was most worthy to fight on behalf of the Ugarapuls. It was Butcha who had passed the bora rites so recently that he had not even selected a young woman as his mate.

Before the sun had touched the peaks of the Dividing Range the next day he was on his way. He held the sharp-tipped spears and the polished waddy in his left hand, while a light wooden shield with brightly painted designs rested comfortably on his right arm. He ran nimbly between the trees and was lost to sight in the folds of the hills. When he reached the flat rock where the Baluchi warrior had shouted his challenge the sunlight gilded his body. Standing erect, he heard the distant deep-throated roar of the men of his tribe.

Another sound made him turn his head quickly. It was the fighting man of the Baluchi tribe. He was older than Butcha, his body scarred with ancient wounds, his hair shaggy, the muscles rippling like snakes under his skin. The men stood facing each other like a huge gnarled tree and a young slender sapling growing side by side.

'Come, my little man!' the Baluchi warrior sneered, showing his teeth in a grin and shaking his hair out of his eyes. 'Are you the best that the Ugarapul can provide? I expected to find a warrior worthy of my spear this morning.'

'Boasting words do not bring victory,' Butcha said with a quick smile, dancing lightly from one foot to the other. 'The choice fell to me. From this morning's work we will prove whether Ugarapul or Baluchi will dominate this place.'

He sprang to one side as the older man lunged at him with his war spear.

The contest will never be forgotten while the camp fires burn at night in the valley of the Ugarapuls. The tribesmen came closer to cheer on their champion, and the men of Baluchi crept out of their hiding places among the trees and rocks.

Time after time Butcha was wounded by spear and club, for the Baluchi warrior was heavier and more experienced in fighting, but his feet still danced as lightly as a bird, and every now and again he penetrated his opponent's guard until the older man was bleeding in a dozen places. The Baluchi man was breathing heavily, and for a moment he lowered his shield. Butcha dropped his spears, seized his waddy in both hands and brought it down on his head with a shattering blow.

For a moment there was silence. It was as though the birds had stopped singing and the wind had died among the trees. A roar of triumph came from the men of Ugarapul. They swarmed over the rock, leaping over the dead body of the fallen warrior, and surrounded their champion. Butcha laughed and threw his arms wide as though to disperse the enemy tribesmen who were stealing away to the shelter of the trees.

With the smile still on his face he swayed and fell, and when they bent over him they found that their young champion was dead. It was only the spirit that had maintained the life in his body until the supreme moment when his club descended on the Baluchi warrior's head and his people were assured of victory.

So he was buried in honour and in sorrow, the young man who sacrificed his life and the children he had yet to father, to save his people. No one knows where his bones are buried. There is no need to know while his face smiles as he lies on his back on the summit of the Dividing Range and shows a proud profile against the blue sky. He remains there in the clear, cold air, a god of the mountain heights whose memory is enshrined in the hearts of his people.

How Animals Came to Australia

Long before there were men or animals in Australia, the only living things that had eyes to see the vast continent were flocks of migratory birds. When they returned to their homeland they told the animals, who at that time had the form of men and women, of the endless plains, the tree-covered mountains, the wide, long rivers, and the abundant vegetation of the delectable land. Their reports created such excitement that the animals assembled from far and near and held a corroboree. After the singing and dancing was over it was decided that, as the land seemed to be so much more desirable than their own, they would all go to live there.

The problem was how to reach the land of promise. Each animal had its own canoe, but they were frail craft, suited to the placid waters of streams and rivers, but not to the ocean that lay between the two lands. The only vessel that was strong enough, and able to hold them all at once, was the one that belonged to Whale. When he was asked if he would lend it to them, he gave a flat refusal.

The animals decided to take Whale's canoe by force, or by strategem if he would not give it willingly. They enlisted the aid of Starfish, who was Whale's closest friend. Starfish consented, for he was as anxious as the others to make the journey.

'Greetings, my friend,' he said to Whale.

'Greetings to you, little Starfish,' Whale replied in his deep, rumbling voice. 'What do you want?'

'There is nothing I want except to help you, Whale. I see you are badly infested with lice, and I thought that as I am so small I could pick them off for you.'

'That's extraordinarily kind of you. They do worry me a bit,' Whale admitted.

He placed his head in Starfish's lap and gave a sensuous

wriggle of contentment. Starfish picked off the lice in a leisurely manner, taking so long over it that eventually Whale became restless.

'Where is my canoe?' he asked anxiously. 'I can't see it.'

'It is here, right beside you,' Starfish replied soothingly.

He picked up a piece of wood and struck it against a hollow log by his side, so that it gave a booming sound.

'Are you satisfied now?'

Whale sank back again and submitted himself to his friend's attention.

While the task of cleansing went on, the animals tiptoed to the shore, loaded all their possessions into the huge canoe, and paddled out to sea. The faint splash of their paddles was drowned by Starfish as he scratched busily at the vermin.

'I must not let them get too far away,' he thought, 'or I will never find them when I swim out to the canoe after dark.'

The sun was low when Whale woke up a second time and said, 'I am anxious about my canoe. Let me see it.'

He brushed Starfish aside and rolled over so that he could look round. There was a long furrow in the sand where the canoe had been pushed into the water, but the canoe was gone. Whale turned round in alarm and saw the canoe almost out of sight in the distance. He turned fiercely on Starfish and attacked him until his old friend was torn to pieces. Starfish resisted as well as he could, and managed to gouge a furrow in Whale's head, but before long his limbs and torn flesh were tossed contemptuously aside. His descendants hide amongst the rocks as Starfish did, but they still bear in their bodies the marks that Whale inflicted on their ancestor on the day that the animals left their own land for Australia.

Whale raced across the ocean with vapour roaring from the hole in his head. Slowly he began to overtake the canoe. The terrified animals dug their paddles deep in the water and strained every muscle to make the canoe go faster, but it was mainly through the efforts of Kookaburra that they managed to keep a safe distance from the infuriated pursuer.

For several days and nights the chase went on until land came in sight. It was the country they had longed for. At the entrance to Lake Illawarra the canoe grounded and the animals jumped ashore. As they disappeared into the bush the canoe rose and fell on the waves. Brolga, the Native Companion, was the only one who had the presence of mind to realise that they would never be safe while Whale was free to roam the seas in his canoe, for at any time he might come ashore and pursue them again.

Brolga jumped into the canoe and stamped on the thin bark until it broke and sank under the waves. It turned to stone and can now be seen as the island of Ganman-gang off the coast of New South Wales.

Whale turned aside in disgust and swam up the coast, as his descendants have done ever since. As for the animals, they explored the land and found it as good as the birds had said. They settled there, making their homes in trees and caves, by rivers and lakes, in the bush, and in the wide deserts of the interior.

How Bats and Shags Were Made

Buthera, a strong, proud warrior who possessed magical powers, was travelling up the coast of Queensland. He had not gone far on his way, and was resting early in the day, when a man walked into the glade where he was sitting.

'Who are you?' asked Buthera.

'My name is Mudichera. I am the leader of Bats. What are you doing in my land?'

Buthera sprang to his feet, his brows drawn down in a frown.

'This is still my territory. I allow no man to intrude on it.'

The stranger took his waddy from his belt.

'Good!' Buthera said. 'I am glad to see you are a man and not something blown here by the west wind.'

They circled round each other warily. Buthera did not deign to use his waddy or war spear, but held a flint knife in his hand. Mudichera swung his waddy lustily, but Buthera avoided it, jumping from side to side, and throwing himself flat on the ground as it whistled over him. Mudichera began to grow tired. His blows lost their force and he had difficulty in raising his weapon over his head. Buthera gathered himself together and swung his knife so viciously that Mudichera was cut in two pieces, the upper part of his body falling in one place and his legs in another.

There was a flapping of leathery wings, the two parts of his body rose in the air, and two bats escaped from under Buthera's hand. The chief grinned, picked up his weapon and resumed his journey. He covered many miles that day, but the sun grew hotter and the sweat trickled down his back. He felt sick, and when he came to a fertile valley with many water holes, where a large tribe was camped, he stopped.

'Here comes Buthera,' the people cried.

'How do you know my name?'

'Oh, we know all about you. We know how you fought with Mudichera, how you cut him in two, and how he changed into a Bat.'

'Two Bats. But how do you know all this?'

'Willy Wagtail told us.'

Buthera was angry to think that they knew so much about him. He took his magic spear and pointed it in front of him. A long tongue of flame shot from the point and set fire to the scrub. He swung it round him until he was in the centre of the fire, which spread rapidly outwards, driving the screaming people in front of it. The only places where they could escape the flames were in the water holes. Buthera looked across the smouldering bushes and saw them peering apprehensively at him, with their bodies submerged in the water. He grinned again, pointed another spear at them, and had the satisfaction of seeing them all transformed into Shags.

Shortly afterwards he met another warrior, but this time he met his match. Larna was young and vigorous, and before long Buthera lay dead at his feet. He picked Buthera up, lifted him above his head, and was on the point of throwing him into a lake, when the Bats who had once been Mudichera flew down and beat their wings round Larna's head, until he was forced to lower the body. Some of the power that had belonged to Mudichera when he was a warrior lingered in the Bats, and they turned Larna into a stone which they left by the side of the lake as a memorial to Buthera the warrior.

How Black Snake Became Poisonous

Many years ago the Goannas were much bigger than they are today. They were terrifying creatures, because they were aggressive and possessed poison sacs. The Aborigines lived in constant fear of them, and with good cause, because any solitary traveller was liable to be seized by a Goanna, poisoned so that he could not move, and eaten at leisure. When travelling, men and women usually went together in strong bands, fully armed. But sometimes it was necessary for a man to travel from one tribe to another, and from such a hazardous journey he would seldom return.

The animals were unhappy that the human race was in such peril, and they feared for their own lives. If the Goannas were unable to get enough human food, they turned to the lesser animals. They were so big and their hunger so insatiable that it was feared that animals as well as men and women might soon vanish from the earth.

Kangaroo called them all together and asked if anyone could devise a plan to kill the Goannas or render them harmless. Ouyoub. oolooey, the harmless Black Snake, spoke up at once.

'I will volunteer to do battle with Mungoongali, the chief of the Goannas,' he said.

Everyone laughed.

'It will need someone a good deal stronger than you, Ouyoub_oolooey.'

Blake Snake was angry.

'You think because I am gentle and harmless I am no use, but I will show you.'

He slithered away and eventually arrived at the camp of Mungoongali. It was night time. He came out into the light of the camp fire and said humbly, 'Greetings, great Goanna.'

'Who are you?' Mungoongali asked, baring his fangs.

'I am only Ouyoub. oolooey, sir. No one takes any notice of me — and I am not very good to eat,' he added hastily.

'Very well. So long as you don't get in my way you can lie by the fire tonight. Why have you come here?'

'I am trying to find some place where I can live peaceably, without being persecuted by the other animals.'

'See that you don't get in my way, then, or it will be the worse for you.'

In the morning Mungoongali got up, shook himself, picked up his waddy, and went off into the bush without even glancing at his visitor. Ouyouboolooey was pretending to be asleep. Unobtrusively he slid under the bushes, following closely behind Mungoongali. He saw Goanna crash through the bushes and rush at a solitary traveller who was still sleeping by the ashes of his fire. He crushed his head with a blow of his waddy, hoisted him on his back, and returned to his own encampment.

Ouyouboolooey was there before him, still pretending to be asleep. Mungoongali kicked him out of the way. He placed his poison sac on the ground beside him and dug his sharp teeth into the flesh of the man he had killed.

Like a flash of lightning Ouyouboolooey uncoiled his body, darted forward, seized the poison sac in his mouth, and vanished into the bushes. He chuckled to himself as he heard Mungoongali thrashing about in the bushes with his waddy, trying to find him.

The council meeting held by Kangaroo was still in session when Black Snake returned.

'Look!' he cried, and distended his jaws so that everyone could see the poison sac.

They crowded round him, congratulating him on his skill and bravery. After a while Kangaroo grew impatient.

'We are proud of you, Ouyouboolooey,' he said, 'but it is time we went back to our own homes. Now we can live without fear. Spit out the poison, Black Snake, and we will throw it into the river.'

'Oh no,' Ouyouboolooey said with a hiss of spite. 'You all despised me. You did not think I could get the better of Mungoongali, but it was my skill that did it. Now I have the poison. If anyone dares to come near me, he will die.'

The animals recoiled in dismay, and Ouyouboolooey disappeared into the shade of the bushes. He likes solitary places, for he does not have the courage of Goannas, but men and animals fear him because he possesses the deadly poison

340

that was once owned by Goanna.

As for Mungoongali, he dwindled in size after his defeat by Black Snake, and is now an inoffensive reptile which minds its own business and leaves everyone alone.

How Blue Heron Brings in the Tide

It was the time to gather the eggs of the geese that were nesting in the swamp. When Muradja, the head man, lit a fire and made smoke signals on the plain, hundreds of men, women, and children came streaming in from the hunting grounds. Every one enjoyed the goose-egg gathering, for they knew they would soon have full bellies and a supply of eggs to trade with more distant tribes. Coolamons and bags would be overflowing when the gathering was over, and every morning and evening the cooking fires on the edge of the swamp would send tall columns of smoke into the still air. The smell of cooking would make their nostrils quiver, and after the feasting was over there would be games and singing and dancing while the elders sat in their solemn councils and looked tolerantly at the pranks of the young people.

And so, as had happened more times than the memory of the oldest man could recall, the geese provided food and prosperity for the tribes, and Muradja was satisfied with the egg-gathering.

The eggs were examined carefully each night while the elders debated whether the chicks were forming. That would be a sign that the egg-laying season was nearing its end, the time when children and young people would be told that they must eat no more. After that the eggs would be reserved for the elders.

'This is the day,' Muradja announced at last. 'You have fed well, as I can see from your sleek bellies. Soon we will be returning to our own hunting grounds. You may take your surplus supplies with you for trading, but no longer may you eat the goose eggs. You will find a few of them left in the nests. Bring them to the council and go in peace.'

That night Windjedda, the son of Muradja, argued with his father. He was a bold youth, spoiled by too much attention from the women. He was not a man, for his initiation into the ranks of the men still lay in the future.

'Why?' he asked his father. 'Why should we not eat while the eggs remain?'

'If we ate them all there would be no geese next year, and that would mean no eggs,' Muradja replied gently.

'But you eat them — you and the old men.'

'It is a privilege that the years have brought to us, my son. Some day you may be head man of the egg-gathering, and it will be your privilege too.'

'I don't see why I shouldn't have them now. It won't matter if no one else knows. My belly is not full yet.'

'You are a foolish boy,' his father reproved him. 'When you are ready for your testing you will learn that appetite is the first thing you must control. If you can't do that you will never learn to control pain and fear, and until that time comes you will not be a man.'

'I do not fear pain,' Windjedda boasted.

'We'll put it to the test now,' his father said quietly, 'unless you stop talking and let me go to sleep. I said you were a foolish boy, and every word you speak confirms my thought. If you ate any more eggs after the council had forbidden it, they would turn to poison in your belly and you would die.'

Windjedda knew that he had gone far enough. He lay down by the fire, but in the flickering firelight he grinned at the thought that his father expected him to believe such nonsense. He knew that it was all an old man's tale, made up so that they could eat as much as they liked. Making plans to outwit them, he fell asleep with the smile still on his face.

The next morning, when the men had left to hunt wallabies, or to fish, he stepped out of the swamp reeds where he had been hiding. Looking round to see that he was not observed, he stole over to the fire where an old woman was cooking eggs for the council.

'Give me one of the eggs,' Windjedda demanded.

The old woman looked at him in astonishment.

'You heard what your father said yesterday, Windjedda. There are no more eggs for you, or me, or anyone except the elders.'

'Give me that one,' he repeated, pointing at the largest egg.

'I am hungry. No one will know.'

The old woman brandished her stick at him.

'You are an evil boy. I will not let you break our tribal customs.'

Windjedda snatched up a fresh egg and broke it over his head. With the contents of the egg running down his face, he hurried to the beach where Muradja was spearing fish and cried, 'Look what the old woman has done to me! Do you allow this to happen to your son?'

The head man was angry at the insult offered to his son. If he had paused to consider the matter he would have realised that Windjedda was not to be trusted. In that case he would have called a council meeting, and the truth would have been discovered. Anger distorts a man's judgment, and so it was with Muradja.

Muttering spells, he ran up the beach, jabbing the air with his spear, followed closely by the delighted Windjedda. At his feet the tide gurgled and raced over the sand. It did not stop at the high tide mark. It sped over the dry land, lapped at the sandhills, turning them into islands, and raced through the scrub towards the big encampment. The fires steamed momentarily until they were quenched by the flood waters.

The women and children ran to a big banyan tree and climbed up it, but the water rose until the tree was covered, and they were washed away and drowned. The fishermen and hunters met the same fate. Only Muradja and Windjedda escaped. They were transformed into Blue Herons, the birds which run before the advancing tide on the shores of the Timor Sea to this very day.

How Platypus was Born

The Ducks who lived in a secluded river pond seldom left their home for fear of Mulloka, the Water Devil. Among the Ducks was a young female who was contemptuous of the warnings of her elders.

While everyone was busy one morning she floated quietly out into the stream and drifted along until she reached a patch of green grass. She came close to the bank, waddled up the

343

steep slope, and sat down, enjoying her freedom. Unfortunately she had chosen for her resting place the roof of the home of Water Rat.

Hearing noises above his burrow he came out to investigate, and discovered the young Duck. Water Rat was overjoyed, because for a long time he had been lonely in his riverside home. He crept up behind her and whispered, 'Welcome to my home, my lovely darling. I have waited for you for a long time.'

Duck shrieked, flapped her wings, and struggled towards the river. Water Rat was annoyed. He prodded her with his spear, and dragged her into his burrow. She huddled against the farthest side of the damp, gloomy hole. Her beak opened and shut, but no sound came out.

Water Rat smiled ingratiatingly.

'You are my prisoner,' he said, 'but don't be afraid. I will be good to you. See how handsome I am! And my heart is even kinder than my face. Live here with me and be my wife.'

Helpless as she was, Duck had no choice but to accept. Her only hope was that she would be able to make her escape when her repulsive husband was asleep, but soon she became aware that there was little chance of returning to her family and friends. Water Rat had made the position very clear.

'I never sleep during the day,' he had told her. 'If you are imagining that you can escape by night, remember Mulloka, the Water Devil! Is it not better to remain with me, my pretty little wife, than to be devoured by Mulloka?'

For several weeks Duck stayed in the burrow, but eventually Water Rat grew careless and allowed her to paddle in the water outside.

One sunny day Duck spent a while feeding on water-weed and insects, and returned to the burrow. As soon as she put her head inside she saw that Water Rat had succumbed to the heat, and was lying curled up and snoring.

She paddled outside and fled up the river. On arrival at her home she was greeted excitedly by her family, and in a few days she had almost forgotten her ordeal.

Presently the time for nest-making and the laying of eggs arrived. The young females hid themselves among the reeds, and before long they floated out, proudly leading the baby

344

ducklings. With them came the young Duck who had been married to Water Rat.

Behind her swam two children ... two little Ducks with duck bills and webbed feet, but alas, they had no feathers. Their bodies were covered with the fur of a Water Rat, and they had four webbed feet instead of two. On their hind legs were sharp spikes which looked like the spear of Water Rat.

The poor mother was taunted by her friends, and in shame and despair she left the sheltered billabong and made a new home for her babies far away from her friends. Her children grew up and became the first of the Gay-dari, the tribe of the Platypus.

How the Murray River was Made

Long before the Murray River became a broad torrent of refreshing, life-giving water, an earthquake shook the barren land and formed a long trench or chasm. Occasional rain storms swept across the land, and a tiny stream flowed down the newly-formed rent.

Then came another tremor which caused the hills to shake and the land to dance as though a corroboree was being held far under the earth. Rocks and soil heaved, and from the very bowels of the earth an enormous fish shouldered its way to the surface.

It was borne on the crest of a wave of water. The sun sparkled on the silver torrent which boiled and eddied in the trench, following the trail of the fish which swam down the stream. It was far too large for the narrow bed. It dug its head into the earth and scooped it up on either side, widening its path with strokes of its powerful tail. The water filled the hollows made by the head and tail of the fish, and behind it the broad stream flowed gently with many turns and bends as the agitated water subsided.

So the bulldozer of ancient days excavated the bed of the Murray River and filled it with water as far as Lake Alexandrina.

There it was arrested by the hand of Nepelle, the Great Ruler of the heavens. He picked the fish up and cut it into small pieces which he threw back into the river, where they remain as the ponde (Murray cod), pomeri (mudfish), tarki (perch), tukkeri (a flat, silvery fish), kundegulde (butter-fish), tinuwarre (bream), and mallowe (Murray Mouth salmon).

How Possum and Cat Killed Kangaroo

Kuperree was the biggest Kangaroo who ever lived. He was so strong and fierce that he killed many men, and even the great Bunyip was afraid of him. When he bounded across the plain he was so terrible to look at that hunters dropped their weapons and fled into the bush.

Everyone was afraid of him — everyone except Pilla and Inta, who were two brave hunters.

'Let us kill him and put an end to the fear that men have,' Pilla said, and Inta agreed.

Arming themselves with their best weapons, the hunters went out and found Kuperree's tracks. They followed them as far as a mountain, and when they advanced cautiously through the bush they found the giant animal lying fast asleep under a tree.

Each hunter chose a spear, but when they tested the blades with their thumbs they found that the spear heads were blunt.

'It is your fault,' Inta said. 'You should have seen that the spears were sharp before we left the camp.'

'And what about your own spear?' Pilla asked. 'It is no better than mine. You are a fine one to talk!'

The hunters quarrelled so violently that Pilla's nose was flattened against his face. He sprang up and jabbed his spear into Inta again and again until he was bleeding from many wounds.

'Stop! Stop!' Inta shouted. 'Look! While we have been fighting Kuperree has woken up!'

It was true. The giant Kangaroo was bounding towards them, and they knew that with one blow of his tail he could break their backs. They turned to face him, and in spite of their blunt spears, managed to wound him so badly that he fell over and died.

This gave the hunters time to sharpen their knives, and they cut Kuperree open. Inside they found the bodies of many of their friends, some of whom had been mighty hunters. Both Pilla and Inta were wirrinuns. They chanted magic spells which healed the gaping wounds of the other hunters, and brought them back to life. When the men were able to talk they danced round the dead body of Kuperree, lit a big fire, and roasted his flesh, greased themselves all over with his fat, and had a meal at which every part of the giant Kangaroo was eaten up.

After the fight was over, and everyone had praised the two brave hunters, they were changed from men into animals, so that everyone would know that they were the killers of Kuperree. Pilla became a Possum, with the furrow down his nose which was made when Inta struck him. Inta became a native Cat, and the white spots on his body are the marks that were made by Pilla's blunt spear.

How Tortoise got a Swollen Back

Swamp Turtle was in a vicious mood.

'Go and get some gum for my spears,' he snapped.

Tortoise tossed her head.

'Go and get it yourself,' she retorted. 'Why should I fetch and carry for you all the time? I have quite enough work to do here.'

Swamp Turtle was speechless with rage. He picked up his waddy and beat her on the back. Some of his blows were so wild that they struck her on the head and legs. She drew in her head and crouched down, until all that was exposed was the broad sweep of her back. Turtle kept hitting her until the poor woman's back was bruised and swollen, and then went off to get the gum himself.

As soon as he had gone Tortoise dragged herself painfully down to the swamp and submerged herself in the cool water. Ever since then her back has remained humped and swollen, and she hides her head under the shell she has grown to protect herself from Swamp Turtle.

How Tortoise Lost His Tail

Across the river of death lay the gigantic tortoise that bridged the gulf between the land of men and the land of souls. The spirits of men were required to cross the river before they could reach the world of eternal life, and the only path by which they could travel lay across the tail of the tortoise. It stretched over the swifty flowing river from one bank to the other.

No one knew what would happen when death came, and the spirit set out on its long journey to the land of spirits, until a man returned to tell them of his experiences.

'I travelled across a wide plain,' he said. 'In the distance I saw the gleam of running water and knew that I would have to cross the river. When I came close to it, I saw that the banks were steep, and that no man could hope to live in the rushing torrent. But the way was made plain. There is a giant tortoise by which the souls of men may cross. On the far shore the shell of the tortoise rises up like a mountain, and its head is as big as a small hill. Its mouth is full of sharp white teeth, and its eyes gleam like fire.

'There is no other way to cross. I stepped on to the tail and ran across as quickly as I could, but I had not gone half the distance when the tortoise wriggled and I fell into the river. I was tossed about like a twig and carried into a dark tunnel. I thought I would have died a second time, because I was dashed against rocks, and bruised and cut by their sharp edges. Look, you can see the scars which will tell you better than any words of mine that what I say is true.

'Presently I was carried into the daylight again, and I saw many people playing by the banks of the river, hunting, and gathering firewood. Some of them were our own people who have died, but I do not think that the river is the true land of spirits. It may be that they are still resting before they continue their journey.

'The river swept me past them and carried me into the ocean, where I was battered by the waves, and the salt water stung my wounds. I was washed to and fro. The salt water healed my bleeding body, and after a long time I was thrown up on a sandy beach. When my strength returned I kept the sun on my left side, crossing wide plains and high mountains, until at last I reached my home. You can see for yourselves that I have returned.'

'What shall we do?' he was asked. 'When the time comes for us to die, how shall we escape the tortoise with the long tail and the wicked head?'

'Someone who is strong and fearless and has the power of the great spirits must take an axe and cut off the tail of the tortoise. Men will then be able to travel the road in safety.'

'Who shall it be?' they asked, and they looked at the wirrinun, the sorcerer who lived with them.

'I know you are looking at me,' he said with a smile, 'and you are relieved that it is me who has the power and not you. Very well. I shall die this night, and I will do as you wish. But when you bury my body you must also bury my axe with me.'

The next day the spirit of the wirrinun rose from his body in the newly-dug grave, took his axe, and set out for the river. He went by a circuitous route, and climbed a tall tree, where he sat on a branch, waiting to see what would happen. Far below him the souls of men reached the river bank, looked round them, and when they realised that there was no other way across the river, began to walk along the outstretched tail. Before they reached the opposite bank, the tortoise twitched his tail, and they were shaken off and swept away in the river.

The wirrinun descended the tree, went over to the tip of the tortoise's tail, and ran lightly across it. He sped over like a gust of wind, feeling the sharp jerk as the tortoise tried to shake him off, but he was running so fast that he reached the body of the creature before the tail could swing into action. Turning round, the medicine man gave a terrific blow with his axe and severed the tail at the root. The tortoise reared up, twisted in the air, and fell on the bold wirrinun. But the sorcerer was ready for him. He wriggled clear, the axe descended a second time, and the ghastly head rolled on the ground.

With a sigh of relief, the wirrinun went to a tall tree and cut

349

it down so that it fell across the river, providing a safe bridge for all the souls who would come that way. At the root of the tree there was a snake which uncoiled its body and flicked its tongue at him. With a final blow he cut off its head.

The body of the tortoise was still quivering, and the wirrinun felt a momentary pang of pity. After all, the creature had but obeyed the will of the great spirits who had designed the pattern of the universe, and had appointed him as the pathway for men's souls. It was destiny that had brought him to this place and had changed the passage of souls for all the days to come. The tortoise had been the unwitting instrument of fate, and the hulk that lay helpless on the river bank had not acted of its own volition.

The wirrinun could not restore its tail, but the snake's head still lay by the tree stump. He picked it up, cut off the poison fangs with his knife, and joined it to the stump of the tortoise's neck.

That is why every tortoise has a short, stumpy tail and the head of a snake.

How Tortoise Got His Shell

They had chosen a wife for Wayamba, but he was disgruntled. There was nothing attractive about her, and Wayamba had his own ideas of the kind of wife he wanted. He refused to look at her, let alone take her into his wurley. Instead he went off to the neighbouring tribe, the Oolah or Spiny Lizards. Hiding himself in the bushes, he kept watch for most of the day observing the young women. One in particular fascinated him. She carried herself erect and had a bold, twinkling eye. And she was a good worker. Wayamba's heart seemed to play tricks in his body when she left her friends and came towards him. It was almost as though she knew he was there.

No one else was looking. Wayamba jumped out of the bushes, put his hand over her mouth, and half led, half carried her into the scrub. He forced her on to the ground and crouched down, listening for sounds of pursuit, but the only sounds that came to his ears were those of normal tribal life.

Apparently no one had noticed the abduction of the young woman.

He looked at her closely. Her body was firm and lean, her legs and arms shapely, and her face was bearable. Some say that she was a married woman with three children, but whether it be true or not, she was an attractive young woman.

'If you scream I will stun you with my waddy,' he warned her, and cautiously took his hand away from her mouth.

The girl smiled and touched his arm.

'Why should I scream?' she asked. 'I have seen many men, but none I like better than you.'

Wayamba grinned and caught her to him.

'You will be my wife,' he said hoarsely.

After several days Wayamba and his Oolah wife went home to his tribe.

'Who is that you have with you?' he was asked.

'This is Oolah, a wife I have chosen for myself.'

'But what about the wife we gave you? You cannot flout the tribal laws and choose your own wife, Wayamba.'

'You can take her away. Do what you like with her. I have never touched her. Someone else can marry her for all I care. This is my true wife.'

'How did you get the woman? Was she given to you?'

The young woman looked up at her husband coyly. He threw out his chest and said defiantly, 'I stole her from the Spiny Lizard tribe.'

A low wail came from the women who had gathered round to hear what was said.

'They will punish you. Grief will come to our tribe.'

'Don't worry,' Wayamba said. 'They will leave you alone. I can take care of myself.'

He grinned at them and took his young wife into his wurley.

The next morning the warriors of the Oolah arrived.

'Where is our daughter?' they shouted.

The men and women of Wayamba's tribe remained seated round their fire, muttering to themselves, and took no notice of the threatening gestures of the newcomers.

There was a loud shout and they all turned towards the wurley where Wayamba was standing. He had tied a shield to the front of his body and another on his back, and was brandishing his weapons.

'Your child is here in my wurley. She is my true wife now, and I will not allow you to take her back. I took her by force, and by force I will keep her.'

The Oolahs rushed forward and hurled their spears at Wayamba. They rattled against his shield and glanced harmlessly aside. Some of the spear throwers crept behind him, only to find that his back was as well protected as his chest and stomach.

Wayamba threw back his head and roared with laughter.

'Come and do your worst! You have met your match for once, Oolahs!'

His words infuriated the warriors. Their spears were all gone, but they surged against the young man, raining blows on his head and limbs. He found himself being overwhelmed. He dodged to and fro trying to avoid the blows. Seeing an opening, he rushed through it, leaving his wife behind, and dived into the river.

He was never seen again, but after the Oolahs had taken the young woman away, a funny creature climbed out of the river. It had an oval shell which covered its body, but its head and limbs projected beyond it. It waddled along the bank and disappeared in the distance, moving on the ground like a flat stone. It was Wayamba the Tortoise, who always carries his armour with him to protect him from his enemies.

How the Waratah was Made

Bahmai crept stealthily along the war trail, his eyes fixed on the back of the warrior in front of him, ready to throw himself into the scrub and lie so still that not even the birds could see him. He grasped his war spear and waddy a little more firmly than was necessary, for he had only just passed the initiation tests, and this was his first raiding expedition. The scars were still fresh, but he had forgotten the pain that racked his body in the excitement of the moment. He was not conscious of his lean figure and the rippling muscles that had won him admiring glances from the young women of his tribe. His training, the ordeals that he had passed through, all the experiences of his young life were gathered together and concentrated in mind and muscle on this wonderful day when at last he was to meet the ultimate test of manhood. He shook his head to clear the red mist that floated before his eyes — a red mist of hatred and exultation that flooded his mind as he thought of the vengeance that would be exacted on the nomadic tribe that had invaded the tribal territory.

If he had looked behind and up the slopes of the hill he would have seen a bright patch of colour among the rocks. The leader of the war party had looked at it with narrowed eyes, and then had turned away, recognising it as the wallaby skin garment adorned with red feathers that belonged to Krubi, one of the younger women of the tribe. For a moment he had wondered why she was there, and then dismissed the thought. It was his responsibility to see and interpret every unusual sight or movement; but Bahmai was young and inexperienced, and had no eyes or ears for anything but the trail and the longed-for moment of battle.

With an intensity that matched his own, Krubi stared down at Bahmai until he was lost to sight among the trees farther down the valley. She had loved him even before his initiation, and now that he had become a man, her body seemed on fire with longing and tenderness.

As the last warrior disappeared from sight, she settled herself in a comfortable position to wait for the return of the raiders. The hot sun seemed to set the rocks on fire, lizards lay motionless, the leaves of the trees hung limply in the still air. The whole world was asleep, but Krubi remained awake, straining her eyes for the first sign of the returning warriors. When the fighting was over, and his spear was reddened with blood, she knew that Bahmai would look up and see her, and that she would be glad because she had waited for him. She knew that the sight of her cloak and feathers would send the blood dancing in his veins, and that soon he would claim her as his wife, and no one would forbid him.

The shadows were lengthening as a tiny procession of dark figures emerged from the bush. There were fewer men than in the morning, and they walked slowly with none of the quivering energy of a few hours before. They were too far away for

353

Krubi to see their faces, but she would recognise her lover by his slim body, the way he walked, and by the lifting of his head as he sought her among the rocks and bushes of the hillside.

One by one the men came into full view, but Bahmai was not among them. Her hands dropped to her side and at that moment she faced the reality that comes to women who cannot relieve their feelings in action, but must wait and sorrow in anguish. She sank to the ground and buried her face in her hands, heedless of the little world of insects and reptiles and birds that were bold enough to approach her.

In the morning her people came to take her back to the camp, but she would not move, and refused food when it was offered to her. Each day they returned, but Krubi was as unresponsive to their pleading as one of the boulders on the hillside. Her tears trickled between her fingers and dropped on the stony ground, forming a tiny rivulet which flowed down into the valley. The moistened earth sprang to life, and grass and flowers bloomed along the course of the stream.

On the seventh day she stood up, slim and straight as Bahmai her lover had been, and sank slowly into the ground. She disappeared from sight, but the tiny creek still flowed, chattering and singing a song of love and longing.

Krubi, for love of her own dead warrior, had left the world as he had done. Long days and nights followed. Underground there was a stirring of new life, roots drew nourishment from the stream, a tender shoot pushed its way between the stones and grew into a tree which became as strong and slender as Bahmai had ever been. It put forth leaves that were like the reddened points of Bahmai's spear, and then a flower that glowed on the hillside like a second sun. It was redder than Krubi's wallaby skin garment — as red as the cockatoo feathers that had adorned it.

The tree was the waratah whose leaves remind us of Bahmai's spear, whose flaming red flowers are the symbol of the love of Krubi and Bahmai.

How the Waratah Became Sweet

As the waratah flower became the symbol of undying love, so the name Krubi was reserved for girls who possessed beauty of face and character. Only one woman of the tribe was allowed to bear the coveted name. It was not until one Krubi died that it could be conferred on a new baby. When that time came there was great competition amongst young mothers to win the privilege of naming their own girl baby after the lubra who had become the first waratah.

Because there was so much jealousy on these occasions, it happened that the spirit of love and devotion that surrounded the name was sometimes lost to sight.

The Krubi of the time of our story was a very old woman, and her powers were failing. When the tribe moved to a new camp in search of game, she found it increasingly difficult to carry the bag that contained her few personal possessions. Krubi was frightened. In spite of her great age she enjoyed the busy life of the camp, and she feared that when her husband saw her frailty, he would put her away and leave her in the care of their youngest daughter Woolyan. When that time came she knew that she would be subjected to many indignities, and would lose the respect of her friends. When the camp was shifted she clutched her dilly bag with trembling fingers, and willed her feet to carry her emaciated body, but the effort was too much for her, and she sank down with a groan.

Woolyan had been following her mother. A cruel smile curved her lips when she saw that the old woman was helpless. She made no attempt to assist her, but stood looking down at her mother.

'Help me up,' Krubi begged. 'My husband must not see me like this.'

'You will have to help yourself,' Woolyan replied. 'My baby will soon be born. It is enough for me to carry her in my body without dragging you along too.'

The old woman looked up at her daughter with a pleading expression, but Woolyan hardened her heart. She hoped that her baby would be a girl, and that she would be allowed to call her Krubi, but she knew that while her mother lived she would not be allowed to do so, and that if the child was given another name, the opportunity would be lost for ever.

Krubi read her thoughts. A gust of anger shook her body. She scrambled to her feet, seized her bag, and with a fresh access of strength plodded resolutely along the path and eventually caught up with her husband.

Woolyan bit her lip until the blood trickled down her chin. Her heart was filled with unreasoning anger. That night she looked closely at her mother in the light of the camp fire and realised that the fright that Krubi had received had given her new life.

An evil thought came into her mind. She remembered the occasions when the men had pointed the bone at an enemy and had sent the spirit away from his body.

'If only I could do that to old Krubi!' she thought. She did not realise that this power was given only to men who had earned the right to use it through years of training, and by subjecting themselves to prolonged ordeals. She knew that the privilege was forbidden to women, but the desire to confer the wonderful name on her unborn child was so great that she became reckless.

She found a bone, polished it until it was smooth, and went to seek her mother. It was dark, but she could see the old woman lying asleep in her miamia. Taking the bone from where she had hidden it, she pointed it at the defenceless woman and began to mutter spells she had been taught when she was initiated to womanhood; but they were powerless, and the bone dropped from her fingers. Krubi woke up, and in a moment of enlightenment realised what her daughter was doing. Fear gave her strength. She bounded to her feet, snatching the bone from Woolyan as the young woman bent to pick it up. Clutching it desperately in her gnarled hands, she used it to beat her daughter over the head, until Woolyan cried for mercy.

Her cries roused the camp. The men rushed to Krubi's miamia, separated the two women, and listened to what the old lady had to say. There was a shocked silence when they realised that Woolyan had tried to kill her mother with a pointing bone.

Late into the night the elders debated the terrible deed that Woolyan had done, and passed sentence on her.

'You are to go into the bush,' they said. 'Wait for us there until we come to you.'

Woolyan knew that she was to be killed. Slowly she left the camp and went into a glade where the waratah trees were in full bloom. They seemed to smile at her in the darkness, and the scent was heavy on the night air. Like water it washed away her evil thoughts. She knelt at the foot of the trees and sobbed with relief as the flowers of love drove the bitterness and jealousy from her heart. And as she knelt there, her baby was born.

When the men came to put her to death, a strange radiance filled the grove, and they felt the atmosphere of serenity. The baby was gurgling contentedly. Woolyan stood up and faced them.

'I am ready,' she said quietly. 'I have done wrong, and you have come to punish me. Please look after my baby. When she grows to womanhood, bring her to this place and tell her that her mother repented of the wicked things she had done.'

The leader of the men said abruptly, 'Bring Krubi here.'

The old lady was brought into the grove. She saw her daughter standing in front of the trees, and her grand-daughter lying on the grass. Impetuously she ran forward and put her arms round Woolyan. Their tears mingled and dropped one by one on the red flowers.

The chief threw away his club and went up to them. The scent of the waratah blooms attracted his attention. He lifted one of the flowers and put it to his lips. A delighted smile spread over his face. The tears of repentance and forgiveness had flavoured the flower, which tasted of honey.

Perhaps the baby girl was called Krubi when her grand-mother died. We do not know; but we do know that since that dark night when passions were released and dispersed by the scent of the flowers, the waratah blooms have been as sweet as the honey of bees.

How Tree-runner Made a Rainbow for His Wife

Bibby had fallen in love with little Deereeree, although she was a widow and had four children. He courted her, telling her how much he loved her, but every time he asked her to marry him and come to live in his camp, she looked sorrowful, and said, 'No, Bibby. I cannot leave my children.'

'Bring them with you,' Bibby would say, puffing out his chest. 'I am strong enough to look after you and your children, and to give you all the food you need.'

But Deereeree could not be persuaded. She was afraid of Bibby. She was afraid of the trees that rustled and swayed over her when the wind blew, afraid of the big animals that came to the water hole when she went to get water for her children, afraid of storms, and wind, and rain. Afraid most of all of the dark nights, and the spirits that waited in the shadows beyond the firelight.

All night long Bibby could hear her crying her own name, 'Wyah, wyah, Deereeree, Deereeree.'

He longed to go to her, gather her up in his arms, and comfort her, but he knew that if he appeared out of the darkness she would die of fright.

Every morning he visited her and brought food for her and her babies. She was grateful, and sometimes she longed to take shelter by Bibby's camp fire, to know that she had a strong husband to protect her. Often she was on the point of saying 'Yes' when he pressed her to marry him, but then she was overcome by fear once more. He was so big and strong that she was frightened of what he might do to her and the children.

At last Bibby could no longer stand the thin, mournful cry that came from Deereeree's camp. He was a builder. He made the biggest, stoutest building of his whole life. Beginning far away at the foot of the mountains, it reached up to the sky in a smooth arch, and then down again in the same smooth curve which ended not far from Deereeree's camp. He painted it with the most beautiful colours the world has ever seen, and then, when the labour was over, he called to the woman he loved.

'Deereeree, come and see what I have made! It is a road that leads from the earth up to the sky and down again, and it is all for you.'

Deereeree peered cautiously out of her wurley, with the children poking their heads out under her arms.

'What is it?' she asked in a tiny voice.

'It is Yulu-wiree the Rainbow,' Bibby said proudly.

'Oh Bibby, will it hurt me?'

'If you will be my wife it will not hurt you,' Bibby replied. 'It will be a road that we can walk together. But,' he added sternly, 'if you refuse to marry me it may fall down and crush you. You, and all your children.'

Deereeree ran to him.

'You are so strong, so wise, Bibby,' she said, holding tightly to him. 'I know you love me. Take me to your home where I will be safe.'

Bibby proudly bore her away, and the children scuttled after them. He was a good husband and a proud father to Deereeree's children. They lived happily together until the children grew up and left them, and married girls of their own age.

But when Bibby died and Deereeree was left alone, her fears returned. At night the old quavering cry came from the camp — 'Wyah, wyah, Deereeree, Deereeree.'

They lived long ago, these two, but Bibby will always be remembered, because he is Bibby the Tree-runner who made the Rainbow. And of course Deereeree will never be forgotten, because she is the little Willy Wagtail whose mournful night cry, 'Wyah, Deereeree' can still be heard.

Kangaroo and Emu

Bohra the Kangaroo had taken Dinewan the Emu to wife, but Dinewan was discontented. The ways of the Kangaroo tribe were different to those of her own tribe, and she was often restless.

One night, while Bohra was asleep, she picked fretfully at the grass and leaves in the roof of the wurley. Her husband was woken up by twigs falling on his face.

'What are you doing?' he asked.

'Nothing.'

He went to sleep again, but was wakened once more, and lay still to find out the cause of the rain of twigs and leaves that was falling on him. In the gloom he could see Dinewan pulling out the twigs and throwing them on the ground. Other leaves and small fragments of bark and wood fell out. It was these that had woken him as they pattered down on his face and body.

'Dinewan!' he said sharply. 'Why are you doing that?'

She sighed, and said indifferently, 'Why shouldn't I? There's nothing else to do.'

'Don't be ridiculous. This is the time for sleeping.'

'But the night is so long. I'm tired of the darkness.'

'I can't help that. It has nothing to do with me.'

'Oh Bohra,' she said, snuggling up to him, 'you are so clever, you can do anything. Before we were married you told me that you were a famous wirrnun.'

'I am,' Bohra said. 'There is no more powerful medicine man in all these parts.'

'I knew you were clever! Take me to a place where there is no darkness.'

Grumbling a little, Bohra led his wife outside, and they stumbled through the scrub, looking for light in the darkness. Before long Dinewan began to wish that she had never left the wurley. She bumped against trees, bruised her shins on rocks and stumps, and trod on thorns and prickles until she could bear the pain no longer. She rubbed one foot against the other, but it only made matters worse. The skin came off the lower part of her legs, and big lumps rose on her feet. That is why Emus have such bare, ugly legs.

'I can't go any farther,' she said, dropping to the ground. 'If you are such a wonderful wirrinun we wouldn't be looking for light in this horrible bush. You'd drive the darkness away.

Bohra grunted.

'If you really loved me, that's what you would do!' she pleaded.

'Try to go to sleep. I'll see what I can do.'

They drifted off to sleep. Bohra's spirit left his body and travelled far to the east. There it lifted up the curtain of the dark and began to roll it across the sky. The light grew stronger. At first trees were silhouetted against the light sky, then gleams of sunlight caught the distant hills, colour came into the foliage, and birds began to sing.

Even in her sleep Dinewan was anxious to miss nothing. She kept one eye and one ear open all the time. When she grew tired she closed them and opened the other eye and ear — and that is how Emus have slept from that night onwards.

The wandering spirit returned to Bohra's body. He opened his eyes and looked at the sunlit landscape.

'There you are, my dear,' he said to Dinewan. 'My spirit has done this, so I have done it too. The spirit and I are the same being. From now on we who are Kangaroos will be able to see in the dark as well as in the light, but as for you, all I can do is to make the night shorter.'

Dinewan smiled to herself, knowing that she would be able to keep an eye and an ear on Bohra, even in the darkest night.

The Kangaroo Dance

Bohrah was the name of Kangaroo when he was only a four-footed animal creeping through the grass on the plains of New South Wales. One night he saw the flickering flames of camp fires in the distance, and heard the shouts of two-legged men. He was curious to know what was happening. Creeping stealthily through the darkness, he came close to the encampment and watched the scene in astonishment. The fire had been lit in a circle, and men were dancing in a fever of excitement. It was a corroboree. Possum skin rugs had been rolled up into tight bundles and the women were striking them with sticks and boomerangs, while the men danced in the firelight to the rhythm of the drums and the high-pitched chanting of the women.

For a long time Bohrah lay watching, with his head resting on his front paws, and his hind legs gathered up under him, ready to make his escape quickly if anyone noticed him. The dancers whirled round until they were gyrating like sparks from the fire. The booming of the drums grew faster and louder.

The excitement began to affect Bohrah. His breath came more quickly, his paws twitched, the hairs rose on his back, and his heart began to beat to the rhythm of the drums. With a howl he sprang to his feet, dashed through the circle of fire, and joined in the dance. At first no one took any notice of him, but presently the women shouted, half in fear, half in admiration. His long tail swung from side to side. It was so amusing that the dancers stopped and began to laugh, until presently Bohrah found himself alone.

The beating of the possum skin bundles never stopped, the women kept on chanting, the men clapped their hands and rolled on their backs, helpless with laughter, while Bohrah solemnly danced on four feet, then on two, supporting himself with his tail.

One of the men had an amusing thought. He picked up one of the possum skin rolls and tied it to his girdle so that it hung behind him like Bohrah's tail. He put his elbows against his sides, with his hands dangling in front of him like paws, and hopped after the dancing Kangaroo. Others joined him, and soon there was a circle of men taking part in the Kangaroo Dance.

It went on until the darkness began to pale. In the chill morning air the older men of the tribe went to one side, and debated together gravely.

'Bohrah must be put to death,' one said. 'He has joined in the sacred corroboree and has learned things that should be hidden from animals. There is only one fate for an animal that has become as a man.'

Another disagreed.

'We have learned something this night from Bohrah,' he said. 'He has taught us a new dance, the Dance of the Kangaroo. It is a time for rewarding rather than punishing.'

The matter was debated at length.

'Bohrah has become one of us,' it was decided. 'From now on he will always walk or run or jump on two feet, like a man, and balance with his tail. We will leap as he has leaped, and in our corroborees we will dance as he has danced. He will be initiated into the tribe of Man, and he will be a Totem for us.'

The men took Bohrah away from the women. They held him down on the ground and, with a stone for a mallet and a hard-pointed stick for a punch, they knocked out his front teeth in the rite that is performed when boys become men.

Then they set him free, and Bohrah hopped back to his feeding ground, leaping on his back legs, and supported by his tail. And so the Kangaroo Dance was born.

Koala and Bunyip

Who could ever imagine that the little Native Bear would ever have made friends with the cold, repellent monster of the swamps which the Aborigine calls the Bunyip? But look closer and you will see strange markings in its fur. See how tightly its baby clings to its back. You may think that these things add to its quaintness, and show its lovable nature, but that is because you do not know how a single Koala once endangered a whole tribe.

The little Bear lived on the top of a mountain. Every night she came down to drink, and there she met the Bunyip who lived in the deepest, dreariest part of the swamp. Koala was not afraid of Bunyip. She was a cheerful little fellow.

'Hullo,' she said when she first saw the Bunyip. 'I thought you were part of the mountain, but when you moved I knew that you must be a Creature like myself. What are you doing here?'

Bunyip did not answer Koala's question, but asked, 'Where do you come from, little Bear? I have never seen you before.'

'I come down from my home every night to drink water. Would you like to come and see where I live?'

'Anything for a change from this awful swamp,' Bunyip said in a hollow voice, and he followed Koala up the steep mountain sides. Trees snapped under his heavy tread, and large boulders crashed through the scrub. He sank down exhausted while Koala danced round him excitedly.

'It is the first time that a Koala has ever been visited by a Bunyip,' she said. 'We must celebrate the occasion, and she offered him delicacies from her food store. They disappeared quickly into Bunyip's capacious maw. His mouth split open in a cavernous grin, and the two animals talked together until the eastern sky paled. As the sun rose Bunyip lumbered down the mountain side and hid in the swamp.

It became a nightly occurrence, and the strangely assorted pair became firm friends. The other Koalas were uneasy and remonstrated with the Koala who lived on the mountain top.

'It is not right to be friendly with a horrible Bunyip,' they said.

'Why not?' Mountain-top Koala asked truculently.

'We'll tell you why. We are all friends of Man, but Man is afraid of Bunyip. If he finds that one of us is fraternising with him he will hate us instead of loving us.'

'Why do we want Man to love us? I don't care whether he loves me or whether he hates me.'

'But we do! Man hunts Wallabies, and Kangaroos, and Wombats, and Lizards, and eats them, but he loves Koalas. If he had hated us he would want to eat us too.'

'You'd better be careful, then,' Mountain-top Koala laughed, and raced away to meet her friend Bunyip.

The other bears continued their discussion.

'We will have to do something to bring her to her senses before it is too late,' they said. 'Let us see if we can learn anything from Man himself.'

They crept away and climbed quietly into the branches of the trees round the camp site of Man. It was evening, and they could not be seen among the leaves, but they kept their eyes nearly closed so that they would not gleam in the firelight.

Soon the medicine man came into the circle of Men who were squatting on their haunches. He was painted with stripes of white and yellow clay to which tufts of cotton were clinging. He danced round the circle, waving his spear and using words that the Koalas could not understand.

In the morning they looked at each other sleepily.

'The magic is in the markings on his body,' one of them said. 'You must help me to put clay on my body in the same patterns, and then the Spirit of Man will come to our aid.'

Before dusk the strangely marked Bear went up the mountain and found a little Koala waiting for its mother to return with Bunyip. Painted Koala picked it up and held it in his arms until a rumbling sound told him that the mother was coming home with her Bunyip friend. As soon as she appeared he put the baby firmly on her back and whispered in its ear, 'Hang on tight. Never let go.'

The magic in the taboo markings was so effective that the baby hung tightly to its mother. Every effort she made to dislodge it failed. Bunyip grew tired of waiting while Mountain-top Koala tried to get rid of her offspring. He had been hoping for a good meal and pleasant, dreamy conversation. After a while he got to his feet and went back to the swamp in disgust.

Painted Koala faced Mountain-top Koala.

'I am doing this for your own good as well as for the benefit of all our people,' he said. 'You will not easily get rid of your baby. To show how important this lesson really is, the marks that have been painted on me will always remain on the faces of our people, and on the fur of their heads.'

He turned and ran back to his people and, as he had said, Mother Koala could not get rid of her baby, nor could she wash out the strange coloured marks that had appeared there while Painted Koala had been speaking. They are a reminder to every generation of Koalas that, if they value their lives, they must not associate with Bunyips.

Kulai and Culma

Kulai lived in the far north on the shore of the Gulf of Carpentaria. He was very young, so young that he could not be trusted far from his parents, who kept him safely hidden from their enemies in the bush.

Kulai was an adventurous young Echidna. While his mother and father were busy hunting food one day he scuttled off on his short little legs until he was out of sight. It was a lazy walkabout through the bush, but at last he came to a place where the trees were scattered and then stopped altogether. Kulai found himself looking out over waves of sand. He plodded on, over the ridges and into the valleys, his feet sinking deep into the sand. He came to the last ridge, and drew back in surprise. An endless sheet of blue water covered with white-capped waves stretched as far as the horizon.

Kulai looked down and saw tiny little waves lapping against the sand.

He slipped down the steep slope and paddled in the cool water, laughing as the restless sand tickled his toes. Suddenly he squealed and jumped in alarm as a silver-white shape glided up to him.

'Who are you?' the silver-white thing asked.

'I am Kulai. Who are you?'

'I am Culma. I live in the water. Come with me where we can swim together in the deep sea, Kulai.'

'No,' said Kulai. 'No. I have never seen so much water before. I am afraid.'

'Oh, come on. I know you are a creature of the bush, but it is not an exciting place like the sea. The sea is an adventure, Kulai.'

Adventure certainly appealed to Kulai. He waded in farther until he could no longer touch the sand with his feet.

'Farther, farther!' urged Culma.

Kulai was frightened. The little laughing waves slapped his face. He opened his mouth to cry, and his mouth and nose were filled with salt, stinging water. He spluttered and splashed frantically with his legs.

Culma swam up to him and said, 'Now you are at my mercy, little Kulai. This is the moment I have been waiting for.'

He opened his mouth wide. Kulai shrank into a ball and Culma swallowed him in one enormous gulp; and that was the end of little Kulai.

It was nearly the end of Culma, too. The spines of the Echidna stuck out and pierced his body. That is why Culma has a spiny fin and tail and is no longer smooth and shining as he was before he met Kulai the Echidna.

The Last Song of Priepriggie

The men were shuffling round in a circle, the sticks beating rhythmically and the song rising and falling in a cadence that followed the swaying bodies. It was a song to stir the blood, a dance to set the body quivering in an ecstasy that was partly poetry of motion and partly a wild abandon that made man one with nature, that gave him the zooming flight of the bees, the mile-long hopping of the kangaroo, the stir of sap in the trees in spring, that wedded him to earth as the Bandicoot and the Wombat are part of the earth. It was a song of Priepriggie, a song and dance that only Priepriggie could make out of the thoughts in his mind and the blood that pumped through his body.

It was in the Dreamtime, and only the combination of earth while it was young and the travail of earth as it laboured and brought new wonders to birth could ever have made a man such as Priepriggie.

'Let us honour Priepriggie in our corroboree,' the men of the Dreamtime said. 'Priepriggie is the song. Priepriggie is the dance. In the corroboree that Priepriggie has made, we are all Priepriggie.'

And Priepriggie was in the song and the dance that he had made. He danced and he sang, and when the stars paled, he sank exhausted on the churned up sand. He lay on his back and looked at the stars that shone faintly on the brightening curtain of the sky and shouted, 'Why don't you dance, stars? Why do you sit there silent and alone? Why don't you dance with us?'

It was light enough now for the men to see each other's eyes. They looked from one to another and saw the spark of laughter deep in the dark eyes beneath the overhanging brows. They whispered, 'Priepriggie will make them dance and sing!'

But Priepriggie shrugged his shoulders and said, 'It is enough if I make you dance. There's the big flying fox in the tree down by the river. I'll make him dance.'

'It's getting late, Priepriggie. You'll never catch him now.'

'Yes I will,' Priepriggie boasted. 'It's still dark where the trees overhang the river. Come and see.'

They crept after him like shadows and sank into the shade of the bushes, watching Priepriggie stealing towards the huge tree where all the flying foxes nested at night. He placed the butt of his spear in the notch in his woomera, drew back his arm, and sent the weapon between the branches like a flash of light.

367

A squeal of pain was drowned by the thrashing of wings as a thousand flying foxes woke and fled from the tree. They whirled in a circle watching as the spear fell from one branch to another, balanced for a moment, and fell to the ground. The body of the biggest flying fox lay still, with the shaft of Priepriggie's spear protruding from its chest and back and the blood dripping to the ground.

'Here is my meal, flying foxes,' Priepriggie shouted. 'Now you may dance and sing as your leader has danced and sung.'

Their squeaky voices were unlike the voices of men, but the circle of flying foxes gyrated round the tree, and the song of the corroboree was echoed by the weird chorus. The circle turned faster and came closer to the ground. Priepriggie staggered in the whirlwind caused by the beating of many wings. His feet left the ground. He turned round and round and was slowly carried out of sight of the men who had risen from their hiding places, holding their heads back until the noise of the wings died away and nothing was to be seen of the mighty flock of flying foxes and their friend Priepriggie.

'Look for his handiwork in the sky,' said Priepriggie's wife; but though they looked everywhere the man and the flying foxes had disappeared.

After the hot day the night air was cold and frosty. The bewildered men huddled together, longing for Priepriggie to lead them in the dance.

'Listen, men!' his wife called to them. 'Listen! It is Priepriggie!'

From far away they heard the voice of their friend chanting. They shuffled their feet in the dust and began to move round, their bodies undulating in time to the music. They joined in with the distant song. They lost all sense of time and space until the woman's voice cut through the song just as Priepriggie's spear had plunged through the body of the flying fox.

'Look up! Look up, men! The stars are dancing!'

They stopped and looked up. The stars were twinkling in the frosty night air and dancing together. Never had so many stars been seen together at one time before. They were clustered so thickly together that they shed a light — the broad band of light that men now call Warrambool, the

Milky Way. They were singing Priepriggie's last song and dancing his last dance.

Laughing Jackass and the Sun Fire

There was a time when the only light in the world came from the moon and stars. Even when the moon was full and sailed across the sky like a gigantic silver ball, black shadows lurked under the trees. When the moon was a small sliver of light, the huge animals who lived before man was born could only grope their way through the gloom. And when clouds covered the sky, or when there was no moon, the world was still and every living thing slept. It was but a shadow world, gloomy and mysterious, where birds and animals fought constantly amongst themselves.

Under a cloudy, moonless sky, Dinewan the Emu and Brolga the Native Companion were fighting. There was no purpose in their quarrel, but they tried to kill each other. Dinewan sent the smaller bird head over heels in the sand and raked his body with strong claws. Brolga struggled to his feet and ran to Emu's nest. He picked up the largest of the eggs and with a quick jerk of his beak tossed it into the air.

Instead of rising in a curve and falling back, the egg went up until it reached the sky, where it smashed into a pile of firewood which the spirits had built. The egg broke, the yellow yolk flowed over the wood and burst into flame. The sky glowed in the light of the flames and, for the first time since the world was created, it glowed with colour. Warmth crept into the cold valleys, the lakes steamed gently, and all the animals basked in the unaccustomed heat.

The sky spirits were entranced with the beauty of the world that was revealed to them, and they agreed to light such a fire every day. During the hours of darkness each night they gathered firewood ready for the morning. To their surprise the animals often continued to sleep after the light flooded the world.

'They need to be told, so that they will be ready to see the fire as soon as it is lit,' they decided, and they hung a bright morning star as a sign that the fire would soon be kindled.

369

But still the lazy animals slept on.

'Light is evidently not enough,' they said. 'We need someone to make a noise that will wake them up,' and even as they spoke they heard a merry voice that rang out from the trees far below.

'Goor-gour-gaga! Goor-gour-gaga!'

'That is Goor-gour-gaga,' they exclaimed. 'He can do just what we want!'

They flew down and found him sitting on a branch, laughing and chattering.

'Goor-gour-gaga!' they said, 'we want you to help us.'

Laughing Jackass chattered with his bill, and then sat and listened.

'Do you like the big fire we light every morning? The fire that gives warmth and light, and which we call the sun?'

'I do — Goor-gour-gaga, Goor-gour-gaga,' he replied. 'But what has that got to do with me?'

'All you have to do is to laugh, just as you were doing then,' they told him. 'We want you to wake up when the evening star grows pale. That is when we light the fire. There is only a tiny flame at first, so small you can hardly see it — but you are clever, Goor-gour-gaga.'

Jackass puffed out his chest and agreed with them.

'If you laugh, you will wake everyone up, and they will be ready for the work of another day.'

'And if I won't do it?'

They looked at him sorrowfully.

'Then we will not light the fire, and the world will be dark and cold as it has always been. It will be the same for you as for all the other birds and animals, Goor-gour-gaga.'

The bird startled them with an ear-splitting shriek of laughter.

'Like that?' he asked.

'Yes, yes, just like that, Goor-gour-gaga.'

'Of course I will do it. I like to hear my own voice as much as you do.'

They hid their smiles, and commended him. 'But remember, if you do not laugh at dawn, we will not light the sun fire.'

Every day begins with Goor-gour-gaga's laughter. The fire

of the sun is kindled by the spirits of the sky, and as the wood catches fire, the flames grow higher. By midday the blaze is at its fiercest, but during the afternoon it dies down, and when evening comes, only the embers remain. They glow hotly, and their red gleam is often seen after sunset. A few of the embers are saved by the sky spirits, who wrap them in fleecy layers of cloud and keep them alive ready to light the fire the following morning ... the morning which the Laughing Jackass will herald with his raucous, exuberant cry of 'Goor-gour-gaga!'

The Miserable Mopoke

There was a bad-tempered man who was so surly, and who disliked other people's company so much that he went away to live by himself. He was frightened that if he stayed with the tribe he would be expected to help with all kinds of jobs. When by himself he had plenty of time to do the things he wanted. After he had lived alone for some years he had a magnificent collection of spears, boomerangs, nulla-nullas, and kangaroo and possum skin rugs. The name of this man was Mooregoo, the Mopoke.

One night Bahloo, the Moon, came down to earth. He was cold and hungry, and walked for a long way without finding anywhere to shelter. Presently he was a gleam of firelight in the distance. It was Mooregoo's camp fire. Bahloo hurried towards it.

'Will you give me something to eat, please?' he asked Mooregoo.

'No,' said the solitary man grumpily. 'I have only enough food for myself.'

'Well, at least you can let me warm myself by your fire.'

'There is only enough fire for me.'

'But you have some fine rugs. If you won't let me stay by the fire, I will wrap myself up in one of them.'

'You leave the rugs alone,' Mooregoo shouted. 'I made them for myself, not for idle fellows who are not prepared to help themselves.'

Bahloo turned away and went over to a tall gum tree. Mooregoo looked at him curiously as he took his flint knife and cut a notch in the trunk of the tree, and then another a little higher up. One after the other Bahloo cut the notches in the tree trunk and used them as steps to climb up to the first branches. He did not stay there, but went on until he came to a comfortable fork where two branches met. Still using his knife, he stripped a large piece of bark from the tree and covered himself with it.

By this time the sun had risen. Bahloo chanted incantations and muttered magic spells. The wind came up, driving the heavy clouds before it, until the sun was covered. Then the rain began to fall. Moregoo took shelter in his humpy, but before long the river began to rise and covered the whole of his camping ground. It swirled between the trees and washed away his spears and nullanullas and boomerangs and his precious skin rugs. Then it surged round the humpy and washed that away too.

Mooregoo rushed from one tree to another, trying to climb up the smooth trunk, but he could not find a foothold. The waters rose higher still, and he was carried away in the flood.

Bahloo smiled grimly as he heard the man's voice dying away in the distance. Mooregoo was changed into a Mopoke, but he still cries with a mournful voice. When the black-fellows hear it, they say to their friends, 'Don't be a Mopoke,' because they remember what happened to bad-tempered, surly Mooregoo in the days when Bahloo came down to earth.

The Moon's Reward

Two brothers were looking for honey. Their search led them a long distance, but at last they found a bees' nest in a hollow tree. The bees were flying in and out of a hole in the trunk several feet from the ground.

'There will be a fine supply of honey here,' one of the brothers said. 'No one has been here before. Put your hand inside and pull it out.'

'No,' his brother replied. 'Your arms are longer than mine. You pull it out.'

'My skin is not as hard as yours. I would get badly stung.'

'And what about me? Do you think the bees will leave me alone? Anyway, you are the oldest. It is only right that you should show me how to get the honey out of the tree.'

'Yes, I am older than you, and as you are the younger brother, I tell you to get it. If you don't I'll set about you with my club, and then you can tell me whether bee stings are worse than waddy blows.'

The younger brother gave way and gingerly thrust his hand into the hole, blocking it completely. The bees were puzzled. They buzzed round trying to find an entrance, but made no attempt to sting the honey thief.

'I can't feel any honey,' he said. 'Only bees crawling over my fingers.'

'Put your arm right in, man,' his brother urged. 'The honey is sure to be farther down the trunk.'

The young man pressed hard against the bole of the tree and thrust his arm down to its fullest extent.

'I can just touch the honey,' he exclaimed. 'It is sticky on my fingers,'

'Then pull it out!'

'I can't. I can touch it, but I can't get my fingers round it. It's too far down.'

'Oh, you are a fool. Why didn't I do it myself!'

'Because you were frightened of the bees, elder brother. Now you know that they won't hurt you, perhaps you would like to try for yourself.'

He began to pull his arm out of the hole. It had been a very tight squeeze getting it in, but by now his arm was swollen and covered with honey.

'I can't get it out,' he complained. 'My elbow is stuck and it hurts.'

His brother caught hold of his other arm and began to pull.

'Stop! Stop!' the young man shouted. 'You're hurting!'

'It'll hurt more before I'm finished with you. I can't leave you like this, and anyway I want my honey.'

He began to jerk savagely, holding on to his brother's arm with both hands and pressing his feet against the trunk of the tree.

The young brother, who was little more than a boy, began to scream with pain. The elder brother let go and sat down to think.

'I will get other people to help. If we all pull at once we'll have your arm out before you know where you are.'

'No, no,' pleaded the other. 'I think you have broken it already. You'll have to find some other way.'

'Very well. I'll go and get help. There may be some wise man who can tell us a better way to free you.'

There were a number of hunters on the plain. He ran swiftly from one to another, telling them what had happened, and begging them to help, but they were too intent on their tasks and refused abruptly. Some said they were sorry and would come later, others were angry and drove him away because he was frightening the game, and some thought it was all a huge joke. The only one who could help was a round-faced man named Moon.

'Where is he?' asked Moon. 'I think I know what to do. Take me to him.'

When they got to the tree the poor young man was dangling helplessly by his arm and almost unconscious. Moon climbed nimbly into the branches of the tree and found the hollow shaft below him. He put his head right inside and gave a tremendous sneeze. The imprisoned arm was blown out of the hole, followed by a cloud of angry bees and a large quantity of honey.

The three men sat down to eat. The two brothers were angry because the other hunters had refused to help, and they plotted vengeance.

'The wind is blowing towards them, and there is a lot of dry grass about,' the younger brother suggested.

'Don't do it,' Moon begged. 'You may find yourselves in trouble if you try to burn them up.'

'We won't do that,' elder brother said, rubbing the hard edge of his woomera on a dry log. 'We'll smoke them out and drive the game farther away.'

A wisp of smoke came from the log. He blew the tinder and fed the tiny flame with wisps of grass until the wind fanned it to a blaze. The fire spread quickly, but the wind shifted and

374

started to blow towards them. The three men turned and ran, but the fire gained on them. Moon stumbled and fell flat on his face.

'He helped us, now we must help him,' younger brother gasped.

The brothers turned to Moon, seized an arm and a foot on either side, and swung him backwards and forwards, higher and higher. When they released him he shot up into the sky.

The brothers kept on running until they were lost to sight, even to Moon, who liked his new home in the sky so much that he has remained there ever since.

The Oyster Brothers and the Shark

The Oyster brothers sat on the beach watching Shark as he rushed backwards and forwards. It was a beautiful day with a cloudless sky and a soft, cool breeze blowing along the beach. They had full bellies and nothing to do but watch Shark chasing the stingrays. Presently he caught one and carried it to the beach, where he left it on the sand and went back to hunt for more.

'It would make a good meal for us when we feel hungry again,' one of the Oyster brothers remarked.

'Yes, much better to eat when someone else has caught it! Let's hide it.'

They carried the stingray to their camp in the scrub on the edge of the beach and covered it with branches and wisps of dried grass.

Shark had no more luck after his one catch. The stingrays had decided that the stretch of open water was no place for them when Shark was on the prowl, and had gone to a bay where they could hide among the rocks.

Shark waded out of the water and looked everywhere for his stingray. He noticed the Oyster brothers who were sitting innocently on the sand. He strode up to them.

'Where is my stingray?' he demanded.

'What stingray?'

'You know very well. I left it here a while ago, and you are the only people on the beach.'

The elder Oyster held out his hands as if to show that they were empty.

'We have been here all day and we haven't seen any stingrays. They don't go walking about on the beach for our benefit, you know.'

Shark made an angry noise and stalked away. As he was leaving he turned and said threateningly, 'If it was you who took it, you will be sorry.'

After giving him plenty of time to get away, elder Oyster stood up and said to his brother, 'Do you feel like a nice feed of stingray?'

'Yes, that would be good, but where can we find one?'

'Who knows?' elder brother chuckled. 'Maybe the good spirits have left one in our camp. Let's go and see.'

'There you are!' big brother Oyster said as he pulled it out from under the leaves and grass. 'It's a pity Shark isn't here. He could have shared it with us.'

Some time later he wiped his mouth and patted his stomach.

'But perhaps it's just as well,' he remarked. 'There was only enough for us.'

They lay down by the fire to sleep; and then it was morning, and Shark was kicking them.

'You have been eating stingray,' he shouted. 'I knew you had stolen mine.'

'How can you be sure?' the elder Oyster asked. 'Ouch! Stop it! That hurt. How do you know it was your stingray? We are able to go fishing just as well as you are.'

Shark towered over him.

'Oysters are too lazy to go fishing for themselves. I know you are the thieves.'

He belaboured young brother Oyster with his spear, and when elder brother Oyster tried to protect him he pushed him aside. He drew back his spear ready to hurl it at him. Oyster struck it aside with his woomera and leaped on to Shark, who grappled with him at once. They fell to the ground, rolling over the ashes of the dead fire. Shark managed to struggle to his feet. He buried his hands in the ashes, smearing them over Oyster's body until he was covered with the white powder. Stung to retaliation, Oyster dug out some hot sand and threw it into Shark's eyes, until he begged for mercy.

The Oyster brothers stood back, but Shark was not finished with them. Swinging his waddy round his head, he brought it down twice, flattening the bodies of the Oysters. The younger one was so furious with pain that he chased Shark down the beach and into the water, where he flung his boomerang at him. It stuck into his back, projecting above the water as Shark swam out to sea.

None of them forgot that day. Shark's eyes have been small ever since because of the hot sand that was thrown into them, and Oyster's boomerang is still in his back. As for the Oysters, they were so small and flat after their beating, and covered with white ashes, that they crept round to the hiding place of the stingrays and sank down into the water, where they attached themselves to the rocks and waited for someone to come and eat them. And someone always does!

Rainbow Into Fish Into Mountain

Rainbow bent over the pool and looked at the woman who was stooping to gather the roots of the water lilies. She was as graceful as a bird with the water glistening on her skin and her long arms weaving through the clear water. Rainbow had never seen such a beautiful sight in all his life, and he was on fire with love.

He slid silently into the water and changed himself into a fish. He swam towards her, his heart beating quickly at the sight of her legs and body and the arms that stretched down to the bed of the lagoon, and disappeared as the woman rose to put the roots in her dilly bag. He tried to rub his body against her legs, but she had finished her work and was climbing on to the bank. Rainbow-Fish looked up at her. She was conscious of the eyes that peered so intently at her from the water. Her teeth showed in a smile as she lifted her yam stick and tried to use it as a spear. She could not touch the fish. She struck at it as though the digging stick were a waddy, but she only splashed the water until it sparkled like a fountain in the sunlight.

The smile faded from her face. The fish was growing

bigger. Its sides swelled like the moon, and it grew bigger and longer.

'A bunyip!' the woman gasped and turned to run, but she slipped on the wet grass. She heard the fish scrambling out of the water and felt it slide under her body until she was sitting astride its back. The fish soared into the air and carried the helpless woman far across the plain. It flew over her own camp site and she caught a glimpse of her husband staring up at her with his mouth open wide in amazement.

For many miles she travelled on the back of the flying fish, but at length it grew tired; it sank down and turned into a mountain rock.

Presently a man came loping across the plain. It was the husband, who had noted the direction taken by the fish. When he saw his wife, her waist was still encircled by an arm of stone. He attacked the rock fiercely with his nulla-nulla. The fish that had once been a rainbow had now taken the shape of a man. With a single blow the husband half severed the man-mountain's neck. The stone arm relaxed and the woman fled towards her husband, but she was destined not to reach him.

A flash of light which contained all the colours of the rainbow enveloped the rock. It grew as quickly as it had done when it was a fish, but now the growth continued unchecked. The rock swelled and split and towered up towards the sky in the form of a mountain. All the power of the Rainbow was concentrated in the gleaming, coruscating light. A streamer of many-coloured flame reached out and touched the man and the woman, turning them into stone pillars. Rainbow-Mountain lost his strength in that last manifestation of power. He never stirred again, his feet buried deep in the desert sand, while close by him the pillars of stone turn to each other as if in fear of the mountain that broods throughout eternity on the memory of unfulfilled love.

The Rainbow Snake

The two boys had been chosen to accompany the men when they left on their long journey to the sea to catch fish. The boys had never been away from the inland hunting grounds before. The crossing of the mountains, through the densely bushed valleys, and over the bare pass where the clouds settled in a heavy mist, had been filled with new and exciting experiences.

Camp was made in a sheltered valley. The boys were up early the next morning. They fanned the embers of the camp fire into a blaze and heated stones ready for the morning meal, but their hopes were dashed to the ground when the elders told them that they must stay in camp.

'But we wanted to come with you for the fishing,' they said. 'We have never seen the ocean.'

'You must be patient and wait until you are older,' they were told. 'We are going to leave our food and weapons here, and someone must stay in camp to look after them.'

The boys concealed their disappointment and pretended to be proud of the responsibility that had been given to them.

'Perhaps we could go down for a little while ... just to watch,' one of them said. 'We could go one at a time so that the camp would not be left unguarded.'

'You will both stay here all the time,' the leader said sternly. 'Do not leave the camp. If you go into the bush you may be attacked by wild dogs. If you go to the beach you would be in danger from Thugine, the great snake that lives in the sea.'

The boy was about to say something, but he changed his mind. As soon as the men had gone and their voices had died away, he turned to his friend and said, 'I don't believe what they say about Thugine. Snakes don't live in the sea. It's only a tale to scare us so that we won't follow them. I'm going down soon. We didn't come all this way to be scared by a yarn that only women would believe.'

'I'll come with you,' his friend said. 'I'm not going to stay here alone.'

They waited for a while and then went stealthily through the trees, which thinned out as they came close to the seashore. They stopped and stared at the sight that met their eyes. The sand was white, and as far as they could see the white waves hissed across the flat, wet beach. Farther out the sea was a deeper blue than the sky, and white waves curled over it. Seagulls wheeled overhead, their mournful cries blending with the song of the waves. Far away they could see the little black dots which were the men of their tribe.

'Come on!' the older boy shouted. They raced down to the water and plunged in, shrieking with delight as they were tumbled about by the waves. Before they realised what was happening they were caught by the undertow and swept out of their depth. Cloud shadows raced across the water, and below them another shadow, long, sinuous, menacing, followed them. It was Thugine. He wrapped his body round the struggling boys and dragged them to his lair beneath the waves.

In the late afternoon the men returned to camp, burdened with their catch. Nothing had been disturbed, but there was no sign of the boys. The men shouted and searched. Darkness fell and the search was abandoned, but early the following morning they trailed the boys down to the beach. The footsteps led to the water and were lost to sight.

'They have been taken by Thugine,' the leader said. 'I warned them against him, but they disobeyed my orders.'

He looked out to sea. Two rocks projected above the water, their sides lashed by the waves.

'There they are,' he said sadly. 'Thugine has turned them into barren islands. And there is Thugine himself!'

A brilliant bow was arched across the sky, embracing both rocky islands. If sometimes you see it for yourself, you will know that Thugine is the Rainbow Snake who lives in the sea and who sometimes arches his multi-coloured body far into the sky.

The Rainbow Snakes

Far away in the Northern Territory, in a river that flows into the Gulf of Carpentaria, live the Rainbow Snake and his wife. Rainbow Snake is the guardian of the river. He allows the black people to catch fish when they are hungry, but if they spear them for fun, he becomes very angry.

Rainbow Snake is a beautiful creature, with long red and yellow stripes down his body. His wife is blue from the top of her head to the tip of her tail. After a shower of rain they sometimes stroll together, and their bodies can be seen in a huge curve that stretches across the sky. It is then that the blackfellow must be careful, because Rainbow Snake can dart down like lightning to pick up anyone who has been foolish enough to catch fish for sport. As a just retribution he feeds them to the fish in the river.

A long time ago a shower of hailstones fell near the river. The oldest people in the tribe had never seen anything like these white stones before. As soon as the stinging shower was over they rushed outside their gunyahs and looked at them for a long time. The hailstones did not move, but slowly, ever so slowly, they seemed to burrow into the ground, and disappeared. There was much argument as to whether they had simply grown small and vanished, or whether they had made their way into the ground.

'They must still be there,' one of the elders said emphatically. 'Give me a yam stick.'

One of the women handed him her digging stick, and he turned over the ground in several places. At the bottom of the holes he found worms, which was not really surprising, for if you dig in the right place you will nearly always find worms.

'These are the children of the Rainbow Snake,' the old men said triumphantly. 'They have hatched out of the white eggs that fell from the sky.'

And because it was the oldest, wisest man in the tribe who said it, everyone has known, ever since that day, that hailstones are the eggs of the Rainbow Snake and his wife.

The Rebellious Son of Baiame

In the Barwon River there is a large pool called Wirreebilla; and nearby there is a tree with a lump on the bark which is known to the tribes for hundreds of miles around as the Goodoo of Wirreebilla. This is the story of Goodoo.

Long ago Baiame and one of his sons were fishing at the pool. They caught an enormous Goodoo, or Codfish. It was so large that it was a struggle to get it ashore. When it was safely landed, Baiame cut two large slices of its flesh which he put on the fire that his son had kindled. The remainder of the fish was hung on the bough of a tree.

There was a tempting aroma as the fish was cooked. Baiame took it out of the fire and sank his teeth into one of the slices. His son put out his hand to take the other piece, but Baiame struck it away. With starting eyes the young man watched his father eat the first slice and make a start on the second. He flung down the bank in a temper and, hidden from his father, wrought magic spells that caused the water to whirl round faster and faster until it surged down the river, carrying all the fish with it. As the torrent flooded the river from bank to bank, the boy ran alongside it, laughing as he saw the fish swept helplessly along.

Baiame finished his meal, wiped his hands, and called his son. There was no answer. He called again, and then walked over to the pool. There was only a little muddy water at the bottom, and he knew at once what had happened. He strode down the river in a temper. He could see the traces of the flood-water, but mile after mile went by without any sign of his son. Then, far in the distance, he caught sight of him.

'Stop!' he called.

His son kept on running. Baiame gave a slow smile. He knew that where his son was going the river plunged underground. When the boy halted, he came closer and said, 'You wanted to go with the river. Go on. Go on under the earth and never let me see you again.'

The boy was defiant. He had never stood up to his father's anger before, but he was so resentful of Baiame's selfishness that he shouted, 'Be quiet, old man. Turn into stone.'

The veins stood out on Baiame's forehead, and his face turned almost black with rage. He threw out his arms, and his son was forced back, step by step, until he fell into the river and was swept underground.

The great wirrinun walked slowly away. He never saw his son again, but the curse lingered over him all his life. In his home in the sky he stands, partly turned to stone because of the words that his son uttered before he was buried in the underground river.

And the Goodoo of Wirreebilla remains as a sign that the great evil of other days really happened.

The Red Cloud

Inetina walked along the reef looking into the clear water to see if he could find any edible fish. He poked his spear into the crevices between the brilliant masses of coral, but the only fish he disturbed were poisonous varieties or those that were unfit to eat. An open clam attracted his attention. He jabbed the spear points at it petulantly before going on to the next pool. Behind his back the water swirled as the clam surged along to the next pool that the fisherman was approaching. Inetina was unaware of what was happening until he found himself staring into the gaping jaws of the shellfish which lay across his path.

He fell back a pace. The spear dropped out of his hand when he saw a black face inside the shell, and two eyes that glared at him.

'Who are you?' the apparition demanded. 'What is your name?'

'I am Inetina.'

'What are you doing here?'

'I have come to spear fish. Is it any affair of yours?' Inetina asked, his self-possession returning.

'That is not my affair, but the fact that you speared me in my home is very much my affair.'

Inetina then realised that there was an ugly wound in the face, from which the blood poured down and dripped into the water, forming a dusky red cloud which obscured the colours of the coral.

'I am sorry. I did not mean to hurt you.'

'If you were a man you would have known what you were doing. You act like a woman. I don't believe you are a man at all.'

Inetina thrust out his jaw at the insult. Exerting all his strength, he snapped off a huge mass of coral and hurled it at the human clam so forcibly that the shellfish was swept into the pool and crushed.

Blood seeped out of the broken shell, turning the pink water a deep red. It rose to the surface and emerged as a red mist which enveloped the fisherman and was blown by the sea breeze towards the land. It spread across the coast until only the tops of the tallest trees showed above it. Farther and farther the cloud spread until at last it was stopped by the inland mountain wall.

Everything in the cloud died — insects and birds, animals and men, and silence fell over the land. Only two people survived, a brother and sister who were fleet-footed, and were able to reach the nearest mountain and climb its steep sides until they were far above the cloud.

They waited there many days until the cloud thinned and was blown away. Hand in hand they descended to the plain and wandered south until they came to a land where they could hear the cheerful voices of birds once more, and found grubs and animals which provided them with food.

It is a forbidden thing for brother and sister to marry and have children, but in the dead of night a spirit spoke to them.

'Death came to your tribe because of the evil deed of Inetina; but it is not right that the thoughtlessness of one man should cause a whole tribe to die. You are the hope of those who lived and now are dead.'

'What can we do?'

'You must marry and have children.'

'But we are brother and sister!'

'The gods have given their consent, for in you and in you alone lives the future of your tribe.'

Then the two young people turned and embraced each other; and from their union came that strong and powerful tribe, the Udwadja, who will occupy the land and live for ever.

Rolla-mano and the Stars

Dark brown and green foliage waved lazily in front of Rolla-mano's cave home. The light was dim when he came out carrying his spears and net and pushed his way between the plants. Sand swirled round his feet and dropped slowly back, crabs scuttled out of the way, and a shoal of brightly-coloured fish darted round him like birds.

Rolla-mano was a man of the sea, and his house lay far beneath the surface of the water. The sand rose in front of him in a long slope, flattened out, and became muddy with the silt brought down by the river. Presently his head and body rose above the water. Breathing the salty air of the mangrove swamp as easily as the denser sea water, Rolla-mano threw his net. It settled in a circle and sank down, imprisoning a number of fish. He carried them in the net as though it were a bag, climbed out of the swamp, and put them on the ground. Swiftly he gathered dry moss and sticks, and soon had a fire going. He was ready to cook the fish when he heard voices in the distance.

He picked up a flaming brand, stamped out the fire, ran to where the mangrove trees grew thickly beside a faint path, and hid amongst them. Two young women strolled towards him. Rolla-mano's eyes gleamed like points of fire in the gathering darkness. As the young women came closer he could hear what they were saying.

'I tell you I saw a fire somewhere by the swamp,' one of the girls said. 'There is still a smell of wood smoke in the air.'

'You are imagining things,' the other laughed. 'No one ever comes down to the mangrove swamp.'

'I don't care. I know someone is here!'

She began to run down the path with her companion close behind her.

Rolla-mano swung the smouldering stick through the air and it burst into flame, lighting up the path. He jumped in front of the girls and sent his net outwards and upwards so that it began to settle over them. The first girl dived under it, ran down the path, screaming with fear, and jumped into the water. The man of the sea jerked the draw-string tight so that the second girl was caught in the net. He jumped on to the root of a tree which shone like a snake in the torch-light.

'There are crocodiles there,' he called to the first girl. 'Come back!'

The girl took no notice but struck out in the water in a frenzy of fear. Rolla-mano uttered an imprecation and jumped out as far as he could, intending to follow her. The moment the flaming branch touched the water it seemed to explode. The sparks flew in every direction and floated up into the sky, where they became stars. In the darkness Rolla-mano lost sight of the fugitive. He turned back, climbed ashore, and walked along the path until he came to the girl who was struggling on the ground trying to get rid of the net in which she was imprisoned.

The man of the sea stooped over her, feeling with his hands until he found the opening of the net. He stripped the clinging meshes off, held her until her trembling ceased and then, clasping her hands tightly in his, mounted up into the sky, following the sparks from his torch. He made a new home for himself there, forsaking the sea which was his natural element. The girl he changed into the evening star. Every night when the sky is clear of clouds she gazes from the vast, star-studded dome of night searching for the friend who would not heed her warning, but who, by her agility and presence of mind, escaped the clutches of the man of the sea.

The Sandpiper's Misfortune

Pipipa the Sandpiper was making a spear. He had spent a long time trimming and polishing the shaft, chipping the head to a sharp edge, and binding it firmly to the shaft with gut. All that remained to be done was to coat the binding with melted gum.

He lit a fire and put a lump of red gum on a stone.

'As soon as I've finished I'll show it to my brothers the Carpet Snakes,' he mused as he bent over the gum and poked it to see whether it was soft enough. A tongue of fire darted out and licked the gum. It burst into flame. Pieces of burning gum flew in all directions, some of them hitting Pipipa on the nose and legs and clinging there in spite of all his efforts to dislodge them.

'Help! Help!' he screamed.

Far away the Carpet Snakes heard him and turned to each other in alarm.

'It is our brother Pipipa!' they exclaimed.

They raced towards his camp and saw him writhing in agony.

'Look, he is covered with burning gum.'

They tore it off.

'What have you been doing? Your legs are burnt to thin sticks and your nose is not like any nose we have ever seen. It is a beak! You have turned yourself into a bird!'

'Don't be silly,' Pipipa snapped. 'How could I know that the gum would explode?'

He looked down at his thin legs and felt his sharp, protruding nose. 'Don't you feel sorry for me, my brothers?'

The tears rolled down their cheeks.

'We are truly sorry, Pipipa. Sorry because we laughed at you, but you did look funny and we couldn't help it. More sorry for you have hurt yourself and changed into a bird.'

'I'm not a bird,' Pipipa shouted angrily.

He beat his arms against his body, but was dismayed to find that they looked like wings.

His brothers lifted him up and carried him down to the beach. He struggled and kept on shouting, 'Not a bird! Not a bird!'

'Poor fellow,' they said, wagging their heads. 'We'll make a good camp for him. It will be like a swamp with plenty of water and with fish for him to catch.'

They dug a wide hole. The tide crept up the beach and filled it, making a large lagoon. Carpet Snakes laid their brother beside it and went back to their own camp.

When they were out of sight Sandpiper staggered to his feet and bent over to look at his reflection in the swamp water. He sighed and whispered, 'Not a bird!' but in his heart he knew he was indeed a bird destined to spend its life in the swamps and lagoons by the seashore.

The Sculptor

There was once a strange little boy who belonged to the Goola-willeel tribe. Some say that his name was Yagam, which is also the name of a famous leader, but we shall call him Goola-willeel, which means Topknot Pigeon. He had few friends and was not interested in playing with other children. There was nothing he liked better than to go away by himself and make tiny figures out of sticks and leaves, or to draw pictures in the sand. He made another world out of his pictures — a world that he could live in, where he could have adventures, a world that was much more exciting than the camp where he lived. The faces of his relatives were all familiar, and he knew their thoughts and what they were going to say before they opened their mouths. He was not interested in learning to play with spears, nor in tracking and hunting. All he wanted was to be left alone and spend the days with the creatures he had made in his own private world.

But little boys cannot be allowed to go their own way. Each one is a member of his tribe, and the strength of a tribe lies in its hunters and warriors. Goola-willeel was taken away from the women-folk and went through the long initiation ceremonies. He proved that he could conquer appetite and pain and fear, and he became a man — but still he was not a hunter or a warrior.

His mother and sisters set out one morning with their digging sticks and passed Goola-willeel, who was sneaking off to his favourite hiding place among the trees.

'You are a man now, Goola-willeel,' his mother said. 'We expect you to provide a kangaroo for the evening meal while we gather the roots and grubs.'

The young man sighed. He went back to the camp to get his spears and woomera, and set off to look for kangaroos. He did not find any. In fact he did not even look for their tracks. He wandered among the wattle trees gathering gum, until by the end of the day he had a small heap of it. He hid it carefully and returned home, where the women heaped abuse on him because he had brought no food with him.

Day after day passed in the same manner. The hidden pile of wattle gum grew larger, but at night, when he returned home empty-handed, he had to face the anger of the women.

One morning he went to his mother.

'Today I will bring back a kangaroo for you,' he said.

'Not before time!' she retorted.

He hurried off to his pile of gum and spent the day fashioning it to the shape of a kangaroo. It was beautifully done. The face seemed alive. He stood back to admire it, lifted it carefully on to his shoulders, and carried it back. He put it on the ground and strolled over to the fire.

'Where is the kangaroo you promised us?' his sister asked.

'Over there,' he said. 'I have carried it far enough. I am tired. You bring it in.'

He squatted down, prepared to enjoy himself. His sister went over to it. She bent over the lifelike figure and then called to the other women.

'Come here and see what Goola-willeel has brought us!'

They ran to her, looked at the wattle-gum kangaroo in disgust, and returned to him.

The smile faded from the young man's face as he looked at them. There was no laughter in their eyes, no admiration, no appreciation of his delicate work of art. Instead there was a look that frightened him as they picked up their yam sticks and advanced menacingly towards him. He scrambled to his feet, but he was too late. They were on top of him, beating him with their sticks until he was covered with blood.

Never again was he allowed to go out hunting alone. He was always accompanied by other men, who watched him to see that he did not waste his time gathering wattle-gum. And this is characteristic of all the Goola-willeels, the Topknot Pigeons, who fly in flocks in search of food, and never go out alone.

The Shaming of Rainbow Snake

At the bottom of the deep water hole Yurlunggur the Rainbow Snake raised his head and stirred uneasily. He could hear the unaccustomed sound of women's voices. The world still lay smooth and bare. The men who were to become animals had as yet been given no names, and no sound had ever disturbed the water hole at Mirramina until Misilgoe and Boalere came from the far south, naming plants and animals as they went.

Boalere threw herself on the ground. Far below, Yurlunggur's sensitive ears detected the vibrations. He listened and heard every word that was spoken.

'Sit down here, Misilgoe, and rest while I cook a meal.'

'Let me help you. You have caught the bandicoots and

gathered the yams and lily bulbs. I can't let you do all the work.'

Boalere smiled at her sister.

'Your baby will soon be born,' she said. 'It is time for you to rest.'

She opened her dilly bag and shook the contents on to the ground. In addition to the flesh of the bandicoot and the bulbs there was a remnant of a wallaby they had eaten for their last meal, and a handful of witchetty grubs.

Boalere gathered dry grass and sticks, fossicking among the scrub and returning with her arms full of firewood. As she looked down at her sister the load fell on the ground and she gasped aloud. During her brief absence Misilgoe had given birth to her baby, who was cradled in her arms.

'My dear,' Boalere cried, 'you must eat. I will hurry.'

She kindled a fire and in the gathering darkness groped for the food she had prepared. It was not there. Her dilly bag lay where she had put it, but the ground where the food had been emptied was bare. By the flickering light of the fire she saw a movement out of the corner of her eye. The bandicoot had come to life and was running towards the water hole, followed by the wallaby which ran on the two legs that the sisters had left after their last meal. After the animals went a hurrying procession of witchetty grubs, arching their bodies and crawling towards the water. One by one they reached the bank and plunged into the pool, sinking down through the water and into the open mouth of Yurlunggur.

'Never mind,' Misilgoe pacified her sister. 'We will get more food in the morning. Let us tear the bark from one of these trees and make a cradle for my son.'

The darkness deepened. It was suffused by a dim light which grew steadily as the moon rose behind the trees until everything was bathed in a cold, silvery glow. Misilgoe fell asleep with her hand resting on her baby's cradle, but Boalere could not shake off a feeling of apprehension. She glanced uneasily at the pool which lay black and silent under the shadow of the trees.

Something rose above the surface. The ripples spread outwards, flashing in the moonlight. The head of the snake rose menacingly in the night air. It swayed slowly backwards and forwards. Boalere scrambled to her feet, clutching two sticks in her trembling hands, and began to beat them together. Her voice rose, quavering at first, gathering strength as she sang the words of a song. Her feet moved faster and faster, and as she danced and sang, and beat time with the sticks, the snake lifted itself above the water, its head and body swaying rhythmically to the chant. Hour after hour the dance went on while Misilgoe and her baby slumbered peacefully.

The moon completed its journey across the sky and sank behind the western hills. As it disappeared the snake sank back into the pool and the ripples closed over its head. Boalere fell by the side of her sister and slept the sleep of exhaustion.

The head emerged again. The body of Yurlunggur slithered across the ground, its head weaving between the bushes, and hung over the cradle. It was puzzled by the tiny form. It sank its teeth into the baby's flesh. The cry woke the infant's mother and aunt, but before they could drive sleep away, Yurlunggur's mouth gaped wide and closed over them.

Yurlunggur lay on the ground for a long time unable to move, with two large bulges and a smaller one distending his body. Presently he wriggled uncomfortably. His head rose slowly upwards, reaching towards the sky. Loop after loop of his body uncoiled until only the tip of his tail was resting on the ground. The body arched through the sky, pulsating with changing colours. His tongue flickered in and out, flashing with blinding light, and when he spoke his voice was like thunder rolling round the hills.

'Listen, snakes!' he boomed. 'I am Yurlunggur the Rainbow Snake. Come out of your holes and listen to me.'

He looked down and saw the thin black threads as they crept out, and even the cold glint of their eyes.

'Two women came from the south land, and a small man thing that was born in the night.'

'Where are they now?' The voices were thin in the morning air.

Yurlunggur's laugh boomed out.

'Dead!' he shouted. 'Dead. Dead. Entombed in my body. You see I have protected you, snakes. Women are evil. They would take the Dreamtime away from us.'

391

'Shame on you, Yurlunggur!' the thin voices cried. 'Shame, shame, shame!'

Yurlunggur lowered his head. It sped towards them like a meteor and hovered above the trees.

'Why is there shame?' it asked. 'It was to protect you that I destroyed the evil ones, the women and their offspring.'

'We cannot remain for ever in the Dreamtime, Yurlunggur. The women were not evil. It is you who has brought evil to our land.'

There was a chorus of approval.

'Are you all against me?' Rainbow Snake asked.

Again a hissing chorus showed that all the snakes were in agreement.

Yurlunggur lowered himself. His mouth opened to its widest extent. With his body flat on the ground, he heaved. The women tumbled out of his mouth, and Misilgoe waited for her son who laughed and gurgled as he fell into the waiting arms.

Boalere and Misilgoe continued their leisurely progress through the northern territory, naming all the plants and animals, but Yurlunggur stayed at the bottom of the water hole and never showed himself again as the Rainbow Snake.

The Son of Mount Gambier

The slopes of Mount Gambier are scarred and seamed with rifts caused by the tears she has shed over the evil wrought by her son Woo. Some say Gambier was a giantess who lived in the mountains, but others believe that the mountain is the goddess herself. She is ageless. Many centuries have passed since her grief manifested itself in the deeply-cut grooves in her sides.

Woo was her son in the days of her youth. He was a mis-shapen and amusing figure, but in spite of his grotesque appearance, his mother loved him. He was a tiny midget to be the son of such a gigantic mother. He was four feet in height, with only one arm which grew out of his chest, and one leg.

What he missed in appearance, he made up for in agility.

He had taught himself to walk by twisting his foot, heel and toe, and in this curious way he could cover twice the distance that an ordinary man could travel in a single day.

It is said that Woo was the friend of insects, lizards, and snakes. He hunted animals for food, and counted men and women as especially tasty two-legged animals. Once the little man had selected a man or a woman, the victim was doomed unless he feigned death. It was no use trying to hide. Woo could find his prey anywhere. The only way to escape being eaten was to lie on an ant hill and let the ants crawl over eyes and mouth and nose without moving. People who had escaped in this way took the precaution of carrying little bags full of maggots wherever they went. When they saw that Woo was following them, they put a handful of maggots in their hair, and over their faces, and lay down. When Woo saw the maggots he was deceived, thinking that the body was dead.

With his wonderful gift of swift travel, Woo went far away from his home. The giantess who had given birth to him had not seen him for many years, but she heard gruesome stories of his cruelty and vindictive nature.

In old age Woo became dissatisfied and lonely. The reptiles and insects he befriended made use of him, and benefited by his help, but they could not give him love or affection. No one else had ever been cast in the same mould as Woo, and men and women who might have become his companions lived in terror even of his name.

He roamed restlessly from one place to another. Eventually his one-footed progress brought him back to the foothills of Mount Gambier. He looked up at his mother and held out his arms in a gesture of appeal, but it seemed more like an act of defiance to her.

Her face was set in a frozen mask, furrowed by the tears that had flowed for so many years. Woo could not speak to her. The only word he could say was his own name.

'Woo-oo-oo!' It sounded like the breeze in the leaves of the trees.

The mountain goddess took no notice of the pathetic, eerie sound. Woo's cruelty stood like a barrier between them. Stony-faced, silent, she sat as she had done through all the centuries, while little Woo, who loved insects, and would have been a figure of fun if it had not been for his cruel nature, sat down and died of a broken heart.

The Song of the Tree Frogs

In the days when the Alcooringa or Old People lived on earth, the little Frogs had an unhappy time, living in constant fear of the Snakes which made their homes by the side of billabongs and streams. Their favourite food was Frogs, and the numbers of the little people began to dwindle alarmingly.

The Frogs appealed to the Alcooringa to save them. The Old People felt sorry for them, and forced the Snakes to make their homes in the caves and cracks in the rocks of the hills at some distance from the water. The Snakes were not very happy with his arrangement, because they had a long way to go to drink. The Alcooringa advised them to go by night when it was cool, and when they would not be likely to be attacked by their old enemies the Kookaburras.

'Now,' the Alcooringa told the little Frogs, 'you will be safe all day long.'

'But what about night time?' they wailed. 'The Snakes will come and eat us at night!'

'No they won't, not unless you are careless. You can climb up the paper-bark trees and you will be safe from them.'

'We can't climb trees!' they cried in unison.

'Have you ever tried?'

'Of course not!'

'Well, try now, little ones.'

'So the tiny Frogs jumped out of the water and went up to the trees.

'Look!' shouted one of them. 'Look at your fingers and toes!'

The Frogs stared in amazement at their hands and feet. Sucker-like discs had grown on the ends of their fingers and toes, and they were able to walk up the tree trunks as easily as if they were logs lying on the ground.

'Oh, thank you, thank you!' they sang.

The song went on for a long time, until they were all tired, and went to sleep in their tree homes.

So the little Tree Frog lives on the bark of trees, hanging on with the suckers that were given to his ancestors by the Alcooringa, and every night he sings his song of thanksgiving to the Old People who saved him from the Snakes.

The Spear with the Stingray Spines

Although he went to catch fish for his family nearly every day, Jigalulu was careful never to wade out into deep water. It had been his custom, after throwing a spear at a fish, to dive into the water to retrieve it, bringing back the fish at the same time. Jigalulu got his wife to twist fibres together to make a long cord which he tied to the handle of the spear. After this he carved barbs at the points of the prongs so that the fish could not escape. In this way he could haul back the spear and whatever was impaled on the prongs without having to go far into the water.

The reason for his caution was a memory he had of the fishing expedition from which his father and two of his brothers had never returned. Some of the elders were of the opinion that they had been swept away by a strong tidal current, but Jigalulu was certain that they had been eaten by a monster that had come in from the deep sea. After that he had always taken care never to go out of his depth and when he stood on the reef he made sure that he would not be washed off by an unexpected wave.

'I know that they were killed and eaten by a monster fish,' he said to his wife sometimes when they were talking together at night. 'The old men don't know. They never go fishing and they have forgotten all they have learnt. Sometimes I have seen the water swirl and a dim white shape as big as a tree glides under the water. Some day I am going to kill it and avenge the death of my father and brothers.'

His wife tried to dissuade him.

'You don't really know what happened to them,' she argued. 'And even if it was a monster, what could you do? Your father was a famous fisherman and he had his sons with him. You go out alone and have no one to help you. I would

395

rather have a living husband than one who died trying to avenge the death of his family.'

Then Jigalulu would say no more, but to himself he muttered that he would kill the monster that ate them.

As he was standing on the reef one day he saw a big stingray swimming past. In a flash his spear ploughed through the water, piercing the body of the big fish. He hauled in the cord. The stingray flapped and struggled to get free, but the barbed prongs held fast, and Jigalulu hauled it slowly up to the surface. Suddenly the water boiled round his feet and a long grey shape sped through the sea faster than any spear he had ever thrown. He caught a glimpse of white as it turned on its back, a cavernous mouth, and rows of shining teeth. The mouth closed, and the body of the stingray was bitten in two pieces. The huge shape vanished in the depths as Jigalulu dragged the small fragment that was left of the stingray on to the reef.

'I knew it! I knew it!' he shouted. 'That is the monster that killed my father!'

He took the small portion of the fish home and walked up and down wondering how he could kill the monster. Overhead Jigalulu the Crane, after whom the fisherman was named, flew past. A thought came into Jigalulu's mind. He knew that Crane had put it there!

'The spines of the stingray will kill the killer of your father and your brothers. There is magic in the spines.'

Jigalulu knew what he had to do. In the past there had been many meals of stingray flesh in the camp, and their many sharp spines were lying on the midden. It took but a short time to pick up a handful of them. He chose the best ones, polished the long shaft of his spear, stripped off the prongs and lashed the stingray spines firmly to its head, impregnating the threads with gum so that they would not unravel.

He held the spear up to the light, letting the sun shine on it, admiring the gleaming surface, and the way the sunlight twinkled on the white spines.

'This is the instrument of vengeance,' he exulted, showing it to his relatives. 'There is magic in it.'

He ran down to the shore and climbed a rock with a flat top which overhung the water. Holding the spear high above his head he sang and danced the fish dance, the dance that imitated the swift movement of fish in the sea, the shuddering impact of a spear in their bodies, the struggles as they tried to escape, the long, reluctant submission to the man and the spear that overcame them. Words came to him, and song, and the air quivered with the strong magic of the song and the dance. Crane flew round in lazy circles and approved the magic that Jigalulu had made.

The man ran to the edge of the rock and peered over. He was not surprised to see the monster gliding towards him. Vast and menacing it would have been to any other man, but not to Jigalulu on that day of days. Like a flash of forked lightning the spear sang through the air, carrying sunshine and magic with it in its swift flight. A bubble of air floated to the surface of the water, and then the spear was deep in the monster's flesh.

It rose swiftly to the surface and above it like a bird, crashed down again in a smother of foam, and swam round in frenzied circles. The water surged up the rock almost to Jigalulu's feet. In the middle of a seething cauldron the monster tried vainly to twist its head round so that it could bite off the spear that was workig its way towards its heart. When it realised that it could not reach the shaft, it hurled itself against the solid rock. The impact nearly dislodged Jigalulu, but he hung grimly to the edge, looking down into the agitated water. Amidst the tattered fragments of weed and yellow foam he saw the great fish smashing its way through coral and water-worn rocks. He saw his beautiful spear break under the impact. The monster turned and sped out to sea with the stingray spines embedded in its back.

Since that day they have always projected above the water in the form of a fin, warning men that Burbangi the Shark is there, enabling them to escape before he can catch them.

Spiny Lizard and Galah Bird

Red Spiny Lizard, whose name is Oolah, was tired of lying in the sunshine. The land drowsed in the midday heat, and everyone was content to rest. Of all the men, Oolah was the only one who was full of energy. He picked up his boomerangs and admired them. His favourite was the bubbera. It was smaller than the others, better polished, inscribed with exciting designs, and boldly curved. The sun shone on the smooth surface. Oolah felt the satisfying grip of the handle. He threw it so that it skimmed close to the ground, rose into the air in a sweeping curve, and floated lazily back, coming to rest at his feet.

'Very good, Oolah,' said a voice. It was the grey Galah Bird who was speaking.

Oolah had never taken much notice of him before. He was such a drab, uninteresting fellow, but no man can resist praise, not even those of the Lizard tribe.

'I can do better than that,' he boasted. With all his strength behind it, the bubbera flew across the ground like a blurred puff of wind, and reached a tree on the far side of the clearing, where it severed a leafy twig. Before the leaves could reach the ground the boomerang came towards the two men, faster than the sound of its flight. Oolah ducked, the boomerang sailed over him, and in its wheeling flight it caught the top of Galah's head and lifted his scalp. The blood poured out and ran down his face.

For a moment Galah was stunned. Then with a scream of rage he attacked Oolah. The frightened Lizard crawled on all fours to the shelter of a thorny bush, hoping that Galah would not be able to reach him. It was a vain hope. Galah was so infuriated that he let nothing stop him.

He picked Oolah up in his hands and threw him into the middle of the bush where the thorns stuck into his body. Oolah screamed with pain. Mercilessly Galah dragged him out, rolling him on the ground until the thorns penetrated Lizard's body so deeply that they could not be pulled out. As he bent over him, the blood from his head ran over Oolah's body. It was only that circumstance that saved Lizard from death. He became so slippery with blood that he was able to wriggle out of Galah's hands.

'That will teach you!' Galah hissed as Oolah ran away. 'Red Spiny Lizard! Red blood and thorny spines you will always have to remind you of what you did to me!'

398

Oolah wriggled between two stones and turned to face Galah.

'You will remember it too, Galah,' he jeered. 'Old baldy! You will always be bald. That will teach you to fight me.'

Who can say which of them came off worst — Galah with his red, gashed head, or Oolah covered with the spines of the thorn bush?

Sun, Moon, and the Spirit of Birth

Yhi, the sun goddess, fell in love with Bahloo, the moon. She can think of nothing else but the fair, round, silvery face of the moon god, and pursues him endlessly across the sky. When the moon is in eclipse it seems as though his persistent lover will be able to overtake and subdue him, but he always succeeds in escaping. During the hours of daylight Bahloo constantly tries to elude the spirits who live on the horizon and take refuge on the earth, but they are in league with Yhi and turn him back again.

It is only at night that the moon is able to creep past them. He takes the form of an emu and continues his age-long task of creating girl babies and protecting their mothers. He is the guardian of girls and women, while Boomayah-mayahmul the Wood Lizard is responsible for making boy babies.

Wahn the Crow is Bahloo's chief assistant. When the moon is unable to get back to earth because of the clouds, he takes Bahloo's place, but because he is noisy and quarrelsome, the girl babies he brings into the world have noisy and unpleasant dispositions. For this reason the blacks wait eagerly for Bahloo to return to earth. When he is late in rising, they say, 'Bahloo must have been making a lot of babies tonight!'

Waddahgudjaelwon is the spirit of birth. He has the responsibility of placing the spirits of the unborn babies where they will be found by the right mothers, because the real father was not credited with playing any part in the birth of the child. Waddahgudjaelwon put the infant spirits in hollow trees, streams, rocks, and caves. These places are usually associated with different totems. When the mother came close to the hiding place of the infant spirit, she knew what its totem would be when it was born.

Bahloo had such an important part to play in the birth of a child that mothers were careful not to offend him. If they stared at the moon, Bahloo would be annoyed and would send them twins instead of a single baby. This was a terrible punishment for the mother, for it was a disgrace that could not be lived down. In some parts of New South Wales there are coolabah trees with drooping branches to which the child spirits cling, ready to take up residence in any passing mother. If she was unfortunate enough to stand under a branch where two spirits were suspended, she would become the mother of twins. It was such a disgrace that one of the babies would have to be put to death. The first-born twin came into the world with his tongue protruding, and grinning at its mother's shame.

Because so many unborn spirits were waiting, motherhood could only be avoided with difficulty. Wurrawilberoo, the Whirlwind, for instance, would sometimes take a baby spirit from its hiding place and deposit it in the body of a young woman to whom he had taken a dislike, or perhaps simply in a spirit of mischief. Such babies could always be recognised because they were born with a full set of teeth. When a whirlwind approached an encampment, the young women made themselves scarce at short notice.

Some baby spirits were unable to find a mother. The homeless babies wailed dismally until they were turned into mistletoe plants, the orange flowers of which are stained with their blood.

Suns, Moons, and Stars

Beyond the horizon, where no one has ever been, there is a beautiful land with grassy valleys and tree-covered hills. Streams trickle down the green slopes and join together to form a broad, placid river, where flowers nod their heads over the banks. The inhabitants of that land are Moons — big, shining, globular Moons. They have no arms or legs, but they can move quickly across the grass by rolling over and

400

over. It is a pleasant life in that green, watered land, but sometimes the Moons grow restless, and when night comes they have the urge to explore farther afield and stroll across the sky.

Only one Moon ever goes on such a journey at a time. It is a pity that they do not go in company, but they do not know that outside the valley there lives a giant. He catches the wandering Moon, and with his flint knife he cuts a slice from it each night, until after many nights there is nothing left but a number of shining slivers. The giant cuts them up very finely and throws them all over the sky.

They are timid little creatures, the cut-up Moons which have become Stars. During the day, when a Sun goes striding across the sky, they hide. Who knows but that, if they showed themselves then, another Sun might not creep out and catch them unawares.

At night there are no Suns, and who cares about the next silly old Moon who will go for a stroll and never come back? Very soon he too will be cut up into Stars. So, in the velvety blackness of the night, they frolic and play until the hungry Sun again stamps across the sky.

Turtle, Oyster, and Whale

Oyster was married to Sea Turtle. For a time they lived happily together, but after a while Turtle grew tired of her husband's incessant demands. He was sitting huddled up on the beach with his head touching his knees, expecting her to do all the work.

'Hurry up, wife,' he called. 'I'm thirsty. I want you to dig a well in the sand.'

Turtle looked at him coldly.

'You have as many hands as I have,' she said in a shrill voice.

'Never mind how many hands I have,' Oyster retorted. 'Get to work with your own and dig that well for me.'

She stood over him and spread out her hands.

'Two hands for cutting firewood,' she said. 'Two hands for making a fire. Two hands for building the wurley. Two hands for cooking the morning meal. What hands will I use for digging a well? It's time you used your two hands to do some work.'

Oyster jumped up and hit her on the face and body.

'Two hands to hit you with,' he mocked her. 'How do you like that, little Turtle wife?'

Miintinta the Turtle woman didn't like it at all. She picked up her husband and dumped him on the sand so hard that he nearly broke in two. He caught her by the neck and dragged her down. They rolled over and over on the sand, hitting and kicking and making so much noise that Akama the Whale heard it. He was travelling up the coast and turned aside to see what was happening.

He looked down at them with a smile. He was a big man. Two enormous hands picked up Oyster and Turtle and held them apart.

'You are old enough to know better than to fight like wild animals,' he reproved them. 'There, see if you can behave yourselves now,' and he put them on their feet.

Never before had Whale been so surprised. Forgetting all about her husband, Turtle flew at him, biting and scratching, while Oyster picked up a digging stick and hit him on the back.

'What have I done?' Whale cried. 'I was only trying to help you.'

'Then get away as fast as you can and never interfere again between husband and wife.'

Akama looked at them with a puzzled expression.

'All right!' he said hastily as Oyster took a step towards him, and he ran away as fast as his legs would carry him.

Whale never stops on his long trip up the coast now, for he has learned to mind his own business. Turtle is still busy with her hands, digging in the soft, warm sand and laying her eggs in the holes she makes.

Why Curlew Cries Plaintively at Night

Ooyan the Curlew has thin red legs and cries incessantly at night, but in the beginning of time, when he was still a man, he was plump and happy. Too plump, too good-natured, and above all, too lazy. While other young men were out foraging for food, Ooyan stayed by the camp fire or lay in the sunshine, getting in the way of the women. He was so good-natured that they did not hesitate to tell him what they thought of him, knowing that he would be too lazy to strike them when they insulted him.

'You are not a man,' they jeered. 'A real man goes out to get food for his family. He knows that his life depends on his skill with spear and boomerang. You are not even a woman. You won't look for yams. Look, here is a yam stick. See if you can use it.'

Ooyan brushed it lazily to one side.

'I am quite happy where I am,' he said. 'It is your job to find food for me.'

His wife was furious. 'If you won't dig for yams I can find another use for my yam stick,' she threatened.

She began to beat him with her stick. Ooyan got up and retreated behind a tree, but she followed him, hitting him with all her strength.

Smarting from the blows, and realising that at last she was in earnest, Ooyan snatched up a stone knife and a spear and ran out of the camp. All day he hunted for game, but he had no skill, and try as he might, he could not come within striking distance of the animals that bounded away as soon as he came near them.

He knew that he would suffer further indignities if he returned to the women without any food, and that they would make him the laughing stock of the tribe. His days of indolence were over, and somehow he must prove his manhood. The stone knife that dangled from his belt attracted his attention. On a sudden impulse he drew it from its sheath, fingered the sharp edge, and plunged it into his leg, carving a large piece of flesh from it. He wrapped it in leaves and hobbled home. When he came in sight of the camp he adjusted his kangaroo skin so that it covered the bleeding part of his leg.

'Here you are,' he said to his wife. 'Cook this and say nothing about it.'

He refused to eat any of it himself, but watched the others

as they devoured the cooked meat.

'What is it?' they asked him. 'It tastes different to any meat that we have eaten.'

'Never mind,' he said. 'You told me to get you some food. Are you complaining when I bring you meat you have never tasted before?'

He curled himself up in his skin rug in the gunyah.

'You did very well,' his wife said as he was drifting off to sleep. 'I felt proud of you tonight for once. You must go out again tomorrow.'

'I will hunt no more,' he said sullenly.

'Oh yes, you will. You have shown that you can hunt with the best of them. I am tired of being ashamed of you. If you lie in the sun when other men are hunting I will give you a touch of my yam stick again.'

Poor Ooyan's leg had stiffened by morning, but he was forced out of the encampment by his wife. Once again he found that he could not get close to his prey, and to save himself from further punishment, he had to take a slice from the other leg. He could scarcely stagger back to the camp for weakness and loss of blood.

After the evening meal, which again he left untasted, he was unable to get up.

'What is the matter with you?' asked one of the women. 'Get up and join in the dance.'

Ooyan groaned. The woman became impatient. She snatched his kangaroo skin from him, and everyone could see the gaping wounds in his legs. They uttered a cry of horror.

'He has fed us with his own flesh!' they exclaimed.

They had no pity for Ooyan. The women picked up their yam sticks and drove him out into the darkness, where all night long he cried with pain and misery.

So it was that Ooyan turned into a Curlew with thin, red, fleshless legs, who cries because he is lonely in the darkness.

The Winds

There were six winds, three of which were male, and three female. The cold west wind is called Gheeger Gheeger. She is guarded by Wahn the Crow, who keeps her confined in a hollow log. It is necessary for him to do this because she has such a turbulent nature. Sometimes she escapes, and Wahn is kept busy trying to catch her and bring her back. The log is slowly decaying. When it finally falls to pieces, Wahn will be unable to control the west wind, which will run wild, and will devastate the whole earth.

The south wind, Gooroondoodilbaydilbay, is accompanied by Mullian the Eagle Hawk, who can be seen in the sky riding on her back in the form of towering cumulus clouds.

The south-east wind, Yarrageh, has three wives, the Budtha, Bibbil, and Bumble trees. When he makes love to them, they begin to grow and put forth flowers and fruit as a sign that Yarrageh, the spirit of spring, has arrived.

The north wind, Douran Douran, is also a great lover. From his kisses come the floral dresses of the Coolah, Noongah, and Kurrajong trees.

The east wind is Gunyahmoo.

Twice a year there is a corroboree which is attended by all the winds, including Gheeger Gheeger, who is released for this special occasion by Wahn. The female winds are unpredictable and wild. They rage through the trees, breaking branches and moaning because their lovers have been stolen from them. In contrast to their behaviour, the male winds, with the exception of Gheeger Gheeger, are gentle. It is their love which causes trees to put on their leaves, and to flower and fruit, and the earth to blossom in its green mantle.

The Woman Who Changed Into a Kangaroo

A woman's life is hard and monotonous. While her husband has the freedom of the plains and the bush, and the excitement of the chase, she has to seek all day long for grubs, or dig with her yam stick to find edible roots. At night there is the meal to prepare, children to care for, and a thousand and one other things to do if she is to keep her husband contented.

There was once a woman who rebelled against this life of toil. Abandoning her children, she left the camp while her husband was away hunting, and ran across the level ground until she came to the hills, where there was a stream of water and a pleasant valley in which she could shelter from the cold night wind. She dared not light a fire lest her hiding place should be discovered, but she had her bag filled with cooked roots, grubs, and flesh. She stayed in the valley for several days. Sometimes she climbed to the top of the hill and looked across the plain. One day she saw a tiny black thing like an ant moving across it, and knew it was her husband. She grinned in triumph, because she knew she had concealed her tracks so carefully that he would never find her.

After many days had passed she decided that he must have given up the search. Her provision bag was empty except for the fire-making sticks she had brought with her. She had no hunting weapons, nor the skill to use them, but there were many edible roots in the valley, green vegetables, and fat grubs to provide her with flesh food. That night the fire glowed cheerfully by the stream, and when she had eaten to repletion she lay beside the embers and felt the warmth seeping through her body.

Her husband had not given up the search. He was camped close to the foothills. He saw the glow of the fire in the distance, and again in the morning there was a narrow thread of smoke rising from the trees beckoning to him.

The sun was high when he reached the sheltered valley. He hid behind a rock and watched his wife lifting the loose bark from the trunks of trees, searching for her favourite grubs. With a pleased smile he stepped out of his hiding place and began to walk towards her. The woman shrieked and fled to the shelter of a clump of trees with her husband in hot pursuit. She was fleet of foot and managed to get some distance ahead of him.

The broken stump of a tree gave promise of a hiding place. She crouched behind it, grasping it in her arms and pressing her body against it. Her husband had lost sight of her, but he was able to follow her footprints. They wound between the trees and led up to the stump. For a moment he was puzzled, because the stump was in the open and he could not see his wife, who was hiding behind it. He looked more carefully and could discern her black arms silhouetted against the white trunk where the bark had dropped off.

He walked towards her confidently, but he had not reckoned with the magic words she had remembered. As he made his leisurely approach across the grass there was a sharp crack. The tree lifted itself from the ground and, with the woman still clinging to it, progressed in leaps and bounds, and in a few moments disappeared down the valley. The man ran until the blood pounded in his ears and his breath came in great gasps, but he could not catch up with the leaping tree. He was forced to watch it hopping across the plain until it was lost to sight.

Every time you see a Kangaroo leaping on its strong legs, and think of this tale of long ago, you will realise that all kangaroos must have descended from the woman who grasped the white tree and leaped with it to safely. She did not know the spells that would release her, and she went on jumping until the tea-tree stump became part of her, until her legs grew long, and her arms became short and wizened because they had nothing to do except to keep the tree pressed close to her body.

But if you look for a moral in the story, perhaps the only thing you can find will be that wives should not run away from their husbands.

The Wooden Devil-devil

In a tiny clearing in the thickest part of the bush where no one could see him, Djarapa worked busily all day, absorbed in his work. It would have been easy to have taken a fallen branch, but Djarapa needed living wood for the work he had to do. He felled a tree and lopped off the top and the branches. The trunk was taller than a man and as thick as two men standing toegether. He had selected four branches, and each branch was cut in two pieces.

They were lying on the ground in the shape of a man, but Djarapa was not satisfied. There was something wrong with them. Then he realised that his wooden man had no head. It was a long time before he could find a way to make a head, but when the spirits put a thought into his own head, he shouted with delight. Holding his flint knife firmly in his hand, he chipped at one end of the trunk until it took the shape of a head separated from the body by a thin neck.

He had spent many days at work on his wooden man, but the hardest part still lay before him. Holes had to be bored through the ends of the arms and legs, and tied on to the body with cords of human hair. He hollowed out the sockets and fitted them with waterworn stones for joints. He had already cut off his wife's hair, and with infinite patience he stuck the hairs one by one to the top of the wooden head.

All that remained was to place two painted pebbles in sockets that he had gouged out of the face, and teeth in the cavernous mouth, and to daub the body with white and yellow clay.

'My Wulgaru!' Djarapa whispered proudly. 'The man-thing I have made with my own hands needs only breath and life to make him walk like a warrior.'

He chanted the most powerful incantations he knew, and tapped the figure with his woomera. The sun sank, dusk changed to dark and, daring the evil spirits of the night, Djarapa chanted and tapped without stopping — on through the night and the dim light of dawn, on through the morning song of birds and the growing daylight, on and on as the sunlight dappled the ground under the trees; and all the time the Wulgaru lay motionless, unresponsive to the chanting, staring upwards with its stony eyes.

Long shadows of the late afternoon lay across the tiny clearing. Djarapa straightened himself slowly and painfully. In a fit of petulance he kicked the wooden figure and walked along the track to his camp.

'Thud, thud, thud!'

He stopped and listened, but could hear nothing; but as soon as he began walking again, he could hear the unusual thudding noise. He stopped for a second time, and the noise ceased. His senses thoroughly roused, he walked on, moving silently with his ears strained to catch the slightest sound. He heard it again. It was a mixture of noises — heavy footsteps, a grating sound like wood and stone rubbing together, a ringing clash like the teeth of a crocodile when he misses his prey, a breaking of branches and rustling of leaves. The path lay straight in front of him. Djarapa marched steadily along it

408

without turning his head. When he came to the end he whirled round and saw his Wulgaru striding towards him. The wooden figure was snapping its jaws and crashing through the overhanging branches. It came to a halt, and in its stony eyes there was a malevolence that chilled Djarapa's heart.

So there began a long chase in which Djarapa the wood-carver was hunted by the thing he had created. Relentlessly it pursued him. Djarapa's brain was racing faster than his feet. He turned a corner, and in the few moments that he was out of sight of his pursuer, he plunged into a screen of foliage and took shelter behind the trunk of a tree. Peeping cautiously from his hiding place, he saw the Wulgaru running past. Startled birds flew from its path. The wooden hands clutched at them, teeth-studded jaws clattered and clashed as loudly as the stone joints in his legs.

Djarapa followed at a distance, wondering what would happen when the wooden man reached the bank of the river. The Wulgaru did not hesitate. It stepped off the bank and sank lower and lower into the water until it disappeared from sight. The man heaved a sigh of relief. He knew that the Wulgaru he had made would kill and devour him if it was able to catch him. He was about to turn away when a movement on the far bank of the river caught his eye. It was the Wulgaru climbing out of the water. It had walked across the bed of the river, unharmed by the water, and went on its way.

Djarapa hurried back to his camp and told the incredible story to his tribespeople. The fires burnt brightly that night, and everyone lived in fear, as well they might, for neither fire nor water, spear nor magic spell could harm the Wulgaru.

It is a living man, but it does not breathe; it is a devil-devil, but it has the form of a man; it is only the trunk of a tree and a few river stones, but it has life and movement. It is Wulgaru, the devil-devil which still lives, and will live for ever, the devil-devil which kills men and women and children who break the tribal laws, but which has never been known to touch those who obey.

Yara-ma-yha-who

'Little children, beware of the Yara-ma-yha-who! If you do not behave yourselves and do as you are told, they will come and eat you. Then you will be turned into Yara-ma-yha-whos yourselves, and what could be worse than that!

'Let us tell you what they are like. They are no bigger than you, but they have big heads and stomachs — so big that they are nearly all head and stomach. Their jaws are not hinged at the back, so that they can open them wide and swallow boys and girls as big as themselves. They can even swallow men and women! They have suckers on the ends of their fingers and toes for holding on with, and they are red all over — red hair, red skin, and big, glaring, red eyes. They live in trees, and if children are naughty, these horrible little men will drop down from the branches and swallow them up.'

'But if they eat only naughty children, why are men and women afraid of them?'

'That is why we are so afraid of them. It wouldn't be so bad if it was only the naughty children, but remember, the naughtier you are now, the more likely it is that the Yara-ma-yha-who will come creeping up to you and hold you tight with their suckers. Then — whee — their mouths will open and you will disappear right into their stomachs.'

'Tell us more about them,' the children said, huddling close to the fire, and casting apprehensive glances over their shoulders. 'Who has seen the Yara-ma-yha-who?'

'I have!'

The high-pitched, quavering voice came from the old grandmother.

'Your uncle was turned into a Yara-ma-yha-who!'

The children shrank closer to their mothers' sides.

'Your uncle had been out hunting, and he was very tired. He lay down to rest in the shade of a tree, and before he could call out, a Yara-ma-yha-who leaped on him and sucked his blood with the little suckers on his fingers and toes.'

The biggest and bravest of the boys sneered.

'Then he must be dead, grandmother!'

410

'Oh no. The Yara-ma-yha-who left some blood in him. The little man lay flat on the ground, opened his mouth as wide as he could (and that was very wide), and crept right over him until my son disappeared into his stomach.'

'How do you know all this, grandmother?' someone asked.

'Because I saw it with my own two eyes.'

'Then why didn't you try to save him?'

Granny laughed, a high-pitched laughter that made everybody shiver.

'I saw it all happen, but I was a long way off. I took my husband's war spear and ran as quickly as I could, but long before I could reach him, the Yara-ma-yha-who stood up, danced up and down, and then ran off to a water hole, where he drank and drank. I was very close to him when he saw me. He held his huge stomach, with your uncle inside it, with his hands, and ran away so quickly that I lost him.

'Now listen to me, because what I am going to tell you will be very important to you if ever you are caught by a Yara-ma-yha-who. After he has swallowed you and drunk plenty of water, he will lie on the ground and bring up his meal. You will still be alive. You must keep quite still and the Yara-ma-yha-who will think you are dead. He will try to make sure. He will poke you and tickle you, and if you don't move, he will go away and hide. If you lie quite still until it is dark, he will go to sleep and you will be able to escape.'

'Why didn't our uncle do that?'

The old lady looked mournfully into the fire.

'He didn't know what I am telling you now. I think he tried to run away. That means that the Yara-ma-yha-who caught him. By that time he would have been easier to swallow, because by then he would have become smaller. I expect that the creature brought him up a second time, and swallowed him again. By that time he would have been no bigger than the Yara-ma-yha-who. If we had been there we would have seen him slowly turning red, his head growing big, his stomach growing big, his legs becoming smaller, suckers growing on his fingers and toes until he became a...'

'Yara-ma-yha-who!' the children shrieked.

'But what if he had escaped? How do you know he didn't escape and run away to some other place?'

411

'Because he never came back. If he had escaped, the Yara-ma-yha-who would have been angry. They would have drunk all the water in the water holes, and we would have had to get water from wild apple trees and from mallee roots.'

'See that you behave yourselves,' all the mothers whispered, as the children lay down to sleep. 'See what will happen to you if you don't!'

REED BOOKS ABOUT THE ABORIGINAL

Aboriginal Stories of Australia, A. W. Reed. This is a collection of authentic Aboriginal myths and legends that retain, as much as can be possible, the full impacts and strengths of their original traditional tellings.
184 mm x 114 mm, 120 pages, paperback.

More Aboriginal Stories of Australia, A. W. Reed. This companion volume to *Aboriginal Stories of Australia* presents a further twenty-two stories that are a rich reflection of Aboriginal thought and culture.
184 mm x 114 mm, 120 pages, paperback.

Aboriginal Words of Australia, A. W. Reed. Words used by Aboriginal tribes with their meanings, as well as an English Aboriginal section which is useful for those who wish to choose names for houses, boats, etc.
184 mm x 114 mm, 144 pages, illustrated, paperback.

Aboriginal Myths, A. W. Reed. This book is divided into three parts, dealing first with acts of creation by the Great Spirit or All Father, second with totemic ancestors and third with the origin of natural phenomena and specific features of animal life.
184 mm x 114 mm, 142 pages, paperback.

Aboriginal Legends, A. W. Reed. A large selection of Aboriginal legends dealing mainly with the origin of different forms of animal life. The legends come from a variety of tribes from all parts of the continent.
184 mm x 114 mm, 142 pages, paperback.

Aboriginal Fables, A. W. Reed. The wisdom of the Australian Aboriginals in this varied collection of short fables, with illustrations by Roger Hart.
184 mm x 114 mm, 144 pages, illustrated, paperback.

Aboriginal Place Names compiled by A. W. Reed. A comprehensive collection of names and their derivations from all parts of Australia. The book includes a section giving English words and their Aboriginal translations, as well as an appendix of present day names with earlier Aboriginal names.
187 mm x 114 mm, 144 pages, paperback.